国学经典

[战国]吕不韦 编著

王启才 注译

吕氏春秋

中州古籍出版社

吕氏春秋

前　言

《孟子·万章下》说："读其书，不知其人，可乎？是以论其世也。"在阅读《吕氏春秋》之前，有必要对《吕氏春秋》一书及其主编吕不韦做一番简单介绍。

一、吕不韦其人

吕不韦是一个富有传奇色彩的人物。根据《史记》、《战国策》及20世纪70年代出土于长沙马王堆汉墓的《战国纵横家书》等文献资料记载，可以大致了解其生平事迹。

吕不韦的生年现已不可考，卒年在秦始皇十二年（前235年），是战国末年卫国濮阳（今河南濮阳）人，后迁居韩国都城阳翟（dí，今河南禹州）。他通过贱买贵卖的方法，逐渐成为"家累万金"的富商大贾。吕不韦曾到赵国都城邯郸经商，在那里遇见了在赵国做人质的秦国公子异人。当时，因为秦国屡次攻赵，异人的处境很困难。而吕不韦却认为"此奇货可居"，于是弃商从政，不惜血本从事"拥立一个君主安定一个国家"的风险大投资。于是他用重金买通了安国君宠爱的华阳夫人（华阳夫人无子），使其收异人为嗣子，并设计帮异人逃回秦国。前250年，安国君即位，是为秦孝文王，立异人为太子。一年后，孝文王去世，异人继位，是为秦庄襄王。吕不韦为相国，封文信侯，食洛阳十万户（一说蓝田十二县），执掌朝政大权。

庄襄王即位三年而薨，太子政（即嬴政）即位。当时，嬴政年仅十三岁，吕不韦以相国领国政，大权独揽，被尊为"仲父"。

吕不韦是一位出色的政治家，在他担任丞相的13年（前249年担任丞相，到前237年被罢免）里，充分展示了他的政治才能。他"招致宾客游士，欲以并天下"，从公元前249年至公元前244年，他多次发动对韩、赵、魏三国的战争，获得大量的城池和土地，新建了三川郡、太原郡、东郡。又在庄襄王三年（前247年）和秦王政六年（前241年）分别瓦解了东方六国的最后两次合纵。吕不韦还利用东方各国的矛盾，分别与燕、韩两国连横，对东方各国形成了分割包围的局势，大大推进了秦国统一天下的进程。

二、《吕氏春秋》其书

《吕氏春秋》亦称《吕览》，是吕不韦集门下宾客编撰而成，是杂家的开山作和代表作，也是战国、秦汉交替转折之际的一部承上启下的重要著作。关于此书的编撰背景和过程，《史记·吕不韦列传》说："当是时，魏有信陵君，楚有春申君，赵有平原君，齐有孟尝君，皆下士，喜宾客，以相倾。吕不韦以秦之强，羞不如，亦招致士，厚遇之，至食客三千人。是时诸侯多辩士，如荀卿之徒，著书布天下。吕不韦乃使其客人人著所闻，集论，以为《八览》、《六论》、《十二纪》，二十余万言。以为备天地万物古今之事，号曰'吕氏春秋'，布咸阳市门，悬千金其上，延诸侯游士宾客，有能增补一字者，予千金。"

《吕氏春秋》是一部按统一计划和体例，集体编撰而成的著作。从形式上看非常系统与完整，全书分为纪、览、论三大部分。其中纪有12篇，即《孟春》、《仲春》、《季春》、《孟夏》、《仲夏》、《季夏》、《孟秋》、《仲秋》、《季秋》、《孟冬》、《仲冬》、《季冬》；览有8篇，即《有始》、《孝行》、《慎大》、《先识》、《审分》、《审应》、《离俗》、《恃君》；论有6篇，即《开春》、《慎行》、《贵直》、《不苟》、《似顺》、《士容》。"十二纪"每纪下各有子篇5篇,"八览"每览下各有子篇8篇,"六论"每论下各有子篇6篇,"十二纪"末附有《序意》1篇,全书共有子篇161篇。今本《有始览》残缺1篇,故全书共160篇文章。

《吕氏春秋》中十二纪是全书的重点,"纪"就是纲纪,它既统率着自然时令,又是施政的依据,其中每纪第一篇为该月的月令。它顺应一年十二月的时间流转,记录天地自然现象,并遵循季节的变化,"以春为喜气而言生,夏为乐气而言养,秋为怒气而言杀,冬为哀气而言死,所谓春生、夏长、秋收、冬藏也",来安排与节候有关的人事内容:春季是万物生长的季节,所以春季诸篇多言养生;夏季意味着壮大,音乐是一种蓬勃向上的力量,所以夏季诸篇论音律,谈育人、讲教化;秋风萧瑟,有肃杀气象,所以秋季诸篇讲用兵、用刑;冬天是收敛储藏的季节,所以冬季言节丧安死,并由岁寒联系到人的品格、气节。不仅如此,十二纪还对天子衣食住行诸方面做出规定,指出国家关于郊庙祭祀、礼乐征伐、农事活动的政令必须适应节令,天子行事制令要遵循自然人事的规律。有人说《吕氏春秋》把十二月纪作为主干,有强烈的为帝王建规立制之意,这话说得十分中肯。

览有"观览"之意,《有始览》所说的"天斟万物,圣人览焉,以观其类"是八览命名的真正用意。八览着重论述君道和治术,探究国家福祸的由来,以史为鉴,总结君主治国的经验与方法。《有始览》从开天辟地说起,把天地运行的自然规律作为人事的依据,总摄八览;《孝行览》论做人、治国的务本之道;《慎大览》论治国、用兵需谨慎;《先识览》论分辨、认识事物;《审分览》论正名审分,任贤使能;《审应览》论慎重其辞,反对淫辞辩说;《离俗览》论人主择师、审士、用民之道;《恃君览》论君道贵德,对为君之道作一总括。

六论结构似不如前两大部分紧凑,其论述的内容,主要是讲为人臣之理。如《开春论》由春主生命阐述王者应该厚德积善、救死缓刑,以下五篇或论尚贤,或论养生,或论爱民,都与春之生有关。《慎行论》论君子、小人的处世，以下五篇都是讲处世的原则和具体要求。《贵直论》论君王应该贵直，以下五篇就讲进谏、纳谏、拒谏的故事和道理。《不苟论》论臣下应有的操守，以下五篇就从专一其志、举贤任能、赏罚合理、行为恰当方面讲操守的具体内容。《似顺论》论透过现象看本质的道理，以下五篇从不同的角度讲操作原则与方法。《士容论》讲作为"国士"在仪态、节操、志向诸方面应有的品格，是对如何为臣的概括。最后以《上农》、《任地》、《审时》、《辩士》四篇臣子应尽的导民务农职事作结。

总之，《吕氏春秋》依据"法天地"以行人事的思想来设计总体结构，以十二纪、六论和八览三大部分分别按照"上揆之天、下验之地、中审之人"来论述，天道、地理与人纪三者相通，格局清晰，体系完整。当然，这种形式上的整齐划一，使内容难免有重复、芜杂、牵强、矛盾之处。尽管如此，它还是代表了战国时期书籍编撰的最高水平。

三、本书选译注译原则

本书是选译本，选文总计106篇，其原则是选取正面、积极、有教育意义者，对于难以理解的十二纪首篇，思想内容陈旧、格调不高的篇章，一概不选。选译本以上海古籍出版社出版、汉高诱注、清毕沅校、余翔标点的《吕氏春秋》为底本。注释参照陈奇猷《吕氏春秋新校释》、张双棣等《吕氏春秋译注》、张玉春等《二十二子详注全译——吕氏春秋》等版本，并对照其他译注本，择善而从。译文以直译为主，意译为辅，力求准确、简练、流畅。本书参照了前贤的不少译注成果，有的未能一一标注，在此谨表示衷心的感谢与崇高的敬意！

因时间紧迫，书中难免还有不少错误与不足，恳请广大读者批评指正。

注译者

2010年3月31日

目 录

孟春纪第一 ———— 11
 本生 ———— 11
 重己 ———— 14
 贵公 ———— 18
 去私 ———— 22

仲春纪第二 ———— 25
 贵生 ———— 25
 当染 ———— 29
 功名 ———— 33

季春纪第三 ———— 37
 尽数 ———— 37
 先己 ———— 41
 论人 ———— 45

孟夏纪第四 ———— 50
 劝学 ———— 50
 尊师 ———— 54
 诬徒 ———— 59
 用众 ———— 62

仲夏纪第五 ———— 65
 大乐 ———— 65
 侈乐 ———— 68
 适音 ———— 71
 古乐 ———— 75

季夏纪第六 ———— 82
 音初 ———— 82
 制乐 ———— 86

孟秋纪第七 ———— 91
 荡兵 ———— 91
 振乱 ———— 94
 怀宠 ———— 97

仲秋纪第八 ———— 101
 爱士 ———— 101

季秋纪第九 ———— 105
 顺民 ———— 105
 知士 ———— 109
 审己 ———— 113
 精通 ———— 116

孟冬纪第十 ———— 121

节丧	121
安死	125
异宝	130
异用	133

仲冬纪第十一 137
- 至忠 137
- 当务 140
- 长见 144

季冬纪第十二 149
- 士节 149
- 介立 152
- 不侵 155
- 序意 158

有始览第十三 161
- 应同 161
- 去尤 165
- 听言 168
- 谨听 172
- 务本 175
- 谕大 179

孝行览第十四 182
- 孝行 182
- 首时 187
- 义赏 192
- 慎人 196
- 遇合 201

慎大览第十五 206
- 慎大 206

下贤	212
报更	217
不广	221
察今	226

先识览第十六 231
- 先识 231
- 观世 236
- 知接 241
- 察微 245
- 去宥 250

审分览第十七 255
- 审分 255
- 勿躬 260
- 不二 265
- 执一 267

审应览第十八 271
- 审应 271
- 重言 276
- 精谕 281
- 具备 285

离俗览第十九 290
- 高义 290
- 上德 295
- 用民 301
- 适威 305
- 为欲 309
- 贵信 313
- 举难 317

恃君览第二十 323
 知分 323
 观表 328
开春论第二十一 332
 察贤 332
 期贤 334
 审为 336
 爱类 340
 贵卒 343
慎行论第二十二 347
 慎行 347
 无义 352
 疑似 355
 壹行 358
 求人 361
 察传 366
贵直论第二十三 370
 直谏 370
 知化 373
 过理 376
 壅塞 379
 原乱 383
不苟论第二十四 387
 不苟 387
 赞能 391
 自知 394
 当赏 398
 博志 401
 贵当 404
似顺论第二十五 408
 似顺 408
 别类 411
 分职 415
 处方 420
 慎小 424
士容论第二十六 428
 士容 428
 上农 432

附录
 《吕氏春秋》评论选 438
 主要参考书目 443

孟春纪第一

本 生①

始生之者，天也；养成之者，人也。能养天之所生而勿撄②谓之天子。天子之动也，以全天为故者也。此官之所自立也。立官者以全生也。今世之惑主，多官而反以害生，则失所为立之矣。譬之若修兵者，以备寇也。今修兵而反以自攻，则亦失所为修之矣。

[注释]

①题解："本生"就是以生为本，把保全性命作为根本。该篇的思想渊源是战国杨朱学派的"贵己"学说，目的在于规劝骄奢淫逸的君主。②撄（yīng）：触犯。

[译文]

最初产生出生命的是天，养育生命并使它成长的是人。能养天所产生的生命而不加以损害的是天子。天子的一举一动都是把保全性命作为要务，这正是职官设立的缘由。设立职官，是用来保全性命的。如今世上的昏庸君主，多设职官反而妨害性命，这便失去设立职官的本意了。譬如训练军队，是用来防御敌寇的，如今训练军队却自相攻战，那就失去训练军队的意义了。

夫水之性清，土者抇①之，故不得清；人之性寿，物者抇之，故不得寿。物也者，所以养性②也，非所以性养也。今世之人，惑者多以性养物，则不知轻重③也。不知轻重，则重者为轻，轻者为重矣。若此，则每动无不败。以此为君，悖；以此为臣，乱；以此为子，狂。三者国有一焉，无幸必亡。

[注释]

①抇（gǔ）：搅乱。②性：性命。③轻：比喻外物。重：比喻自身。

[译文]

水本来是清澈的，但泥土搅浑了它，所以才不清澈。人生来是可以长寿的，但外物不断诱惑他，所以就无法长寿。外物本是用来供养生命的，不能用生命去追求它。可是如今世上糊涂的人多损耗性命去追逐外物，这便是不知轻重了。不知轻重，就会把重的当做轻的，把轻的当做重的。像这样，去做每一件事，没有不失败的。以这种态度做国君，就会惑乱荒谬；做臣子，就会犯上作乱；做儿子，就会狂放无礼。这三种情况，国中只要有一种，就无可幸免地一定灭亡。

今有声于此，耳听之必慊①，已听之则使人聋，必弗听；有色于此，目视之必慊，已视之则使人盲，必弗视；有味于此，口食之必慊，已食之则使人瘖②，必弗食。是故圣人之于声色滋味也，利于性则取之，害于性则舍之，此全性之道也。世之贵富者，其于声色滋味也多惑者，日夜求，幸而得之则遁③焉。遁焉，性恶得不伤？

[注释]

①慊（qiè）：满足。②瘖（yīn）：哑。③遁（dùn）：这里指放纵，沉溺。

[译文]

假如有这样一种声音，耳朵听到它就一定感到惬意，但听后使人耳聋，人们就一定不去听；假如有这样一种颜色，眼睛看到它一定感到快活，但看后使人眼瞎，人们就一定不会看；假如有这样一种食物，嘴巴吃到它一定感到舒心，但吃后会使人声哑，人们就一定不去吃。因此，圣人对于声音、颜色、滋味的态度是，有利于性命就取用，有害于性命就舍弃，这是保全性命的方法。世上的富贵者，对于声色滋味的认识多是糊涂的，他们夜以继日地追求，有幸得到便放纵自己不能自禁。放纵自己不能自禁，性命怎能不受伤害呢？

万人操弓，共射其一招①，招无不中；万物章章②，以害一生，生无不伤，以便一生，生无不长。故圣人之制万物也，以全其天也。天全则神和矣，目明矣，耳聪矣，鼻臭③矣，口敏矣，三百六十节皆通利矣。若此人者，不言而信，不谋而当，不虑而得，精通乎天地，神覆乎宇宙，其于物无不受也，无不裹也，若天地然；上为天子而不骄，下为匹夫而不惛④，此之谓全德之人。

[注释]

①招：箭靶。②章章：繁盛众多的样子。③臭（xiù）：这里指嗅觉灵敏。④惛（mèn）：通"闷"，忧闷。

[译文]

一万人拿着弓箭，一起射向一个箭靶，这靶子没有不被射中的；万物繁茂盛美，共同来伤害一个生命，这个生命没有不被毁灭的，如果都来养育一个生命，这个生命没有不长久的。所以圣人利用万物，是用以保全性命的。性命保全了，精神就和谐了，眼睛就明亮了，耳朵就敏锐了，嗅觉就灵敏了，口齿就伶俐了，三百六十个骨节都通畅、灵活了。像这样的人，不用说话就有了威信，不用谋划就举止得当，不经思考也合乎事实，他们的精神通达于天地，充满了宇宙，对于外物，没有不能承受的，没有不能包容的，就像天和地一样；即使居上位做天子也不骄傲，处下位做百姓也不忧闷,这就叫做德行完全的人。

贵富而不知道,适足以为患,不如贫贱。贫贱之致物也难,虽欲过之奚由?出则以车,入则以辇①,务以自佚②,命之曰"招蹶之机③";肥肉厚酒,务以自强,命之曰"烂肠之食";靡曼皓齿④,郑、卫之音⑤,务以自乐,命之曰"伐性之斧":三患者,贵富之所致也。故古之人有不肯贵富者矣,由重生故也,非夸⑥以名也,为其实也。则此论之不可不察也。

[注释]

①辇(niǎn):人推挽的车。②佚(yì):通"逸",安逸,享乐。③招蹶(jué)之机:导致脚生病的器械。蹶,跌倒,这里指不能行走的脚病。④靡曼皓齿:指美女。靡曼,肌肤细腻。皓,洁白。⑤郑、卫之音:春秋时期郑、卫两国的民间音乐,因其缠绵温软,被后世当做"淫靡之音"。⑥夸:虚夸。

[译文]

富贵却不懂得养生之道,这足以形成祸患,反而不如贫贱。贫贱的人想获取财物很难,即使想骄奢淫逸,又哪有条件呢?出门乘车,进门坐辇,务求安逸舒适,这些车辇应叫做"招致脚病的器械";吃肥肉,喝醇酒,放纵食欲,这种酒肉应该叫做"靡烂肠胃的食物";贪恋女色,陶醉于淫靡之音,纵情声色,这种秀色、美乐应叫做"砍伐生命的利斧":这三种祸害,都是由富贵带来的。所以古代有不肯富贵的人,就是由于他们珍视生命的缘故。不是轻富贵求虚名,而是为了保全性命。那么,这些议论便不可不明察。

重 己①

倕②,至巧也。人不爱倕之指,而爱己之指,有之利故也。人不爱昆山之玉③、江汉之珠④,而爱己之一苍璧小玑⑤,有之利故也。今吾生之为我有，而利我亦大矣。论其贵贱，爵为天子，不足以比焉；论其轻重，富有天下，不可以易之；论其安危，一曙⑥失之，终身不复得。此三者，有道者之所慎也。

[注释]

①题解："重己"就是珍重自己的生命。苑囿、宫室、车马、衣裘、饮食、声色等外物与生命相比，生命更重要。养生要知道轻重，节制欲望。②倕（chuí）：相传为尧舜时代的一名巧匠，善作弓、耒、耜等。一说为黄帝时人。③昆山之玉：指昆仑山的美玉，相传把这种玉在炭炉中烧，三日三夜，色泽不变，是最美的玉。④江汉之珠：指长江、汉水所出产的夜明珠，是最美的珠。⑤苍璧：含石成分较多的玉。玑（jī）：不圆润的珍珠。⑥一曙：一旦。

[译文]

倕，是天下手最巧的人，可是人们不爱惜倕的手指，却爱惜自己的手指，这是由于自己的手指能为己所用，对己有好处的缘故。人们不爱昆山的宝玉、江汉的明珠，却珍爱自己的一块质次的玉、一颗不圆的珠，这是由于它属于自己，对己有用的缘故。现在，我的生命归我所有，给我带来的好处也很大。从贵贱方面来说，即使贵为天子，也不能够与我的生命相比；从轻重方面来说，即使富有天下，也不能够与我的生命交换；从安危方面来说，一旦失去了它，就再不能得到。贵贱、轻重、安危这三个方面，是懂得养生之道的人慎重对待的事情。

有慎之而反害之者，不达乎性命之情也。不达乎性命之情，慎之何益？是师①者之爱子也，不免乎枕之以糠②；是聋者之养婴儿也，方雷而窥③之于堂；有殊④弗知慎者。夫弗知慎者，是死生存亡可不可，未始有别也。未始有别者，其所谓是未尝是，其所谓非未尝非，是其所谓非，非其所谓是，此之谓大惑。若此人者，天之所祸也。以此治身，必死必殃；以此治国，必残必亡。夫死殃残亡，非自至也，惑召之也。寿长至常⑤亦然。故有道者，不察所召，而察其召之者，则其至不可禁矣。此论不可不熟⑥。

[注释]

①师：乐师，由盲人担任，这里指代盲人。②枕之以糠：使孩子枕卧在谷糠中。糠易伤害眼睛。③窥：这里是使动用法，使……从内向外看。④殊：甚。⑤常：恒久。⑥熟：深知。

[译文]

有慎重对待（这三个方面）反而损害了生命的人，这是由于没有通达生命情理。不通达生命的的情理，再慎重又有什么益处呢？这就像盲人虽然疼爱孩子，却免不了让他枕在谷糠上（以致眯了孩子的眼睛）；犹如聋子养育婴儿，正当雷声大作时却抱着孩子在堂屋里向外观望（以致吓坏了孩子）。这比不知小心谨慎的人，又有过之而无不及。对生命不知道小心谨慎的人，对生死、存亡可或不可，从来没有辨别清楚过。既然从来没有辨别清楚，他们所说的正确不一定是对的，他们所谓的错误也未必是错的。肯定那些错的，否定那些对的，这就叫做最大的迷惑。像这样的人，上天必然降祸于他。用这种态度养生，他就一定死亡，一定遭殃；用这种态度治国，国一定受损，一定灭亡。死亡、灾殃、残破、灭亡，都不是自来的，而是人的迷惑招致的。寿命长到极限也是如此。所以，有道的人，不察看导致的结果，却察看引起它的原因。这样的话，死殃残亡、长寿的到来就不可以禁止。这个道理不可不深知。

使乌获①疾引牛尾，尾绝力勤②，而牛不可行，逆也。使五尺竖子③引其棬④，而牛恣所以之，顺也。世之人主贵人，无贤不肖，莫不欲长生久视，而日逆其生，欲之何益？凡生之长也，顺之也；使生不顺者，欲也。故圣人必先适欲。

[注释]

①乌获：战国时期秦武王的大力士，后用作"大力士"的泛称。②勩（dān）：古同"殚"，尽，绝。③竖子：儿童。④棬（juàn）：牛鼻上的环。

[译文]

假使让大力士乌获用力拽牛尾巴,即使把牛尾巴扯断,力气用尽,也不能让牛服从,这是违背牛习性的缘故;如果五尺高的小孩牵着牛鼻环,牛就会听任其所往,这是由于顺应牛习性的缘故。世上的人君、贵人,不论是贤人或是不肖的人,没有不想生命长寿的。但是,他们每天都在违背生命的本性,即使想长寿,又有什么益处?大凡生命能长久的,都是顺应它的本性;使生命不顺应本性的,是欲望,所以圣人一定要先节制欲望,使它适度。

室大则多阴,台高则多阳;多阴则蹶①,多阳则痿②。此阴阳不适之患也。是故先王不处大室,不为高台,味不众珍,衣不燀热③。燀热则理塞,理塞则气不达;味众珍则胃充,胃充则中大鞔④,中大鞔而气不达。以此长生可得乎?昔先圣王之为苑囿⑤园池也,足以观望劳形而已矣;其为宫室台榭⑥也,足以辟燥湿而已矣;其为舆马衣裘也,足以逸身暖骸而已矣;其为饮食酏醴⑦也,足以适味充虚而已矣;其为声色音乐也,足以安性自娱而已矣。五者,圣王之所以养性也,非好俭而恶费也,节乎性⑧也。

[注释]

①蹶:一种手足逆冷,使人肢体不能活动的病症。②痿:一种肢体萎弱无力,使人不能活动的病症。③燀(dǎn)热:指穿衣太厚,甚热。④中大鞔(mèn):胸腹腔很闷胀。中,指胸腹腔;鞔,通"懑",闷胀。⑤苑囿:畜养禽兽的地方,大的称为"苑",小的称为"囿"。⑥台榭:土方而高称为"台",台上有屋称为"榭"。⑦酏(yǐ)醴(lǐ):用黍粥酿成的甜酒。⑧节乎性:节制性情,使它适度。

[译文]

房屋过大,阴气就多;楼台过高,阳气就盛。阴气多就会生蹶疾,阳气盛就会得痿病,这是阴阳不调带来的祸患。因此,古代帝王不住大房屋,不筑高台,饮食不求丰盛珍异,穿衣不求过厚、过暖。衣服过厚、过暖脉理就会闭结，脉理闭结，气就会不通畅。饮食丰盛珍异，胃就会过饱，胃过饱就会使腹中闷胀，腹中闷胀，气就会不通畅。用这种方式祈求长寿，能够得到吗？从前，圣贤君王建造苑囿园池，它的规模只要能够游目眺望、活动身体就行了；他们修建宫室台榭，它的大小高低只要能够避开干燥和潮湿就行了；他们使用车马衣裘，只要能够安身暖体就行了；他们置备饮食美酒，只要能够适合口味、填饱饥肠就行了；他们追求音乐美色，只要能够调适性情、舒心快乐就行了。这五个方面，都是圣王用来养生的，并不是喜好节俭，厌恶糜费，而是为了调节性情，使它适度啊。

贵　公①

昔先圣王之治天下也，必先公。公则天下平②矣。平得于公。尝试观于上志③，有得天下者众矣，其得之以公，其失之必以偏。凡主之立也，生于公。故《鸿范》④曰："无偏无党⑤，王道荡荡⑥。无偏无颇，遵王之义⑦。无或作好⑧，遵王之道。无或作恶，遵王之路。"

[注释]

①题解："贵公"就是以公家为重。本文阐述了君主治国、平天下"必先公"，然后才能实现政治清明、社会安定、天下太平的道理。②平：政治清明、社会安定。③上志：上古时代的记载。志，通"记"。④《鸿范》：一作《洪范》，《尚书·周书》中的一篇。鸿，大；范，法。⑤党：勾结，拉帮结派。⑥荡荡：平坦宽广。⑦义：道理、法度。⑧好（hào）：私好。

[译文]

从前，先代圣王治理天下，一定先要公正无私。公正无私，天下就安定太平，安定太平则是出于公正无私。试看古代的记载，曾经取得天下的人是很多的,他们取得天下靠的是公正,失掉天下一定是因为有偏私。大凡君主的拥立,都是出于公正。所以《尚书·洪范》说:"不偏私,不结党,王道就平坦宽广;不偏私,不偏颇,遵守先王的法则。不要有个人的私好,要遵从先王的正道;不要为非作恶,要遵循先王的正路。"

天下非一人之天下也,天下之天下也。阴阳之和,不长一类①;甘露时雨,不私②一物;万民之主,不阿③一人。伯禽④将行,请所以治鲁。周公⑤曰:"利而勿利⑥也。"荆⑦人有遗弓者,而不肯索⑧,曰:"荆人遗之,荆人得之,又何索焉?"孔子闻之曰:"去其'荆'而可矣。"老聃⑨闻之曰:"去其'人'而可矣。"故老聃则至公矣。天地大矣,生而弗子⑩,成而弗有,万物皆被其泽、得其利,而莫知其所由始⑪。此三皇五帝⑫之德也。

[注释]

①不长一类:不仅仅使一类生长。长,生,养育。②私:偏爱。③阿(ē):偏袒。④伯禽:周公旦之子,鲁国始祖。⑤周公:姓姬,名旦,武王的弟弟,成王的叔父。⑥利而勿利:施利而不谋利。⑦荆:楚国的别称。⑧索:求,寻找。⑨老聃(dān):即老子,春秋时期楚国人,著有《老子》。⑩弗子:不以……为子。⑪由始:由来。⑫三皇五帝:传说中的上古帝王。最为通行的说法是,三皇指伏羲、神农、燧人,五帝指黄帝、颛顼、帝喾、尧、舜。《吕氏春秋》十二纪则以太皞(伏羲)、炎帝(神农)、黄帝、少皞、颛顼为五帝。

[译文]

天下不是一个人的天下,而是天下人的天下。阴阳调和,不仅仅使一类事物得以生长;合时的雨水甘露,不仅仅滋润一物;万民的君主,不仅仅偏爱一个人。伯禽将要离开周国的国都去鲁国,临行前请教治理鲁国的方法,周公说:"要施利与人而不要谋取私利。"有个楚国人丢了弓,却不肯去寻找,他说:"楚人丢的,还要被楚人捡到，又何必寻找呢？"孔子听到这件事，说："（他的话中）去掉'荆'字就合适了。"老聃听到后，说："再去掉'人'字就更好了。"所以老聃是至公无私的。天地是多么伟大啊，生育了人却不把他作为自己的儿子，成就万物却不占为己有；万物都承受它的恩泽，得到它的好处，却不知道这恩泽、好处是怎么来的。这正是三皇五帝的功德。

管仲①有病，桓公往问之，曰："仲父之病矣，渍②甚，国人弗讳③，寡人将谁属④国？"管仲对曰："昔者臣尽力竭智，犹未足以知之也。今病在于朝夕之中，臣奚能言？"桓公曰："此大事也，愿仲父之教寡人也。"管仲敬诺，曰："公谁欲相？"公曰："鲍叔牙⑤可乎？"管仲对曰："不可。夷吾善鲍叔牙。鲍叔牙之为人也，清廉洁直；视不己若者，不比于人，一闻人之过，终身不忘。""勿已，则隰朋⑥其可乎？""隰朋之为人也，上志而下求，丑⑦不若黄帝，而哀不己若者。其于国也，有不闻也；其于物也，有不知也；其于人也，有不见也。勿已乎，则隰朋可也。"夫相，大官也。处大官者，不欲小察，不欲小智，故曰：大匠不斲⑧，大庖不豆⑨，大勇不斗，大兵不寇。桓公行公去私恶，用管子而为五伯⑩长；行私阿所爱，用竖刀⑪而虫出于户。

[注释]

①管仲：春秋时期齐国人，名夷吾，字仲，任桓公相，尊称"仲父"。②渍：病。③弗讳：这里指病死。讳，忌讳。④属（zhǔ）：托付。⑤鲍叔牙：齐大夫，管仲的好友。⑥隰（xí）朋：齐大夫。⑦丑：以……为耻辱。⑧斲（zhuó）：砍削。⑨豆：古代食器，这里用做动词。⑩五伯（bà）：通常写作"五霸"。⑪竖刀（diāo）：即竖刁，齐桓公的近侍。

[译文]

管仲生了病，齐桓公前往探望他，说："仲父您病了，而且病得十分严重，以致百姓都不忌讳说您会病死，我将把国家托付给谁呢?"管仲回答说:"以前我尽心竭力,尚不足以了解这样的人;如今病重,危在旦夕,我又能说什么呢?"桓公说:"这是大事啊,希望您能指点我。"管仲恭敬地答应了,说:"您想用谁为相?"桓公说:"鲍叔牙可以吗?"管仲回答说:"不行。我与鲍叔牙很要好,鲍叔牙的为人,清正廉洁耿直,看待不如自己的人,不屑与他为伍;一旦闻知别人的过失,一辈子都不会忘记。""不得已的话,那么隰朋可以吗?""隰朋的为人,既能以上世贤人为楷模,又能不耻下问;以德行不如黄帝而羞愧,却又怜惜不如自己的人。对于国政,不该管的,就不去包揽打听;对于事务,不需要知道的,就不去件件了解;对于他人,有无关大节的缺点,就视而不见。不得已的话,那么隰朋是可以的。"相国是一种很高的官职,当大官的,不要苛察细节,不要耍小聪明。所以说,大木匠不亲自动手砍削,大厨师不亲自排列食器,大勇士不亲自拼杀格斗,大军队(正义之师)不去做贼寇之事。齐桓公秉行公道,抛弃私仇,起用管子而成为春秋五霸之首;行为偏私,庇护所爱,任用竖刁以致死后不得殡殓,尸虫流出门外。

人之少也愚,其长也智。故智而用私,不若愚而用公。日醉而饰①服,私利而立公,贪戾②而求王,舜弗能为。

[注释]

①饬:通"饬",整顿。②戾:凶暴。

[译文]

人少年时候蒙昧,年长时候就聪明了。所以,如果聪明而行私欲,不如蒙昧而行公道。天天醉醺醺的却要整饬服饰,务求私利却要树立公正,贪婪残暴却又要称王天下,即使舜也做不到。

去 私[①]

天无私覆也,地无私载也,日月无私烛[②]也,四时无私行也,行其德而万物得遂[③]长焉。黄帝言曰:"声禁重,色禁重,衣禁重,香禁重,味禁重,室禁重。"尧有子十人,不与其子而授舜;舜有子九人,不与其子而授禹:至公也。

[注释]

①题解:"去私"就是去除私心,文章旨在说明君主只有"诛暴而不私",才能成就王霸的事业。②烛:照明。③遂:成。

[译文]

苍天没有偏私地覆盖万物,大地没有偏私地承载万物,日月没有偏私地普照万物,四季没有偏私地运行不息,它们都施行恩德,万物才得以孕育成长。黄帝说:"音乐禁止过分(淫靡),色彩禁止过分(炫目),衣服禁止过分(厚热),香料禁止过分(浓烈),饮食禁止过分(丰盛),宫室禁止过分(高大)。"尧有十个儿子,却不把帝位传给自己的儿子而传给了舜;舜有九个儿子,却不把帝位传给自己的儿子而传给了禹:他们是最公正无私的了。

晋平公[①]问于祁黄羊[②]曰:"南阳无令,其谁可而为之?"祁黄羊对曰:"解狐[③]可。"平公曰:"解狐非子之雠邪?"对曰:"君问可,非问臣之雠也。"平公曰:"善。"遂用之。国人称善焉。居有间,平公又问祁黄羊曰:"国无尉[④],其谁可而为之?"对曰:"午可。"平公曰:"午非子之子邪?"对曰:"君问可,非问臣之子也。"平公曰:"善。"又遂用之。国人称善焉。孔子闻之曰:"善哉!祁黄羊之论也。外举不避雠,内举不避子,祁黄羊可谓公矣。"

[注释]

①晋平公：名彪，春秋时期晋悼公的儿子，晋国国君。②祁黄羊：晋大夫，名奚，字黄羊。③解（xiè）狐：晋大夫。④尉：军尉，掌管军事的官。

[译文]

晋平公问祁黄羊说："南阳没有县令，谁可以担任这个职务？"祁黄羊回答说："解狐可以。"平公说："解狐不是你的仇敌吗？"祁黄羊回答说："大王您问的是谁可以担任这个职务，不是问谁是我的仇敌。"平公称赞说："好！"就任用了解狐为南阳令。国人对此都说好。过了一段时间，平公又问祁黄羊说："国家缺个军尉，谁可以担任这个职务？"祁黄羊回答说："祁午可以。"平公说："祁午不是你的儿子吗？"回答说："大王您问的是谁可以担任这个职务，不是问谁是我的儿子。"平公称赞说："好！"于是又任用祁午为国尉。国人对此又称赞不已。孔子听说了这件事，说："太好了，祁黄羊说的这些话！推举贤才，对外不回避仇人，对内不回避儿子，祁黄羊可称得上公正无私了。"

墨者有钜子腹䵍①，居秦，其子杀人，秦惠王②曰："先生之年长矣，非有他子也，寡人已令吏弗诛矣，先生之以此听寡人也。"腹䵍对曰："墨者之法曰：'杀人者死，伤人者刑。'此所以禁杀伤人也。夫禁杀伤人者，天下之大义也。王虽为之赐，而令吏弗诛，腹䵍不可不行墨子之法。"不许惠王，而遂杀之。子，人之所私也。忍③所私以行大义，钜子可谓公矣。

[注释]

①钜子：战国时期墨家对本学派有重大成就的人，称为"钜子"，他书或作"巨子"。腹䵍（tūn）：人名，姓腹名䵍。②秦惠王：战国时期秦国国君，秦孝公子，名驷。前337～前311年在位。③忍：这里含有"残杀"之意。

[译文]

墨家学派有位首领腹䵍，住在秦国，他的儿子杀了人。秦惠王对腹䵍说："先生您的年纪很大了，又没有其他儿子，我已经下令司法官不杀他了。先生您在这件事上就听从我的意见吧。"腹䵍回答说："墨家的法律规定：'杀人者处死，伤人者受刑。'这样做为的是严禁杀人、伤人。严禁杀人、伤人，这是天下的公理。大王您虽然赐给我恩惠，命令司法官不杀我的儿子，但是我却不可不执行墨家的法律。"腹䵍没有接受惠王恩赐，结果处死了自己的儿子。儿子是人们最偏爱的，忍心杀掉自己心爱的儿子以伸张大义，腹䵍可说是公正无私了。

庖人①调和②而弗敢食，故可以为庖。若使庖人调和而食之，则不可以为庖矣。王伯之君③亦然。诛暴而不私，以封天下之贤者，故可以为王伯。若使王伯之君诛暴而私之，则亦不可以为王伯矣。

[注释]

①庖人：厨师。②调和：指调和五味。③王伯之君：称王称霸的君主。伯，通"霸"。

[译文]

厨师调和五味而不敢偷吃，所以可以做厨师。假使厨师调和好五味佳肴而私自把它们吃掉，那么他就不可以做厨师了。成就王霸大业的君王也是这样。诛杀暴君却不私占他国的土地，而是把它分封给有德的人，所以能够成就王霸的大业。假如他诛杀暴君而把土地占为己有，那么他也就不能成就王霸大业了。

仲春纪第二

贵 生^①

圣人深虑天下,莫贵于生。夫耳目鼻口,生之役^②也。耳虽欲声,目虽欲色,鼻虽欲芬香,口虽欲滋味,害于生则止。在四官者不欲,利于生者则弗^③为。由此观之,耳目鼻口不得擅行,必有所制。譬之若官职,不得擅为,必有所制。此贵生之术也。

[注释]

①题解:"贵生"就是以生命为贵,珍惜生命。本篇论述的是养生之道。②役:役使。③弗:衍文。

[译文]

圣人深思熟虑天下的事,认为没有什么比生命更宝贵的了。耳目鼻口,是为生命服务的。耳朵虽然想听乐音,眼睛虽然想看美色,鼻子虽然想闻芳香,嘴巴虽然想尝美味,但只要对生命有害就应禁止。对于耳目鼻口这四种器官来说,即使是本身不愿接受的,但只要对生命有利就得去做。由此看来,不得让耳目鼻口擅自独行,必须有所制约。这就像职官,不得独断专行,必有所制约一样。这就是珍重生命的方法。

尧以天下让于子州支父①，子州支父对曰："以我为天子犹可也。虽然，我适有幽忧②之病，方将治之，未暇在天下也。"天下，重物也，而不以害其生，又况于他物乎？惟不以天下害其生者也，可以托天下。

[注释]

①子州支父：古代贤人，姓子，名州，字支父。②幽忧：深重的忧虑。

[译文]

尧把天下让给子州支父，子州支父回答说："让我做天子还是可以的，虽说是这样，我现在正患有忧虑过深的病，正要治疗，没有闲空顾及天下的事。"天下，是极其贵重的东西，可是子州支父不因它而危害自己的生命，又何况其他的东西呢？只有不因享有天下而危害自己生命的人，才可以把天下托付给他。

越人三世杀其君，王子搜①患之，逃乎丹穴②。越国无君，求王子搜而不得，从之丹穴。王子搜不肯出，越人薰之以艾，乘之以王舆。王子搜援绥③登车，仰天而呼曰："君乎！独不可以舍我乎！"王子搜非恶为君也，恶为君之患也。若王子搜者，可谓不以国伤其生矣，此固越人之所欲得而为君也。

[注释]

①王子搜：战国时越王无颛，"搜"为无颛的异名。②丹穴：采丹砂的矿井。③援：拉。绥：车绥，上车时挽手所用的绳子。

[译文]

越国人接连三代杀掉了他们的国君，王子搜对此担心受怕，就逃到采丹砂的矿穴中。越国没有国君，到处找王子搜都找不到，最后追踪到采丹砂的矿穴中。王子搜不肯出来，越国人就点艾草熏他出来，让他乘坐国王的专车。王子搜拉着登车的绳子上车，仰天长叹道:"(真是命该为)国君啊!为什么偏偏不可以放过我呢!"王子搜不是讨厌做国君,而是讨厌做国君会招致祸患。像王子搜这样的人,可说是不肯因(拥有)国家而伤害自己生命的人了。这本就是越国人想要找他做国君的原因。

鲁君闻颜阖①得道之人也,使人以币先焉。颜阖守闾②,鹿布③之衣而自饭牛。鲁君之使者至,颜阖自对之。使者曰:"此颜阖之家邪?"颜阖对曰:"此阖之家也。"使者致币,颜阖对曰:"恐听缪④而遗使者罪,不若审之。"使者还反审之,复来求之,则不得已。故若颜阖者,非恶富贵也,由重生恶之也。世之人主多以富贵骄得道之人,其不相知,岂不悲哉?

[注释]

①颜阖:战国鲁哀公时的隐士。②闾(lǘ):里门,周制二十五家为一里,里必有门,称作闾。这里代指处所。③鹿布:粗布。鹿即麤(cū),今作"粗"。④缪:通"谬",错。

[译文]

鲁国国君听说颜阖是个有道的贤人,就派人带着礼物先去(致意,想请他出来做官)。颜阖住在陋巷,身穿粗布衣裳,亲自喂牛。鲁君的使者到访,颜阖亲自接待他。使者问:"这是颜阖的家吗?"颜阖回答说:"这是颜阖的家。"使者献上礼物,颜阖回答说:"恐怕您听错了,这会给您带来罪过的;不如先审察清楚再说。"使者回去审察清楚了,再来找颜阖,却找不到人了。像颜阖这样的人,不是厌恶富贵,而是由于看重生命才厌恶它。世上的君主,大多凭借富贵轻慢有道的人,他们如此不了解有道的人,难道不是可悲的吗?

故曰:道之真以持身,其绪余以为国家,其土苴①以治天下。由此观之,帝王之功,圣人之余事也,非所以完身养生之道也。今世俗之君子，危身弃生以徇②物，彼且奚以此之也？彼且奚以此为也？凡圣人之动作也，必察其所以之与其所以为。今有人于此，以随侯之珠③弹千仞之雀，世必笑之。是何也？所用重，所要轻也。夫生，岂特随侯珠之重也哉？

[注释]

①土苴（jū）：渣滓，比喻微贱的东西，犹如土芥。②徇：通"殉"，为了外物而牺牲生命。③随侯之珠：传说中大蛇报恩送给随侯的宝珠。随，汉东之国，姬姓。

[译文]

所以说：道的实质是用来保全身体，它的剩余才用来治理国家，它的渣滓用来治理天下。由此看来，帝王的功业是圣人养生余暇所做的事，并不是用来全身养生的方法。如今世俗的所谓君子，损害身体甚至舍弃生命来追求外物，他们这样做将达到什么目的呢？他们又为什么这样做呢？

大凡圣人的行为举止，必须明察其行为的目的与行为的理由。假如有这样一个人，用随侯的宝珠去弹射飞翔在千仞高空的鸟，世上的人肯定会嘲笑他。这是为什么呢？这是因为他所使用的东西太贵重，所追求的东西太轻微了啊！生命，其贵重岂能只像随侯宝珠呢？

子华子①曰："全生②为上，亏生③次之，死次之，迫生④为下。"故所谓尊生者，全生之谓。所谓全生者，六欲⑤皆得其宜也。所谓亏生者，六欲分得其宜也。亏生则于其尊之者薄矣。其亏弥甚者也，其尊弥薄。所谓死者，无有所以知，复其未生也。所谓迫生者，六欲莫得其宜也，皆获其所甚恶者，服是也，辱是也。辱莫大于不义，故不义，迫生也，而迫生非独不义也，故曰迫生不若死。奚以知其然也？耳闻所恶，不若无闻；目见所恶，不若无见。故雷则掩耳，电则掩目，此其比也。凡六欲者，皆知其所甚恶，而必不得免，不若无有所以知。无有所以知者，死之谓也，故迫生不若死。嗜肉者，非腐鼠之谓也；嗜酒者，非败酒之谓也；尊生者，非迫生之谓也。

[注释]

①子华子：相传为战国时期魏人，与韩昭釐侯同时，属道家人物。②全生：保全生命，顺应生命的天性。③亏生：指生命的天性因受外物的干扰而损伤。④迫生：压抑生性，苟且偷生。⑤六欲：指生、死及耳目口鼻的欲望。

[译文]

子华子说："全生是最上等的，亏生次一等，死又次一等，迫生是最低下的。"所以，所谓尊生，说的就是全生。所谓全生，是指六欲都得适宜。所谓亏生，是指六欲部分得到适宜。生命受到亏损，其天性就会削弱，生命亏损得越厉害，其天性削弱得也就越厉害。所谓死，是指没有办法感知、回复到它没有出生时的状态。所谓迫生，是指六欲没有一种得其适宜，所得到的全是其厌恶的东西。屈服属于这一类，受辱属于这一类。在耻辱当中以不义为最。所以，做不义之事就是迫生。但是，构成迫生的不是只有不义，所以说，迫生不如死。根据什么知道如此呢？耳朵听讨厌的声音，不如不听；眼睛看讨厌的东西，不如不见。所以打雷的时候就捂住耳朵，闪电的时候就遮掩眼睛。迫生不如死就像这样。六欲都知道它们十分厌恶什么，如果这些东西一定不可避免，那么还不如丧失全部的知觉。丧失全部的知觉就是死，因此迫生不如死亡。嗜好吃肉，不是说连腐烂的老鼠都吃；嗜好饮酒，不是说连变质的酒都喝；珍惜生命，并不是说要苟且偷生。

当 染①

墨子见染素丝②者而叹曰："染于苍则苍，染于黄则黄，所以入者③变，其色亦变，五入而以为五色矣。"故染不可不慎也。

[注释]

①题解:"当染"与《墨子·所染》文字基本相同。文章以染色作比喻,强调环境对人的决定性作用。②素丝:未经染色的生丝。③所以入者:指染料。

[译文]

墨子看见染素色的丝而叹息说:"放入青色染料,则素丝就变青;放入黄色染料,则素丝就变黄。染料变了,素丝的颜色也随着变化,放入五种颜料就会变出五种颜色了。"所以,染色不能不慎重啊。

非独染丝然也,国亦有染。舜染于许由、伯阳①,禹染于皋陶、伯益②,汤染于伊尹、仲虺③,武王染于太公望、周公旦④。此四王者,所染当,故王天下,立为天子,功名蔽天地。举天下之仁义显人,必称此四王者。夏桀染于干辛、岐踵戎⑤,殷纣染于崇侯、恶来⑥,周厉王染于虢公长父、荣夷终⑦,幽王染于虢公鼓、祭公敦⑧。此四王者,所染不当,故国残身死,为天下僇。举天下之不义辱人,必称此四王者。齐桓公染于管仲、鲍叔,晋文公染于咎犯、郄偃⑨,荆庄王染于孙叔敖、沈尹蒸⑩,吴王阖庐染于伍员、文之仪⑪,越王句践染于范蠡、大夫种⑫,此五君者所染当,故霸诸侯,功名传于后世。范吉射染于张柳朔、王生⑬,中行寅染于黄籍秦、高强⑭,吴王夫差染于王孙雄、太宰嚭⑮,智伯瑶染于智国、张武⑯,中山尚染于魏义、椻长⑰,宋康王染于唐鞅、田不禋⑱。此六君者所染不当,故国皆残亡,身或死辱,宗庙不血食⑲,绝其后类⑳,君臣离散,民人流亡。举天下之贪暴可羞人,必称此六君者。凡为君非为君而因荣也,非为君而因安也,以为行理也。行理生于当染。故古之善为君者,劳于论人而佚于官事,得其经也。不能为君者,伤形费神,愁心劳耳目,国愈危,身愈辱,不知要故也。不知要故则所染不当,所染不当,理奚由至?六君者是已。六君者非不重其国爱其身也,所染不当也。存亡故不独是也,帝王亦然。

[注释]

①许由:古代传说中舜时的高士,字武仲,颍川人。伯阳:尧时的贤人,传说为舜七友之一。②皋陶(yáo)、伯益:皋陶是舜的法官,伯益是舜臣。③伊尹、仲虺(huī):伊尹是商汤的大臣,名挚;仲虺是商汤的左相。④太公望:姜姓,名尚,号太公望,是周武王的能臣,帮助武王灭商建国,后被封于齐地。周公旦:周武王的弟弟,名旦,曾助武王灭商,后来,又辅佐成王,巩固周王朝的统治。⑤干辛、岐踵戎:夏桀时候的两个佞臣。⑥崇侯、恶来:商纣的两个臣子。⑦虢公长父、荣夷终:周厉王的两个卿士。⑧虢公鼓、祭公敦:周幽王的两个卿士。⑨咎犯:即狐偃,字子犯,晋卿,是文公的舅父。郤(xì)偃:晋献公时为掌卜大夫,对晋文公建立霸业贡献较大。⑩孙叔敖:孙叔敖是春秋时期楚庄王麾下的著名令尹,姓芳,名敖,因排行老二,人称叔敖;又因为他是楚国名臣芳吕臣的孙子,又被称为孙叔敖。沈尹蒸:春秋时期楚国大夫。⑪阖庐:吴国国君,名光,前514~前496年在位。他书或作"阖闾"。伍员:即伍子胥,吴国大夫。文之仪:吴国大夫。⑫范蠡:越国大夫,帮助越王勾践灭吴。大夫种:即文种,越大夫。⑬张柳朔、王生:晋卿范吉射的两个家臣。⑭黄籍秦、高强:晋卿荀寅的两个家臣。⑮王孙雄:吴大夫。太宰嚭(pǐ):吴太宰伯嚭。⑯智国、张武:晋哀公执政大臣智伯瑶的两个家臣。⑰魏义、椻长:中山国的两位大夫。⑱唐鞅、田不禋:战国时期宋国的大夫。⑲不血食:这里指国家灭亡。血食,指受祭祀。古代祭祀用牲,故称"血食"。⑳后类:后代。

[译文]

不仅染丝是这样,国家也有类似的情形。舜受到许由、伯阳的熏陶,禹受到皋陶、伯益的熏陶,商汤受到伊尹、仲虺的熏陶,武王受到太公望、周公旦的熏陶,这四位帝王,因为所受的熏陶得当,所以能够统治天下,立为天子,功名遮盖天地。凡列举天下仁义、显达之人,一定都推举这四位帝王。夏桀受到干辛、岐踵戎的熏染,殷纣受到崇侯、恶来的熏染,周厉王受到虢公长父、荣夷终的熏染,周幽王受到虢公鼓、祭公敦的熏染,这四位君王,因为所受的熏染不得当，所以导致国破身死、被天下人耻笑的结局。凡列举天下不义、蒙受耻辱的人，一定都会列举这四位君王。齐桓公受到管仲、鲍叔牙的熏陶，晋文公受到咎犯、郤偃的熏陶，楚庄王受到孙叔敖、沈尹蒸的熏陶，吴王阖庐受到伍员、文之仪的熏陶，越王勾践受到范蠡、文种的熏陶，这五位君主，因为所受的熏陶得当，所以称雄诸侯，功名流传于后代。范吉射受到张柳朔、王生的熏染，中行寅受到黄藉秦、高强的熏染，吴王夫差受到王孙雄、太宰嚭的熏染，智伯瑶受到智国、张武的熏染，中山尚受到魏义、偃长的熏染，宋康王受到唐鞅、田不禋的熏染，这六位君主，因为所受的熏染不当，结果国家都破亡，他们自身有的被杀，有的受辱，宗庙毁灭不再享受祭祀，子孙灭绝，君臣离散，人民逃亡。凡提到天下贪婪残暴、蒙羞受辱之人，一定都列举这六位君主。凡做君主，不是因为做君主而获得显荣，也不是以此获得安适，而是为了实施大道。大道的实施产生于熏染得当。所以，古代善于做君主的人，在选贤任能上花费心思，在具体政事上就安然自得，这是掌握了做君主的正确方法。不善于做君的，伤身劳神，心中愁苦，耳目劳累，可国家却更加危险，自身蒙受的耻辱却更多，这是由于他不了解为君之本的缘故。不了解为君之本，所受的熏染就不会得当。所受的熏染不得当，道义从何而来？以上六个君主就是如此。那六位君主不是不看重自己的国家，也不是不爱惜自身，而是由于他们所受的熏染不当啊！所受的熏染得当与否关系到存与亡，不但诸侯是如此，帝王也一样。

非独国有染也。孔子学于老聃、孟苏、夔靖叔①。鲁惠公②使宰让③请郊庙之礼于天子，桓王④使史角⑤往，惠公止之。其后在于鲁，墨子学焉。此二士者，无爵位以显⑥人，无赏禄以利⑦人。举天下之显荣者，必称此二士也。皆死久矣，从属弥众，弟子弥丰，充满天下。王公大人从而显之，有爱子弟者，随而学焉，无时乏绝。子贡、子夏、曾子学于孔子，田子方⑧学于子贡，段干木⑨学于子夏，吴起学于曾子；禽滑厘⑩学于墨子，许犯学于禽滑厘，田系学于许犯⑪。孔墨之后学显荣于天下者众矣，不可胜数，皆所染者得当也。

[注释]

①孟苏、夔靖叔：当是与孔子同时的两位得道之人。②鲁惠公：春秋末鲁国国君，名弗皇，又作"弗湟"，前768～前732年在位。③宰让：鲁国大夫。④桓王：当为"平王"之误，因惠公死于平王四十八年，其时桓王未立。⑤史角：名叫角的史官。⑥显：使……显赫。⑦利：使……得利。⑧田子方：战国时期魏国的贤人，魏文侯尊他为师。⑨段干木：战国时期魏国的隐士，很受魏文侯的尊重。⑩禽滑厘：墨子的弟子。⑪田系、许犯：墨家后学弟子。

[译文]

不仅国家有受染的情形（，士也是如此）。孔子向老聃、孟苏、夔靖叔问学，鲁惠公派宰让向孔子请教郊祭、庙祭的礼仪，平王派名叫角的史官前往，惠公把他留了下来。史角的后代在鲁国，墨子追随他的后代学习。孔子、墨子这两位贤士，没有比人显赫的爵位，没有使人获利的赏赐俸禄，可是，列举天下显赫荣耀的人，一定都称举这二位贤士。虽然这二位贤士都死了很久了，可是追随的人越来越多，他们的弟子越来越多，遍布天下。王公贵族因而宣扬他们，有爱子弟的，让他们的子弟跟随孔、墨的门徒学习，没有一时中断过。子贡、子夏、曾子向孔子学习，田子方向子贡学习，段干木向子夏学习，吴起向曾子学习，禽滑厘向墨子学习，许犯向禽滑厘学习，田系向许犯学习。孔、墨后学在天下显贵尊荣的太多了，数也数不尽，这都是因为熏陶他们的人得当啊。

功名①

由其道，功名之不可得逃，犹表②之与影，若呼之与响③。善钓者，出鱼乎十仞④之下，饵香也；善弋者，下鸟乎百仞之上，弓良也；善为君者，蛮夷反舌⑤殊俗异习皆服之，德厚也。水泉深则鱼鳖归之，树木盛则飞鸟归之，庶草⑥茂则禽兽归之，人主贤则豪杰归之。故圣王不务⑦归之者，而务其所以归⑧。

[注释]

①题解："功名"指功业与名声；一作"由道"，旨在阐述为君之道。②表：古代测日影、定时刻所立的标杆。③响：回声。④仞：古代以七尺或八尺为一仞。⑤反舌：指四方各族语音与华夏不同。⑥庶草：众草，百草。⑦务：勉力从事。⑧所以归：使……归附的条件。

[译文]

遵循正道获取功名，功名就无法逃脱，就像测日影所用标杆与日影、呼声与回声（相伴、相随）一样。善于钓鱼的人，能在十仞深的水下钓出鱼来，这是钓饵香美的缘故；善于射箭的人，能从百仞高的空中射下鸟来，这是弓箭优良的缘故；善于做君主的人，远方习俗迥异的四方民族都会臣服，这是恩德深厚的缘故。水泉深的地方，鱼鳖就会游向那里；树枝繁盛的地方，飞鸟就会栖息那里；百草茂密的地方，禽兽就会奔向那里；君主贤明，四方豪杰就会来投奔。所以，圣明的君主不致力于使人们归依，而是尽力创造使人们归服的条件。

强①令之笑不乐；强令之哭不悲；强令之为道也，可以成小②，而不可以成大③。

[注释]

①强（qiǎng）：强迫。②小：这里指虚名。③大：这里指大业。

[译文]

强迫出来的笑不快乐；强迫出来的哭不悲哀；强制命令这种做法，只可以成就虚名，而不能成就大业。

缶醯①黄，蚋②聚之，有酸；徒水则必不可。以狸③致鼠，以冰致蝇，虽工，不能。以茹④鱼去蝇，蝇愈至，不可禁，以致之之道去之也。桀、纣以去之之道致之也，罚虽重，刑虽严，何益？

[注释]

①醯（xī）：醋。②蚋（ruì）：蚊类。③狸：这里指猫。④茹（rú）：腐臭。

[译文]

瓦器中的醋发黄了，蚊子之类就聚在那里了，那是由于有酸味的缘故。如果只是有水，就一定招不来它们。用猫招引老鼠，用冰招引苍蝇，即使做法再巧妙，也达不到目的。用臭鱼驱除苍蝇，苍蝇会越来越多，不可禁止，这是由于用招引苍蝇的方法去驱除苍蝇的缘故。桀、纣用迫使人民逃离的方法想使人民归顺，惩罚即使再重，刑法即使再严，又有什么益处？

大寒既致，民暖是利①；大热在上，民清②是走。故民无常处，见利之聚，无之去。欲为天子，民之所走，不可不察。今之世，至寒矣，至热矣，而民无走者，取则行钧③也！欲为天子，所以示民，不可不异也。行不异乱，虽信令，民犹无走。民无走，则王者废矣，暴君幸矣，民绝望矣。故当今之世，有仁人在焉，不可而不此务；有贤主，不可而不此事。

[注释]

①民暖是利：宾语前置句。利，用做动词。②清：凉爽。③钧：通"均"。

[译文]

严寒降临，民众就追寻温暖；酷热出现，民众就奔往清凉（之地）。因此，民众没有固定的居处，看到有利就来聚集，没利就会离开。想要做天子的，对于民众奔走的原因，不可不仔细辨察。如今之世，寒冷到极点了，炎热到极点了，而民众之所以不迁徙流亡，是由于天下君主的作为都是同样的坏啊！所以，想做天子的人，他给民众所看的不可不与此有区别。如果君主的言行与暴乱之君没有区别，那么即使下命令，民众也不会归附他。如果民众不归附，那么，成就王业的人就不会出现，暴君就庆幸了，民众就绝望了。所以，在今天的世上，如果有仁义的人存在，不可不致力于这件事；如果有贤明的君主在，不可不推行这件事。

贤不肖不可以不相分，若命之不可易，若美恶之不可移。桀、纣贵为天子，富有天下，能尽害天下之民，而不能得贤名之。关龙逢、王子比干能以要领之死争①其上之过，而不能与之贤名。名固不可以相分，必由其理。

[注释]

①争：谏诤。

[译文]

贤与不肖（的名声）不可以混淆，就像寿命的长短不可改变，美恶不可移易一样。桀、纣以天子的尊贵而富有天下，能遍害天下的人，但是却不能为自己博得一个好名声。关龙逢、王子比干能以死谏诤其君的过错，却不能给桀、纣带来好名声。名声（好坏）本来就不可以混淆，（要博得好名声，）必须遵循一定的途径才能获得。

季春纪第三

尽 数[①]

天生阴阳寒暑燥湿，四时之化，万物之变，莫不为利，莫不为害。圣人察阴阳之宜，辨万物之利以便生[②]，故精神安乎形，而年寿得长焉。长也者，非短而续之也，毕其数也。毕数[③]之务[④]，在乎去害。何谓去害？大甘、大酸、大苦、大辛、大咸，五者充[⑤]形则生害矣。大喜、大怒、大忧、大恐、大哀，五者接神则生害矣。大寒、大热、大燥、大湿、大风、大霖[⑥]、大雾，七者动精则生害矣。故凡养生，莫若知本，知本则疾无由至矣。

[注释]

①题解："尽数"就是终其寿数。本篇旨在论述养生之道。②便生：给生命带来好处。③数：寿数，人的自然寿命。④务：要务。⑤充：塞。⑥霖：霖雨，连下几天的雨。

[译文]

天生出阴阳、寒暑、燥湿以及四时的更替、万物的变化，没有一样不对人有利，也没有一样不对人产生危害。圣人能洞察阴阳变化的合适之处，能辨析万物的有利一面，以利于保全生命，因此，精、神安守在形内，寿命就能够长久。所谓长久，不是说寿命短而使它延长，而是说尽其天年。尽其天年的要务，在于避开危害。什么叫避开危害呢？太甜、太酸、太苦、太辣、太咸，这五种东西（吃到肚里）充满形体，那么生命就受到危害了。过喜、过怒、过忧、过恐、过哀，这五种东西和精神交接，那么生命就受到危害了。过冷、过热、过燥、过湿、过多的风、过多的雨、过多的雾，这七种东西摇动人的精气，那么生命就受到危害了。所以，大凡养生，没有比了解根本更重要的了，掌握了根本，疾病就无从产生了。

精气①之集也，必有入②也。集于羽鸟，与③为飞扬；集于走兽，与为流行；集于珠玉，与为精朗；集于树木，与为茂长；集于圣人，与为夐明④。精气之来也，因⑤轻而扬之，因走而行之，因美而良之，因长而养之，因智而明之。

[注释]

①精气：指形成万物的阴阳之气。②入：这里指所入之形。③与：相当于"因"，凭借。④夐（xiòng）明：睿智聪明。⑤因：依。

[译文]

精气聚集起来，一定要有所寄托。聚集在飞禽上，便表现为飞翔；聚集在走兽上，便表现为行走；聚集在珠玉上，便表现为精美；聚集在树木上，便表现为繁茂；聚集在圣人身上，便表现为睿智聪明。精气的到来，依附在轻盈的形体上；就使它飞翔，依附在跑动的形体上，就使它行走；依附在具有美好特性的形体上，就使它精良；依附在具有生长特性的形体上，就使它繁茂；依附在具有智慧的形体上，就使它聪明。

流水不腐，户枢①不蝼②，动也。形气亦然。形不动则精不流，精不流则气郁③。郁处头则为肿、为风，处耳则为挶④、为聋，处目则为䁾⑤、为盲，处鼻则为鼽、为窒⑥，处腹则为张、为疛⑦，处足则为痿、为蹶⑧。

[注释]

①户枢：门上的转轴。②蝼：蝼蛄，这里用作动词，生虫蛀蚀。③郁：郁结。④揭（jú）：耳病。⑤䁾（miè）：眼眶红肿。⑥鼽（qiú）、窒：都指鼻道堵塞不通。⑦张、疛（zhǒu）：都是腹部疾病。⑧痿、蹶：都是脚病。

[译文]

流动的水不会腐臭，转动的门轴不会有虫蛀，这是由于经常运动的缘故。人的身体、精气也是这样。身体不活动，体内精气就不运行，精气不运行，血气就会郁结。郁结在头部就造成肿病、风病，郁结在耳部就造成揭病、聋病，郁结在眼部就造成䁾病、盲病，郁结在鼻部就造成鼽病、窒病，郁结在腹部就造成腹胀、腹病，郁结在脚部就造成痿病、蹶病。

轻水①所，多秃与瘿②人；重水③所，多尰④与躄⑤人；甘水所，多好与美人；辛水⑥所，多疽⑦与痤⑧人；苦水所，多尪⑨与伛⑩人。

[注释]

①轻水：含盐分及其他矿物质过少的水。②瘿（yǐng）：颈部生囊状瘤。③重水：含盐分及其他矿物质过多的水。④尰（zhǒng）：脚肿。⑤躄（bì）：不能行走。⑥辛水：水味辛辣。⑦疽（jū）：结成块状的毒疮。⑧痤（cuó）：痈。⑨尪（wāng）：骨骼弯曲症。⑩伛（yǔ）：脊背弯曲。

[译文]

水中含盐分及其他矿物质过少的地方，多有秃头和颈上生瘤的人；水中含盐分及其他矿物质过多的地方，多有脚肿和不能行走的人；水味甜美的地方，多有美丽、健康的人；水味辛辣的地方，多有生长疽疮和痈疮的人；水味苦涩的地方，多有患鸡胸和驼背的人。

凡食，无强厚①味。无以烈味重②酒，是以谓之疾首③。食能以时，身必无灾。凡食之道，无饥无饱，是之谓五藏之葆④。口必甘味，和精端容，将⑤之以神气，百节⑥虞⑦欢，咸进受气⑧。饮必小咽，端直无戾⑨。

[注释]

①强厚：指具有浓烈厚味的事物。②重：浓烈的意思。③疾首：导致疾病的开端。④葆：安。⑤将：养。⑥百节：周身关节。⑦虞：舒适。⑧受气：受到精气的滋养。⑨戾：乖戾，这里是"扭转"的意思。

[译文]

在饮食上，不要滋味过浓。不吃厚味，不饮烈酒，厚味烈酒是招致疾病的开端。能按时进食，身体就一定不生病。饮食的方法，要保持不饥不饱的状态，这叫做"五脏得以安适"。一定要吃可口的食物，平和精神，端正仪容，用精气来滋养，这样，周身就舒适愉快，全身都接受精气的滋养。饮食一定要小口下咽，坐要端正，不要侧斜。

今世上①卜筮②祷祠③，故疾病愈来。譬之若射者，射而不中，反修于招④，何益于中？夫以汤⑤止沸，沸愈不止，去其火则止矣。故巫医毒药，逐除治之，故古之人贱之也，为其末也。

[注释]

①上：通"尚"，崇尚。②卜筮：古代预测吉凶的两种方法，卜用龟甲，筮用蓍草。③祷祠：古代祈神求福的两种仪式，祈求神灵求福叫祷，得福后祭神报谢叫祠。④招：箭靶。⑤汤：热水。

[译文]

当今社会上崇尚占卜、祷告、祭祀，所以疾病反而愈来愈多，这就像射箭的人，射箭没有射中箭靶，不去提高射技却去修正箭靶的位置，这对射中箭靶能有什么益处呢？用加热水的办法来阻止水的沸腾，沸腾越发不能阻止，撤去灶火，沸腾自然就停下了。所以用巫医、药物驱鬼治病，古人轻视这些东西，因为这是舍本逐末的做法。

先 己①

汤问于伊尹曰："欲取②天下，若何？"伊尹对曰："欲取天下，天下不可取；可取，身将先取。"凡事之本，必先治身，啬③其大宝④。用其新，弃其陈⑤，腠理⑥遂通。精气日新，邪气尽去，及其天年⑦。此之谓真人⑧。

[注释]

①题解："先己"就是说君主要治理国家，先要修治自身。②取：治。③啬：爱惜。④大宝：指"身"。⑤用其新，弃其陈：意思是"吐故纳新"。⑥腠（còu）理：指皮下肌肉之间的空隙和皮肤、肌肉的纹理。⑦天年：自然的寿命。⑧真人：道家称修炼得道或成仙的人。

[译文]

汤问伊尹说："要治理天下，应该怎么办？"伊尹回答说："想要治理好天下，反而治不好天下；天下如果可以治理好，那么首先要修治自身。"大凡做事的根本，在于修治自身，爱惜自己的身体。不断吐故纳新，血脉肌理就会保持畅通。精气日日更新，邪气完全除去，达到他的自然寿命。这样的人叫做"真人"。

昔者，先圣王成其身而天下成，治其身而天下治。故善响①者不于响于声，善影者不于影于形，为天下者不于天下于身。《诗》②曰："淑人③君子，其仪④不忒⑤。其仪不忒，正是四国。"言正⑥诸身也。

[注释]

①响：回声。②《诗》：指《诗经·曹风·鸤鸠》。③淑人：善良的人。

④仪：仪容。⑤忒（tè）：差错。⑥正：使……正。

[译文]

从前，先代圣王能成就自身修养，治理天下的大业自然就得以成就；能治理好自身，天下自然就太平安定。所以，改善回声的人，不致力于回声，而致力于改善产生回声的声音；改善影子的人，不致力于影子本身，而致力于改善产生影子的形体；治理天下的人，不致力于天下，而致力于修养自身。《诗》说："美好善良的君子，他的仪容没有差错。他的仪容没有差错，可以使四方各国走向正道。"说的正是修养端正自身啊！

故反①其道而身善矣；行义则人善②矣；乐备君道③而百官已治矣，万民已利矣。三者之成也，在于无为④。无为之道曰胜天⑤，义曰利身，君曰勿身⑥。勿身督听⑦，利身平静，胜天顺性。顺性则聪明寿长，平静则业进乐乡⑧，督听则奸塞不皇⑨。

[注释]

①反：通"返"。②善：认为……善。③备：通"服"，实施。君道：为君之道。④无为：道家主张清静无为、顺应自然，不求有所作为。⑤胜天：听凭天道，顺从自然。胜，听任。⑥勿身：指凡事不亲自去做。⑦督听：正听。⑧乡：通"向"，趋向。⑨皇：通"惶"，惶惑。

[译文]

因此，返心向道，自身就可以达到高尚的境界了；行为合宜，就会受到他人的称赞了；乐施君道，百官就能治理好了，万民就能得到好处了。这三个方面的成功，都在于顺应自然、清静无为。无为之道就是听凭天意，无为之义就是要修养自身，无为之君就是凡事不必躬亲。不事必躬亲，就不会偏听，修养自身就会平和清静，听任天道就会顺从天性。顺应天性就会耳聪目明、寿命增长；平和清静就会事业发展，百姓乐于归依；不偏听，奸邪就会闭塞，而不至于惶惑。

故上失其道，则边侵于敌；内失其行，名声堕于外。是故百仞之松，本伤于下而末槁①于上；商、周之国，谋失于胸，令②困于彼。故心得而听得，听得而事得，事得而功名得。五帝先道而后德，故德莫盛焉；三王③先教而后杀，故事莫功焉；五伯④先事而后兵，故兵莫强焉。当今之世，巧谋并行，诈术递⑤用，攻战不休，亡国辱主愈众，所事者末也。

[注释]

①槁：枯干。②令：政令。③三王：指夏禹、商汤、周文王。④五伯：即春秋五霸。⑤递：更迭，一个接一个。

[译文]

所以，君主不行君道，边境就会遭受敌人侵犯；在国内丧失德行，在国外就会声名败坏。因此，百仞高的松树，如果伤了下面的树根，上面的枝叶就会干枯；商、周两代末世，国君心中谋划不当，政令在外就难于推行。所以，思虑得当才能听从正确的意见，能听从正确的意见，政事才能处理得当；政事处理得当，自然就博得功成名立。五帝先行道而后施德，所以没有谁的德行比他们更伟大的了。三王先施行教化然后再施行杀戮，所以没有谁的功业比他们更出色的了。五霸先完成功业再动用武力，所以没有谁的军队比他们更强大的了。当今世上，智巧与诡计一齐实施，奸诈与骗术接连使用，攻夺战争不止，灭亡的国家、受辱的君主越来越多，其原因就在于他们致力于细枝末节啊。

夏后相①与有扈②战于甘泽③而不胜。六卿请复之，夏后相启曰："不可。吾地不浅④，吾民不寡，战而不胜，是吾德薄而教不善也。"于是乎处⑤不重席⑥，食不贰味⑦，琴瑟不张⑧，钟鼓不修⑨，子女不饬⑩，亲亲长长，尊贤使能。期年⑪而有扈氏服。故欲胜人者，必先自胜⑫；欲论人者，必先自论；欲知人者，必先自知。

[注释]

①夏后相：疑为"夏后启"之讹。启，禹的儿子，禹死即王位。后，君。②有扈：古国名，故址在今陕西户县北。③甘泽：古地名。④浅：狭小。⑤处：居处。⑥重席：两层席。⑦贰味：多种菜肴。⑧张：陈设。⑨修：整治。⑩饬：通"饰"，修饰打扮。⑪期年：一周年。⑫自胜：等于说"胜自"，克服自己。

[译文]

夏君启与有扈氏在甘泽交战，没有取胜。六卿请求再战，夏君启说："不行。我的国土并不小，我的百姓也不少，但与有扈氏交战却没能取胜，这是由于我的恩德太浅、教化不完善的缘故啊！"于是夏君启睡觉不用两层席，饮食不吃多种菜，不设琴瑟，不列钟鼓，子女不修饰打扮，亲近宗族，敬爱长者，尊重贤人，任用能士。一年之后，有扈氏就归服了。因此，想要战胜别人的，一定先要克制自己；想要评论别人的，一定先要检查自己；想要了解别人的，一定先要了解自己。

《诗》①曰："执辔如组②。"孔子曰："审③此言也，可以为天下。"子贡曰："何其躁④也！"孔子曰："非谓其躁也，谓其为之于此，而成文于彼也。"圣人组修其身⑤而成文⑥于天下矣。故子华子曰："丘陵成而穴者⑦安矣，大水深渊成而鱼鳖安矣，松柏成而涂⑧之人已荫⑨矣。"

[注释]

①《诗》：指《诗经·邶风·简兮》和《诗经·郑风·大叔于田》。②执辔（pèi）如组：拉着缰绳不断摆动，像在编织一样。辔，驾驭马的缰绳。③审：细查。④躁：急躁。⑤组修其身：像编织花纹一样修养自身。⑥成文：比喻大业完成。⑦穴者：穴居的动物。⑧涂：通"途"，道路。⑨荫：遮荫。

[译文]

《诗经》说："手执缰绳驭马，犹如编织花纹一样。"孔子说：

"明悉这句话的含义，就可以治理天下了。"子贡说："多么急躁呀！"孔子说："这句诗不是说驭者动作急躁，而是说丝线在手中编织，花纹却在手外成形。"圣人修养自身，而大业在天下完成。所以子华子说："丘陵形成了，穴居的动物就安身了；大水深渊生成了，鱼鳖就安身了；松柏茂盛了，行路的人就在树荫下歇息了。"

孔子见鲁哀公，哀公曰："有语①寡人曰：'为国家者，为之堂上而已矣。'寡人以为迂②言也。"孔子曰："此非迂言也。丘闻之，得之于身者得之人，失之于身者失之人。不出于门户③而天下治者，其惟知反于己身者乎！"

[注释]

①语（yù）：告诉。②迂：迂远，不切实际。③门户：单扇门叫户，双扇叫门。这里连用，泛指门。

[译文]

孔子拜见鲁哀公，哀公说："有人告诉我说：'治理国家的人，在朝堂之上治理就行了。'我认为这是迂阔的言论。"孔子说："这不是迂阔的言论。我听说，在自身有所得的人，在别人那里也会有所得；在自身有所失的人，在别人那里也会有所失。不出门却能治理好天下的，这恐怕只有懂得自身修养的（国君）才能做到吧！"

论 人①

主道约②，君守③近。太上④反诸己，其次求诸人。其索之弥远者，其推之弥疏；其求之弥强者，失之弥远。

[注释]

①题解："论人"就是评论人，识别人。②约：简约、简单，即前篇所说的"无为"。③守：操守，指所遵守、奉行的原则。④太上：最上。

[译文]

做君主的方法简约无为，君主要奉行的原则就在近旁。最上等的是向自身求得，其次是向别人求助。越向远处寻求的，离它就越远；寻求它的欲望越强烈的，距它就越远。

何谓反诸己也？适①耳目，节嗜欲，释②智谋，去巧故③，而游意乎无穷之次④，事⑤心乎自然之涂。若此则无以害其天⑥矣。无以害其天则知精⑦，知精则知神⑧，知神之谓得一⑨。凡彼万形，得一后成。故知一，则应物变化，阔大渊深，不可测也；德行昭⑩美，比⑪于日月，不可息也；豪士时之⑫，远方来宾⑬，不可塞也；意气⑭宣⑮通，无所束缚，不可收⑯也。故知知一，则复归于朴。嗜欲易足，取养⑰节薄，不可得⑱也；离世自乐，中情洁白，不可墨⑲也；威不能惧，严不能恐，不可服也。故知知一，则可动作当务⑳，与时周旋，不可极㉑也。举错㉒以数，取与遵理，不可惑也；言无遗者，集㉓于肌肤，不可革也。佚人困穷，贤者遂兴，不可匿也。故知知一，则若天地然，则何事之不胜㉔，何物之不应㉕？譬之若御者，反诸己，则车轻马利㉖，致远复食而不倦。

[注释]

①适：使……适度。②释：舍弃。③巧故：伪诈。④次：泛指所在的处所。⑤事：相当于"立"。⑥天：指天性。⑦精：精微。⑧神：指事理的玄妙。⑨一：指道。⑩昭：明亮，光明。⑪比：并列。⑫之：至。⑬宾：归顺。⑭意气：指精神、元气。⑮宣：疏通。⑯收：疑作"牧"。牧，守。⑰养：指养生之物。⑱得：指被人占有、支配。⑲墨：染黑。⑳当务：与事合宜。㉑极：穷，困窘。㉒错：通"措"，安放。㉓集：至。㉔胜：任。㉕应：相应，适合。㉖利：疾，快。

[译文]

什么叫反求己身？使耳目适度，节制嗜好欲望，舍弃智巧计谋，摒除巧饰伪诈，让自己的心意遨游在无垠的空中，让自己的思想立于无为的路途。像这样，就没有什么可以危害自己的天性了。不危害自己的天性，就能知道事物的精微，知道事物的精微，就能够懂得事理的玄妙，懂得事理的玄妙就叫做得道。举凡万物，得到无为之道后才能生成。所以，懂得无为之道的道理，就会适应万物的变化，因而博大精深，不可测度；德行就会彰明完美，与日月并列，不会熄灭。豪杰贤士随时投奔，远方国家前来归顺，其势不可遏止；精神、元气就会畅通，不受羁制，不可持守。所以懂得了掌握无为之道，就会回归简约之本。嗜欲容易满足，所取养身之物量少而有节制，并不占有它。超脱世俗，自得其乐，内心情感洁白无暇，难以玷污。威武不能使他畏惧，严厉不能使他害怕，不可收服。所以懂得了掌握无为之道，就会举动与事合宜，因时变化，不会困窘；举止依照一定的礼数，求取、施予遵循一定的事理，不会惶惑；言语没有过失，使人的肌肤有所感触，不可随意更改；说坏话的人窘困，贤能的人显达，不可以遮掩。所以懂得了掌握无为之道，就会像天地一样，那么，什么事情不能胜任？什么事情不能应对？这就像驾驭马车的人，反躬自求，就会车轻马快，跑很远的路再返回吃饭也不觉得疲倦。

昔上世之亡主，以罪为在人，故日杀僇①而不止，以至于亡而不悟。三代之兴王，以罪为在己，故日功②而不衰，以至于王。

[注释]

①僇（lù）：通"戮"，杀。②功：建功立业。

[译文]

过去，古代亡国的君主，认为（国家没有治理好）罪在别人，所以每天不停地杀戮，以致亡国都没有醒悟。夏、商、周三代兴旺国家的君王，认为（国家没有治理好）罪在自己，所以每天勤于功业，不敢松懈，终于成就了王者大业。

何谓求诸人？人同类而智殊，贤不肖异，皆巧言辩辞以自防御，此不肖主之所以乱也。

凡论人，通①则观其所礼，贵则观其所进②，富则观其所养，听则观其所行，止则观其所好，习则观其所言，穷则观其所不受，贱则观其所不为。喜③之以验其守，乐之以验其僻，怒之以验其节，惧之以验其特④，哀之以验其人⑤，苦之以验其志。八观六验，此贤主之所以论人也。论人者，又必以六戚四隐⑥。何谓六戚？父、母、兄、弟、妻、子。何为四隐？交友、故旧、邑里、门郭。内则用六戚四隐，外则用八观六验，人之情⑦伪、贪鄙、美恶无所失矣。譬之若逃雨污，无之而非是⑧。此先圣王之所以知人也。

[注释]

①通：通达，处境顺利。②进：举荐。③喜：使……高兴。④特：出众，卓异。⑤人：通"仁"。⑥四隐：指四种亲近的人。隐，私。⑦情：真情。⑧譬之若逃雨污，无之而非是：意为譬如避雨，所往无一处没有雨水，无法逃避。

[译文]

什么叫向别人寻求？人虽同类智慧却不同，贤与不肖虽相异，但都用花言巧语来保护自己，这正是不肖之主惑乱的缘故。

大凡衡量、评定人的（标准）有：如果他通达，就观察他礼遇的是什么人；如果他尊贵，就观察他举荐的是什么人；如果他富有，就观察他赡养的是什么人；如果他听言，就观察他采纳的是什么；如果他闲居在家，就观察他喜好的是什么；如果他学习，就观察他说的是什么；如果他困窘，就观察他不接受的是什么；如果他贫贱，就观察他不做的是什么。使他高兴，用来检验他是否有节操；使他快乐，用来检验他是否有邪念；使他发怒，用来检验他是否有涵养；使他恐惧，用来检验他是否有卓异的品行；使他悲哀，用来检验他是否有仁爱之心；使他困苦，用来检验他是否有意志。以上八种观察和六项检验，就是贤明的君主用来衡量、评定人的方法。衡量、评定别人，又一定要用六戚、四隐。什么叫六戚？即父、母、兄、弟、妻、子六种亲属。什么叫四隐？即朋友、熟人、乡邻、亲信四种亲近的人。对内使用六戚、四隐，在外使用八观、六验，这样，人们的真伪、贪鄙、美恶（就能完全知晓），没有遗漏。譬如避雨，所往无一处没有雨水，无法逃避。这就是先代圣王用来识别人的方法。

孟夏纪第四

劝 学①

先王之教，莫荣于孝，莫显于忠。忠孝，人君人亲②之所甚欲也；显荣，人子人臣之所甚愿也。然而人君人亲不得其所欲，人子人臣不得其所愿，此生于不知理义。不知义理，生于不学。

[注释]

①题解："劝学"旨在勉励人们学习。②人亲：指父母。

[译文]

在先王的政教中，没有比孝更荣耀的了，没有比忠更显达的了。忠孝是做君主、父母的十分希望得到的东西，显荣是做子女、臣下的十分愿意获得的东西。然而，做君主、父母的却得不到他们所希望的忠孝，做子女、臣下的却得不到他们所向往的显荣，这是由于不知道理义的缘故。不知道理义，是由于不学习的缘故。

学者师达而有材，吾未知其不为圣人。圣人之所在，则天下理①焉。在右则右重②，在左则左重，是故古之圣王未有不尊师者也。尊师则不论其贵贱贫富矣。若此则名号显矣，德行彰矣。

[注释]

①理：指政治清明。②重：尊。

[译文]

从师学习的人，如果他的老师通达而自己又有才能，我没听说过这样的人成不了圣人的。有圣人存在的地方，天下就政治清明安定。圣人在这个地方，这个地方就受到尊重，圣人在那个地方，那个地方就受到尊重，因此古代的圣王没有不尊重老师的。尊重老师就不会计较他们的贵贱、贫富了。像这样，名号就显达了，德行就彰明了。

故师之教也，不争①轻重尊卑贫富，而争于道。其人苟可，其事无不可。所求尽得，所欲尽成，此生于得圣人。圣人生于疾②学。不疾学而能为魁士③名人者，未之尝有也。

[注释]

①争：计较。②疾：努力，尽力。③魁士：贤能之士。

[译文]

所以，老师教育学生的时候，也不能计较他们的轻重、尊卑、贫富，而要看重他们是否能够接受理义。他们能够接受理义，那就没有办不成的事。所追求的都能得到，所希望的都能实现，这种情况的出现在于得到圣人。圣人是在努力学习中产生的，不努力学习却能成为贤士名人的，未曾有过。

疾学在于尊师。师尊则言信①矣，道论②矣。故往教者不化③，召师者不化；自卑者不听④，卑师者不听。师操不化不听之术而以强⑤教之，欲道之行、身之尊也，不亦远乎？学者处不化不听之势而以自行，欲名之显、身之安也，是怀腐⑥而欲香也，是入水而恶濡⑦也。

[注释]

①信：这里指被人信任。②论：这里指被人称述而彰明。③不化：不能教育、感化别人。④不听：指不被人听从。⑤强（qiǎng）：勉强。⑥腐：指腐臭之物。⑦濡（rú）：沾湿。

[译文]

努力学习关键在于尊重老师。老师受到尊重，他的言语就会被人信从，他的道义就会被人称述而彰明了。因此，应召去教的老师不可能教化他人，呼唤老师来教的人不可能受到教化；自卑的老师不会被学生信服，轻视老师的人不会听从教诲。老师如果采用不能教化学生、不会让学生听信的方法，去勉强教育人，而想使自己的道义得以施行，使自身得以尊贵，不也差得太远了吗？从师学习的学生凡处在不受教化、不从教诲的态势，自己随意行事，尽管想使自己名声显赫、自身平安，这就像怀揣腐臭的东西却希望芳香，进入水中却厌恶被沾湿一样（是办不到的）。

凡说①者，兑②之也，非说之也。今世之说者，多弗能兑，而反说之。夫弗能兑而反说，是拯溺而硾③之以石也，是救病而饮之以堇④也。使世益乱，不肖主重⑤惑者，从此生矣。

[注释]

①说：说教。②兑：悦，用做使动。③硾（zhuì）：使物体下沉。④堇（jǐn）：一种有毒的草名。⑤重：深、甚。

[译文]

凡说教，应该使接受者心情舒畅，而不是生硬说教。如今世上说教的人，大多不能使接受者心情舒畅，反而去硬性说教。不能使接受者心情舒畅，反而去硬性说教，这就犹如去拯救溺水的人却用石头让他沉下去，犹如治病却给病人喝下毒药一样。这样社会越发混乱，不肖的君主甚为昏乱，就由此产生了。

故为师之务,在于胜理①,在于行义。理胜义立则位尊矣,王公大人弗敢骄也,上至于天子,朝之而不惭。凡遇,合②也,合不可必③。遗④理释义,以要⑤不可必,而欲人之尊之也,不亦难乎?故师必胜理行义然后尊。

[注释]

①胜理:依循事理。②合:和洽。③必:一定实现。④遗:弃。⑤要:求。

[译文]

所以,做老师的要务在于依循事理,在于施行道义。只要依循事理,树立道义,那么老师的地位就尊贵了,王公大人不敢轻慢他们,上至于尊贵的天子,朝拜这样的老师,也不会感到羞愧。大凡师徒相遇,贵在和洽,但这种情况不可能一定实现。如果遗弃事理,丢掉道义,去追求不一定实现的东西,并想要人们尊重他,这不也太难了吗?所以,老师一定要依循事理,施行道义,然后才能尊显。

曾子①曰:"君子行于道路,其有父者可知也,其有师者可知也。夫无父而无师者,馀若夫何哉!"此言事师之犹事父也。曾点使曾参,过期而不至,人皆见曾点曰:"无乃畏②邪?"曾点③曰:"彼虽畏,我存,夫安敢畏?"孔子畏于匡,颜渊④后,孔子曰:"吾以汝为死矣。"颜渊曰:"子在,回何敢死?"颜回之于孔子也,犹曾参之事父也。古之贤者与⑤,其尊师若此,故师尽智竭道以教。

[注释]

①曾子:曾参,孔子的弟子。②畏:这里是"横死"的意思。③曾点:字皙,曾参的父亲,孔子的弟子。④颜渊:名回,字子渊,孔子的弟子。⑤与:语气词,表停顿。

[译文]

曾子说:"君子在道路上行走,他们中间父亲健在的可以看出来，老师健在的也可以看出来。对那些父亲、老师都不在的，其他人又能怎么样呢！"这是说侍奉老师如同侍奉父亲啊！曾点派他的儿子曾参外出，过了约定的日期却没有回来，人们都来看望曾点说："恐怕是死了吧？"曾点说："即使他要死，我还活着，他怎么敢轻易死呢？"孔子被囚禁在匡地，颜渊最后才到，孔子说："我以为你死了。"颜渊说："您还活着，我怎么敢死呢？"颜回对待孔子犹如曾参侍奉父亲一样。古代的贤人，他们如此尊重老师，所以老师尽心竭力地教诲他们。

尊 师①

神农师②悉诸③，黄帝师大挠④，帝颛顼⑤师伯夷父⑥，帝喾⑦师伯招⑧，帝尧师子州支父，帝舜师许由⑨，禹师大成贽⑩，汤师小臣⑪，文王、武王师吕望⑫、周公旦⑬。齐桓公师管夷吾⑭，晋文公师咎犯⑮、随会⑯，秦穆公师百里奚⑰、公孙枝⑱，楚庄王师孙叔敖⑲、沈尹巫⑳，吴王阖闾师伍子胥㉑、文之仪㉒，越王句践师范蠡、大夫种㉓。此十圣人、六贤者未有不尊师者也。今尊不至于帝，智不至于圣，而欲无尊师，奚㉔由至哉？此五帝之所以绝，三代之所以灭。

[注释]

①题解："尊师"旨在论述尊师与敬学。②师：以……为师。③悉诸：又名悉老，相传为神农的老师。④大挠：传说为黄帝的史官。⑤颛（zhuān）顼（xū）：传说中的古帝名，号高阳氏。⑥伯夷父：传说为颛顼的老师，又称伯夷。⑦帝喾（kù）：传说中的古帝名，号高辛氏。⑧伯招：传说是帝喾的老师。⑨许由：传说中的古代隐士。⑩大成贽（zhì）：传说为禹的老师。⑪小臣：指伊尹，商王朝的开国功臣。⑫吕望：西周王朝的开国功臣，封于齐，号太公望。⑬周公旦：文王之子，名旦，辅佐武王灭纣，封于鲁。⑭管夷吾：字

仲，齐桓公相，辅佐桓公称霸诸侯。⑮咎犯：即狐偃，字子范，晋文公之舅，故又称舅犯。咎，通"舅"。⑯随会：即士会，字季，晋大夫，食采邑随及范，所以又称随季或范季，死后称随武子、范武子。⑰百里奚：秦大夫。⑱公孙枝：字子桑，秦大夫。⑲孙叔敖：字孙叔，楚庄王令尹。⑳沈尹巫：春秋时期楚国大夫。㉑伍子胥：名员，吴大夫。㉒文之仪：吴大夫。㉓大夫种：即文种，越大夫。㉔奚：何。

[译文]

神农以悉诸为师，黄帝以大挠为师，帝颛顼以伯夷父为师，帝喾以伯招为师，帝尧以子州支父为师，帝舜以许由为师，禹以大成贽为师，汤以小臣伊尹为师，文王、武王以吕望、周公旦为师，齐桓公以管夷吾为师，晋文公以咎犯、随会为师，秦穆公以百里奚、公孙枝为师，楚庄王以孙叔敖、沈尹巫为师，吴王阖闾以伍子胥、文之仪为师，越王勾践以范蠡、文种为师。这十位圣人、六位贤者，没有不尊重老师的。如今，人们的尊贵赶不上帝王，智慧赶不上圣人，却想要不尊奉老师，又怎能成帝、成圣呢？这正是五帝之所以废绝，三代相继亡国的原因啊。

且天生人也，而使其耳可以闻，不学，其闻不若聋；使其目可以见，不学，其见不若盲；使其口可以言，不学，其言不若爽①；使其心可以知，不学，其知不若狂。故凡学，非能益②也，达天性也。能全天之所生而勿败之，是谓善学。子张③，鲁之鄙家④也；颜涿聚⑤，梁父⑥之大盗也；学于孔子。段干木⑦，晋国之大驵⑧也，学于子夏⑨。高何⑩、县子石⑪，齐国之暴者也，指⑫于乡曲⑬，学于子墨子。索卢参⑭，东方之钜狡⑮也，学于禽滑黎⑯。此六人者，刑戮死辱之人也。今非徒⑰免于刑戮死辱也，由此为天下名士显人，以终其寿，王公大人从而礼之，此得之于学也。

[注释]

①爽：口伤病不能言。②益：增加。③子张：姓颛孙，名师，字子张，

孔子的弟子。④鄙：鄙陋。⑤颜涿聚：名庚，字涿聚，春秋齐大夫。⑥梁父：泰山下的一座小山，在今山东新泰市西。⑦段干木：战国初魏国的贤士，隐居不仕。⑧大驵（zǎng）：牙侩，古时集市贸易中为买卖双方撮合，从中取得佣金的人。⑨子夏：姓卜，名商，字子夏，孔子的弟子。⑩高何：战国时人，孔子的弟子。⑪县子石：战国时人，孔子的弟子。⑫指：指斥。⑬乡曲：乡里。⑭索卢参：墨家学派禽滑黎的学生。⑮狡：指狡诈的人。⑯禽滑黎：即禽滑厘。⑰非徒：不仅。

[译文]

况且，上天生成人类，使人的耳朵可以听见，如果不学习，耳有所闻还不如听不见好；使人的眼睛可以看见，如果不学习，目有所见还不如看不见好；使人的口可以说话，如果不学习，口有所言还不如说不出话好；使人的心可以认知事物，如果不学习，心有所知还不如狂乱无知好。因此，凡学习，并不一定能增加人的（知识、技能），而是让人通达人的天性。能保全天赋予的本性而不损害它，就叫做善于学习。子张原是鲁国的鄙俗小人，颜涿聚原是梁父山上的大盗，他们都曾求学于孔子。段干木原是晋国市场上的大牙侩，求学于子夏；高何、县子石原是齐国残暴的人，被乡里所斥逐，求学于墨子；索卢参原是东方的大骗子，求学于禽滑厘。这六个人，都是该受到刑罚、杀戮，蒙受耻辱的人，如今，（由于从师学习，他们）不仅免于刑罚、杀戮、耻辱，而且成为天下知名、显达的士人，得以终其天年，王公贵族对他们以礼厚待，这些都是得益于学习啊。

凡学，必务进业，心则无营①；疾讽诵②，谨司③闻；观欢愉，问书意；顺④耳目，不逆志⑤；退思虑，求所谓⑥；时辨说，以论道；不苟辨，必中法；得之无矜⑦，失之无惭，必反其本。

生则谨养，谨养之道，养心⑧为贵；死则敬祭，敬祭之术，时节⑨为务。此所以尊师也。治唐圃⑩，疾灌浸⑪，务种树；织葩屦⑫，结罝⑬网，捆⑭蒲苇；之田野，力耕耘，事五谷；如山林，入川泽，取鱼鳖，求鸟兽。此所以尊师也。视舆马，慎驾御；适衣服，务轻暖；临⑮饮食，必蠲⑯洁；善调和⑰，务甘肥；必恭敬，和颜色⑱，审辞令；疾趋翔⑲，必严肃。此所以尊师也。

[注释]

①营：通"荧"，惑乱。②疾：努力、尽力。讽：背诵。③司：通"伺"，等候。④顺：顺适。⑤志：这里指老师的心意。⑥所谓：指老师所言的道。⑦矜：自夸。⑧养心：这里指使老师心情愉快。⑨时节：合于四时之节。⑩唐圃：田地。⑪浸：灌溉。⑫葩屦：麻鞋。"葩"疑为"苴"之误。⑬罝（jū）：捕兔的网。⑭捆：砸。编织蒲苇要边编边砸，使它牢固。⑮临：治，备办。⑯蠲（juān）：清洁。⑰调和：指调和五味。⑱颜色：脸色。⑲趋翔：行步有节奏的样子。

[译文]

大凡学习，一定务求增进学业，这样心中就不会疑惑。要努力诵习，小心地伺候老师；看到老师高兴的时候，就请教书中的意思；要顺合老师的耳目，不违背老师的意愿；（告辞老师）回来后认真思考；探求老师所说的道理，要时时研讨商榷，以求准确理解老师所阐明的道理；不苟且巧辩，一定要合乎法度；有所得时不要自夸，有所失时不要惭愧，务求回到自己的本性上来。

老师活着的时候，要小心奉养，小心奉养的方法以使老师欢娱为上；老师去世了要恭敬祭祀，恭敬祭祀的方法以合于四时之节为要。这是用来尊重老师的做法。为老师整修园地，努力灌溉，认真种植树木；编织麻鞋，结兽网，编蒲苇；去田野，尽力耕耘，管理五谷；进山林，入河泽，捕捉鱼鳖，猎取鸟兽。这是尊重老师的做法。为老师看管车马，谨慎驾驭；使衣服合身，一定要又轻便又保暖；备办饮食，一定要清洁，好好调和五味，务求甘甜肥美；一定要毕恭毕敬，和颜悦色，言语审慎；（在老师面前）一定要有礼节地快步走，一定恭敬庄重。这是尊重老师的做法。

君子之学也，说义①必称师以论道，听从必尽力以光明。听从不尽力，命之曰背；说义不称师，命之曰叛。背叛之人，贤主弗内②之于朝，君子不与交友。

故教也者，义之大者也；学也者，知③之盛④者也。义之大者，莫大于利人，利人莫大于教；知之盛者，莫大于成身，成身莫大于学。身成，则为人子弗使而孝矣，为人臣弗令而忠矣，为人君弗强⑤而平矣，有大势可以为天下正⑥矣。故子贡问孔子曰："后世将何以称⑦夫子？"孔子曰："吾何足以称哉？勿已者⑧，则好学而不厌⑨，好教而不倦，其惟此邪！"天子入太庙⑩祭先圣，则齿⑪尝为师者弗臣⑫，所以见敬学与尊师也。

[注释]

①义：通"议"。②内（nà）：通"纳"，接纳。③知（zhì）：通"智"，才智。④盛：大。⑤强（qiǎng）：勉强。⑥正：长，主。⑦称：称道。⑧勿已者：一定要提的话。已，止。⑨厌：满足。⑩太庙：许维遹本作"太学"。⑪齿：并列。⑫弗臣：不做臣子看待。

[译文]

君子学习，谈论事理一定要称引老师的话，听从教诲，一定尽心竭力地光大学说。听从教诲而不尽心竭力去做，这种行为叫做"背"；谈论事理而不称引老师的话，这种行为叫做"叛"。有背叛行为的人，贤明君主不接纳他们在朝为臣，正人君子不跟他们交往为友。

因此，教育人是极仁义的事，学习是极聪明的事。最仁义的事是给人带来利益，而给人带来利益最大的，没有能超过教育人了。最聪明的事没有比修养身心更大的了，而修养身心最重要的，没有能超过学习的。如果自身的修养完成了，那么，做儿子的不用驱使就孝顺了，做臣下的不用命令就忠诚了，做君主的不用勉强就公正了，具备优越条件的就可以做天下的君主了。所以，子贡问孔子说："后世的人们将用什么话来称道您呢？"孔子说："我哪里值得称道呢？如果一定要说的话，那就是爱好学习而不满足，勤于教诲而不知疲倦，大概仅此罢了！"天子来到太学祭祀先代圣人，与曾经做过自己老师的人并排站立，不把他们做臣子看待，这是用来体现敬重学习和尊重老师啊！

诬 徒[①]

达师[②]之教也，使弟子安焉，乐焉，休[③]焉，游焉，肃焉，严焉。此六者得于学，则邪辟之道塞[④]矣，理义之术[⑤]胜矣。此六者不得于学，则君不能令于臣，父不能令于子，师不能令于徒。人之情，不能乐其所不安，不能得于其所不乐。为之而乐矣，奚待贤者？虽不肖者犹若劝之。为之而苦矣，奚待不肖者？虽贤者犹不能久。反诸人情，则得所以劝学矣。子华子曰："王者乐其所以王，亡者亦乐其所以亡，故烹[⑥]兽不足以尽兽，嗜其脯[⑦]则几[⑧]矣。"然则王者有嗜乎理义也，亡者亦有嗜乎暴慢[⑨]也。所嗜不同，故其祸福亦不同。

[注释]

①题解："诬徒"意为欺骗弟子。②达师：通达事理的老师。③休：安闲。④塞：阻隔，断。⑤术：道。⑥烹：煮。⑦脯：干肉。⑧几：近，差不多。⑨暴慢：残暴轻慢。

[译文]

通达事理的老师，他们的教诲，能使学生安心、快乐、安闲、自适、庄重、严肃，这六方面如果在教学中实现了，那么歪门邪道就堵死了，公理正义就取胜了。这六方面如果在教学中不能实现，那么君主就不能命令臣下，父亲就不能指使儿子，老师就不能指使学生。人之常情，不能喜欢自己所不安心的事物，不能从自己所不喜欢的事物中有所获得。如果做某件事可使人快乐，何须等待贤人?即使不肖的人仍会努力去做。如果做某件事使人感到苦恼,何须等待不肖的人?即使贤人也不会持久。从人之常情出发,就会获得勉励人们学习的道理。子华子说:"成就王业的人喜欢做成就王业的事,国破家亡的人也喜欢做那些使他灭亡的事,所以煮食禽兽不能把所有的禽兽吃尽,人们吃到自己爱吃的肉就够了。"既然如此,成就王业的人就喜好理义,国破家亡的人就喜好残暴轻慢。他们所喜好不同,因此各自所得到的祸福也不同。

不能教者,志气不和,取舍数变,固①无恒心,若晏②阴喜怒无处;言谈日易,以恣③自行,失之在己,不肯自非,愎过④自用,不可证移⑤;见权亲势及有富厚者,不论其材,不察其行,驱而教之,阿⑥而谄⑦之,若恐弗及;弟子居处⑧修洁,身状出伦⑨,闻识疏达⑩,就学敏⑪疾,本业⑫几终者,则从而抑之,难而悬⑬之,妒而恶之。弟子去则冀⑭终,居则不安,归则愧于父母兄弟,出则惭于知友邑里;此学者之所悲也,此师徒相与异心也。人之情恶异于己者,此师徒相与造怨尤⑮也。人之情不能亲其所怨,不能誉其所恶,学业之败也,道术之废也,从此生矣。

[注释]

①固:本来。②晏:清朗无云。③恣(zì):放纵。④愎(bì)过:坚持错误。愎,执拗。⑤证移:因进谏而改变。证,谏。⑥阿:曲从。⑦谄:谄媚。⑧居处:指平时,日常。⑨出伦:出众。⑩疏达:这里是"广博"的意思。⑪敏:疾速。⑫本业:指主要的学业。⑬悬:这里有"疏远"的意思。⑭冀:希望。⑮怨尤:怨恨不满。

[译文]

不善于教育人的老师,心志不平和,取舍多次变化,本来就无一定的心性,就像天气的晴阴变化一样,喜怒无常。言谈每天变化,放纵自己的行为,过失在于自己,却不肯做自我批评;坚持错误,自以为是,不会因别人的劝谏而改变;看见权贵富人,不衡量他们的才能，不考察他们的品行，便赶着去教他们，迎合奉承，唯恐还不够；对于那些平时操守高洁、品貌出众、见识广博、勤于向老师请教、接近完成学业的学生，却有意压制他们，责难、疏远他们，妒嫉、厌恶他们。学生想要离去却又希望完成学业，而留在老师身边又不安心，回家愧见父母兄弟，出门愧见挚友乡亲，这是求学的人所悲伤的，这是由于老师和学生彼此心志不同的原因。人之常情，憎恶与自己心志不合的人，这是老师和学生彼此结下怨恨的缘由。人之常情，不能亲爱自己所怨恨的人，不能称颂自己所憎恶的人，学业的败坏，道术的废弛，就是由此产生的。

善教者则不然，视徒如己，反己以教，则得教之情①也。所加于人，必可行于己，若此则师徒同体②。人之情，爱同于己者，誉同于己者，助同于己者，学业之章③明也，道术之大行也，从此生矣。

不能学者，从师苦④而欲学之功⑤也，从师浅而欲学之深也。草木、鸡狗、牛马，不可谯诟⑥遇之，谯诟遇之，则亦谯诟报人，又况乎达师与道术之言乎？故不能学者，遇师则不中⑦，用心则不专，好之则不深，就业则不疾，辩论则不审⑧，教⑨人则不精；于师愠⑩，怀于俗，羁⑪神于世；矜势⑫好尤，故湛⑬于巧智，昏于小利，惑于嗜欲；问事则前后相悖，以章⑭则有异心，以简则有相反；离则不能合，合则弗能离，事至⑮则不能受⑯；此不能学者之患也。

[注释]

①情：实情，真谛。②师徒同体：指师徒没有隔阂，如同一体。③章：同"彰"。④苦：粗劣。⑤功：精良。⑥谯诟：粗暴，过分。⑦中：通"忠"。⑧不审：指是非不明。⑨教：效法。⑩愠（yùn）：恼怒。⑪羁：牵制，束缚。⑫矜势：自恃权势。⑬湛：通"沉"。⑭章：指言辞详明。⑮至：极。⑯受：这里有"成"之意。

[译文]

善于教育人的老师就不是这样。他们看待学生如同自己一样，设身处地教育学生，这样就掌握教育的真谛了。凡施加给别人的，自己一定能够做到，像这样，就做到师生一体了。人之常情，喜爱与自己志趣相同的人，赞颂与自己心志相同的人，帮助与自己心志相同的人，学业的彰明，道术的盛行，就是由此产生的。

不善于学习的人，跟从老师学习，苟且粗心，却想学得精通；浅尝辄止，却想学得深入。草木、鸡狗、牛马，不可粗暴地对待它们，如果粗暴地对待它们，那么它们也会粗暴地报复人。草木、鸡狗、牛马尚且如此，又何况通达事理的老师和道术呢？所以，不善于学习的人，对待老师不忠诚，用心不专一，爱好不深入，求学不努力，辩论不明是非，效法别人不精心；怨恨老师，安于凡庸，精神被俗务所束缚；自恃权势，爱犯错误，所以沉溺于巧诈，迷恋于小利，惑乱于嗜欲；一询问事情就前后矛盾，言辞详明却又与心意相异，言辞简约却与意思相反；分散的事不会综合，复杂的事不会分析，像这样，即使再用功，学业也不会有所成就。这正是不善于学习的人的害处啊！

用 众[①]

善学者，若齐王之食鸡也，必食其跖[②]数千[③]而后足，虽不足，犹若[④]有跖。物固莫不有长，莫不有短，人亦然。故善学者，假[⑤]人之长以补其短，故假人者遂有天下。无[⑥]丑[⑦]不能，无恶[⑧]不知。丑不能，恶不知，病[⑨]矣。不丑不能，不恶不知，尚[⑩]矣。虽桀、纣犹有可畏可取者，而况于贤者乎？故学士曰："辩议不可不为[⑪]。"辩议而苟[⑫]可为，是教也。教，大议也。辩议而不可为，是被褐[⑬]而出，衣锦[⑭]而入。

[注释]

①题解："用众"旨在论述为学之道。②跖：指鸡爪。③数千：极言其多，

并非实数。④犹若：仍然。⑤假：凭借、利用。⑥无：通"毋"，不可。⑦丑：以……为丑。⑧恶：与"丑"同义，用做意动。⑨病：困窘。⑩尚：上。⑪不可不为：第二个"不"疑为衍字，当作"不可为"。⑫苟：如果。⑬被褐：这里比喻没有学问，愚昧无知。被，披。褐，兽毛或粗麻制成的短衣，古时贫贱人所穿。⑭衣锦：这里比喻学业已成，贤明通达。锦，华美的丝织衣裳，古时富贵人所穿。

[译文]

善于学习的人，就像齐王吃鸡一样，一定要吃过几千鸡爪才满足，即使不够，仍然有鸡爪可吃。事物本来就各有长处，也各有短处。人也是这样。所以，善于学习的人，能吸取别人的长处来弥补自己的短处。因此，善于吸取别人长处的人能取得天下。不要以不能为羞耻，不要以不知为耻辱。把不能看做羞耻，把不知看做耻辱，就会令人困窘。不把不能看做羞耻，不把不知看做耻辱，这是最上等的（境界）。即使桀、纣那样的暴君也有令人敬畏、可取的地方，更何况是贤人呢？所以学识广博的人说："求学的人不可使用辩议。"如果说辩议可以使用的话，这是就施教者说的。施教才需要深入的辨析。求学者如果不使用辩议，就可学有所成，就像穿着破衣服出门，穿着华丽的衣服归来一样。

戎①人生乎戎、长乎戎而戎言，不知其所受之；楚人生乎楚、长乎楚而楚言，不知其所受之。今使楚人长乎戎，戎人长乎楚，则楚人戎言，戎人楚言矣。由是观之，吾未知亡国之主不可以为贤主也，其所生长者不可耳。故所生长不可不察也。

[注释]

①戎：古代泛指我国西部的少数民族。

[译文]

戎人生在戎地，长在戎地，而说戎人的话，却不知他是怎样学会的；楚人生在楚地，长在楚地，而说楚人的话，却不知他是怎样学会的。假如让楚人在戎地生长，让戎人在楚地生长，那么楚人说的就是戎人的话，戎人说的就是楚人的话了。由此看来，我不相信亡国的君主不可能成为贤明的君主，只是他所生长的环境不允许罢了。所以，对于人所生长的环境不可不予以考察啊！

天下无粹①白之狐，而有粹白之裘②，取之众白也。夫取于众，此三皇五帝之所以大立功名也。凡君之所以立，出乎众也。立已定而舍其众，是得其末而失其本。得其末而失其本，不闻安居。故以众勇无畏乎孟贲③矣，以众力无畏乎乌获④矣，以众视无畏乎离娄⑤矣，以众知无畏乎尧、舜矣。夫以众者，此君人之大宝也。田骈⑥谓齐王曰："孟贲庶乎患术⑦，而边境弗患。"楚、魏之王辞言不说⑧，而境内已修备矣，兵士已修用矣，得之众也。

[注释]

①粹：纯粹。②裘：皮衣。③孟贲：战国时期卫国的勇士。④乌获：战国时期秦国的大力士。⑤离娄：传说为黄帝时视力最好的人。⑥田骈：战国时期齐国人，道家。⑦庶乎患术：几乎苦于没有办法。庶，庶几。术，策略，办法。⑧辞言不说：这里是"不贵言辞"的意思。

[译文]

天下没有纯白的狐狸，却有纯白的狐皮衣服，因为它是从许多白狐狸的皮中撷取制成的。善于吸取众人的长处，这正是三皇五帝建立显赫功名的原因。大凡君主的确立，都是依靠众人的力量。君位一经确立就舍弃众人，这是得到细枝末节而丧失了根本。凡是取末失本的君主，从没听说过他的统治会安稳。所以，依靠众人的勇敢就不惧怕孟贲了，依靠众人的力气就不惧怕乌获了，依靠众人的眼力就不惧怕离娄了，依靠众人的智慧就不惧怕比不上尧、舜了。依靠众人，这是统治百姓的法宝。田骈对齐王说："即使勇武的孟贲对于齐国众人的力量也感到无可奈何，因而不需要担心齐国的边境会被侵扰。"楚国、魏国的君主不贵言辞，而国内各项备战的设施已经修治完备，军队已经训练有素可以打仗了，这都是得益于众人的力量啊！

仲夏纪第五

大 乐①

音乐之所由来者远矣,生于度量②,本于太一③。太一出两仪④,两仪出⑤阴阳。阴阳变化,一上一下,合而成章⑥。浑浑沌沌⑦,离则复合,合则复离,是谓天常⑧。天地车轮⑨,终则复始,极⑩则复反,莫不咸当⑪。日月星辰,或疾或徐,日月不同,以尽其行⑫。四时代兴,或暑或寒,或短或长,或柔⑬或刚⑭。万物所出,造⑮于太一,化于阴阳。萌芽始震,凝寒⑯以形。形体有处,莫不有声。声出于和,和出于适⑰。和适,先王定乐,由此而生。

[注释]

①题解:"大乐"是合于道的音乐,与下文"侈乐"相对。②度量:指律管的长度、容积。③太一:"道"的别称,指天地万物的本原。④两仪:天地。⑤出:生。⑥章:等于说"形"。⑦浑浑沌沌:古人想象中世界生成以前的元气状态。⑧天常:自然的永恒规律。⑨轮:转动。⑩极:终极。⑪当:合宜。⑫行:行度,指运行的轨道。⑬柔:柔和。这里指万物生发的春夏两季。⑭刚:刚厉。这里指万物肃杀的秋冬两季。⑮造:开始。⑯寒:凝冻。⑰适:合度。

[译文]

音乐的产生是很久远的事了,它产生于度量,源于太一。太一生天地,天地生阴阳。阴阳变化,阴上阳下,会合而成形体。浑浑沌沌,分离了又会合,会合了又分离,这就叫做自然的永恒规律。天地像车轮般地运转,到尽头又重新开始,到终极又返回,无不恰到好处。日月星辰的运行,有快,有慢。日月轨道不同,都沿着各自的轨道循环绕行。春夏秋冬更迭出现,有的季节炎热,有的季节寒冷,有的季节白天短,有的季节白天长,有的季节柔和,有的季节刚厉。万物的产生,从太一开始,由阴阳变化而生成。因阳而萌芽开始动,因阴而凝冻成形。有形体的各占一定的空间,无不发出声音。声音产生于和谐,和谐来源于适度。和谐、适度,先王制定音乐,正是从这个原则出发的。

天下太平,万物安宁,皆化其上①,乐乃可成。成乐有具②,必节③嗜欲,嗜欲不辟④,乐乃可务⑤。务乐有术,必由平出,平出于公,公出于道。故惟得道之人,其可与言乐乎!

亡国戮民⑥,非无乐也,其乐不乐。溺者非不笑也⑦,罪人非不歌也,狂者非不武⑧也,乱世之乐有似于此。君臣失位,父子失处⑨,夫妇失宜,民人呻吟,其以为乐也,若之何哉?

[注释]

①上:当做"正"。②具:这里是"条件"的意思。③节:节制。④辟:放纵。⑤务:专力从事。⑥戮民:遭受屠戮的人民。⑦溺者非不笑也:《左传·哀公二十年》有"溺人必笑"的记载。此处反其意而用之。⑧武:当做"舞"。这里是"手足舞动"的意思。⑨失处:指丧失自己的本分。

[译文]

天下太平,万物安宁,一切都顺应正道,音乐才能制成。制成音乐需要条件,必须节制欲望。只有欲望不放纵,才可以专力从事音乐。专力从事音乐有一定的方法,(那就是)必须从平和出发。

平和产生于公正，公正产生于得道。所以只有得道的人，才可以与他谈论音乐吧！

被灭亡的国家，遭受杀戮的百姓，并不是没有音乐，只是他们的音乐并不表达欢乐。将要淹死的人不是不笑，犯法的罪人不是不唱，精神狂乱的人不是不手舞足蹈，（但是他们的笑、他们的唱、他们的舞蹈没有丝毫的欢乐，）乱世的音乐与此相似。君臣地位颠倒，父子本分错乱，夫妇关系失当，人民痛苦呻吟，以此制乐，又会怎样呢？

凡乐，天地之和，阴阳之调也。始生人者，天也，人无事焉。天使人有欲，人弗得不求；天使人有恶，人弗得不辟①。欲与恶，所受于天也，人不得兴焉，不可变，不可易。世之学者，有非乐者②矣，安由出哉？

大乐③，君臣、父子、长少之所欢欣而说④也。欢欣生于平，平生于道。道也者，视之不见，听之不闻，不可为状⑤。有知不见之见、不闻之闻、无状之状者，则几于知之矣。道也者，至精也，不可为形，不可为名，强为之，谓之太一。

[注释]

①辟：避开。②非乐者：指墨家学派。非，否定。③大乐：盛乐，指完美的音乐。④说：通"悦"，喜悦。⑤为状：描绘出形状。

[译文]

凡音乐都是天地和谐、阴阳调和的产物。最初生成人的是天，人（只能听从天的安排）不能参与其事。天使人生来就有欲望，人不得不追求；天使人生来就有憎恶，人不得不躲避。欲望和憎恶都是从天那里禀承下来的，人不能自主，不可改变，不能移易。世上的学者有反对音乐的，他们的观点是根据什么产生的呢？

大乐是君臣、父子、老少欢喜快乐的产物。欢喜从平和中产生，平和从道中产生。所谓道，看不见，听不到，也无法描绘出形状。有谁能够懂得在不见中包含着见,在不闻中包含着闻,在无形中包含着形,那他就接近于懂得道了。道是最精妙的,无法描绘出它的形状,不能给它命名,勉强给它起个名字,叫做"太一"。

故一①也者制令,两②也者从听。先圣择③两法④一,是以知万物之情⑤。故能以一听政者,乐君臣,和远近,说⑥黔首,合宗亲⑦;能以一治其身者,免于灾,终其寿,全其天⑧;能以一治其国者,奸邪去,贤者至,成大化⑨;能以一治天下者,寒暑适,风雨时⑩,为圣人。故知一则明,明两⑪则狂。

[注释]

①一:指"太一"或"道"。②两:由"太一"派生出的万物。③择:弃。④法:用。⑤情:实情。⑥说:悦,使动。⑦宗亲:指同母兄弟,后世也指同宗亲属。⑧天:指天性。⑨大化:广泛深入的教化。⑩时:适时。⑪明两:即"用两"。

[译文]

所以,"太一"处于制约、支配的地位,"万物"处于服从、听命的地位。先代圣人舍弃"万物"而用"太一",因此知道万物生成的道理。所以,能够用"太一"处理政事的,可以使君臣快乐,远近和睦,人民欢悦,亲戚和谐;能够用"太一"修养身心的人,可以免于灾害,终其天年,保全天性;能够用"太一"治理国家的人,可以使奸邪远离,贤人来归,实现大治;能够用"太一"治理天下的人,可以使寒暑调适,风雨应时,成为圣人。所以懂得用"一"就聪明,用"两"就迷惑昏乱。

侈 乐①

人莫不以其生生,而不知其所以生②;人莫不以其知知,而不知其所以知。知其所以知,之谓知道③;不知其所以知,之谓弃宝。弃宝者必离④其咎。世之人主,多以珠玉戈剑为宝,愈多而民愈怨,国人愈危,身愈危累⑤,则失宝之情⑥矣。乱世之乐与此同。为木⑦革之声则若雷,为金石之声则若霆⑧,为丝竹歌舞之声则若噪。以此骇心气⑨、动耳目、摇荡生⑩则可矣,以此为乐则不乐。故乐愈侈⑪,而民愈郁,国愈乱,主愈卑,则亦失乐之情矣。

[注释]

①题解:本文旨在反对侈乐。所谓侈乐,指乐器种类、数量多,形体大、形状奇,演奏怪诞,响若雷霆,或纷乱嘈杂的音乐。②所以生:赖以生存的根本。③知道:懂得道。④离:通"罹",遭。⑤累:忧患、危难。⑥情:实情。⑦木:八音之一。古代称金、石、丝、竹、匏、土、革、木八种制造乐器的材料为八音。⑧霆:迅雷。⑨心气:指人的精神。⑩生:性情。⑪侈:盛大、奢侈放纵。

[译文]

人没有不依赖自己的生命而生存的,却不知道他所赖以生存的根本是什么。人没有不依赖自己的知觉去感知的,却不知道自己赖以感知的根本是什么。知道自己能够感知的根本,就叫懂得道;不知道自己能够感知的根本,就叫舍弃宝物。舍弃宝物的人一定会遭殃。世上的君主,大多把珍珠、玉石、长戈、利剑当做宝物。这些宝物越多,百姓就越怨恨,国家就越危险,君主自身就越会遭受祸患,这就失掉了作为宝物的意义了。乱世的音乐与此情形相同。演奏木制、革制乐器的声音就像打雷,演奏铜制、石制乐器的声音就像霹雳,为歌舞伴奏的丝竹乐器发出的声音就像喧闹。用这样的音乐惊扰人的心神,震动人的耳目,摇荡人的性情,那是可以的,但如果把它作为音乐,那就不能使人快乐了。所以音乐越是奢侈放纵,百姓就越发抑郁不乐,国家就越混乱,君主的地位就越卑微,这就失去音乐的本意了。

凡古圣王之所为贵乐者，为其乐也。夏桀、殷纣作为侈乐，大①鼓钟磬管箫之音，以巨为美，以众为观②，俶③诡殊瑰④，耳所未尝闻，目所未尝见，务以相过，不用度量。宋之衰也，作为千钟⑤；齐之衰也，作为大吕；楚之衰也，作为巫音⑥。侈则侈矣，自有道者观之，则失乐之情。失乐之情，其乐不乐。乐不乐者，其民必怨，其生必伤。其生之与乐也，若冰之于炎日，反以自兵⑦。此生乎不知乐之情，而以侈为务故⑧也。

[注释]

①大：增大。②观：这里是"壮观"的意思。③俶（chù）诡：奇异。④殊瑰：异常的瑰丽。⑤千钟：钟律之名。⑥巫音：古代以舞降神的音乐。⑦兵：伤害。⑧故：缘故。

[译文]

古代圣王之所以重视音乐，是因为它能给人带来快乐。夏桀、殷纣制作奢侈放纵的音乐，增大鼓、钟、磬、管、箫等乐器的声音，把声音巨大作为美，把乐器众多作为壮观，乐曲奇异瑰丽，人们的耳朵不曾听到过，眼睛不曾看到过，一味地追求过分，不遵法度。宋国衰微的时候，制作千钟；齐国衰微的时候，制作大吕；楚国衰微的时候，制作巫音。这些音乐，奢侈盛大是够大的了，然而在有道的人看来，却失去了音乐的本意。失掉了音乐的本意，这样的音乐不能使人快乐。音乐不能使人快乐的（君主），他的百姓一定会产生怨恨，他的生命一定会受到伤害。他的生命遇到这种音乐，就像冰遇到炎热的太阳一样，反倒伤害了自身。产生这种后果是由于不知晓音乐的本意，而致力于追求奢侈放纵的缘故。

乐之有情，譬之若肌肤形体之有情性也，有情性则必有性①养矣。寒、温、劳、逸、饥、饱，此六者非适②也。凡养也者，瞻非适而以之适者也。能以久处其适，则生长③矣。生也者，其身固静，感而后知，或④使之也。遂⑤而不返⑥，制乎嗜欲，制乎嗜欲无穷，则必失其天⑦矣。且夫嗜欲无穷，则必有贪鄙悖乱之心，淫佚⑧奸诈之事矣。故强者劫弱，众者暴⑨寡，勇者凌怯，壮者慠⑩幼，从此生矣。

[注释]

①性：通"生"。②适：适中。③长：久。④或：有的，这里具体指嗜欲与外物。⑤遂：顺。这里指顺其放纵之心。⑥返：回。这里是"收拢"的意思。⑦天：这里指身。⑧淫佚：纵欲放荡。⑨暴：损害。⑩慠：同"傲"。

[译文]

音乐有真谛，就像肌肤形体有天性一样。有天性，就一定有生长、保养的方法。寒冷、炎热、劳累、安逸、饥饿、饱足，这六种情况都不适宜天性。大凡保养，是指要看到天性不得其宜的情况，并使它适宜。能使天性长久地处于适宜的状态，生命就长久了。生命本身是清静无知的，感受到外物后才有知觉，这是由于外物影响的缘故。如果放纵其心而不收拢，就会被嗜欲所牵制，如果被嗜欲所牵制，就必定丧失天性了。况且，嗜欲是无穷无尽的，那就必然会产生贪婪、卑鄙、犯上作乱的思想，产生纵欲放荡、奸佞欺诈的事情了。所以，强大的劫掠弱小的，人多势众的侵害势孤力单的，勇猛的欺凌怯弱的，强壮的侮辱幼小的，凡此种种，都由此而产生了。

适 音①

耳之情欲声，心不乐，五音②在前弗听；目之情欲色，心弗乐，五色③在前弗视；鼻之情欲芬香，心弗乐，芬香在前弗嗅；口之情欲滋味，心弗乐，五味④在前弗食。欲之者，耳目鼻口也；乐之弗乐者，心也。心必和平然后乐；心必乐，然后耳目鼻口有以欲之。故乐之务在于和心，和心在于行适⑤。

夫乐有适，心亦有适。人之情，欲寿而恶夭⑥，欲安而恶危，欲荣而恶辱，欲逸而恶劳。四欲得，四恶除，则心适矣。四欲之得也，在于胜理⑦。胜理以治身，则生全以⑧，生全则寿长矣。胜理以治国，则法立，法立则天下服矣。故适心之务在于胜理。

[注释]

①题解："适音"指适宜的音乐。②五音：宫、商、角、徵、羽。这里泛指音乐。③五色：青、黄、赤、白、黑。这里泛指各种色彩。④五味：酸、苦、甘、辛、咸。这里泛指美味。⑤行适：行为合宜适中。⑥夭：少壮而死。⑦胜理：因循事物的规律。⑧以：通"矣"。

[译文]

耳朵的本能想听声音，如果心情不快乐，即使音乐在耳边也不听；眼睛的本能想看彩色，如果心情不快乐，即使彩色在眼前也不看；鼻子的本能想嗅芳香，如果心情不快乐，即使香气在身边也不嗅；口的本能想尝滋味，如果心情不快乐，即使美味在嘴边也不吃。有各种欲望的是耳、眼、鼻、口，而决定快乐或不快乐的是心情。心情必须平和，然后才能快乐。心情必须快乐，然后耳、眼、鼻、口才产生各种欲望。所以，快乐的关键在于使心情平和，使心情平和的关键在于行为合宜适中。

快乐有适中的问题，心情也有适中的问题。人的本性是希望长寿而厌恶夭折，希望安全而厌恶危险，希望荣耀而厌恶耻辱，希望安逸而厌恶劳累。以上四种愿望得到满足，四种厌恶得以消除，心情就适中了。四种愿望能得以满足，在于遵循事物的规律。遵循事物的规律来修身养性，生命就保全了；生命得以保全，寿命就长久了。遵循事物的规律来治理国家，法令就建立了；法令建立起来，天下就服从了。所以，使心情适中的关键，在于遵循事物的规律。

夫音亦有适。太巨则志荡①，以荡听巨则耳不容，不容则横塞②，横塞则振。太小则志嫌③，以嫌听小则耳不充，不充则不詹④，不詹则窕⑤。太清则志危⑥，以危听清则耳谿极⑦，谿极则不鉴⑧，不鉴则竭。太浊则志下，以下听浊则耳不收，不收则不抟⑨，不抟则怒。故太巨、太小、太清、太浊，皆非适也。

何谓适？衷⑩，音之适也。何谓衷？大不出钧⑪，重不过石⑫，小大轻重之衷也。黄钟之宫⑬，音之本也，清浊之衷也。衷也者，适也。以适听适则和矣。乐无⑭太⑮，平和者是也。

[注释]

①荡：摇动。②横塞：充溢阻碍。③嫌：通"慊"(qiàn)，不满足。④詹：通"赡"，足。⑤窕（tiǎo）：细而不满。⑥危：高。⑦谿极：空虚疲困。⑧鉴：鉴别。⑨抟：专一。⑩衷：指声音大小清浊适中。⑪大不出钧：指钟音律度最大不得超过均所发之音。"钧"通"均"，古代度量钟音律的器具。⑫重不过石：指钟重量最重不得超过一石。石，古代重量单位，一百二十斤。⑬黄钟之宫：古乐以律确定五音音高，用黄钟律所定的宫音，叫黄钟之宫。⑭无：通"毋"。⑮太：过度。

[译文]

音乐也有个适中的问题。声音过大就会使人心志摇荡，以摇荡之心听巨大的声音，耳朵就容纳不了，容纳不了就会充溢阻塞，充溢阻塞，心志就会摇荡。声音过小就会使人心志不满，以不满之心志听微小的声音，耳朵就不充满，不充满就感到不够，不够心志就会不满足。声音过清就会使人心志高扬，以高扬之心听过清之音，耳朵就会空虚困顿，空虚困顿就听不清，听不清，心志就会衰竭。声音过浊就会使人心志低下，以低下之心听过浊之音，耳朵就不可能专注，不能专注去听就专一不了，专一不了就会动怒。所以，音乐的声音过大、过小、过清、过浊都不合宜。

什么叫合宜？声音大小清浊适中就叫合宜。什么叫大小清浊适中？钟音律度最大不超过均的声音，钟的重量最重不超过一石，这就叫小大轻重适中。黄钟律的宫音是乐音的根本，是清浊的基准。合乎基准就是合宜。以适中的心情听适中的声音就和谐了。音乐的各方面都不能过分,平正和谐才是合宜。

故治世之音安以①乐,其政平也;乱世之音怨以怒,其政乖②也;亡国之音悲以哀,其政险也。凡音乐,通乎政而移风平俗者也。俗定而音乐化之矣。故有道之世,观其音而知其俗矣,观其政而知其主矣。故先王必托于音乐以论其教③。清庙④之瑟,朱弦而疏越⑤,一唱而三叹⑥,有进⑦乎音者矣。大飨⑧之礼,上⑨玄尊⑩而俎⑪生鱼,大羹⑫不和⑬,有进乎味者也。故先王之制礼乐也,非特⑭以欢耳目、极口腹之欲也,将以教民平⑮好恶、行理义也。

[注释]

①以:而。②乖:乖谬。③教:教化。④清庙:宗庙。宗庙肃然清净,故名。⑤疏越:镂刻的小孔。疏,镂刻。越,穴,瑟底的小孔。⑥一唱而三叹:宗庙奏乐,一人唱歌,三人应和。⑦进:这里是"超出"的意思。⑧大飨(xiǎng):古代的一种祭祀,是一种合祭远近祖先的会祭。⑨上:献上。⑩玄尊:盛玄酒的酒器。玄酒,指上古行祭礼时所用的水。尊为酒器,祭祀时盛水,所以称水为玄酒。水本无色,古人习以为黑色,故称"玄酒"。⑪俎(zǔ):古代祭祀用的礼器。这里用做动词,把……盛在俎中。⑫大羹:古代祭祀时所用的带汁的肉。⑬和:指调和五味。⑭特:只,仅仅。⑮平:端正。

[译文]

所以,太平时代的音乐安宁而快乐,是由于它的政治安定;动乱时代的音乐怨恨而愤怒,是由于它的政治乖谬;濒临灭亡的国家的音乐悲痛而哀伤,是由于它的政治险恶。大凡音乐,都与政治相通,并起着移风易俗的作用。风俗的形成是音乐教化的结果。所以,政治清明的时代,考察它的音乐就可以知道它的风俗了,考察它的风俗就可以知道它的政治了,考察它的政治就可以知道它的君主了。因此,先王一定要借助音乐来宣扬他们的教化。宗庙里用来演奏的瑟,安着朱红色的弦,底部刻有小孔;宗庙之乐,只由一人领唱,三人应和,它的意义已经超出音乐本身了。举行大飨祭礼时，献上盛水的酒器，俎中盛着生鱼，大羹不调和五味，它的意义已经超出滋味本身了。所以，先王制定礼乐的目的，不仅仅是用来使耳目欢愉、极力满足口腹的欲望，而是要教导人们端正好恶、实施理义啊。

古 乐①

乐所由来者尚②也，必不可废。有节有侈，有正有淫矣。贤者以昌，不肖者以亡。

昔古朱襄氏③之治天下也，多风而阳气畜积，万物散解④，果实不成，故士达⑤作为五弦瑟，以来⑥阴气，以定群生⑦。

[注释]

①题解："古乐"旨在论述音乐发展的历史。②尚：久远。③朱襄氏：传说中远古部落名，它的首领是炎帝。④散解：分散、脱落。⑤士达：朱襄氏的臣子。⑥来：招来。⑦群生：即"众生"。

[译文]

音乐的由来相当久远了，一定不可废弃。其中有的适中，有的奢侈，有的纯正，有的淫邪。贤人用它而发达昌盛，不肖的人用它而国灭身亡。

在古代朱襄氏治理天下的时候，经常刮风，因而阳气过盛，万物散落解体，果实不能成熟，所以士达创造出五弦瑟，用来招引阴气，安定众生。

昔葛天氏①之乐，三人操②牛尾，投足③以歌八阕④：一曰《载⑤民》，二曰《玄鸟》，三曰《遂⑥草木》，四曰《奋⑦五谷》，五曰《敬天常⑧》，六曰《达⑨帝功》，七曰《依地德⑩》，八曰《总万物之极⑪》。昔陶唐氏⑫之始，阴多滞伏⑬而湛⑭积，水道壅塞，不行其原⑮，民气郁阏⑯而滞著⑰，筋骨瑟缩⑱不达，故作为舞以宣导⑲之。

[注释]

①葛天氏：传说中的远古部落名，这里指其部落首领。②操：持、拿。③投足：顿足、踏脚。④八阕：指乐舞的八章。阕，乐曲终了，所以一阕为一章。⑤载：负载。⑥遂：顺。⑦奋：茂盛。⑧天常：指自然规律。⑨达：通。⑩德：指四时的旺气。⑪极：终极。⑫陶唐氏：当是"阴康氏"之误，传说中的远古部落名。这里指其部落首领。⑬滞伏：沉积凝滞。⑭湛：通"沉"，厚，浓。⑮原：依王念孙说，当做"序"，指正常规律。⑯郁阏（è）：郁抑积聚。⑰滞著：不舒畅。⑱瑟缩：收缩。⑲宣导：疏引畅通。

[译文]

从前，葛天氏的音乐，演奏时，三个人手持牛尾，踏着脚歌唱八支舞乐：第一支叫做《载民》，第二支叫做《玄鸟》，第三支叫做《遂草木》，第四支叫做《奋五谷》，第五支叫做《敬天常》，第六支叫做《达帝功》，第七支叫做《依地德》，第八支叫做《总万物之极》。古时阴康氏开始治理天下的时候，阴气过盛，沉积凝聚，阳气阻塞不通，不能按正常规律运行，民众精神抑郁而不舒畅，筋骨蜷缩而不舒展，所以创作舞蹈来加以疏导。

昔黄帝令伶伦①作为律②。伶伦自大夏③之西，乃之④阮隃之阴，取竹于嶰溪⑤之谷，以生空窍厚钧⑥者，断两节间，其长三寸九分而吹之，以为黄钟之宫⑦，吹曰"舍少"⑧。次⑨制十二筒，以之阮隃之下，听凤皇⑩之鸣，以别十二律⑪。其雄鸣为六⑫，雌鸣亦六⑬，以比黄锺之宫，适合。黄锺之宫皆可以生之，故曰：黄锺之宫，律吕⑭之本。黄帝又命伶伦与荣将⑮铸十二钟，以和五音，以施《英韶》⑯。以⑰仲春之月，乙卯之日，日在奎⑱，始奏之，命之曰《咸池》⑲。

[注释]

①伶伦：传说为黄帝的乐官。伶，乐官。伦，人名。②律：古代定音用

的竹制律管，相传为伶伦所制。③大夏：传说中古代西方的山。④之：往。⑤嶰溪：山谷之名。⑥钧：同"均"。⑦黄钟之宫：用黄钟律所定的宫音。⑧吹曰"舍少"：依刘复说，意为吹出来的声音是"舍少"。"舍少"是模拟黄钟管的声音。⑨次：依次。⑩凤皇：即凤凰。⑪十二律：中国古代乐制中，以一个八度分为十二个不完全相等的半音，每个半音称为"一律"。⑫雄鸣为六：指六阳律，即黄钟、太簇、姑洗、蕤宾、夷则、无射。⑬雌鸣亦六：指六阴律，即大吕、夹钟、仲吕、林钟、南吕、应钟。⑭律吕：十二律中，阳律称律，阴律称吕。⑮荣将：传说中的黄帝之臣。或作"容援"。⑯《英韶》：指华美之音。⑰以：于。⑱日在奎：太阳的位置在奎宿。奎，二十八宿之一。⑲《咸池》：古乐名，传说为尧时乐曲；一说为黄帝之乐，尧时沿用。

[译文]

从前，黄帝叫伶伦创制乐律。伶伦从大夏山的西方，到达昆仑山的北面，从山谷中取来竹子，选择中空而竹壁厚且均匀的竹子，截取两个竹节中间的一段，长度为三寸九分，然后吹响它，把竹管发出的声音定为黄钟律的宫音，吹出来的声音叫"舍少"。接着依次共制作了十二根竹管，带到昆仑山下，听凤凰的鸣叫，借以区别十二乐律。雄凤鸣叫有六个声音，雌凤鸣叫也有六个声音。把根据这些声音定出的乐律同黄钟律的宫音相比照，都适度和谐，这些声音都可以由黄钟律的宫音派生出来。所以说：黄钟律的宫音是乐律的本源。黄帝又令伶伦和荣将铸造十二口钟，用来和谐五音，借以演奏华美的声音。在仲春的月份，乙卯这天，太阳的位置在奎宿的时候，开始演奏它们，把奏出的乐曲命名为《咸池》。

帝颛顼生自若水①，实处空桑②，乃登为帝。惟天之合，正风③乃行，其音若熙熙凄凄锵锵④。帝颛顼好其音，乃令飞龙⑤作效⑥八风⑦之音，命之曰《承云》⑧，以祭上帝。乃令鱓⑨先为乐倡，鱓乃偃寝⑩，以其尾鼓⑪其腹，其音英英⑫。

帝喾⑬命咸黑作为声歌：《九招》、《六列》、《六英》⑭。有倕⑮

作为鼙⑯、鼓、钟、磬、吹苓⑰、管、埙⑱、篪⑲、鼗、椎、锺⑳。帝喾乃令人抃㉑，或鼓鼙，击钟磬、吹苓、展㉒管篪。因令凤鸟、天翟㉓舞之。帝喾大喜，乃以康㉔帝德。

[注释]

①若水：古水名，今雅砻江。②空桑：古地名。③正风：指八方纯正之风。④熙熙凄凄锵锵：象声词，形容风声。⑤飞龙：乐人名。⑥效：模仿。⑦八风：八方之风。⑧《承云》：古乐名，传说为颛顼时所作。⑨鼍（tuó）：鳄。⑩偃寝：仰面躺下。⑪鼓：击打。⑫英英：形容乐声和盛。⑬喾（kù）：传说中的五帝之一。⑭《九招》、《六列》、《六英》：古乐名，传说为帝喾时所作。⑮有倕：传说中的古代巧匠。有，名词词头。倕，人名。⑯鼙（pí）：古代的小鼓。⑰苓：笙。⑱埙（xūn）：古代吹奏乐器，陶制。⑲篪（chí）：古代管乐器，竹制。⑳鼗（táo）：长柄乐器，古代打击乐器。椎（chuí）：捶击乐器的工具。锺：疑是"衡"的误字，指悬钟的横木。㉑抃（biàn）：两手相击。㉒展：这里是"演奏"的意思。㉓天翟（dí）：神话中的天鸟。㉔康：褒扬、赞美。

[译文]

帝颛顼出生在若水，居住在空桑。他登上帝位，德行正与天意相合。八方纯正之风于是按时运行，它们发出熙熙、凄凄、锵锵的声音。颛顼喜好那些声音，于是就命令飞龙制作乐曲，模仿八方的风声，乐曲命名为《承云》，用以祭祀天帝。颛顼就叫鼍给乐曲领奏，鼍就仰面躺下，用尾巴敲打自己的肚子，发出和盛的乐声。

帝喾命令咸黑作乐，咸黑创作了《九招》、《六列》、《六英》。倕又制作了鼙、鼓、钟、磬、吹苓、管、埙、篪、椎、衡等乐器。帝喾就让人演奏这些乐器，有的击鼙，有的敲钟、磬，有的吹笙，有的演奏管、篪。于是就让凤鸟、天鸟随乐舞蹈。帝喾非常高兴，就用这乐舞来宣扬天帝的功德。

帝尧立，乃命质①为乐。质乃效山林溪谷之音以歌，乃以麋鞈②置缶③而鼓之，乃拊④石击石，以象⑤上帝玉磬之音，以致⑥舞百兽。

瞽叟⑦乃拌⑧五弦之瑟,作以为十五弦之瑟。命之曰《大章》⑨,以祭上帝。

舜立,命延⑩,乃拌瞽叟之所为瑟,益之八弦,以为二十三弦之瑟。帝舜乃令质修《九招》、《六列》、《六英》,以明帝德。

禹立,勤劳天下,日夜不懈。通大川,决壅塞,凿龙门⑪,降⑫通潦水⑬以导河,疏三江五湖⑭,注之东海,以利黔首。于是命皋陶⑮作为《夏籥》⑯九成⑰,以昭其功。

[注释]

①质:传说为尧、舜时的乐官。②麋觡(luò):麋鹿的皮革。③缶(fǒu):盛酒浆的瓦器,小口大腹。④拊(fǔ):击,拍。⑤象:模仿。⑥致:招引。⑦瞽叟:舜的父亲。⑧拌(pàn):分开。⑨《大章》:古乐名,相传为尧时所作。⑩延:相传为舜之臣。⑪龙门:地名,在今山西河津县西北。⑫降:大。⑬潦了(liáo)水:指洪水。⑭三江:这里泛指长江水系。五湖:这里泛指太湖一代的湖泊。⑮皋陶:舜之臣,传说在舜时掌刑狱之事。⑯《夏籥》:古乐名,即《大夏》。⑰九成:九段,又称"九奏"、"九变"。

[译文]

尧立为帝,就命令质作乐。质于是模仿山林溪谷中的声音而作歌,又把麋鹿的皮蒙在瓦器上敲打它,并敲打石片,以模仿天帝玉磬的声音,用以引来百兽舞蹈。瞽叟在五弦瑟的基础上制成十五弦瑟,演奏的乐曲命名为《大章》,用它祭祀天帝。

舜立为帝,命令延改造乐器,延就在瞽叟创制的十五弦瑟的基础上,增加了八根弦,制成二十三弦瑟。舜还让质研习《九招》、《六列》、《六英》,用来彰明天帝的美德。

禹立为帝,为天下辛勤操劳,日夜不怠。他疏通大河,决开壅塞,开凿龙门,全力疏通洪水把它导入黄河,并疏浚三江五湖,使水流入东海,以利百姓。在这时,禹命令皋陶创作《夏籥》九章,来宣扬他的功绩。

古乐

殷汤即位，夏为无道，暴虐万民，侵削诸侯，不用轨度①，天下患之。汤于是率六州②以讨桀罪。功名大成，黔首安宁。汤乃命伊尹作为《大护》③，歌《晨露》，修《九招》、《六列》④，以见其善。

周文王处岐⑤，诸侯去殷三淫⑥而翼⑦文王。散宜生⑧曰："殷可伐也。"文王弗许。周公旦乃作诗曰："文王在上，於⑨昭于天。周虽旧邦，其命维新。"⑩以绳⑪文王之德。

[注释]

①轨度：法度。②六州：指古九州中的荆、梁、雍、豫、徐、扬六州。③《大护》：古乐名，相传为汤时伊尹所作。④《六列》：下脱《六英》。⑤岐：古邑名，为周的祖先古公亶父所建，故址在今陕西岐山县东北。⑥三淫：指纣王所做的三件暴虐之事，即剖比干之心、断材士之股、刳孕妇之胎。⑦翼：辅佐，拥戴。⑧散宜生：周文王之臣。⑨於（wū）：叹词，表赞叹。⑩这四句诗见《诗·大雅·文王》。⑪绳：赞誉。

[译文]

殷汤登上君位，这时夏桀胡作非为，残暴虐待百姓，侵害掠夺诸侯，不按法度行事，天下人都认为他是祸患。汤于是率领六州诸侯讨伐桀的罪行。功名大成，百姓安宁。汤于是命令伊尹创作了《大护》乐、《晨露》歌，并研习《九招》、《六列》、《六英》，用以展现他的美德。

周文王住在岐邑，诸侯纷纷叛离罪恶累累的殷纣，拥戴文王。散宜生说："殷可以讨伐了。"文王不答应。周公旦于是作诗说："文王高高在上，德行昭明于天。岐周虽是古老之国，天命却是崭新的。"用这首诗来称誉文王的德行。

武王即位，以六师①伐殷。六师未至②，以锐兵克之于牧野③。归，乃荐俘馘④于京太室⑤，乃命周公为作《大武》⑥。

成王立，殷民反⑦，王命周公践⑧伐之。商人服⑨象，为虐于东夷⑩。周公遂以师逐之,至于江南。乃为《三象》⑪,以嘉其德。

故乐之所由来者尚矣,非独为一世之所造也。

[注释]

①六师:即"六军"。周制,天子有六军。②未至:指未到达殷的都城。③牧野:古地名,在今河南淇县西南。④俘馘(guó):指被歼之敌。俘,俘虏。馘,从敌尸上割下来的左耳。⑤太室:太庙的中室。⑥《大武》:古乐名,相传为周武王时周公所作,歌颂武王灭纣的功绩。⑦反:叛。⑧践:往。⑨服:役使,驾驭。⑩东夷:这里指古代东方诸民族所居的地方。⑪《三象》:古乐名,相传为周公所作。

[译文]

武王即位,率领六军讨伐殷纣。大军还没有到达殷的都城,就凭精锐的士兵在牧野打败了殷纣。回到京城,就在太庙中献上俘虏,禀报斩杀人数,就命令周公创作了《大武》乐。

成王即位,殷的遗民叛乱,成王命令周公去讨伐他们。商人役使大象在东夷肆虐为害。周公于是率领军队追逐他们,一直追到江南。于是创作了《三象》乐,用来赞美他的功德。

所以,音乐的由来是相当久远的了,不仅仅是哪一个时代所创造的啊。

季夏纪第六

音 初①

夏后氏②孔甲③田④于东阳萯山⑤。天大风,晦盲⑥,孔甲迷惑,入于民室。主人方乳⑦,或曰:"后⑧来,是良日也,之子是必大吉。"或曰:"不胜⑨也,之子是必有殃。"后乃取其子以归,曰:"以为余子,谁敢殃之?"子长成人,幕动坼⑩㯱⑪,斧斫⑫斩其足,遂为守门者⑬。孔甲曰:"呜呼!有疾命矣夫!"乃作为《破斧》之歌,实始为东音⑭。

[注释]

①题解:"音初"旨在论述古代各种音调的成因。②夏后氏:远古部落名。相传始创人是禹。其后禹的儿子启建立了我国历史上第一个奴隶制王朝,即夏朝。③孔甲:相传是禹的十四世孙,夏朝末代之君桀的曾祖。④田:即"畋",打猎。⑤萯山:古地名。⑥晦盲:昏暗。⑦方乳:正在生孩子。⑧后:国君,指孔甲。⑨不胜:经受不住。⑩坼(chè):裂开。⑪㯱(lǎo):屋橡。⑫斫(zhuó):砍。⑬守门者:古代多用断足的人担任守门之职。⑭东音:东方的音乐。

[译文]

夏君孔甲在东阳萦山打猎。天刮起大风，天色昏暗，孔甲迷失了方向，走进一家老百姓的房屋。这家主人正在生孩子。有人说："君主到来，这是好日子啊，这个孩子将来一定大吉大利。"有人说："怕享受不了这个福分啊，这个孩子一定会遭受灾难。"夏君于是把这个孩子带了回去，说："让他做我的儿子，谁敢伤害他？"孩子长大成人了，一次帐幕掀动，屋椽裂开，斧子掉下来砍断了他的脚，于是只好做守门之官。孔甲叹息道："哎！成了残疾，是命里注定吧！"于是创作出《破斧》之歌。这是最早的东方音乐。

禹行①功②，见涂山③之女，禹未之遇④而巡省南土。涂山氏之女乃令其妾⑤候禹于涂山之阳。女乃作歌，歌曰"候人兮猗⑥"，实始作为南音。周公及召公取风⑦焉，以为《周南》、《召南》。

周昭王⑧亲将⑨征荆⑩。辛馀靡⑪长且多力，为王右⑫。还反涉汉，梁败⑬，王及蔡公抎⑭于汉中。辛馀靡振⑮王北济⑯，又反振蔡公。周公乃侯⑰之于西翟⑱，实为长公⑲。殷整甲⑳徙宅西河㉑，犹思故处，实始作为西音。长公继是音以处西山㉒，秦缪㉓公取风焉，实始作为秦音。

[注释]

①行：这里是"巡视"的意思。②功：事。③涂山：相传为夏禹娶涂山氏之女及会合诸侯处。④遇：这里是"以礼相待"的意思。⑤妾：侍女。⑥猗：语气词，等于说"兮"。⑦取风：即采风。古代称民间歌谣为风。⑧周昭王：西周第四代国君，名瑕。⑨将：率领军队。⑩荆：楚国的别称。⑪辛馀靡：周昭王的大臣。⑫右：车右，又称骖乘。⑬梁败：桥坏。梁，桥。⑭抎(yǔn)：坠落。⑮振：救。⑯济：渡。⑰侯：封为诸侯。⑱西翟：西方。⑲长(zhǎng)公：一方诸侯之长。⑳殷整甲：商王河亶甲，名整。㉑西河：古地名，在今河南内黄东南。㉒西山：西翟之山。㉓缪：通"穆"。

[译文]

禹巡视治水之时，途中遇到了涂山氏之女。禹没有来得及与她举行婚礼，就到南方巡视去了。涂山氏之女就叫她的侍女在涂山南面迎候禹，她自己于是作了一首歌。歌中唱"候望人啊"，这实际上是最早的南方音乐。周公和召公时曾在那里采风，把它叫做《周南》、《召南》。

周昭王亲自率领军队征伐荆国。辛馀靡身高力大，做昭王的车右。军队返回，渡汉水时，桥坏了，昭王和蔡公坠落在水中。辛馀靡把昭王救到北岸，又返回救出蔡公。周公于是封他为西方诸侯，做一方诸侯之长。当初，殷整甲迁徙到西河居住，但还思念故土，实际上最早创作了西方音乐。辛馀靡封侯后住在西翟之山，继承了这种音乐。秦穆公时曾在那里采风，开始把它作为秦国的音乐。

有娀氏①有二佚女②，为之九成③之台，饮食必以鼓。帝令燕往视之，鸣若谧隘④。二女爱而争搏之，覆以玉筐。少选⑤，发⑥而视之，燕遗二卵，北飞，遂不反。二女作歌，一终⑦曰"燕燕往飞"，实始作为北音。

凡音者，产乎人心者也。感于心则荡乎音，音成于外而化⑧乎内⑨。是故闻其声而知其风⑩，察其风而知其志，观其志而知其德。盛衰、贤不肖、君子小人皆形⑪于乐，不可隐匿。故曰：乐之为观也，深矣⑫。

[注释]

①有娀（sōng）氏：远古氏族名。传说有娀氏有女简狄，是帝喾的次妃，生契（殷的祖先）。②佚（yì）女：美女。③九成：九重。④谧隘：象声词，像燕子鸣叫的声音。⑤少选：过了一会儿。⑥发：打开。⑦一终：古乐章以奏完一曲为一终。⑧化：化育。⑨内：指内心。⑩风：风俗，风气。⑪形：表现，表露。⑫乐之为观也，深矣：意为音乐作为一种观察的对象，是很深刻的。

[译文]

有娀氏有两位美女，人们给她们造起了九层高台，饮食一定用鼓乐陪伴。天帝让燕子去看看她们。燕子去了，发出谥隘的叫声。两位美女很喜爱燕子，争着扑住它，用玉筐罩住。过了一会儿，揭开筐看它，燕子留下两个蛋，向北飞去，不再回来。两位美女作了一首歌，歌中唱"燕子燕子展翅飞"，这实际上是最早的北方音乐。

大凡音乐，是从人的内心产生出来的。心中有所感受，就用音乐表现出来，音乐表现在外部而陶冶情感在内心。因此，听到某一地区的音乐，就可以了解它的风俗，考察它的风俗就可以知道它的志趣，观察它的志趣就可以知道它的德行。兴盛与衰亡、贤明与不肖、君子与小人都会在音乐中表现出来，不可隐藏。所以说：音乐作为一种观察的对象，它所反映的内容是相当深刻的了。

土弊①则草木不长，水烦②则鱼鳖不大，世浊则礼烦而乐淫。郑、卫之声，桑间之音③，此乱国之所好，衰德之所说④。流辟⑤、诔越⑥、慆滥⑦之音出，则滔荡⑧之气、邪慢之心感矣，感则百奸众辟从此产矣。故君子反道以修德，正德以出乐，和乐以成顺。乐和而民乡方⑨矣。

[注释]

①土弊：土质恶劣。②烦：这里指水浑。③桑间之音：亡国之音、靡靡之音的代称。④说：通"悦"，喜悦。⑤流辟：淫邪放纵。⑥诔（tiǎo）越：声音飞荡。⑦慆（tāo）滥：放荡过分。⑧滔荡：放荡无羁。⑨乡方：向往道义。乡，通"向"。方，道义。

[译文]

土质恶劣，草木就不会丰茂；水流浑浊，鱼鳖就不能长大；社会黑暗，礼仪就会烦乱，音乐就会淫邪。郑、卫之声，桑间之音，这是政治混乱的国家、道德沦丧的君主所喜欢的。只要淫邪、轻佻、放荡的音乐产生出来，放荡无羁的风气、邪恶轻慢的心就会受到感染。心受到这种感染，各种各样的邪念就会由此产生了。所以，君子应回归道义、修养品德，品德端正再创作音乐。创作和谐的音乐的目的,在于达到和顺,音乐和谐了,百姓就向往道义了。

制 乐①

欲观至乐②,必于至治③。其治厚④者,其乐治厚;其治薄者,其乐治薄;乱世则慢以乐⑤矣。今窒⑥闭户牖⑦,动天地,一室也。故成汤⑧之时,有谷生于庭,昏而生,比旦⑨而大拱⑩。其吏请卜⑪其故。汤退⑫卜者曰:"吾闻祥⑬者,福之先者也,见祥而为不善,则福不至。妖⑭者,祸之先者也,见妖而为善,则祸不至。"于是早朝晏退⑮,问疾吊⑯丧,务镇抚⑰百姓。三日而谷亡。故祸兮福之所倚,福兮祸之所伏⑱。圣人所独见,众人焉知其极⑲?

[注释]

①题解:"制乐"意为制作悦乐的道理。②至乐:最和谐、完美的音乐。③至治:最完美的政治。④厚:这里是完善的意思。⑤慢以乐:依谭戒甫说,当作"乐以慢"。以,通"已"。慢,怠慢,轻忽。⑥窒:阻塞。⑦牖:窗。⑧成汤:即商汤,商朝开国之君。⑨比旦:等到天亮。比,及。旦,天亮。⑩大拱:大如拱。拱,两手合围。⑪卜:古人用火灼龟甲取兆,以预测吉凶。⑫退:辞退。⑬祥:这里指吉兆。⑭妖:怪异、邪恶的事物。⑮晏退:晚上退朝休息。晏,晚。⑯吊:表示哀悼、慰问。⑰镇抚:安抚。⑱祸兮福之所倚,福兮祸之所伏:见《老子·五十八章》。倚,依。伏,隐藏。⑲极:终极。

[译文]

想要欣赏最和谐完美的音乐,必定要有最完美的政治。国家治理完善的,它的音乐就完善;国家治理荒疏的,它的音乐就粗疏;至于乱世,音乐已经流于轻慢了。虽关闭门窗,在一室之中却可感动天地。成汤在位的时候,庭中生出一棵奇异的谷子,黄昏时生出,等到天亮已经有两手合围那么粗了。汤的臣下请求占卜这颗谷子出现的原因。汤辞退占卜的臣子说:"我听说,吉祥的事物是福佑的先兆，但如果遇到吉兆，去做不善的事，福佑就不会降临。怪异的事物是灾祸的先兆，但如果遇到怪异而做善事，灾祸就不会降临。"于是他早上朝，晚退朝，探问病人，吊唁死者，专心安抚百姓。三日后，庭中的奇异谷子就消失了。所以说祸是福所倚存的对象，福是祸所隐藏的处所。这个道理只有圣人才能认识到，一般人哪里会知道事物变化的终极呢？

周文王立①国八年，岁六月，文王寝疾②五日而地动③，东西南北不出国郊④。百吏皆请曰："臣闻地之动，为人主也。今王寝疾五日而地动，四面不出周郊，群臣皆恐，曰'请移之。'"文王曰："若何⑤其移之也？"对曰："兴事⑥动众，以增国城⑦，其可以移之乎！"文王曰："不可。夫天之见⑧妖也，以罚有罪也。我必有罪，故天以此罚我也。今故⑨兴事动众以增国城，是重⑩吾罪也。不可。"文王曰："昌⑪也请改行重善以移之，其可以免⑫乎！"于是谨其礼秩⑬、皮革⑭，以交诸侯；饬⑮其辞令、币帛，以礼豪士⑯；颁⑰其爵列⑱、等级、田畴⑲，以赏群臣。无几何⑳，疾乃止。文王即位八年而地动，已动之后四十三年，凡文王立国五十一年而终。此文王之所以止殃翦㉑妖也。

[注释]

①立：莅临。②寝疾：卧病在床。③地动：地震。④国郊：国都郊外。⑤若何：怎么。⑥兴事：指征发徭役。⑦国城：国都的城墙。⑧见：显现。⑨故：故意。⑩重：加重，增加。⑪昌：周文王名昌。⑫免：免除灾祸。⑬礼秩：礼仪法度。⑭皮革：有毛的兽皮和去毛的兽皮。皮革在古代是贵重物品，通常用作贡品或相互赠送的礼物。⑮饬（chì）：整顿。⑯豪士：豪杰，才能出众的人。⑰颁：颁布。⑱爵列：爵位。⑲田畴：泛指已耕作的田地。⑳无几何：没有多长时间。㉑翦：灭除。

[译文]

周文王即位八年的六月，文王卧病在床，第五天发生地震，震动范围东西南北不出国都四郊。百官都请求说："我们听说,地之所以震动,是因为君主的缘故。如今大王您卧病五天而发生地震,震动范围不超出国都四郊,群臣都十分恐惧,说:'请允许把灾祸移走。'"文王说:"怎么移走它呢?"臣子回答说:"征发徭役,发动民众,来增筑国都的城墙,大概就可以把灾祸移走吧。"文王说:"不行。上天显现怪异,是借以惩罚有罪的人。我必定有罪,所以天借此惩罚我。如今特为此征发徭役,发动民众,来增筑国都城墙,这是加重我的罪过。这么办不行。"文王又说:"我愿意改变过去的行为,大力推行善政,来移走灾祸,或许可以免除灾祸吧。"于是文王慎重对待礼法、聘问,用以结交诸侯;整饬辞令、礼品,用以礼贤下士;颁布爵位、等级、田地,用以赏赐群臣。没过多久,文王的病就好了。文王即位八年发生地震,地震之后又在位四十三年,文王共做王五十一年而死。这是文王止息祸殃、灭除怪异的方式得当啊。

宋景公之时,荧惑在心①,公惧,召子韦②而问焉,曰:"荧惑在心,何也?"子韦曰:"荧惑者,天罚也③;心者,宋之分野也④。祸当于君。虽然,可移于宰相。"公曰:"宰相,所与治国家也,而移死焉,不祥。"子韦曰:"可移于民。"公曰:"民死,寡人将谁为君⑤乎?宁独死。"子韦曰:"可移于岁⑥。"公曰:"岁害则民饥,民饥必死。为人君而杀其民以自活也,其谁以我为君乎?是寡人之命固尽已⑦,子无复言矣。"子韦还走⑧,北面⑨载⑩拜曰:"臣敢贺君。天之处高而听卑⑪。君有至德之言三,天必三赏君。今夕荧惑其徙⑫三舍⑬,君延年二十一岁。"公曰:"子何以知之?"对曰:"有三善言,必有三赏,荧惑必三徙舍。舍行七星⑭,星一徙当一年,三七二十一,臣故曰'君延年二十一岁'矣。臣请伏⑮于陛下以伺候⑯之。荧惑不徙,臣请死。"公曰:"可。"是夕荧惑果徙三舍。

[注释]

①荧惑在心：火星出现在心宿的位置。荧惑，火星。心，心宿，二十八宿之一。②子韦：宋国的太史。③荧惑者，天罚也：古人认为荧惑为执法星，主天罚。④心者，宋之分野也：古天文学说把天上的星宿位置与地上州国的位置相对应，如心宿与宋国对应，就天文说，心宿是宋国的分星；就地理说，心宿是宋国的分野。古人迷信，常以天象的变异来比附州国的吉凶。⑤谁为君：意思是给谁做君。⑥岁：年景，即一年的农业收成。⑦已：语气词，用在句尾表示确定。⑧还走：避让，离开所立之处，表示恭敬。⑨北面：面向北。古代君位设在朝堂的北面，君主面南而坐，臣拜君，须面向君。⑩载：通"再"。⑪卑：下面。这里指地上的一切。⑫徙：迁，移。这里是"后退"的意思。⑬舍：星运行停留之处。⑭舍行七星：迁徙一舍要行经七颗星。⑮伏：匍伏。这里是"守候"的意思。⑯伺候：候望、观察。

[译文]

宋景公在位的时候，火星出现在心宿的位置。景公害怕了，召见子韦，向他询问道："火星出现在心宿，这是什么原因呢？"子韦说："火星代表上天的惩罚，心宿是宋国的分野，预示着灾祸当降临在您的身上。虽然如此，灾祸可以转移给宰相。"景公说："宰相是和我一起治理国家的人，却要把死亡转嫁给他，这不吉利。"子韦说："灾祸可以转移给百姓。"景公说："百姓死了，我还给谁当国君呢？我宁肯独自去死！"子韦说："还可以把灾祸转移给农业收成。"景公说："收成不好，百姓就会遭受饥荒，百姓遭受饥荒一定会死。作为国君，却杀害自己的百姓，以自保性命，那谁还会把我当做国君呢？这是我的寿数本来已经到头了，你不要再说了！"子韦立刻离开所立的地方，面向北对景公拜了两拜说："我祝贺您！天居于高处却可以听到地上的一切，您有体现最高尚道德的三句话，天一定奖赏您三次。今夜火星一定会后退三舍，您可以延寿二十一年。"景公说："你凭什么知道会这样呢？"子韦回答说："您有三句美善的话，所以必得三次奖赏，因此火星一定后退三舍。每退一舍要经过七颗星，一颗星代表一年的寿数，三七二十一年，所以我说'您可延寿二十一年'。我请求守候在宫殿台阶下面观察火星，火星如不后退，我请求死。"景公说："可以。"这夜火星果然后退了三舍。

孟秋纪第七

荡 兵[1]

古圣王有义兵而无有偃[2]兵。兵之所自来者上[3]矣，与始有民俱。凡兵也者，威也；威也者，力也。民之有威力，性也。性者，所受于天也，非人之所能为也。武者不能革[4]，而工者[5]不能移。

兵所自来者久矣，黄、炎[6]故用水火矣，共工氏[7]固[8]次[9]作难矣，五帝固相与争矣，递[10]兴废，胜者用事[11]。人曰"蚩尤[12]作兵[13]"，蚩尤非作兵也，利其械[14]矣。未有蚩尤之时，民固剥[15]林木以战矣，胜者为长。长则犹不足治之，故立君。君又不足以治之，故立天子。天子之立也出于君，君之立也出于长，长之立也出于争。争斗之所自来者久矣，不可禁，不可止。故古之贤王有义兵而无有偃兵。

[注释]

①题解：本文旨在论述战争的萌起、由来。"荡兵"即兴动义师的意思。荡，动也。②偃：止息。③上：久。④革：改变。⑤工者：有才能的人。⑥黄、炎：指传说中的黄帝、炎帝。⑦共工氏：传说中的古代部族首领，与颛顼争为帝，失败被杀。⑧固：已经。⑨次：通"恣"，恣意。⑩递：更迭，替

代。⑪用事：指治理天下。⑫蚩尤：传说中东方九黎族的首领。⑬作兵：始制造兵器。⑭械：兵器。⑮剥：砍削。

[译文]

古代的圣王主张有正义的战争，从未有废止战争的。战争的由来相当久远了，它是和人类一起产生的。大凡战争，靠的是威势，而威势是力量的表现。具有威势和力量是人的本性。人的本性是天所赋予的，不是人力所能造成的。勇武的人不能使它改变，聪明的人不能使它移易。

战争的由来很久远了。黄帝、炎帝已经用水火交战了，共工氏已经恣意发难了，五帝之间已经互相争斗了。他们一个接替一个地兴起、灭亡，胜利者治理天下。人们说"蚩尤最先制造出兵器"，其实，兵器并非蚩尤创造的，他只不过是把兵器改造得更锋利罢了。在蚩尤之前，人类已经砍削树木作为武器进行战争了，胜利者做首领，首领还不足以治理好百姓，因而设置君主。君主仍不足以治理好百姓，因而设置天子。天子的设置是在有君主的基础上产生的，君主的设置是在有首领的基础上产生的，首领的设置是在有争斗的基础上产生的。争斗的由来相当久远了，不能禁止，不能平息。所以，古代的贤王主张正义的战争，从来没有主张废止战争的。

家无怒笞①，则竖子②、婴儿之有过也立见；国无刑罚，则百姓之悟相侵也立见；天下无诛③伐，则诸侯之相暴④也立见。故怒笞不可偃于家，刑罚不可偃于国，诛伐不可偃于天下，有巧有拙而已矣。故古之圣王有义兵而无有偃兵。

夫有以饐⑤死者，欲禁天下之食，悖⑥；有以乘舟死者，欲禁天下之船，悖；有以用兵丧其国者，欲偃天下之兵，悖。夫兵不可偃也，譬之若水火然，善用之则为福，不能用之则为祸；若用药者然，得良药则活⑦人，得恶药则杀人。义兵之为天下良药也亦大矣。

[注释]

①怒：斥责。笞（chī）：用鞭、杖、竹板抽打。②竖子：童仆。③诛：讨伐。④暴：侵侮。⑤饐：同"噎"。⑥悖：惑，荒谬。⑦活：救活。

[译文]

家中如果没有训斥、鞭笞，僮仆、小儿犯错的事就会立刻出现；国中如果没有刑罚，百姓互相侵夺的事就会立刻出现；天下如果没有征伐，诸侯互相侵犯的事就会立刻出现。所以，家中不可废止训斥、鞭笞，国中不可废止刑罚，天下不可废止征伐，只不过在使用上有的高明，有的笨拙罢了。所以，古代的圣王主张有正义的战争，从未有废止战争的。

如果因为有人吃饭而噎死，就要禁止天下的一切食物，这是荒谬的；如果因为有人乘船淹死，就要废止天下的一切船只，这也是荒谬的；如果因为有人发动战争而亡国，就要废止天下的一切战争，这同样是荒谬的。战争是不可废止的，就像水和火一样，善于利用它就能造福，不善于利用它就会酿祸；像用药治病一样，用良药能把人救活，用毒药也能把人杀死。正义的战争正是治理天下的一服良药，它的作用很大啊！

且兵之所自来者远矣，未尝少选①不用。贵贱、长少、贤者不肖相与同，有巨有微而已矣。察兵②之微，在心而未发，兵也；疾视③，兵也；作色④，兵也；傲言⑤，兵也；援推⑥，兵也；连反⑦，兵也；侈斗⑧，兵也；三军攻战，兵也：此八者皆兵也，微巨之争⑨也。今世之以偃兵疾说⑩者，终身用兵而不自知悖，故说虽强，谈虽辨，文学⑪虽博，犹不见⑫听。故古之圣王有义兵而无有偃兵。

兵诚义，以诛暴君而振⑬苦民，民之说也，若孝子之见慈亲也，若饥者之见美食也；民之号呼而走⑭之，若强弩之射于深谿⑮也，若积大水而失其壅⑯堤也。中主⑰犹若⑱不能有其民，而况于暴君乎？

[注释]

①少选：须臾，一会儿。②兵：战争。这里含义广泛，既指争斗之心、争斗行为，也指狭义的战争。③疾视：怒目而视。④作色：指因生气而变脸色。⑤傲言：言辞傲慢。⑥援推：这里指以手相搏。⑦连反：以马叙伦说，当为以足相搏之义。⑧侈斗：这里是群斗的意思。⑨争：等于说"差"，差异。⑩疾说：极力游说。⑪文学：指文献经典。⑫见：表示被动。⑬振：拯救。⑭走：奔向。⑮豁：山谷。⑯壅：堵塞。⑰中主：一般的君主。⑱犹若：犹然，尚且。

[译文]

而且，战争的由来很久远了，没有一刻不在使用。在这一点上，人们无论贵贱、长少、贤与不肖都是相同的，只是在使用上有大有小罢了。考察战争的细微之处：怨愤积蓄在心中，尚未表露出来，这就是战争；怒目相视是战争；面有怒色是战争；言辞傲慢是战争；推拉相搏是战争；踢踹相斗是战争；聚众斗殴是战争，三军攻战是战争。这八种情况都是战争，只不过规模有小大的差别罢了。如今世上极力鼓吹废止战争的人，他们终身都在争斗，却不知道自己主张的荒谬，因此，他们的游说虽然有力，言谈虽然雄辩，征引文献典籍虽然广博，仍然不被人听取采纳。所以，古代的圣王主张正义的战争，从未有主张废止战争的。

如果确实是正义的战争，用以诛杀暴君，拯救苦难的民众，那么民众的喜悦，就像孝子见到了慈爱的父母，饥饿的人见到了甘美的食物一样，民众呼喊着奔向它，像强弩射向深谷，像蓄积的大水冲垮堤坝。如此，一般的君主尚且不能得到民众的拥护，更何况暴君呢？

振 乱[①]

当今之世浊[②]甚矣，黔首之苦不可以加矣。天子既绝[③]，贤者废伏④，世主⑤恣⑥行，与民相离，黔首无所告愬⑦。世有贤主、秀士⑧，宜察此论也，则其兵为义矣。天下之民，且⑨死者也而生，且辱者也而荣，且苦者也而逸⑩。世主恣行，则中人⑪将逃其君，去其亲，又况于不肖者乎？故义兵至，则世主不能有其民矣，人亲不能禁其子矣。

[注释]

①题解："振乱"就是救世之乱。②浊：比喻混乱。③天子既绝：指周王室已经灭亡。④废伏：废弃，隐藏。⑤世主：指当世昏乱之君。⑥恣：放纵。⑦愬：诉说。⑧秀士：德才出众的人。⑨且：将。⑩逸：安逸。⑪中人：一般人。

[译文]

当今的社会混乱极了，人民的苦难无以复加了。周王室已经灭亡，贤人被弃或隐匿，昏君恣意妄为，与人民离心离德，人民的苦难无处申诉。世上如有贤明的君主、卓异之士，应该明察这个道理，那么他们的讨伐就是正义的了。天下的人民，将死的，会因而得以新生；将蒙受侮辱的，会因而得以荣光；将遭受苦难的，会因而得以安逸。昏君恣意妄行，一般人都将逃离他们的国君，背离他们的父母，又何况那些不肖的人呢？因此，正义的军队一到，昏君就无法保有自己的人民了，做父母的就无法阻止自己的子女（离开）了。

凡为天下之民长也，虑①莫如长②有道而息无道，赏有义而罚不义。今之世学者③多非④乎攻伐。非攻伐而取救守，取救守则乡⑤之所谓长有道而息无道，赏有义而罚不义之术不行矣。天下之长⑥民，其利害在察此论也。

攻伐之与救守一实⑦也，而取舍人异⑧。以辨说⑨去之，终无所定论。固不知，悖也；知而欺心，诬⑩也。诬悖之士，虽辨无用矣。是⑪非其所取而取其所非也，是利之而反害之也，安之而反危之也。

为天下之长患⑫，致黔首之大害者，若⑬说为深。夫以利天下之民为心者，不可以不熟察此论也。

[注释]

①虑：思虑，谋划。②长（zhǎng）：使……长。③学者：这里主要指研习墨家学说的人。④非：非难，反对。⑤乡：方才。⑥长：用做动词，给……做君主。⑦一实：实质一样。⑧取舍人异：或取或舍，人各不同。⑨辩说：论辩。⑩诬：欺骗。⑪是：指代反对"攻伐"的论调。⑫长患：与下句"大害"义近，意为深重的灾难。⑬若：此。

[译文]

凡做天下人君主的，所考虑的大事莫过于褒扬有道，消除无道，奖赏正义，惩罚不义。如今世上研习墨家之学的人多反对攻伐，反对攻伐就必然选取救守；如果选取救守，那么方才所说的褒扬有道、消除无道、奖赏正义、惩罚不义的方针，就无法实施了。给天下人民做君主的，或利或害全在于是否明察这个道理。

攻伐与救守，其实质是一样的，而或取或舍，人各不同。如今世上的墨家之徒强词夺理，非难攻伐，最终也不会有结果的。论说事理，如果自己本来就不知道，那是糊涂；如果自己知道却违心去做，那是欺诈。糊涂的人、搞欺诈的人，纵然言辞善辩也没有什么益处。反对攻伐的人，非难攻伐的手段，却采取攻伐的做法，这种主张虽想给民众带来好处，结果反而害了他们；虽想使民众安定，结果反而使他们处于危险之中。因此，给天下带来深重灾难、使人民遭受极大危害的主张中，要数这种论调危害最深了。那些真心为天下人民谋利益的人，不可不仔细地详察这一道理。

夫攻伐之事，未有不攻无道而罚不义也。攻无道而伐不义，则福莫大焉，黔首利莫厚焉。禁之者，是息有道而伐有义也，是穷①汤、武之事，而遂②桀、纣之过也。凡人之所以恶③为无道不义者，为其罚也；所以蕲④有道行有义者，为其赏也。今无道不义存，存者，赏之也；而有道行义穷，穷者，罚之也。赏不善而罚善，欲民之治也，不亦难乎？故乱天下害黔首者，若论为大。

[注释]

①穷：使动，使……困厄。②遂：这里是"助长"的意思。③恶：这里是"害怕"、"不敢"的意思。④蕲（qí）：通"祈"，求。

[译文]

攻伐之类的事，没有不是攻击无道、讨罚不义的。攻击无道、讨伐不义，自己获福没有比这更大的了，人民得利没有比这更多的了。禁止攻伐，这是摒弃有德，惩罚正义，这是阻挠商汤、周武王的事业，助长夏桀、商纣的罪恶啊。人们之所以不敢行无道、不义的事，为的是怕遭受惩罚；人们之所以祈求有德、行正义的事，为的是求得奖赏。如今行无道、不义的人安然存在，安然存在就等于奖赏他们；而有德的人、主持正义的人却陷入困境，陷入困境无异于惩罚他们。赏恶惩善，想要把人民治理好，不也太难了吗？所以扰乱天下、危害人民的事中，危害最深的，便是反对攻伐这一论调。

怀 宠①

凡君子之说也，非苟辨②也；士之议也，非苟语也。必中理然后说，必当义然后议。故说义③而王公大人益好理矣，士民④黔首益行义矣。义理之道彰⑤，则暴虐、奸诈、侵夺之术息也。暴虐、奸诈之与义理反也，其势不俱胜，不两立。

故兵入于敌之境，则民知所庇⑥矣，黔首知不死矣。至于国邑⑦之郊，不虐⑧五谷，不掘坟墓，不伐树木，不烧积聚⑨，不焚室屋，不取六畜。得民虏奉而题⑩归之，以彰好恶；信与民期⑪，以夺敌资⑫。若此，而犹有忧恨、冒疾、遂过⑬、不听者，虽行武焉亦可矣。

[注释]

①怀宠:"怀宠"就是感念恩德,即要以恩宠为手段使人归附。②苟辨:苟且辩说。辨,通"辩"。③义:通"议",议论。④士民:这里指士。⑤彰:明。⑥庇:遮蔽,保护。⑦国邑:国都和一般城邑。⑧虐:侵害、祸害。⑨积聚:指财物和粮草。⑩民房:指俘获的敌国百姓。奉:送。题:疑为衍字。⑪期:会,合。⑫敌资:这里指敌方的民众。⑬忧恨、冒疾、遂过:依王引之说,为乖戾、妒忌、坚持错误。

[译文]

大凡君子的言论,都不苟且辩说;士人的议论,都不苟且而谈。君子一定认为符合道理,然后才说出;士人一定认为符合大义,然后才议论。所以,君子和士人的言谈议论,使王公贵族越发喜好道理了,士人百姓越发施行大义了。理义之道彰明了,暴虐、奸诈、侵夺之类的行径就会止息。暴虐、奸诈、侵夺与理义截然相反,其势你死我活,不能并存。

所以,正义的军队进入敌国的边境,敌国的士人就知道存身之处,百姓就知道不会死了。正义的军队到了国都及城邑的四郊,不祸害五谷,不掘毁坟墓,不砍伐树木,不烧掉财物、粮草,不焚毁房屋,不掠夺六畜。俘获敌国的百姓都送他们回去,以此表明好恶的区别;诚信正与人民的愿望相合,以此争取敌国的民众。像这样,如果还有顽固不化、妒嫉、坚持错误、不归顺的人,那么,即使对他们动用武力也未尝不可。

先发声出号①曰:"兵之来也,以救民之死。子②之在上无道,据傲③荒怠,贪戾虐众,恣睢④自用也,辟⑤远圣制,警丑⑥先王,排訾⑦旧典,上不顺天,下不惠民,徵敛无期,求索无厌,罪杀不辜⑧,庆赏⑨不当。若此者,天之所诛也,人之所雠也,不当为君。今兵之来也,将以诛不当为君者也,以除民之雠而顺天之道也。民有逆天之道、卫人之雠者,身死家戮不赦。有能以家听者,禄之以家；以里听者，禄之以里；以乡听者，禄之以乡；以邑听者，禄之以邑⑩；以国⑪听者，禄之以国。"

[注释]

①发声出号：发布檄文。号，令。②子：指称所伐国家的君主。③据傲：奥妙。据，通"倨"。④恣睢：狂妄凶暴。⑤辟：屏除。⑥謷（áo）丑：诋毁。⑦訾（zǐ）：毁谤，非议。⑧不辜：无罪的人。⑨庆赏：奖赏。⑩里、乡、邑：古代居民组织单位。春秋战国时期，诸侯各有编制，名称、内容都不统一。⑪国：指国都。

[译文]

出师前，先发布檄文，檄文说："大军到此，是为了拯救百姓的生命。昏君在上，荒淫无道，傲慢怠惰，贪婪暴虐，残害民众，狂妄凶狠，自以为是，摒弃圣王法制，诋毁先王，排斥、毁谤先代法典，上不顺承天意，下不爱护百姓，狂征暴敛，贪得无厌，滥杀无辜，奖赏不当。像这样的人，是上天诛灭的对象，是民众共同的仇敌，根本不配做国君。如今大军到此，要诛灭不配做国君的人，除掉人民的仇敌，以顺应上天的意旨。士民百姓中如有违背上天意旨，救助人民仇敌的，一律处死，并杀死他全家，绝不赦免。有能率领一家归顺的，赏给他一家作为俸禄；率领一里归顺的，赏给他一里作为俸禄；率领一乡归顺的，赏给他一乡作为俸禄；率领一邑归顺的，赏给他一邑作为俸禄；率领国都士民百姓归顺的，赏给他国都作为俸禄。"

故克其国，不及其民，独诛所诛而已矣。举其秀士而封侯①之，选其贤良而尊显之，求其孤寡而振恤之，见其长老而敬礼之。皆益其禄，加其级。论②其罪人而救出之；分府库之金，散仓廪③之粟，以镇抚④其众，不私其财。问其丛社⑤大祠⑥，民之所不欲废者而复兴之，曲⑦加其祀礼。是以贤者荣⑧其名，而长老说其礼，民怀⑨其德。

今有人于此，能生⑩死一人，则天下必争事之矣。义兵之生一人亦多矣，人孰不说？故义兵至，则邻国之民归之若流水，诛国⑪之民望之若父母，行地滋⑫远，得民滋众，兵不接刃而民服若化⑬。

[注释]

①侯：用做动词，封侯。②论：判罪，审理。③廪（lǐn）：米仓。④镇抚：安抚。⑤丛社：草木茂盛的祭祀土神之处。⑥祠：祭神的庙堂。⑦曲：这里是"多方设法"的意思。⑧荣：用做动词，为……感到荣耀。⑨怀：安。⑩生：用做动词，使……生。⑪诛国：被伐之国。⑫滋：益，愈加。⑬若化：形容民众归附非常迅速。化，变化。

[译文]

所以，攻克敌国，不罪及该国百姓，只杀所当杀的人罢了。还要举荐敌国优秀人才，封给他们土地、爵位；选拔敌国贤良之人，授与他们高官显位；寻找敌国的孤儿寡妇，救济他们；会见敌国的老年人，尊重他们，以礼相待。增加他们的俸禄，提高他们的级别。审理敌国的罪人，释放他们；分发府库中的财物，散发仓廪中的粮食，用以安抚敌国的民众；不把敌国的财物占为己有。询问敌国人民所不愿意废弃的社官及大庙，恢复祭祀，并多方设法增加祭祀的礼仪。如此，敌国贤人为得到的名称而感到荣耀，老年人为受到礼遇而感到高兴，民众就会感念他的恩德。

假如这里有个人，能够救活一个濒临死亡的人，那么，天下的人一定争相服侍他。正义的军队救活的人也太多了，人们谁不高兴？所以，正义的军队一到，邻国的人民归向它，就像流水一样归附，被伐国家的人民盼望它，就像盼望父母一样。正义的军队征战越远，获得的民众就越多，不等交战，人民就迅速归服了。

仲秋纪第八

爱 士①

衣②人以其寒也，食③人以其饥也。饥寒，人之大害也。救之，义也。人之困穷，甚如④饥寒，故贤主必怜人之困也，必哀人之穷也。如此则名号显矣，国士⑤得矣。

[注释]

①题解："爱士"旨在劝说君主应当爱护他的士民。②衣（yì）：给……衣穿。③食（sì）：给……饭吃。④如：相当于"于"。⑤国士：一国中智勇出众的士人。

[译文]

给人衣穿是因为他在受冻，给人饭吃是因为他在挨饿。挨饿、受冻是人的大难，拯救挨饿受冻的人，是行仁义之事。人陷入艰难窘迫的境地，是比挨饿受冻更深重的灾难，所以贤明的君主对陷入困境的人必须怜悯，对人遭受困厄必表痛惜。这样做，君主的名声就显赫了，贤人能士就会为之效力了。

昔者，秦缪公乘马①而车为败②，右服③失③而野人⑤取之。缪公自往求之，见野人方将食之于岐山之阳。缪公叹曰："食骏马之肉而不还⑥饮酒，余恐其伤女⑦也！"于是遍饮⑧而去。处一年，为韩原⑨之战。晋人已环⑩缪公之车矣，晋梁由靡⑪已扣⑫缪公之左骖矣，晋惠公⑬之右⑭路石奋投而击缪公之甲，中⑮之者已六札⑯矣。野人之尝食马肉于岐山之阳者三百有馀人，毕力为缪公疾斗于车下，遂大克晋，反获惠公以归。此《诗》⑰之所谓曰"君⑱君子则正，以行其德；君贱人则宽，以尽其力"者也。人主其胡可以无务行德爱人乎？行德爱人，则民亲其上；民亲其上，则皆乐为其君死矣。

[注释]

①乘马：乘着马驾的车。②败：坏。③服：古代四马驾一车，居中的两匹马称"服"。④失：通"逸"，狂奔。⑤野人：这里指农夫。⑥还：通"旋"，立刻。⑦女：即"汝"，你们。⑧饮：给……喝。⑨韩原：春秋时晋地，在今山西芮城县。⑩环：包围。⑪梁由靡：晋大夫。⑫扣：抓住。⑬晋惠公：春秋时晋国国君，名夷吾，前650～前637年在位。⑭右：车右，由勇士担任。⑮中：击穿。⑯六札：六层革甲。当时革甲都是复叠七层。⑰《诗》：此处所引为佚诗。⑱君：用做动词。

[译文]

从前，秦穆公乘马车出行而车坏了，右侧驾辕的马脱缰跑了，一群农夫抓住了它。穆公亲自去寻找那匹马，在岐山的南面看到农夫们正在分食马肉，穆公叹息说："吃了骏马的肉而不就着酒喝，恐怕会伤了你们的身体。"于是穆公一一给他们酒喝之后，才离开。过了一年，秦、晋在韩原展开激战。晋国士兵已经包围了秦穆公的战车，晋国大夫梁由靡已经抓住穆公车上左边的马，晋惠公的车右路石举起长殳击中了穆公的铠甲，穆公护身的七层铠甲已被击穿了六层，就在这时，曾在岐山之南分食马肉的三百多农夫，赶来在车下竭尽全力为穆公拼死搏斗。于是秦军大胜晋军，反而俘获了晋惠公带回秦国。这就是《诗》中所说的"给君子做君主就要平正无私,借以让他们施行仁德;给卑贱的人做君主就要宽容厚道,借以让他们竭尽全力"。君主怎么能不专心施行仁德、爱抚人民呢?君主施行仁德、爱抚人民,人民就爱戴其君;人民爱戴其君,那就都甘愿为他们效死了。

赵简子①有两白骡而甚爱之。阳城胥渠②处广门③之官,夜款④门而谒⑤曰:"主君⑥之臣胥渠有疾,医教之曰:'得白骡之肝,病则止;不得则死。'"谒者⑦入通⑧。董安于⑨御⑩于侧,愠⑪曰:"嘻⑫!胥渠也。期⑬吾君骡,请即⑭刑焉。"简子曰:"夫杀人以活畜,不亦不仁乎?杀畜以活人,不亦仁乎?"于是召庖人⑮杀白骡,取肝以与阳城胥渠。处无几何,赵兴兵而攻翟⑯。广门之官,左七百人,右七百人,皆先登而获甲首⑰。人主其胡可以不好士?

凡敌人之来也,以求利也。今来而得死,且以走为利。敌皆以走为利,则刃无与接⑱。故敌得生于我,则我得死于敌;敌得死于我,则我得生于敌。夫得生于敌,与敌得生于我,岂可不察哉?此兵之精者也。存亡死生决于知此而已矣。

[注释]

①赵简子:春秋末年晋卿,名鞅,谥号简子。②阳城胥渠:赵简子的家臣。③广门:晋邑名。④款:叩,敲。⑤谒(yè):告。⑥主君:古时国君、卿、大夫皆可称为主君。这里指赵简子。⑦谒者:专管通报的小官。⑧通:通报。⑨董安于:赵简子的家臣。⑩御:侍奉。⑪愠(yùn):恼怒。⑫嘻:叹词,这里表示愤怒。⑬期:这里是"算计"的意思。⑭即:就,走进。⑮庖人:厨师。⑯翟:通"狄"。古代对我国北方地区少数民族的称呼。⑰甲首:披甲武士的首级。⑱接:交战。

[译文]

赵简子有两匹白骡,简子十分喜爱它们。一天夜里,任广门邑的小吏阳城胥渠来到简子门前,叩门禀告说:"主君的家臣胥渠病了,医生告诉他说:'如果弄到白骡的肝吃了,病就能好;如果弄不到，就得死。'"负责通报的小吏进去禀告赵简子。董安于正在简子身旁侍奉，恼怒地说："嘿，这个胥渠！他竟算计起我们主君的白骡来了。让我去把他杀掉！"简子说："杀人为的是使牲畜活命，不是太不仁义了吗？杀死牲畜来救活人命，不正是仁义之事吗？"于是招来厨师杀掉白骡，取出肝，送给阳城胥渠。过了没多久，赵简子举兵攻狄，广门邑的小吏，左队七百人，右队七百人都争先登上城头，并斩获敌方披甲武士的首级若干。如此看来，君主怎么可以不爱他的士民呢？

凡敌人来犯，都是为了得到好处；假如来犯而丧命，那就把逃跑看做是有利了。如果敌人都认为逃跑有利，那就用不着交锋了。所以，如果敌人从我们这里获得生存，那我们就要死于敌手；如果敌人死在我们手下，那我们就从敌人那里获得了生存。要么我们从敌人那里获得生存，要么敌人从我们这里获得生存，个中道理，难道不该仔细明察吗？这是用兵的精妙所在。生死存亡，就取决于是否懂得这个道理。

季秋纪第九

顺 民①

先王先顺民心,故功名成。夫以德得民心以立大功名者,上世多有之矣。失民心而立功名者,未之曾有也。得民必②有道,万乘之国,百户之邑,民无有不说③。取民之所说而民取矣,民之所说岂众哉?此取民之要④也。

[注释]

①题解:"顺民"即依顺民心的意思。②必:疑为"心"字之误。③说:通"悦",喜悦。④要:要领、关键。

[译文]

先代君王首先顺依民心,所以功成名就。依靠仁德得到民心而建立大功、声名传世的,古代就有很多范例。失掉民心而建立功名的,从来没有过。获得民心是有方法的,无论是拥有万辆兵车的大国,还是仅有百户的小邑,民众没有不喜悦的。从事人民所喜悦的事,就会取得民众的拥护了,让民众所喜悦的事难道很多吗?这是取得民心的关键。

昔者汤克夏而正①天下。天大旱，五年不收，汤乃以身祷②于桑林③，曰："余一人有罪，无及万夫④。万夫有罪，在余一人。无以一人之不敏⑤，使上帝鬼神伤民之命。"于是翦其发⑥，䪥⑦其手，以身为牺牲，用⑧祈福于上帝。民乃甚说，雨乃大至。则汤达乎鬼神之化、人事之传⑨也。

[注释]

①正：这里是"治理"的意思。②祷：祈神求福。③桑林：古地名。汤祀神的地方。④万夫：泛指天下人。⑤不敏：不才，自谦之词。⑥翦其发：割发是古代的一种刑罚。⑦䪥（lì）：古代绞指的一种刑罚，这里用做动词。⑧用：以。⑨传：转移。

[译文]

　　从前，汤灭夏治理天下时，天大旱，五年没有收成。汤于是在桑林用自己的身体作保证向神祈祷，说："我一人有罪，不要祸及天下人；天下人有罪，罪责全都在我一人身上。不要因我一人的不才，致使天帝鬼神伤害万民的生命。"于是汤剪断自己的头发，用木夹挣起手指，把自己的身体作为牺牲，向天帝求福。民众于是大喜，大雨因此下起来。这么说，汤是通达鬼神的变化、人事转移的道理了。

　　文王处岐①事纣，冤侮雅逊②，朝夕③必时，上贡必适，祭祀必敬。纣喜，命文王称西伯④，赐之千里之地⑤。文王载拜⑥稽首⑦而辞曰："愿为民请炮烙之刑⑧。"文王非恶千里之地，以为民请炮烙之刑，必欲得民心也。得民心则贤于千里之地，故曰文王智矣。

[注释]

①岐：岐山。②冤侮雅逊：遭受冤枉轻慢，却恭敬顺服。③朝夕：指早晚朝拜。④西伯：文王统领雍州，为西方的长官，故名。⑤千里之地：广袤千里的土地。⑥载拜：拜两拜。载，通"再"。⑦稽首：最恭敬的古礼，动作近似于叩头。⑧请炮烙之刑：请求除去炮烙之刑。炮烙，殷纣所用的一种酷刑。

用铜制成格框,格下烧炭,让犯人从格上走过,犯人因经不住铜烫火烤,堕入火中而死。

[译文]

文王住在岐山臣事纣王(之时),虽遭冤枉侮慢,却依然雅正恭顺,早晚朝拜不失其时,进献贡物一定合宜,祭祀一定恭敬虔诚。纣王很高兴,颁封文王为西伯,赏给他千里的土地。文王再拜稽首,辞谢说:"我愿(以此千里的土地)替百姓请求废除炮烙刑罚。"文王并不是厌恶广袤千里的土地,却用它替人民请求废除炮烙刑罚,他一定是要博得民心。赢得民心,它的好处远胜过广袤千里的土地。所以说,文王是十分明智的。

越王①苦②会稽之耻③,欲深得民心,以致必死④于吴。身不安枕席,口不甘厚味⑤,目不视靡曼,耳不听钟鼓。三年苦身劳力,焦⑥唇干肺⑦,内亲群臣,下养百姓,以来⑧其心。有甘脆⑨不足分,弗敢食;有酒流之江,与民同之⑩。身亲耕而食,妻亲织而衣。味禁珍⑪,衣禁袭⑫,色禁二。时出行路,从车载食,以视孤寡老弱之溃⑬病、困穷、颜色愁悴、不赡⑭者,必身自食之。于是属⑮诸大夫而告之曰:"愿一与吴徼⑯天下之衷⑰。今吴、越之国相与俱残⑱,士大夫履肝肺⑲,同日而死,孤与吴王接颈交臂而偾⑳,此孤之大愿也。若此而不可得也,内量㉑吾国不足以伤吴,外事㉒之诸侯不能害之,则孤将弃国家,释㉓群臣,服㉔剑臂㉕刃,变容貌,易姓名,执箕帚㉖而臣事之,以与吴王争一旦之死。孤虽知要领不属㉗,首足异处,四枝布裂㉘,为天下戮㉙,孤之志必将出焉!"于是异日果与吴战于五湖㉚,吴师大败。遂大围王宫,城门不守,禽㉛夫差,戮吴相㉜,残吴二年而霸。此先顺民心也。

[注释]

①越王:指越王勾践。②苦:被……所苦。③会稽之耻:指越王勾践被吴王夫差战败,困于会稽,被迫屈膝求和一事。④致必死:决心舍命拼死的意

思。⑤厚味：指美味。⑥焦：干燥。⑦干肺：肺气枯竭。⑧来：使……来。⑨甘脆：甘美的食物。⑩之：代酒。⑪珍：珍奇。⑫袭：衣外加衣。⑬渍（zì）：病。⑭赡：充足。⑮属：聚集。⑯徼（yāo）：求。⑰衷：正。⑱残：毁灭。⑲履肝肺：形容战争残酷激烈，杀伤很多。⑳偾（fèn）：僵仆。㉑量：衡量，估量。㉒事：所事。㉓释：舍弃。㉔服：佩戴。㉕臂：用做动词，持。㉖执箕帚：指为仆役。㉗要（yāo）领不属（zhǔ）：指受腰斩、斩首之刑。要、腰为古今字。领，脖子。属，连。㉘四枝布裂：古代一种最残酷的刑罚。四枝，即四肢。布，分散。㉙戮：辱。㉚五湖：这里指太湖。㉛禽："擒"的古字。㉜吴相：指太宰嚭。

[译文]

越王深为会稽之耻而痛苦，想要得到民众的真心拥护，以求和吴国拼一死战。为此，他睡不安枕席，口不尝美味，眼不看美色，耳不听音乐。三年里，苦心劳力，唇干肺伤。对内爱抚群臣，对下教养百姓，以此争取民心。有美味佳肴，如不够分，自己不敢独自吃；有酒，把它倒入江中，与民众共饮。吃亲身耕种的食物，穿妻子亲手织做的衣服。饮食拒绝珍奇，衣服不穿两层，衣饰禁用两种颜色。他还时常出外巡视，随从车辆上载着食物，去探望孤寡老弱中生病的、困厄的、面色忧愁憔悴的、生活困难的人，一定亲自给他们食物吃。然后，他召集大夫们，向他们宣告说："我愿与吴国求得一次上天的裁正。让吴、越两国相互残杀一道毁灭，士大夫踏肝践肺同日战死，我跟吴王肉搏而同归于尽，这是我最大的愿望。如果这事不能做成，从国内状况估量，我们的国力不足以损伤吴国，从国外考虑，结交的诸侯也不能伤害它，那么，我将抛弃国家，离开群臣，身佩长剑，手持利刃，改变容貌，更换姓名，充当仆役，拿着箕帚去服侍吴王，以便跟吴王决死于顷刻之间。尽管我知道这样做会腰断颈绝，头脚异处，四肢分裂，被天下人所羞辱，但是我的志向一定要付诸实施。"后来越国终于与吴国在太湖决战，吴国军队大败。紧接着越国军队包围了吴王的王宫，吴国城门失守，活捉了夫差，杀死了吴相。灭掉吴国二年后，越国称霸诸侯。这全是先顺从民心的结果。

齐庄子①请攻越，问于和子②。和子曰："先君有遗令曰：'无攻越。越，猛虎也。'"庄子曰："虽猛虎也，而今已死矣。"和子曰③以告鸮子④。鸮子曰："已死矣，以为生。"故凡举事，必先审民心，然后可举。

[注释]

①齐庄子：即田庄子，田和的父亲，齐宣王的相。②和子：春秋时齐国田常的曾孙田和，前386年始列为诸侯，为田姓齐国第一个国君。③曰：衍字。一说为"因"之误。④鸮（xiāo）子：齐国之相。

[译文]

齐庄子请求攻打越国，征求和子的意见。和子说："先君有遗命说：'不可攻打越国。越国是只猛虎。'"齐庄子说："虽然曾是只猛虎，不过现在已经死了。"和子把这话告诉了鸮子，鸮子说："虽然已经死了，但人们还认为它活着。"所以，大凡做任何事情，一定要先考察民心，然后才能去做。

知 士①

今有千里之马于此，非得良工②，犹若③弗取。良工之与马也，相得④则然后成，譬之若枹⑤之与鼓。夫士亦有千里，高节死义⑥，此士之千里也。能使士待⑦千里者，其惟贤者也。

[注释]

①题解："知士"旨在讲述君主应如何了解、尊重士人。②良工：善于相马的人。③犹若：仍然。④相得：相互获得。⑤枹（fú）：鼓槌。⑥高节死义：高尚的节操，为正义献身。⑦待：疑为"得"之误。

[译文]

假如这里有一匹千里马,但如果遇不到善于相马的人,仍然不会被当做千里马使用。善于相马的人与千里马,相互获得,然后才得以成就良工与千里马的美名,这就像鼓槌和鼓彼此依赖一样。士中也有千里马一样的英才,具有高尚的节操,为正义献身的人,就是士中的千里马。能够使士驰骋千里马的,大概只有贤人吧。

静郭君①善剂貌辨。剂貌辨之为人也多訾③,门人弗说④。士尉⑤以证⑥静郭君,静郭君弗听,士尉辞而去。孟尝君⑦窃以谏静郭君,静郭君大怒曰:"刬而类⑧!揆⑨吾家,苟可以慊⑩剂貌辨者,吾无辞⑪为也!"于是舍之上舍⑫,令长子御⑬,朝暮进食。

[注释]

①静郭君:姓田名婴,号静郭君,战国时齐相,受封于薛(在今山东滕县东南)。②剂貌辨:齐人,静郭君的门客。③訾(cī):通"疵",过失。④说:通"悦",高兴。⑤士尉:齐人,静郭君的门客。⑥证:谏诤。⑦孟尝君:静郭君之子,名文,号孟尝君。⑧刬(chǎn)而类:消灭你们这类人。刬,消灭。⑨揆(kuí):通"暌",离散。⑩慊(qiàn):满足。⑪无辞:不推辞,不拒绝。⑫舍之上舍:让他住上等客舍。前一"舍"用做动词,后者为名词。⑬御:侍奉。

[译文]

静郭君喜爱他的门客剂貌辨。剂貌辨为人有许多毛病,其他门客都不喜欢他。士尉为此进谏静郭君,静郭君不听,士尉便告辞离去。孟尝君就此事私下劝说静郭君,静郭君大怒,说:"即使把你们都杀死,把我家拆散,只要能让剂貌辨先生满足,我也在所不辞!"于是让剂貌辨住在上等客舍,让他的长子去侍奉,早晚进献食物。

数年,威王薨,宣王立①。静郭君之交,大不善于宣王,辞而之薛,与剂貌辨俱。留无几何,剂貌辨辞而行,请见宣王。静郭君曰:"王之不说婴也甚,公往,必得死焉。"剂貌辨曰:"固非求生也。"请必行,静郭君不能止。

[注释]

①威王:战国时期齐国国君,姓田,名因齐,前365~前320年在位。宣王:指齐宣王,齐威王之子,名辟疆,前319~前301年在位。此处与《史记》所载不合,当做"宣王薨,闵王立"。下文"宣王"也当为"闵王"。

[译文]

过了几年,齐宣王死了,齐闵王即位。对静郭君的处世交往,闵王很不喜欢,静郭君便辞官回到封地薛,跟剂貌辨在一起。在薛地住了没多久,剂貌辨告辞,请求让他去谒见闵王。静郭君说:"大王对我不满意到了极点,您去定会遭到杀害。"剂貌辨说:"我本来就不是去求活命的。"坚决请求前往,静郭君劝阻不住。

剂貌辨行,至于齐①。宣王闻之,藏怒以待之。剂貌辨见,宣王曰:"子,静郭君之所听爱也?"剂貌辨答曰:"爱则有之,听则无有。王方为太子之时,辨谓静郭君曰:'太子之不仁,过颐涿视②,若是者倍反③。不若革④太子,更立卫姬婴儿校师⑤。'静郭君泫⑥而曰:'不可,吾弗忍为也。'且⑦静郭君听辨而为之也,必无今日之患也。此为一也。至于薛,昭阳⑧请以数倍之地易薛,辨又曰:'必听之。'静郭君曰:'受薛于先王,虽恶于后王⑨,吾独谓先王何乎?且先王之庙在薛,吾岂可以先王之庙予楚乎?'又不肯听辨。此为二也。"宣王太息⑩,动于颜色⑪,曰:"静郭君之于寡人,一⑫至此乎!寡人少,殊不知此。客肯为寡人少⑬来静郭君乎?"剂貌辨答曰:"敬诺⑭。"

[注释]

①齐:指齐国国都。②过颐涿视:依毕沅说,当做"过颐豕视"。过颐,下巴过宽,即所谓"耳后见腮"。颐,下巴。豕视,即相法所说的"下邪偷

知士 111

视"，属不仁之相，必定负恩忘义。③倍反：背叛。④革：除去，废掉。⑤校师：齐宣王的庶子，卫姬所生。⑥泫：流泪。⑦且：相当于"若"，假如。⑧昭阳：战国时楚人，楚相。⑨恶于后王：被后王厌恶。后王，指齐闵王。⑩太息：出声叹息。⑪颜色：指脸色。⑫一：竟，乃。⑬少：短时间，暂时。⑭诺：应答之声，表示同意。

[译文]

剂貌辨离开薛地，到了齐国都城。闵王听说后，满怀恼怒地等待他。剂貌辨拜见闵王，闵王说："你就是静郭君十分喜爱、言听计从的那个人吧？"剂貌辨回答说："喜爱是真的，至于言听计从，却是没有的事。当初大王刚做太子的时候，我对静郭君说：'太子耳后见腮，下斜偷视，相貌不仁，像这样忘恩负义的人，不如废掉，改立卫姬的幼子校师。'静郭君流着泪说：'不行，我不忍心这样做。'如果静郭君听从我的话并这样做了，一定不会有今天的祸患，这是其一。回到薛邑之后，楚相昭阳请求用比薛邑大几倍的土地交换薛邑。我又说：'一定要答应他。'静郭君说："我从先王那里承受了薛邑，现在虽被后王厌恶，但如果我把薛邑换给别人，我怎么对先王交代呢？再说先王的宗庙在薛邑，我怎么可以把先王的宗庙给楚国呢？'他又不肯听我的话，这是其二。"闵王长叹，怒色也有所改变，说："静郭君对我竟（好）到这种地步了！我年纪轻，竟然不知道这些事。您愿意替我把静郭君请来吗？"剂貌辨回答说："谨遵命。"

静郭君来，衣威王之服①，冠其冠，带其剑。宣王自迎静郭君于郊，望之而泣。静郭君至，因请相之。静郭君辞，不得已而受。十日，谢病强辞，三日而听。

当是时也，静郭君可谓能自知人矣。能自知人，故非之弗为阻。此剂貌辨之所以外生乐、趋患难故也。

[注释]

①衣威王之服：当是"宣王之服"，宣王所赐的衣服。

[译文]

　　静郭君来到国都,穿着宣王所赐的衣服,头戴宣王所赐的帽子,佩戴宣王所赐的宝剑。闵王亲自到郊外迎接,远远望见静郭君就流下泪来。静郭君到了以后,闵王就请他做齐相。静郭君辞谢不就,不得已才接受下来。十天之后,他借口有病,极力辞官,三天后,闵王才同意。

　　在当时,静郭君可称得上以自己的见识知人了。正因为他能以自己的见识知人,所以别人的非议不能妨碍他。这正是剂貌辨之所以把生命与欢乐置之度外,为静郭君奔赴患难的原因啊!

审　己①

　　凡物之然也,必有故②。而③不知其故,虽当,与不知同,其卒④必困。先王、名士、达师之所以过俗者,以其知⑤也。水出于山而走于海,水非恶山而欲海也,高下⑥使之然也。稼生于野而藏于仓,稼非有欲也,人皆以⑦之也。故子路⑧掩⑨雉而复释之。

[注释]

　　①题解:"审己"就是从自身找成功或失败的原因,而非外求。②故:缘故,原因。③而:相当于"若"。④卒:终。⑤知:这里是"知故"的意思。⑥高下:指地势的高低。⑦以:用。⑧子路:孔子的弟子仲由(前542~前480),字子路。为人亢直鲁莽,好勇力。⑨掩(yǎn):捕捉。

[译文]

　　大凡事物之所以是这样,必有原因。如果不知道它的原因,即使做事恰当了,也和不知道相同,最终必然导致困惑。先代君王、知名的士人、通达的老师之所以超过俗辈,正是因为他们知道事物之所以然。水从山中流出奔赴大海,并不是水讨厌山而向往海,而是地势高低的形势使它这样的。庄稼生在田野而贮藏在仓中,并不是庄稼有这种欲望,而是人们都需用它啊。所以子路捉到野鸡却又放了它(因为他尚未知道捉到它的原因)。

子列子①常②射中矣,请之于关尹子③。关尹子曰:"知子之所以中乎?"答曰:"弗知也。"关尹子曰:"未可。"退而习之三年,又请。关尹子曰:"子知子之所以中乎?"子列子曰:"知之矣。"关尹子曰:"可矣,守而勿失。"非独射也,国之存也,国之亡也,身之贤也,身之不肖也,亦皆有以④。圣人不察存亡、贤不肖,而察其所以也。

[注释]

①子列子:战国时期郑人,名御寇,思想家。②常:通"尝",曾。③关尹子:古代道家人物,名喜。④有以:有原因。

[译文]

子列子曾射中箭靶,于是向关尹子请教关于射箭的道理。关尹子问:"知道你射中的原因吗?"子列子回答说:"不知道。"关尹子说:"现在还不能跟你谈论这个问题。"子列子回去练习射箭,练了三年,又去请教。关尹子问:"你知道你射中的原因吗?"子列子说:"知道了。"关尹子说:"可以了,谨守它的规则,不要丢失。"不仅射箭如此,国家的生存与灭亡,人的贤明与不肖,也都各有其原因。圣人不去考察存、亡、贤、不肖本身,而是去审察这些现象形成的原因。

齐攻鲁,求岑鼎①。鲁君载他②鼎以往。齐侯弗信而反③之,为非,使人告鲁侯曰:"柳下季④以为是,请因受之。"鲁君请于柳下季,柳下季答曰:"君之赂以欲岑鼎⑤也,以免国也。臣亦有国⑥于此。破臣之国以免君之国,此臣之所难也。"于是鲁君乃以真岑鼎往也。且⑦柳下季可谓此能说⑧矣。非独存己之国也,又能存鲁君之国。

[注释]

①岑鼎：鲁国宝鼎，因像岑形，故名。岑，小而高的山。②他：别的，其他的。③反："返"的古字，返还。④柳下季：春秋时鲁国大夫展禽，字季。因食邑柳下，故称柳下季；谥惠，又称柳下惠。⑤赂以欲岑鼎：即赂以所欲之岑鼎。⑥国：喻做人的原则，这里指信誉。⑦且：相当于"若"。⑧此：衍文。说（shuì）：劝说，说服。

[译文]

齐国攻打鲁国，向鲁国索取岑鼎。鲁君把别的一尊鼎装车送到齐国。齐侯不相信，把它退了回来，认为是假的，并派人告诉鲁侯说："如果柳下季认为这是岑鼎，我便认为是真的而接受它。"鲁君向柳下季求助。柳下季回答说："您向齐侯行贿，想要的是保留岑鼎呢，还是借以使国家免除灾难？我自己这里也有个'国家'，这就是信誉。毁灭我的'国家'来挽救您的国家，这是我难以做到的。"于是鲁君就把真岑鼎送给齐国。像柳下季这样的人，可称得上善于劝说了。不仅维护了自己的信誉，又能保存住鲁君的国家。

齐愍王①亡②居于卫，昼日步足③，谓公玉丹④曰："我已亡矣，而不知其故。吾所以亡者，果何故哉？我当已⑤。"公玉丹答曰："臣以王为已知之矣，王故⑥尚未之知邪？王之所以亡也者，以贤也。天下之王皆不肖，而恶王之贤也，因相与合兵而攻王。此王之所以亡也。"愍王慨焉太息曰："贤固若是其苦邪？"此亦不知其所以也。此公玉丹之所以过也。

[注释]

①齐愍王：即齐闵王，战国时期齐国国君，姓田，名地（一作遂），前300～前284年在位，一度与秦昭王并称东、西帝。②亡：出奔。③步足：散步。④公玉丹：齐愍王的臣子。⑤已：这里是"克服"或"纠正"的意思。⑥故：相当于"乃"，竟然。

[译文]

齐闵王流亡国外，住在卫国。白天散步时，他对公玉丹说：

审己 115

"我已流亡国外了,却不知道流亡的原因。我之所以流亡,究竟是什么原因呢?我一定纠正自己的过失。"公玉丹回答说:"我以为您已经知道了呢,您竟然还不知道?您之所以流亡国外,是因为您太贤明的缘故。天下的君主都不成器,因而憎恶您的贤明,于是他们互相勾结,合兵进攻大王。这就是大王流亡的原因啊!"闵王深有感慨地叹息说:"君主贤明本应受这样的苦难吗?"这也是不知道自己灭亡的原因啊!这正是公玉丹之所以能够蒙骗他的原因。

越王授①有子四人。越王之弟曰豫,欲尽杀之,而为之后②。恶③其三人而杀之矣。国人不说,大非④上。又恶其一人而欲杀之,越王未之听。其子恐必死,因⑤国人之欲逐豫,围王宫。越王太息曰:"余不听豫之言,以罹⑥此难也。"亦不知所以亡也。

[注释]

①越王授:勾践六世孙无颛。②后:指王位继承人。③恶:诽谤,诋毁。④非:非议,责难。⑤因:凭借。⑥罹(lí):遭受。

[译文]

越王授有四个儿子。越王的弟弟名叫豫,他想把越王的四个儿子全杀掉,以便自己继承王位。豫毁谤其中的三个儿子,让越王都把他们杀掉了。国人很不满,强烈地指责王。豫又毁谤剩下的一子,也想让越王杀掉他,越王没有听从豫的话。越王的儿子害怕自己必被杀死,于是借助国人的愿望把豫驱逐出国,并包围了王宫。越王叹息说:"我没有听从豫的话,所以才遭受这样的灾难。"这也是不知道灭亡的原因啊!

精 通①

人或谓兔丝②无根。兔丝非无根也,其根不属③也,伏苓④是。

慈石⑤召铁，或⑥引之也。树相近而靡⑦，或拊⑧之也。圣人南面而立⑨，以爱利民为心，号令未出，而天下皆延颈举踵⑩矣，则精通乎民也。夫贼害于人，人亦然。今夫攻者，砥厉⑪五兵⑫，侈衣美食⑬，发且有日矣。所被攻者不乐，非或闻之也，神者先告也。身在乎秦，所亲爱在于齐，死而志气不安，精或⑭往来也。

[注释]

①题解："精通"指人的精气相通。②兔丝：即菟丝，一种寄生的蔓草。③属（zhǔ）：接连。④伏苓：即茯苓，寄生在松树根上的一种块状菌。《淮南子》等书认为茯苓是兔丝的根。⑤慈石：即磁石。古人认为，这种石可以吸铁，就像慈母吸引子女一样，故名。⑥或：此处意为"一种力"。⑦靡（mó）：通"摩"，摩擦。⑧拊（fǔ）：推。⑨南面而立：指做君主。古代以坐北朝南为尊位。南面，面向南。⑩延颈举踵：伸长脖子，踮起脚跟，形容盼望殷切。⑪砥（dǐ）厉：磨砺。⑫五兵：五种兵器。⑬侈衣美食：使衣服华丽，使食物丰盛。侈、美，都用做动词。⑭或：有。

[译文]

有人说菟丝没有根。其实菟丝并非没有根，只是它的根没有和茎秆相连接，茯苓就是它的根。磁石能吸引铁，是有一种力在吸引它。树木彼此生得近了，就要互相摩擦，是某种力的推动作用。圣人面南为君，胸怀仁爱利民之心，号令还没有颁布，天下人就都伸长脖子、踮起脚跟殷切盼望了。这是圣人的精气与人民相通的缘故。暴君伤害民众，民众或躲避或报复，也会有所反应。假如攻伐的人，正在磨砺各种兵器，犒赏军队，没几天就要发兵了，这时即将遭受进攻的一方就会感到不快乐，并不是他们有人听到了风声，而是某种精气预先告诉他了。一个人身在秦国，他所亲爱的人却在齐国，如果居住在齐国的人死了，在秦国的人就会心神不安，这是精气往来相通的缘故啊。

德也者，万民之宰①也。月也者，群阴②之本也。月望③则蚌蛤实④，群阴盈；月晦⑤则蚌蛤虚，群阴亏。夫月形⑥乎⑦天，而群阴化乎渊；圣人行德乎己，而四荒⑧咸饬⑨乎仁。

[注释]

①宰：主宰。②群阴：各种属阴之物，如蚌蛤之类。③望：月满之名。④实：指蚌蛤之肉随月圆而满盈。⑤月晦：月光尽敛。时在农历每月的最后一日。⑥形：显露，表现。⑦乎：于。⑧四荒：指四方荒远之地的人民。⑨饬（chì）：整治。

[译文]

德是万民的主宰，月亮是各种属阴事物的根本。月满的时候，蚌蛤的肉就充丰满实，各种属阴的生物也都充盈饱满；月光缺暗的时候，蚌蛤就会壳内空虚，各种属阴的生物也都亏损了。月相盈亏变化显现于天空，各种属阴的生物在深水中都随着变化；圣人修养自己的品德，四方荒远之地的人民都跟随整饬自己的行为，归向仁义。

养由基①射兕②，中石，矢乃饮羽③，诚乎兕也。伯乐④学相马，所见无非马者，诚乎马也。宋之庖丁好解牛⑤，所见无非死⑥牛者，三年而不见生牛。用刀十九年，刃若新磨研，顺其理，诚乎牛也。

钟子期⑦夜闻击磬者而悲，使人召而问之曰："子何击磬之悲也？"答曰："臣之父不幸而杀人，不得生；臣之母得生，而为公家为酒；臣之身得生，而为公家击磬。臣不睹臣之母三年矣。昔⑧为舍氏⑨睹臣之母，量⑩所以赎之则无有，而身固公家之财也，是故悲也。"钟子期叹嗟曰："悲夫！悲夫！心非臂也，臂非椎⑪、非石⑫也。悲存乎心而木石应之。"故君子诚乎此而谕乎彼，感乎己而发乎人，岂必强⑬说乎哉？

[注释]

①养由基：春秋时期楚国大夫，以善射著称。②兕：兽名，属犀牛类。③饮羽：箭射入石中，尾部羽毛隐没不见。饮，没。④伯乐：春秋秦穆公时

人,以善相马著称。⑤庖丁好解牛:"庖丁解牛"之事,见《庄子·养生主》。庖丁,厨师。解,分解。⑥死:衍文。⑦钟子期:春秋时期楚人。⑧昔:这里指昨天夜里。⑨舍氏:未详。⑩量:思量。⑪椎:这里指击磬的木制工具。⑫石:这里指磬。⑬强:极力。

[译文]

养由基射兕,却射中了石头,箭羽深深地没入石中,这是由于他把石头当做犀牛,精神专注于犀牛的缘故。伯乐学习相马,看到的除了马以外没有别的东西,这是由于他精神专注于马的缘故。宋国姓丁的厨师喜欢肢解牛,看到的除了牛以外没有别的东西,整整三年眼中不见活牛。一把刀用了十九年,刀刃仍然像刚磨过那样锋利,这是由于他肢解牛时顺着牛的肌理,精神专注于牛的缘故。

钟子期夜间听到有人击磬,发出的声调很悲哀,就派人把击磬的人叫来,问他说:"你击磬发出的声音何以这么悲哀啊?"回答说:"我的父亲不幸杀了人,未能活命;我的母亲虽得以活命,却没入官府为公家干造酒(的苦役);我自身虽得以活命,却没入官府替人击磬。我已经三年没有见到我的母亲了。昨天晚上在舍氏见到了我母亲,思量赎她可是没有钱,而且连我自身也本是公家的财产,因此心中悲哀。"钟子期叹息说:"可悲呀,可悲!心并不是手臂,手臂也不是敲磬的椎,不是磬,但心中有悲哀,而椎、磬却能与它应和。"所以君子心中有所感,就通过外在的乐器表现出来,自己深有所感,就会在他人那里产生共鸣,哪里用得着用言辞勉强劝说呢?

周有申喜①者,亡②其母,闻乞人③歌于门下而悲之,动于颜色④。谓门者内⑤乞人之歌者,自觉⑥而问焉,曰:"何故而乞?"与之语,盖其母也。故父母之于子也,子之于父母也,一体而两分,同气而异息。若草莽⑦之有华实也,若树木之有根心也。虽异处而相通,隐志⑧相及,痛疾相救,忧思相感,生则相欢,死则相哀,

精通 119

此之谓骨肉之亲。神出于忠而应乎心，两精相得，岂待言哉！

[注释]

①申喜：周人。②亡：这里是"失散"的意思。③乞人：乞丐。④动于颜色：变了脸色。⑤内："纳"的古字，让……进来。⑥自觉：疑是"自见"之误。⑦莽：密生的草。也泛指草。⑧隐志：隐藏在心中的志向。

[译文]

有个叫申喜的周人，他的母亲失散了。有一天，他听到有个乞丐在门前唱歌，自己感到悲哀，表情都变了。他告诉守门的人让唱歌的乞丐进来，亲自见她，并说道："什么原因使你落到求乞的地步？"跟她交谈，才知道这正是他的母亲。所以，无论是父母对于子女来说，还是子女对于父母来说，是一个身体而分为二，精气相同而呼吸各异，就像草丛有花、有果，树木有根、有心一样。虽在两地分处却彼此相通，深藏在心中的志向互相联系着，苦痛生病时互相救护，有忧愁思虑互相感染，对方活着心里就高兴，对方死了心里就悲哀，这就叫做骨肉之亲。这种天性出于挚诚，而彼此心中互相感应，两方精气相感应，难道还要靠言语传达吗！

孟冬纪第十

节 丧①

审知生,圣人之要也;审知死,圣人之极②也。知生也者,不以害生,养生之谓也;知死也者,不以害死,安死③之谓也。此二者,圣人之所独决④也。

凡生于天地之间,其必有死,所不免也。孝子之重⑤其亲⑥也,慈亲之爱其子也,痛于肌骨,性也。所重所爱,死而弃之沟壑,人之情不忍为也,故有葬死⑦之义。葬也者,藏也,慈亲孝子之所慎也。慎之者,以生人⑧之心虑。以生人之心为死者虑也,莫如无动,莫如无发⑨。无发无动,莫如无有可利,则此之谓重闭⑩。

[注释]

①题解:"节丧"即节葬,节约办丧葬的意思。②极:通"亟",急于要做的事。③安死:使死者安宁。④决:这里有"知晓"的意思。⑤重:尊重。⑥亲:指父母。⑦葬死:依孙人和说,当为"葬送"。⑧生人:活着的人。⑨发:掘开。⑩重闭:大闭,永远埋藏。

[译文]

清楚地了解生命是圣人首要的事,清楚地了解死亡是圣人的急务。清楚地了解生命，就不会伤害生命，而是为了养护生命；清楚地了解死亡，就不会损害死者，也就是为了安死。这两种情况，唯独圣人才能知晓。

凡生活于天地间的事物，必然都要死亡，这是不可避免的。孝子尊重他们的父母，父母疼爱他们的子女，这种尊重、疼爱之心深入肌骨，这是天性。对于所尊重、所疼爱的人，死后却把他们丢弃在沟壑里，这是人之常情所不忍心做的，因而才有了葬送死者的道义。葬就是藏的意思，这是慈亲孝子所应慎重对待的事。所谓慎重，说的是活人的想法。活着的人为死者着想，没有比死者不被扰动、他的坟墓不被掘开更重要了。而要达到这个目的，没有比让坟墓中无利可图更保险的了，这就叫做大闭。

古之人，有藏于广野深山而安者矣，非珠玉国宝之谓也，葬不可不藏也。葬浅则狐狸抇①之，深则及于水泉。故凡葬必于高陵之上，以避狐狸之患、水泉之湿。此则善矣，而忘奸邪、盗贼、寇乱之难，岂不惑哉？譬之若瞽师②之避柱也，避柱而疾③触杙④也。狐狸、水泉⑤、奸邪、盗贼、寇乱之患，此杙之大者也。慈亲孝子避之者，得葬之情⑥矣。

[注释]

①抇（hú）：发掘。②瞽师：盲乐师。③疾：用力。④杙（yì）：一头尖的短木，小木桩。⑤狐狸、水泉：衍文。⑥情：本义。

[译文]

古代的人，有葬在广野深山中至今平安的，这不是说有珠玉、国宝随葬，而是说葬不能不隐蔽埋藏。埋葬浅了，狐狸就会掘开它；埋葬深了，就会与地下泉水接触。所以，大凡埋葬一定要葬在高高的土山上，以便避开狐狸的危害、泉水的浸泡。这样做自然很好，却忘了恶人、盗贼、匪乱的祸害，难道不糊涂吗？这就像盲乐师躲避柱子，却猛地撞在尖木桩上。恶人、盗贼、匪乱的祸害，就是这种大的尖木桩啊！父母、孝子埋葬死者，能避开这些灾难，就符合埋葬的本义了。

善棺椁①，所以避蝼蚁蛇虫也。今世俗大乱之主愈侈②其葬，则心非为乎死者虑也，生者以相矜尚③也。侈靡者以为荣④，俭节者以为陋，不以便⑤死为故⑥，而徒以生者之诽誉⑦为务。此非慈亲孝子之心也。父虽死，孝子之重之不怠；子虽死，慈亲之爱之不懈。夫葬所爱所重，而以生者之所甚欲⑧，其以安之也，若之何哉？

民之于利也，犯流矢、蹈白刃、涉血⑨抽肝⑩以求之。野人⑪之无闻⑫者，忍亲戚⑬、兄弟、知交以求利。今无此之危，无此之丑⑭，其为利甚厚，乘车食肉，泽及子孙。虽圣人犹不能禁，而况于乱？

[注释]

①椁（guǒ）：棺材外面套的大棺。②侈：使……奢侈。③矜尚：夸耀。④侈靡者以为荣：即以侈靡者为荣。侈靡者，奢侈浪费行为。⑤便：利。⑥故：事。⑦诽誉：毁谤，赞誉。⑧所甚欲：十分想得到的东西，即"利"。⑨涉血：流血。⑩抽肝：这里指残杀。⑪野人：与"君子"相对，多指农夫。⑫无闻：指没有接受礼义教育。⑬忍亲戚：残忍对待父母。亲戚，这里指父母。⑭丑：耻辱。

[译文]

使棺椁坚固，是为了避开蝼蚁蛇虫。如今社会风俗败坏，君主行葬越来越侈靡，他们心中不是为死者考虑，而是活着的人借以彼此夸耀，争出人上。他们把奢侈浪费的做法看做光荣，把俭省节约的行为看做鄙陋，不把利于死者当回事，只是一心考虑活人的毁谤、赞誉，这不符合父母、孝子对待死者的本心。父亲虽然死了，孝子对他的尊重不会懈怠；子女虽然死了，父母对他们的疼爱不会减少。埋葬所疼爱、所尊重的人，却用活着的人十分想得到的东西陪葬，想靠这些东西使死者安息，又怎么行呢？

百姓对于利，宁肯冒着飞箭，脚踩利刃，流血剖肝去追求它。不知礼义的乡野之人，宁可残忍地对待父母、兄弟、朋友而去逐利。如今，没有这种危险，没有这种耻辱，而获利又十分丰厚，可以乘车吃肉，恩泽延及子孙。即使是圣人，尚且禁止不住这种盗墓行为，更何况昏乱之君呢？

国弥①大，家弥富，葬弥厚。含珠②鳞施③，玩好④货宝，锺鼎壶滥⑤，舆马衣被戈剑，不可胜⑥其数。诸养生之具⑦，无不从者。题凑⑧之室，棺椁数袭⑨，积石积炭，以环其外。奸人闻之，传以相告。上虽以严威重罪禁之，犹不可止。且死者弥久，生者弥疏；生者弥疏，则守者弥怠；守者弥怠，而葬器如故，其势固不安矣。

世俗之行丧，载之以大辁⑩，羽旄旌旗⑪如云，偻翣⑫以督⑬之，珠玉以佩⑭之，黼黻⑮文章⑯以饬⑰之，引绋⑱者左右万人以行之，以军制⑲立之然后可。以此观世⑳，则美矣，侈矣，以此为死，则不可也。苟便于死，则虽贫㉑国劳民，若慈亲孝子者之所不辞为也。

[注释]

①弥：益，愈。②含珠：古代贵族丧礼，人死后，把珍珠放在死者口中，叫含珠。③鳞施：玉制的丧服。④玩好：赏玩、嗜好的东西。⑤滥：浴盆。⑥胜：尽。⑦具：器物。⑧题凑：古代天子、诸侯的棺椁体制，也赐用于大臣。椁室用大木累积而成，木的头都向内，好像四面有檐的屋子，故名。题，头。凑，聚。⑨袭：重，层。⑩辁（chūn）：载棺枢的车。⑪羽旄旌旗：泛指各种旗帜。⑫偻（liǔ）：盖在枢车上的饰物。翣（shà）：用羽毛制成的伞形之物，有柄，灵车行时持之在两旁随行。⑬督：正。这里是"装饰"的意思。⑭佩：装饰。⑮黼（fǔ）黻（fú）：古代礼服上绘绣的花纹。黑白相间的花纹叫黼，黑与青相间的花纹叫黻。⑯文章：错杂的色彩或花纹。青赤相配为文，赤白相配为章。⑰饬：通"饰"。⑱绋（fú）：牵引棺枢的绳索。⑲军制：军法。⑳观世：给世人看。㉑贫：使动，使……贫。

[译文]

国越大，家越富，葬物就越丰厚。死者口含的珍珠、身穿的玉衣，赏玩、嗜好的物品，财货珍宝，钟鼎壶鉴，车马衣被戈剑，数也数不尽。各种养生的器具无不随葬。椁室用大木累积而成，里面棺椁数层，并堆积石头、木炭，环绕在棺椁的外面。坏人闻知此事，互相传告。尽管君主用严刑重罚禁止他们，仍然禁止不住。况且，人死去的时间越长，活着的人对他的感情就越疏远，感情越疏远，守墓人就越懈怠，守墓人越懈怠，可是殉葬的器物仍和原来一样，这种形势本来就不安全了。

世俗之人举办葬礼，用大车载着棺柩，各种旗帜、画有云气的偻翣相随，棺柩之上缀饰着珠玉，涂画了各种花纹。灵车的左右手执绋绳牵引送葬的上万人，这么多人送葬得用军法指挥才行。举行这种葬礼给世人看，那是够华美的了，够盛大的了，但是用这种葬礼对待死者，那就不行了。倘若厚葬真有利于死者，那么，这么做即使使国家贫困、人民劳苦，父母、孝子也不会拒绝的。

安　死[①]

世之为丘垄[②]也，其高大若山，其树之若林，其设阙[③]庭、为宫室、造宾阼[④]也若都邑。以此观世示富则可矣，以此为死则不可也。夫死，其视万岁犹一瞚[⑤]也。人之寿，久之不过百，中寿不过六十。以百与六十为无穷者[⑥]之虑，其情必不相当矣。以无穷为死者之虑，则得之矣。

今有人于此，为石铭置之垄上，曰："此其中之物，具[⑦]珠玉、玩好、财物、宝器[⑧]甚多，不可不抇，抇之必大富，世世乘车食肉。"人必相与笑之，以为大惑。世之厚葬也，有似于此。

[注释]

①题解："安死"是使死者安宁的意思。②丘垄：坟墓。③阙：墓阙，陵墓前两边的石牌坊。④宾阼（zuò）：堂前东西阶。古代宾主相见，宾自西

阶而上，主人立于东阶，故西阶称宾，东阶称阼。⑤瞚（shùn）：通"瞬"，眨眼。⑥无穷者：这里指死者。⑦具：置，备。⑧宝器：珍贵的器物，多指鼎彝等传国的重器。

[译文]

世上人建造坟墓，像山陵一样高大，墓地周围种上树，茂密如林，墓地修建墓阙、庭院，建筑宫室，建造东西石阶，像都邑一样。用这些向世人夸耀财富还行，但用这些安葬死者就不行了。对死者来说，看待一万年就像眨眼间。人的寿命，活得长些不超过百岁，一般寿数不超过六十岁。根据百岁或六十岁寿命的需要替无限久远的死者考虑，必定与实情不合。根据无限久远的需要替死者考虑，就掌握葬送死者的本义了。

假如有这样一个人，在死者墓上立一块石碑，上面刻道："这里面的器物，有珠玉、玩好、财物、宝器，十分丰富，不可不来发掘，掘开它一定暴富，可以世世代代乘车吃肉。"人们一定一起嘲笑他，认为此人太糊涂。世上举行厚葬的做法与这相似。

自古及今，未有不亡之国也；无不亡之国者，是无不抇之墓也。以耳目所闻见，齐、荆、燕尝亡矣，宋、中山已亡矣，赵、魏、韩皆亡矣①，其皆故国②矣。自此以上③者，亡国不可胜数，是故大墓无不抇也。而世皆争为之，岂不悲哉？

君之不令④民，父之不孝子，兄之不悌⑤弟，皆乡里之所釜䰛者⑥而逐之。惮⑦耕稼采薪⑧之劳，不肯官⑨人事⑩，而祈美衣侈食之乐，智巧穷屈⑪，无以为之。于是乎聚群多之徒，以深山广泽林数⑫，扑击遏⑬夺，又视名丘⑭大墓葬之厚者，求舍便居⑮，以微⑯抇之，日夜不休，必得所利，相与分之。夫有所爱所重，而令奸邪、盗贼、寇乱之人卒必辱之，此孝子、忠臣、亲父、交友之大事。

[注释]

①赵、魏、韩皆亡矣：此处记载与史实有出入。依陈奇猷说，这里

"亡"是指国势乱弱,大权旁落、人主不能行其制的意思。②故国:古国,旧国。③以上:以前。④令:善。⑤悌(tì):善待兄弟。⑥所釜(fǔ)鬲(lì)者:用釜鬲吃饭的人,这里指所有的人。釜,古代炊器,类似于今天的锅。鬲,古代炊器,陶制,三足,中空。釜、鬲,都用做动词。⑦惮:害怕。⑧采薪:打柴。⑨官:从事。⑩人事:指耕稼、劳役之事。⑪屈:竭、尽。⑫薮(sǒu):草木茂盛的沼泽地。⑬遏:这里是"拦截"的意思。⑭名丘:与"大墓"同义。⑮便居:方便有利的住所。⑯微:隐蔽地,暗暗地。

[译文]

　　从古到今,没有不灭亡的国家;没有不灭亡的国家,这就决定了没有不被盗掘的坟墓。从人们耳闻目睹看,齐、楚、燕曾经灭亡过,宋、中山已经灭亡了,赵、魏、韩都败落了,它们都成了现已不在的古国了。在此以前,灭亡的国家数也数不尽,因此,大墓没有不被盗掘的,世人却争着建造大墓,难道不可悲吗?

　　国君的奸猾刁民,父亲的不孝儿子,兄长的违忤弟弟,都是被乡里一致驱逐的人。他们害怕耕种、打柴的辛苦,不肯从事各种劳役,却追求享受锦衣玉食的福乐;当用尽智谋巧诈,仍无法得到时,就聚集起很多人,凭借深山、大湖、树林和沼泽,拦路打劫;又探寻葬器丰厚的大墓,设法住到坟墓附近便于盗墓的住所,偷偷地挖掘,日夜不休,一定要获得墓中的财物,一起瓜分。如果所疼爱、所尊重的人死后定然遭到恶人、盗贼、匪寇的凌辱,这应是孝子、忠臣、慈父、挚友忧虑的大事。

　　尧葬于谷林①,通树之②;舜葬于纪市③,不变其肆④;禹葬于会稽,不变⑤人徒⑥。是故先王以俭节葬死也,非爱⑦其费也,非恶⑧其劳也,为死者虑也。

　　先王之所恶,惟死者之辱也。发则必辱,俭则不发。故先王之葬,以必俭,必合,必同。何谓合?何谓同?葬于山林则合乎山林,葬于阪隰⑨则同乎阪隰。此之谓爱人。夫爱人者众,知爱人

安死　127

者寡。

故宋未亡而东冢⑩扣，齐未亡而庄公冢扣。国安宁而犹若此，又况百世之后而国已亡乎？故孝子、忠臣、亲父、交友不可不察于此也。夫爱之而反危之，其此之谓乎！《诗》⑪曰："不敢暴虎⑫，不敢冯⑬河。人知其一，莫知其他。"此言不知邻类也。

[注释]

①谷林：地名。传说尧死后葬于此。②通树之：遍地种上树。③纪市：地名。传说舜死后葬在这里。④肆：店铺，作坊。⑤变：这里是"烦扰"的意思。⑥人徒：众人。⑦爱：吝惜，舍不得。⑧恶：这里是"忧虑"的意思。⑨阪（bǎn）：山坡。隰（xí）：潮湿的低洼地。⑩东冢：指宋文公的墓，因墓在城东，故名。⑪《诗》：指《诗经·小雅·小旻》。⑫暴虎：徒手搏虎。⑬冯（píng）：徒涉。

[译文]

尧葬在谷林，墓地周围都种上树；舜葬在纪市，没有变动市上的任何作坊、店铺；禹葬在会稽，不烦扰众人。由此看来，先王是以节俭的原则安葬死者，并不是吝惜钱财，也不是忧虑会耗费人力，完全是为死者着想的。

先王所忧虑的，唯独是死者受辱。坟墓如果被盗掘，死者肯定会受到侮辱；如果薄葬，坟墓就不会被盗掘。所以，先王安葬死者，一定要做到俭，一定做到合，一定做到同。什么叫合？什么叫同？葬于山林就与山林合为一体，葬于山坡或低湿之地，就与山坡或低湿之地环境一样。这就叫做爱人。爱人的人，很多；但知道怎样做才是爱人的人，很少。

所以，宋国还没有灭亡，东冢就被盗掘。齐国还没有灭亡，庄公的墓就被盗掘。国家安定时期尚且如此，更何况百世后国家已亡了呢？所以孝子、忠臣、慈父、挚友对此不能不明察。本意是敬爱死者，结果反而害了他们，大概指的就是厚葬这件事吧！《诗经》说："不敢空手与虎搏斗，不敢涉水渡过黄河。人们仅知此中危险，不知还有其他祸患。"这是说不知类推啊!

故反以相非,反以相是。其所非方其所是也,其所是方其所非也。是非未定,而喜怒斗争反为用矣。吾不非斗,不非争,而非所以斗,非所以争。故凡斗争者,是非已定之用也。今多不先定其是非,而先疾斗争,此惑之大者也。①

鲁季孙②有丧,孔子往吊之。入门而左③,从客④也。主人⑤以玙⑥璠收⑦,孔子径庭⑧而趋,历级⑨而上,曰:"以宝玉收,譬之犹暴骸⑩中原⑪也。"径庭历级,非礼也;虽然,以救⑫过也。

[注释]

①故反以相非……此惑之大者也:此段内容与全文不合,依王利器《〈吕氏春秋〉错简》一文的观点,为《不二》篇简文误入。②季孙:春秋时鲁国最有权势的贵族。③左:用做动词,站在左边。④从客:就客位。⑤主人:主丧之人,指季桓子,季平子之子,名斯。⑥玙(yú)璠(fán):鲁国的宝玉。⑦收:敛,装敛。⑧径庭:穿行,指自西阶之下越过中庭而向东行。⑨历级:等阶。⑩暴(pù)骸:暴露尸骨。⑪中原:平原,原野。⑫救:阻止。

[译文]

所以,忽而转变立场加以反对,忽而改变主张表示赞同。他们所反对的正是他们所赞同过的,他们所赞同的正是他们所反对过的。是非尚未确定,却已将喜怒斗争都用上了。我们不反对斗,也不反对争,但是反对斗的根据、争的根源。因此,大凡争斗,都是是非确定以后才采用的手段。如今人们大多不先弄清是非,却先急急忙忙地争斗,这是最糊涂的。

鲁国季孙氏举办丧事,孔子去吊丧。进门之后,站到左边台阶属于宾客的位置上。主丧的季桓子用鲁国的宝玉装殓死者。孔子从西阶下快步穿过中庭,登东阶而上,说:"用宝玉殓死者,就如同把尸体暴露在原野上一样。"穿过中庭,登阶而上,是不合于宾客礼仪的,尽管如此,孔子还是这样做了,这是为了阻止过失啊!

安死

异 宝①

古之人非无宝也,其所宝者异也。

孙叔敖疾,将死,戒②其子曰:"王数③封我矣,吾不受也。为我死,王则封汝,必无受利地④。楚、越之间有寝之丘者,此其地不利,而名⑤甚恶⑥。荆人畏鬼,而越人信禨⑦。可长有者,其唯此也。"孙叔敖死,王果以美地封其子,而子辞,请寝之丘,故至今不失。孙叔敖之知⑧,知不以利为利矣。知以人之所恶为己之所喜,此有道者之所以异乎俗也。

[注释]

①题解:"异宝"旨在论述要以道德为宝,与世俗物宝观不同。②戒:即"诫"的古字。③数(shuò):多次。④利地:肥沃富饶的土地。⑤名:地名。⑥恶:不吉利,凶险。⑦禨(jī):迷信鬼神与灾祥。⑧知:即"智"的古字。

[译文]

古代的人并非没有宝物,只是他们看做宝物的东西与今人不同。

孙叔敖得病,临死时告诫他的儿子说:"大王多次赐给我土地,我都没有接受。如果我死了,大王就会赐给你土地,你千万不要接受富饶肥沃的土地。楚国和越国之间有个寝丘,这里的土地贫瘠,地名又很凶险。楚人畏惧鬼,越人迷信鬼神和灾祥。所以,能够长久拥有的封地,恐怕只有这寝丘了。"孙叔敖死后,楚王果然把肥美的土地赐给他儿子,但是孙叔敖的儿子谢绝了,请求赐给寝丘,所以这块土地至今还没有失去。孙叔敖的智慧,在于懂得不把世俗看中的利益作为利益。懂得把别人所厌恶的东西当做自己所喜爱的东西,这就是通达事理的人之所以区别于世俗的原因。

五员①亡,荆急求之,登太行②而望郑曰:"盖是国也,地险而民多知,其主俗主也,不足与举。"去郑而之③许,见许公而问所之。许公不应,东南向而唾④。五员载⑤拜受赐,曰:"知所之矣。"因⑥如⑦吴。过于荆,至江上⑧,欲涉,见一丈人⑨,刺⑩小船,方将渔⑪,从⑫而请焉。丈人度⑬之,绝⑭江。问其名族⑮,则不肯告,解其剑以予丈人,曰:"此千金之剑也,愿献之丈人。"丈人不肯受,曰:"荆国之法,得五员者,爵⑯执圭⑰,禄万檐⑱,金千镒⑲。昔者子胥⑳过,吾犹不取,今我何以子之千金剑为㉑乎?"五员过㉒于吴,使人求之江上,则不能得也。每食必祭之,祝曰:"江上之丈人!天地至大矣,至众矣,将奚不有为㉓也?而无以为㉔。为矣而无以为之,名不可得而闻,身不可得而见,其惟江上之丈人乎!"

[注释]

①五员(yún):即伍子胥。②太行:即太行山,在山西高原与河北高原之间。③之:往。④许公不应,东南向而唾:许公想让伍员投奔吴国,但因许国是个小国,又不敢得罪楚国这个强大的近邻,所以"不应",而用向吴国所在的东南方唾,表示自己的意见。⑤载:通"再"。⑥因:于是。⑦如:往。⑧江上:长江岸边。⑨丈人:古代称老者为丈人。⑩刺:撑船,划船。⑪渔:捕鱼。⑫从:就,走近。⑬度:通"渡"。⑭绝:横渡。⑮族:姓。⑯爵:用做动词,封爵。⑰执圭:春秋时诸侯爵位的名称。圭,玉质利器,上尖下方。天子(或)诸侯把圭赐给功臣,让他们执圭朝见,故名。⑱檐(dān):通"担",容积为一石。⑲镒:古代重量单位,二十两为一镒。一说二十四两为一镒。⑳子胥:伍员。㉑何以……为:用……做什么。㉒过:至。㉓奚不有为:大意是无不为。奚,何。㉔无以为:即无所求的意思。

[译文]

伍员逃亡,楚国紧急追捕他。他登上太行山,遥望郑国说:"这个国家,地势险要而人民多有智慧,但是它的君主是个平庸的君主,不足以跟他谋举大事。"伍员离开郑国,到了许国,拜见许公,请教自己该投奔何方。许公没有回答,向东南方吐了一口唾沫。伍员拜了两拜,接受了他的赐教,说:"我知道该去的地方了。"于是就前往吴国。路过楚地,到了长江岸边,想要渡江。他看到一位老人,撑着小船,正要打鱼,于是走过去请求老人渡他过江。老人把他送过江去。伍员询问老人姓名,老人却不肯说。他解下自己的宝剑送给老人,说:"这是价值千金的宝剑,我愿意把它献给您。"老人不肯接受,说:"楚国的法令规定,有捉到伍员的,赐授执圭爵位,俸禄万石,奖赏黄金千镒。从前,伍子胥从这里经过,我都没有接受他的赠礼,如今我要你价值千金的宝剑做什么呢?"伍员到了吴国,派人到江边去寻找老人,却没有找到。伍员每次吃饭前,一定要祭祀那位老人,祈祷说:"江上的老人啊!天地之德大到极点了,养育万物多到极点了,什么东西不是天地造就呢?但它毫无所求。在这个世上,为他人做了好事却毫无所求,姓名不可得知,身影无法得见,能达到如此境界的,大概只有江边的那位老人吧!"

宋之野人①耕而得玉,献之司城子罕②,子罕不受。野人请曰:"此野人之宝也,愿相国为之赐而受之也。"子罕曰:"子以玉为宝,我以不受为宝。"故宋国之长者曰:"子罕非无宝也,所宝者异也。"

今以百金与抟黍③以示儿子,儿子必取抟黍矣;以和氏之璧④与百金以示鄙人⑤,鄙人必取百金矣;以和氏之璧、道德之至言⑥以示贤者,贤者必取至言矣。其知弥⑦精,其所取弥精;其知弥粗,其所取弥粗。

[注释]

①野人:指农夫。②司城子罕:司城,官名,相当于相国,为春秋时期宋国所设置。子罕,春秋时期宋国的执政大臣。③抟(tuán)黍:黄米饭团子。④和氏之璧:春秋时楚人卞和所得宝玉。⑤鄙人:粗俗无知的人。⑥至言:至理名言。⑦弥:更加。

[译文]

宋国有一个农夫，耕田时得到了一块美玉，把它献给司城子罕，子罕不接受。农夫请求说："这是小人的宝物，希望相国赏光接受它。"子罕说："你把美玉当做宝物，我把不接受别人的赏赐当做宝物。"所以宋国有个德高年长的人说："子罕并非没有宝物，只是他当做宝物的东西与众不同啊！"

假如把百金和黄米饭团摆在小孩的面前，小孩一定去抓黄米饭团了；把和氏璧和百两黄金摆在鄙陋无知的人面前，鄙陋无知的人一定抓取黄金了；把和氏璧和至理名言摆在贤人面前，贤人一定接受至理名言了。他们的智慧越精深，所取的东西就越珍贵；他们的智慧越低下，所取的东西就越粗劣。

异 用[①]

万物不[②]同，而用之于人异也，此治乱、存亡、死生之原[③]。故国广巨，兵强富，未必安也；尊贵高大，未必显也：在于用之。桀、纣用其材而以成其亡，汤、武用其材而以成其王。

[注释]

①题解："异用"旨在论述对事物的使用不同，会导致不同的结果。②不：疑为衍字。③原：根本。

[译文]

万物对每个人来说[①]都是相同的，但人们使用它们却各有不同，这是治乱、存亡、死生的根本所在。所以，国土广大，兵力强盛，未必安定；尊贵富有，未必显赫。关键在于如何使用这些条件。夏桀、商纣运用他们的才智却促成了他们的灭亡，商汤、周武王运用他们的才智成就了王业。

汤见祝①网者，置四面，其祝曰："从天坠者，从地出者，从四方来者，皆离②吾网。"汤曰："嘻！尽之矣。非桀，其孰为此也？"汤收其三面，置其一面，更教祝曰："昔蛛蝥③作网罟④，今之人学纾⑤。欲左者左，欲右者右，欲高者高，欲下者下，吾取其犯命⑥者。"汉南之国闻之曰："汤之德及禽兽矣。"四十国归之。人置四面，未必得鸟；汤去其三面，置其一面，以网其四十国，非徒网鸟也。

[注释]

①祝：向神灵求福的祷告辞。②离：通"罹"（lí），遭受，遇到。③蛛蝥（máo）：即蜘蛛。④罟（gǔ）：网。⑤纾：通"杼"，织布梭，这里是"织"的意思。⑥犯命：触犯天命。

[译文]

商汤在郊外看见有个猎人对着网祷告，并且四面设网，祷告说："从天上坠落的，从地上生出的，从四方来的，统统坠落到我的网里。"汤说："哎呀！这是赶尽杀绝了。除了夏桀那样的暴君，谁还会这么做呢？"汤便收起三面的网，只在一面设网，重新教那人祷告说："从前蜘蛛结网，现在的人也学着织网。禽兽想向左去的就向左去，想向右去的就向右去，想向高处去的就向高处去，想向低处去的就向低处去，我只捕取那些触犯天命的。"汉水以南的国家闻知这件事说："商汤的仁德都施舍到禽兽了。"四十个国家归附了汤。别人在四面设网，却未必能捕获到鸟；汤撤去三面的网，只在一面设网，却由此得到了四十个国家的归附，这不仅仅是设网捕鸟啊！

周文王使人抇池，得死人之骸。吏以闻于文王，文王曰："更葬之。"吏曰："此无主矣。"文王曰："有天下者，天下之主也；有一国者，一国之主也。今我非其主也①？"遂令吏以衣棺更葬之。天下闻之曰："文王贤矣！泽②及髊③骨，又况于人乎？"或得宝以危其国，文王得朽骨以喻④其意，故圣人于物也无不材。

[注释]

①也：通"邪"，表疑问。②泽：恩泽，恩惠。③髊（cí）：带有残肉的骸骨。④喻：使人知晓。

[译文]

周文王派人挖掘池塘，挖出一具死人的尸骸。官吏将这事禀告文王，文王说："重新埋葬他。"官吏说："这具尸骸是没有主人的。"文王说："拥有天下的人，便是天下的主人；拥有一国的人，便是一国的主人。如今我不就是它的主人吗？"于是让官吏把那具尸骨著衣入殓，改葬在别处。天下人听说这件事后，都说："文王真贤明啊！恩泽惠及死人的尸骨，又何况活着的人呢？"有的人得到宝物却使自己的国家遭受危难，文王遇到一具朽骨却能借它表示自己的仁义之心，所以，万物对于圣人来说，没有不可以利用的。

孔子之弟子从远方来者，孔子荷①杖而问之曰："子之公②不有恙③乎？"搏杖④而揖之，问曰："子之父母不有恙乎？"置杖⑤而问曰："子之兄弟不有恙乎？"栈步⑥而倍⑦之，问曰："子之妻子不有恙乎？"故孔子以六尺之杖，谕贵贱之等，辨疏亲之义，又况于以尊位厚禄乎？

古之人贵能射也，以长幼⑧养老也。今之人贵能射也，以攻战侵夺也。其细者⑨以劫弱暴寡⑩也，以遏夺⑪为务也。仁人之得饴，以养疾侍老也。跖⑫与企足⑬得饴⑭，以开闭⑮取楗⑯也。

[注释]

①荷：扛。②公：祖父。③恙：忧患，灾病。④搏杖：拄杖。⑤置杖：把杖立在一旁。⑥栈（yì）步：拖着脚步。⑦倍：同"背"，背向。⑧长幼：抚养幼者。长，这里是"抚养"的意思。⑨其细者：在小的方面。⑩暴寡：欺侮势孤力单的人。⑪遏夺：拦路抢劫。⑫跖：春秋战国之际奴隶起义的领袖。⑬企足：即庄跻，战国时楚国人民的起义领袖。⑭饴（yí）：用麦芽制成

的糖稀。⑮闭：门栓的孔。⑯楗：关门的木栓。

[译文]

　　孔子有位弟子从远方来，孔子扛着手杖问候他说："你的祖父身体还好吧？"然后持杖拱手行礼，问候说："你的父母平安无事吧？"然后拄着手杖问候说："你的哥哥、弟弟平安无事吧？"又拖着脚步，转过身去，问候说："你的妻子、孩子平安无事吧？"因而，孔子用六尺长的手杖，就能让人知道了贵贱的等级，辨明了亲疏的关系，又何况用尊贵的地位、丰厚的俸禄呢？

　　古代人看重善射的技艺，目的是用来抚养幼者，赡养老人。现在的人重视善射的技艺，却是用来攻战侵夺；在小的方面，凭借善射的技艺掠夺弱小的人，欺侮势孤力单的人，干拦路抢劫的勾当。仁爱的得到饴糖，用来调养病人，奉养老人；跖与庄蹻得到饴糖，却用来拨闩开门，以便盗窃。

仲冬纪第十一

至 忠①

至忠逆于耳,倒②于心,非贤主其孰能听之?故贤主之所说③,不肖主之所诛也。人主无不恶暴劫者,而日致④之,恶之何益?今有树于此,而欲其美也,人时灌之,则恶之,而日伐其根,则必无活树矣。夫恶闻忠言,乃自伐之精⑤者也。

[注释]

①题解:"至忠"即对君主无比忠诚。②倒:逆。③说:通"悦"。④致:招致。⑤精:甚,过分。

[译文]

最忠心的话不顺耳,违逆心,如果不是贤明的君主,谁愿意听取它?因此,贤明的君主所喜欢的,正是不肖的君主要惩罚的。没有君主不痛恨侵暴劫夺的行径的,然而却在天天招致它,痛恨它又有什么用呢?假如这里有棵树,希望它生长茂盛,别人时常浇灌它,可是自己却讨厌他的行为,并且每天砍伐树根,那么,肯定不会有活树了。厌恶听取忠言,正是自我毁灭的最严重行为。

荆庄哀王①猎于云梦②，射随兕③，中之。申公子培④劫王而夺之。王曰："何其暴⑤而不敬也？"命吏诛之。左右大夫皆进谏曰："子培，贤者也，又为王百倍⑥之臣，此必有故，愿察之也。"不出三月，子培疾而死。荆兴师，战于两棠⑦，大胜晋，归而赏有功者。申公子培之弟进请赏于吏曰："人之有功也于军旅，臣兄之有功也于车下。"王曰："何谓也？"对曰："臣之兄犯暴不敬之名，触死亡之罪于王之侧，其愚心将以忠于君王之身，而持⑧千岁之寿也。臣之兄尝读故记⑨曰：'杀随兕者，不出三月。'是以臣之兄惊惧而争之，故伏其罪而死。"王令人发平府⑩而视之，于故记果有，乃厚赏之。申公子培，其忠也可谓穆⑪行矣。穆行之意，人知之不为劝⑫，人不知不为沮⑬，行无高乎此矣。

[注释]

①荆庄哀王：即楚庄王，"哀"字疑为衍文。②云梦：即云梦泽，故址在今湖北江陵至蕲春间的太湖区域。③随兕（sì）：恶兽名。④申公子培：申公，楚国申邑的邑宰，子培是其字。楚国擅自称王，所以把邑宰称为公。⑤暴：臣下侵凌君主的行为。⑥百倍：指子培超过别人多倍。百，比喻多。⑦战于两棠：指春秋时期发生在楚、晋两国间著名的邲之战。两棠，当是邲的属地，在郑国境内。⑧持：保持。⑨故记：古书。⑩平府：楚国收藏古籍文书的府库。⑪穆：美。⑫劝：鼓励。⑬沮：这里是"沮丧"、"后悔"的意思。

[译文]

楚庄王在云梦泽打猎，射中了一只随兕，申公子培抢在王之前把它夺走。楚庄王说："这是多么犯上不敬啊！"命令官吏杀掉子培。左右大夫都上前劝谏说："子培是个贤人，又是您最有才能的臣子，这其中必有原因，希望您能明察这件事。"不到三个月，子培生病死了。之后，楚国发兵，与晋国军队在两棠交战，大胜晋军，回国之后奖赏有功的将士。申公子培的弟弟上前向主管官吏请赏说："别人在行军打仗中立功，我的哥哥在大王的车下立功。"庄王问："你说的是什么意思？"回答说："我的兄长冒着犯上不敬的恶名，在大王您的身旁触犯死罪，但他愚痴之心是要效忠君王，使您能够长寿千岁啊！我的兄长曾读古书，古书记载说：'杀死随兕的人，活不过三个月。'因此我哥哥见您射杀随兕，十分惊恐，因而抢为己有，所以后来遭其祸殃而死。"庄王让人打开平府，查阅古籍，在古书上果然有这样的记载，于是厚赏了子培的弟弟。申公子培的忠诚称得上是壮美的行为了。壮美行为的含义是：别人了解自己也不会受到鼓励，别人不了解自己也不会感到沮丧，德行没有比这更高尚的了。

齐王①疾痏②，使人之③宋迎文挚④，文挚至，视王之疾，谓太子曰："王之疾必可已也。虽然，王之疾已，则必杀挚也。"太子曰："何故？"文挚对曰："非怒⑤王则疾不可治，怒王则挚必死。"太子顿首强请曰："苟已王之疾，臣与臣之母以死争之于王。王必幸⑥臣与臣之母，愿先生之勿患也。"文挚曰："诺。请以死为王。"与太子期⑦而将往不当者三⑧，齐王固已怒矣。文挚至，不解屦登床，履王衣，问王之疾，王怒而不与言。文挚因出辞以重怒王，王叱而起，疾乃遂已。王大怒不说，将生烹⑨文挚。太子与王后急争之，而不能得，果以鼎生烹文挚。爨⑩之三日三夜，颜色⑪不变⑫。文挚曰："诚欲杀我，则胡不覆之，以绝阴阳之气？"王使覆之，文挚乃死。夫忠于治世易，忠于浊世难。文挚非不知活⑬王之疾而身获死也，为太子行难⑭以成其义⑮也。

[注释]

①齐王：指齐湣王。②痏（wěi）：恶疮。③之：往。④文挚：战国时期宋国人，洞明医术。⑤怒：激怒。⑥幸：宠爱。⑦期：约定日期。⑧不当者三：多次不按期前往。⑨烹：这里指古代用鼎煮杀人的一种酷刑。⑩爨（cuàn）：本义为烧火煮饭，引伸为烧、煮。⑪颜色：指容貌。⑫变：这里有"溃烂"的意思。⑬活：这里指治愈。⑭难：难于办到的事。⑮义：指孝敬行为。

[译文]

齐王生了恶疮,派人到宋国接文挚,文挚到后,察看了齐王的病,对太子说:"大王的病一定能治愈。虽是这样,但大王的病一旦痊愈,就一定要杀死我。"太子说:"什么原因呢?"文挚回答说:"如果不激怒大王,大王的病就无法治好;但激怒了大王,我就死定了。"太子叩头下拜,极力请求说:"如果治好父王的病,我和我的母亲用死来向父王谏诤,父王一定哀怜我和母亲,希望先生不要担忧。"文挚说:"好吧。我愿以死为大王治病。"文挚跟太子约定了给王看病的日期,三次都不如期前往,齐王本来已经动怒了。文挚来了之后,不脱鞋就登上了齐王的床,踩着齐王的上衣,询问齐王的病情,齐王恼怒,不回答他的话。文挚于是口出不逊之辞激怒齐王。齐王大声呵斥着站了起来,于是病就好了。齐王盛怒不已,要把文挚活活煮死。太子和王后匆忙苦谏阻拦,但未能改变齐王的决定,最后还是把文挚投入鼎中活活煮了。文挚被煮了三天三夜,容貌没有改变。文挚说:"真的要杀我,为什么不盖上鼎盖,以隔断阴阳之气呢?"齐王让人把鼎盖上,文挚才死。在太平盛世,尽忠容易;在浑浊乱世,尽忠很难。文挚并非不知道治愈齐王的病自己就可能被杀,他是为了成全太子的孝敬之义去做难为的事啊!

当 务[①]

辨[②]而不当论[③],信而不当理,勇而不当义,法[④]而不当务,惑而乘骥[⑤]也,狂而操吴干将[⑥]也,大乱天下者,必此四者也。所贵辨者,为其由所[⑦]论也;所贵信者,为其遵所理也;所贵勇者,为其行义也;所贵法者,为其当务也。

[注释]

①题解:"当务"即合于时务的意思。②辨:通"辩"。③当论:合乎事

理。④法：守法。⑤骥：良马。⑥干将：古剑名。相传春秋时吴人干将与妻子莫邪善于铸剑，曾为吴王阖闾铸阴阳剑，锋利无比，阳剑命名"干将"。⑦所：当为衍文，下文"所理"之"所"同。

[译文]

辩说却不符合事理，诚实却不符合情理，勇敢却不符合道义，守法却不符合时务，这就像人心思迷乱却乘着快马一样，像人神智颠狂却手握利剑一样，使天下大乱的，一定是这四种行为。人们看重辩说，在于它遵从事理；人们看重诚实，在于它遵循情义；人们看重勇敢，在于它伸张正义；人们看重守法，在于它切合时务。

跖之徒问于跖曰："盗有道乎？"跖曰："奚啻①其有道也？夫妄意②关③内中④藏，圣也；入先，勇也；出后，义也；知时，智也；分均，仁也。不通此五者而能成大盗者，天下无有。"备⑤说非六王⑥、五伯⑦，以为尧有不慈之名⑧，舜有不孝之行⑨，禹有淫湎之意⑩，汤、武有放杀之事⑪，五伯有暴乱之谋⑫。世皆誉之，人皆讳⑬之，惑也。故死而操金椎⑭以葬，曰："下见六王、五伯，将敲其头矣！"辨若此不如无辨。

[注释]

①啻（chì）：止，仅。②妄意：猜测，推测。③关：门闩，这里指门。④中：猜中。⑤备：具。⑥六王：指尧、舜、禹、汤、周文王、周武王。⑦五伯：即春秋五霸齐桓公、晋文公、宋襄公、楚庄王、秦穆公。⑧尧有不慈之名：传说尧杀长子丹朱。⑨舜有不孝之行：传说舜放逐他的父亲瞽瞍。⑩禹有淫湎之意：传说帝女令仪狄造酒，进献给禹，禹饮后认为很甘美，所以有"淫湎"之说。淫湎，沉溺于酒。⑪汤、武有放杀之事：商汤起兵伐夏桀，流放驱逐至南巢；武王伐殷纣，纣王兵败自焚于王宫。⑫五伯有暴乱之谋：指五霸为争霸主，骨肉相残，以小兼大。⑬讳：避讳。⑭椎（chuí）：通"槌"。

[译文]

跖的党徒问跖说："强盗有道义吗？"跖说："何止是有道义啊！猜测室内所藏之物，猜中的就是神圣；带头进去就是勇敢；最后离去就是义气；懂得时机就是智慧；均分财物就是仁正。不通晓这五种手段而能成为大盗的，天下没有。"跖以诡辩非难六王、五霸，认为尧有不慈的名声，舜有不孝的行为，禹有沉湎于酒的意图，商汤、武王有放逐、杀死他们君主的罪行，五霸有侵凌诸侯、恃势作乱的图谋。然而世上的人都称赞他们，人们都讳言他们的罪恶，真是糊涂啊！所以他吩咐自己死后要持金锤下葬，说："下到黄泉，见到六王、五霸，要击碎他们的头。"像这样辩说，还不如没有争辩。

楚有直躬①者，其父窃羊而谒之上。上执而将诛之，直躬者请代之。将诛矣，告吏曰："父窃羊而谒之，不亦信乎？父诛而代之，不亦孝乎？信且孝而诛之，国将有不诛者乎？"荆王闻之，乃不诛也。孔子闻之曰："异哉！直躬之为信也。一父而载取名焉。"故直躬之信，不若无信。

[注释]

①直躬：以正直之道立身行事。

[译文]

楚国有个以正直之道立身处事的人，他的父亲偷了羊，他将此事向官府告发了。官府抓住了他的父亲，将要处死。这个以正直之道立身处事的人请求代父受刑。将被处死的时候，他告诉官吏说："告发父亲偷羊，这样的人不是很诚实吗？父亲被判死罪而代他受刑，这样的人不是很孝顺吗？既诚实又孝顺的人却要杀掉，那么国家将还有谁不被处死的吗？"楚王听说了这番话，就不杀他了。孔子听到这件事说："这个人的所谓诚信，真是太怪了！利用一个父亲却为自己捞取了两次名声。"所以像"直躬"这样的诚实，还不如没有诚实。

齐之好勇者，其一人居东郭①，其一人居西郭。卒然②相遇于涂③，曰："姑④相饮乎？"觞⑤数行，曰："姑求肉乎？"一人曰："子，肉也；我，肉也；尚胡革⑥求肉而为？于是具染⑦而已。"因抽刀而相啖⑧，至死而止。勇若此不若无勇。

[注释]

①郭：外城。②卒然：通"猝然"，突然，意外地。③涂：通"途"，道路。④姑：姑且，暂且。⑤觞：古代饮酒器，这里用做动词，举觞饮酒。⑥革：更，另。⑦具染：备办调味的豆瓣酱。染，调味用的豆瓣酱。⑧啖：吃。

[译文]

齐国有两个好夸耀自己勇敢的人，一人住在城东，一人住在城西。一天，他们意外地在路上相遇了，商议说："暂且一起喝几杯吧？"喝过几杯酒后，一个说："还是弄点肉吧？"另一人说："你身上有的是肉，我身上也有的是肉，何必另去找肉呢？在这儿准备一点豉酱就够了！"于是两人拔出刀，相割，生吃对方的肉，一直到死。像这样的勇敢，还不如没有勇敢。

纣之同母三人，其长曰微子启①，其次曰中衍②，其次曰受德。受德乃纣也③，甚少矣。纣母之生微子启与中衍也，尚为妾，已而为妻而生纣。纣之父、纣之母欲置微子启以为太子，太史据法而争之曰："有妻之子，而不可置妾之子。"纣故为后。用法若此，不若无法。

[注释]

①微子启：殷商乙的长子，名启，纣的庶兄，因多次谏纣，纣不听，于是出走。周灭商后，微子启向周称臣，周命他统帅殷族，奉祀殷的祖先，封于宋，为宋国始祖。②中衍：帝乙次子，微子启死后，继为宋国之君。③受德乃纣也：纣名受，此处说纣名"受德"，疑有误。

[译文]

商纣有同母兄弟共三人，老大叫微子启，老二叫中衍，老三叫受。受就是纣,年龄最小。纣的母亲生微子启和中衍的时候还是妾,后来做正妻时生下纣。纣的父母想要立微子启为太子,太史依据宗法为此事争辩说:"有正妻的儿子,就不可立妾的儿子做太子。"纣因而成为王位继承人。像这样用礼法,还不如没有礼法。

长 见^①

智所以相过^②,以其长见与短见也。今之于古也,犹古之于后世也;今之于后世,亦犹今之于古也。故审知今则可知古,知古则可知后,古今前后一也。故圣人上知千岁,下知千岁也。

荆文王^③曰:"苋嘻^④数犯我以义,违我以礼,与处则不安,旷之而不穀^⑤得焉。不以吾身爵^⑥之,后世有圣人,将以非不穀。"于是爵之五大夫^⑦。"申侯伯^⑧善持养^⑨吾意,吾所欲则先我为之,与处则安,旷之而不穀丧焉。不以吾身远之,后世有圣人,将以非不穀。"于是送而行之。申侯伯如郑,阿^⑩郑君之心,先为其所欲,三年而知^⑪郑国之政也,五月而郑人杀之。是后世之圣人使文王为善于上世^⑫也。

[注释]

①题解:"长见"即远见。②过:超过。③荆文王:即楚文王,春秋时期楚国国君,名赀,前689~前676年在位。④苋(xiàn)嘻(xǐ):楚文王之臣。⑤不穀:春秋时诸侯自称的谦辞,即不善的人。⑥爵:授予爵位。⑦五大夫:爵位名。⑧申侯伯:楚文王之臣。⑨持养:迎合,助长。⑩阿:曲从,迎合。⑪知:主持,执掌。⑫上世:前世。

[译文]

人们的智力之所以有高下,是由于有的人有远见,有的人目光短浅。今天对于古代来说,就像是古代跟将来的关系一样;今天对于将来来说,也就像是今天跟古代的关系一样。所以,清楚地了解今天，就可以推知古代的情况；知道古代就可以推知将来，前后古今是一脉相承的。所以圣人能够上知千年，下知千年。

楚文王说："苋嘻多次依据义理冒犯我，据礼制违背我的心意，跟他在一起就感到局促不安，但久而久之，我却能有所得。如果我不亲自授予他爵位，后代如有圣人，将要因此责难我。"于是授予他五大夫爵位。文王又说："申侯伯善于揣摩、迎合我的心意，我想要什么，他就在我之前准备好了，跟他在一起就感到安心，但时间久之，我会有过失。如果我不疏远他，后代如有圣人，将要因此责难我。"于是打发他离去。申侯伯到了郑国，曲意迎合郑君的心意，事先准备好郑君想要的一切，经过三年就执掌了郑国的国政，但仅仅五个月就被郑人杀了。这是后世的圣人使前世的文王做了好事。

晋平公①铸为大钟，使工②听之，皆以为调③矣。师旷④曰："不调，请更铸之。"平公曰："工皆以为调矣。"师旷曰："后世有知音⑤者，将知钟之不调也，臣窃为君耻之。"至于师涓⑥而果知钟之不调也。是师旷欲善调钟，以为后世之知音者也。

吕太公望⑦封于齐，周公旦封于鲁，二君者甚相善也。相谓曰："何以治国？"太公望曰："尊贤上功。"周公旦曰："亲亲上恩。"太公望曰："鲁自此削矣。"周公旦曰："鲁虽削，有齐者亦必非吕氏也。"其后，齐日以大，至于霸，二十四世而田成子⑧有齐国。鲁公⑨以削，至于觐⑩存，三十四世而亡。

[注释]

①晋平公：春秋时晋国国君，名彪，前557～前531年在位。②工：乐工。③调：调和。④师旷：春秋时期著名乐师，名旷，字子野。目盲。相传他精通音律。⑤知音：精通音律。⑥师涓：春秋时期卫灵公的乐官，精通音律。⑦吕太公望：即太公望、吕尚。⑧田成子：即田恒（一名常）。齐国正卿。齐简公四年，田恒杀简公，拥立平公。自任齐相，齐国之政尽归田氏。⑨公：依

日本松皋圆说，当为"曰"之误。⑩觐：通"仅"。

[译文]

晋平公铸成了一口大钟，让乐工审听钟的声音，乐工都认为钟声已经很和谐了。师旷说："钟声还不和谐，请重新铸造它。"平公说："乐工都认为很和谐了。"师旷说："后代如有精通音律的人，将会知道钟声是不和谐的。我私下因此为您感到羞耻。"到了后来，师涓果然认为钟声不和谐。由此看来，师旷想要使钟声更为和谐，是因为后代有精通音律的人啊！

太公望被封在齐国，周公旦被封在鲁国，这两位君主十分友好。他们在一起讨论说："靠什么治理国家？"太公望说："尊敬贤人，崇尚功绩。"周公旦说："亲近亲人，崇尚恩德。"太公望说："鲁国从此就要削弱了。"周公旦说："鲁国虽然会削弱，但后世拥有齐国的，也肯定不是吕氏了。"后来，齐国日益强大，成为诸侯中的霸主，但传到二十四代田成子就占有了齐国。鲁国也日益削弱，以至于仅能勉强维持生存，传到三十四代也灭亡了。

吴起治西河①之外，王错②谮③之于魏武侯④，武侯使人召之。吴起至于岸门⑤，止车而望西河，泣数行而下。其仆⑥谓吴起曰："窃观公之意，视释天下若释蹝⑦，今去西河而泣，何也？"吴起抿泣而应之曰："子不识。君知我而使我毕能，西河可以王。今君听谗人之议而不知我，西河之为秦取不久矣，魏从此削矣。"吴起果去魏入楚。有间，西河毕入秦，秦日益大。此吴起之所先见而泣也。

[注释]

①西河：春秋时卫国西境黄河沿岸地区，相当于今山西、陕西界上黄河南北流向最南端的一段。也指战国时地处黄河西岸的魏地。②王错：魏国大夫，后投奔韩国。③谮：说坏话诬陷别人。④魏武侯：名击，魏文侯之子，前386~前371年在位。前376年与韩、赵共灭晋。⑤岸门：魏邑，在今山西省

河津县南。⑥仆：驾驭马车的人。⑧蹝(xǐ)：鞋。

[译文]

吴起治理西河地区，王错在魏武侯面前诋毁他，武侯派人把吴起召回。吴起走到岸门，停下马车，回头遥望西河，流下了几行眼泪。他的车夫对吴起说："我私下观察您的意向，舍弃天下就像扔掉鞋子一样；如今离开西河，您却流了泪，这是为什么呢？"吴起擦去眼泪，回答说："你不明白。如果君主了解、信任我，使我尽自己所能，那么凭借西河我就可以助君主成就王业。如今君主听信了小人的谗言，而不信任我，西河不久会被秦国攻取，魏国从此也会削弱了。"吴起最后离开魏国，去了楚国。不久，西河全部被秦国夺取，秦国日益强大。这正是吴起有先见之明而流泪的原因。

魏公叔座①疾，惠王②往问之，曰："公叔之病甚矣！将奈社稷何？"公叔对曰："臣之御庶子鞅③，愿王以国听之也。为④不能听，勿使出境。"王不应，出而谓左右曰："岂不悲哉？以公叔之贤，而今谓寡人必以国听鞅，悖也夫！"公叔死，公孙鞅西游秦，秦孝公听之。秦果用⑤强，魏果用弱。非公叔座之悖也，魏王则悖也。夫悖者之患，固以不悖为悖。

[注释]

①公叔座：战国时魏惠王相。②惠王：魏惠王，名罃，前370～前335年在位。③御庶子鞅：即公孙鞅，卫国人，又名卫鞅，战国中期杰出的政治家，初为魏相公叔座的家臣，后入秦辅助孝公实行变法，奠定了秦国富强的基础。曾被封于商，号商君，又名商鞅。御庶子，官名。④为：如果。⑤用：因此。

[译文]

魏相公叔座病了，惠王去探望他，说："公叔您的病已经很严重了，国家该怎么办呢？"公叔回答说："我有个担任御庶子的家臣叫公孙鞅，希望大王您能把国政委托他治理。如果不能任用他，不要让他离开魏国。"惠王没有回答，出来对左右侍从说："难道不可悲吗？凭公叔这样贤明，如今却让我一定要把国政委任给公孙鞅，真是太荒谬了！"公叔死后，公孙鞅向西游说秦国，秦孝公委以国政。秦国果然因此强盛起来，魏国果然因此削弱下去。由此可知，并不是公叔座荒谬，而是惠王自己荒谬啊！大凡荒谬的人的弊病，就在于把不荒谬当成荒谬。

季冬纪第十二

士 节①

士之为人,当②理不避其难,临患忘利,遗生③行义,视死如归。有如此者,国君不得而友,天子不得而臣。大者定天下,其次定一国,必由④如此人者也。故人主之欲大立功名者,不可不务⑤求此人也。贤主劳于求人,而佚⑥于治事。

[注释]

①题解:"士节"旨在论述士的品节。②当:符合。③遗生:舍生。④由:经由。⑤务:致力。⑥佚:通"逸",安逸。

[译文]

士的做人,只要符合义理,就不躲避危难,面临祸患时,能忘却私利,舍生取义,视死如归。有如此品德的人,国君也不能把他看做朋友,天子不能让他称臣。大到安定天下,其次安定一国,一定要用这样的人才能做到。所以君主想要建大功、树显名的,不可不致力于访求这样的人。贤明的君主在访求贤士方面花费精力,而在治理政事方面就轻松安逸。

齐有北郭骚①者，结罘罔②，捆蒲苇，织菲屦③，以养其母。犹不足，踵门④见晏子⑤曰："愿乞所以养母⑥。"晏子之仆谓晏子曰："此齐国之贤者也。其义不臣乎天子，不友乎诸侯，于利不苟取，于害不苟免。今乞所以养母，是说夫子之义也，必与之。"晏子使人分仓粟、分府金而遗之，辞金而受粟。

有间，晏子见疑于齐君，出奔，过北郭骚之门而辞。北郭骚沐浴而出见晏子曰："夫子将焉适？"晏子曰："见疑于齐君，将出奔。"北郭子曰："夫子勉之矣。"晏子上车，太息而叹曰："婴之亡岂不宜哉？亦不知士甚矣。"晏子行。

[注释]

①北郭骚：春秋时期齐国的隐士。北郭，姓。骚，名。②罘（fú）罔：捕野兽的网。③菲（fèi）屦：麻鞋。④踵门：走到门上。⑤晏子：春秋时齐国正卿，名婴，字仲平。⑥所以养母：用来奉养母亲的东西，这里指粮食。

[译文]

齐国有个人叫北郭骚，靠结兽网、编蒲苇、织麻鞋来奉养他的母亲，但仍不足以维持生活，于是他到晏子门上，求见晏子说："希望能讨点粮食以奉养母亲。"晏子的仆从对晏子说："这人是齐国的贤士。他为人的准则是，不向天子称臣，不跟诸侯交友，对于利不苟且索取，对于祸不苟且逃避。现在向您乞求粮食以奉养母亲，这是悦服您的道义，您一定要给他。"晏子派人把仓中的粮食、府库中的金子拿出一些分给他，北郭骚谢绝了金子，收下了粮食。

过了不久，晏子被齐君猜忌，要逃往国外，经过北郭骚门前，向他告别。北郭骚洗过澡，出来见到晏子说："您要到哪儿去？"晏子说："我受到齐君的猜忌，将要逃往国外。"北郭骚说："您好自为之吧。"晏子上了车，长叹一声说："我逃亡国外难道不应该吗？我也太不了解士人了。"于是晏子走了。

北郭子召其友而告之曰："说晏子之义，而尝乞所以养母焉。

吾闻之曰：'养及亲者，身伉①其难。'今晏子见疑，吾将以身死白②之。"著③衣冠，令其友操剑奉④笥⑤而从，造⑥于君庭，求复者⑦曰："晏子，天下之贤者也，去则齐国必侵⑧矣。必见国之侵也，不若先死。请以头托⑨白晏子也。"因谓其友曰："盛吾头于笥中，奉以托。"退而自刎也。其友因奉以托。其友谓观者曰："北郭子为国故⑩死，吾将为北郭子死也。"又退而自刎。

齐君闻之，大骇，乘驲⑪而自追晏子，及之国郊⑫，请而反之。晏子不得已而反，闻北郭骚之以死白己也，曰："婴之亡岂不宜哉？亦愈不知士甚矣。"

[注释]

①伉：当，承担。②白：洗清冤诬。③著：穿戴。④奉：捧。⑤笥(sì)：苇或竹制的方形器皿。⑥造：到。⑦复者：指君庭门前负责传话通报的下级官吏。⑧侵：这里指被侵占。⑨托：托付。⑩国故：国难。⑪驲(rì)：古代驿站专用车。⑫郊：古代把距离国都百里以内的地域称郊。

[译文]

北郭骚召来他的朋友，告诉他说："我钦佩晏子的道义，曾向他乞求粮食来奉养母亲。我听说：'对奉养过自己父母的人，自己要承担他的危难。'如今晏子受到猜忌，我将用死为他洗清冤诬。"北郭骚穿戴好衣冠，让他的朋友拿着宝剑、捧着竹匣随从。走到朝廷门前，对负责通禀的官吏请求说："晏子是名闻天下的贤士，他离开齐国，齐国一定要遭受侵犯。与其看到国家必定遭受侵犯，不如先死。我愿把头托付给您，用来为晏子洗清冤诬。"于是对他的朋友说："把我的头盛在竹匣中，捧去交给那个官吏。"说罢，后退几步自刎而死。他的朋友于是捧着盛了头的竹匣交给了那个官吏，然后对旁观的人说："北郭子为国难而死，我将为北郭子而死。"说罢，也后退几步自刎而死。

齐君听说这件事，大为震惊，乘着驿车亲自去追赶晏子，在国郊赶上了晏子，请求晏子回去。晏子不得已返回，听说北郭骚用死来替自己洗清冤诬,说:"我逃亡国外难道不应该吗?这也让我越发不了解士人了。"

介 立①

以贵富有人易,以贫贱有人难。今②晋文公出亡,周流③天下,穷矣,贱矣,而介子推④不去,有以有之⑤也;反国有万乘,而介子推去之,无以有之也。能其难,不能其易,此文公之所以不王也。

[注释]

①题解:"介立"就是"独立"的意思。本文承上篇,强调士人应该具有高尚的气节。②今:依日本松皋圆说,疑为"昔"。③周流:遍行。④介子推:春秋时期晋国人,他曾跟随晋文公重耳流亡十九年,备受艰辛。文公返国后,他不肯受赏,与母亲一起隐居山中,终身不仕。⑤有以有之:有可以拥有……的……

[译文]

凭借富贵受人拥戴容易,依靠贫贱受人拥戴很难。从前,晋文公流亡国外,遍行天下,困窘极了,贫贱极了,然而介子推一直没有离开他,这是由于晋文公具有让他追随的德行。晋文公返回晋国后,拥有万辆兵车,然而介子推却离开了他,这是由于当时晋文公已没有让他追随的德行了。能做成困难的事情,却做不到容易的事情,这正是文公不能称王天下的原因啊!

晋文公反国,介子推不肯受赏,自为赋诗曰:"有龙于飞①,周遍天下。五蛇②从之,为之丞③辅。龙反其乡④,得其处所。四蛇从之,得其露雨⑤。一蛇⑥羞之,桥死⑦于中野⑧。"悬书⑨公门,而伏⑩于山⑪下。文公闻之曰:"嘻!此必介子推也。"避舍变服⑫,令士庶人曰:"有能得介子推者,爵上卿,田百万。"或遇之山中,负釜⑬盖簦⑭,问焉,曰:"请问介子推安在?"应之曰:"夫介子推苟不欲见而欲隐,吾独焉知之?"遂背而行,终身不见。

人心之不同,岂不甚哉?今世之逐利者,早朝晏退,焦唇干嗌⑮,日夜思之,犹未之能得;今得之而务疾逃之,介子推之离俗远矣。

[注释]

①有龙于飞:喻晋公子重耳离国逃亡。于,动词词头,无义。②五蛇:喻跟随重耳出亡的五位贤士,即赵衰、狐偃、贾佗、魏犨、介子推。③丞:辅佐。④龙反其乡:喻晋文公返国继君位。反,通"返"。⑤露雨:喻君主的恩泽。⑥一蛇:喻介子推自己。⑦桥死:依毕沅说,疑是"槁死"。⑧中野:野外。⑨书:指介子推自赋的诗。⑩伏:藏匿,这里指隐居。⑪山:当为綿上山,即今山西介休县东南四十里的介山。⑫避舍变服:离开原来居住的屋子,换平常穿的衣服。意在引咎自责。⑬釜:炊器,敛口,有的有二耳。⑭簦(dēng):有长柄的斗笠,类似今天的伞。⑮嗌(yì):咽喉。

[译文]

晋文公返回晋国(做了国君)后,介子推不肯受封赏,他为自己赋诗道:"一龙飞翔,遍行天下。五蛇追随,甘做辅佐。龙返故乡,得其位所。四蛇追随,承受恩泽。一蛇羞惭,枯死荒野。"他把这封信悬挂在文公门前,自己隐居山中。文公听到这件事后,说:"呀!这一定是介子推。"于是文公避开王宫,改穿丧服,以示自责,并向臣民下令说:"有谁能找到介子推,就赏赐上卿爵位,百万亩田地。"有人在山中遇到介子推,见他背着釜,戴着簦,就问他说:"请问介子推住在哪儿?"介子推回答说:"介子推如果不愿做官,想要隐居,我怎么会知道他在哪儿?"说罢,转身就走了,终生隐没不见。

这样看来,各人的想法不同,难道差别不是很大吗?如今世上追逐私利的人,早上朝,晚退朝,口干舌燥,日夜思虑,还不能得到满足。如今可以得到名利，却竭力尽快避开它，介子推的节操超越世俗太远了！

东方有士焉，曰爰旌目①，将有适也，而饿于道。狐父②之盗曰丘③，见而下壶餐④以铺⑤之。爰旌目三铺之而后能视，曰："子何为者也？"曰："我狐父之人丘也。"爰旌目曰："嘻！汝非盗邪？胡为而食⑥我？吾义不食子之食也。"两手据地⑦而吐之，不出，喀喀然遂伏地而死。

郑人之下革處⑧也，庄蹻之暴⑨郢⑩也，秦人之围长平也，韩、荆、赵，此三国者之将帅贵人皆多骄矣，其士卒众庶皆多壮矣，因相暴以相杀，脆弱者拜请以避死，其卒递⑪而相食，不辨其义，冀幸以得活。如爰旌目已食而不死矣，恶其义⑫而不肯不死。今⑬此相为谋，岂不远哉？

[注释]

①爰旌目：人名。②狐父：地名。③丘：人名。④壶餐：盛在壶中的汤饭。⑤铺（bǔ）：给……吃，喂。⑥食（sì）：给……吃。⑦据地：双手抓着地。⑧革處（xù）：古邑名，属韩国。⑨暴：侵掠。⑩郢：楚国国都。⑪递：一个接一个地。⑫恶其义："义"前疑夺"不"字，即憎恶他的不义。⑬今：疑为"令"之误。

[译文]

东方有个士人，名叫爰旌目，他将要到某一地方去，却饿倒在路上。狐父地方有个名叫丘的强盗，看见他就摘下盛有汤饭的壶喂他，连喂三口之后爰旌目眼睛才看得见，问："你是干什么的？"回答说："我是狐父人，名叫丘。"爰旌目说："你不是强盗吗？为什么给我东西吃？我为了义不能吃你的食物！"说罢，两手按地往外吐食物，吐不出来，"喀喀"地吐，于是趴在地上死了。

郑人攻陷韩国革處邑，庄蹻侵掠楚国郢都，秦人包围赵国长平，韩、楚、赵这三个国家的将帅、贵族都很傲慢自大，三国的士卒百姓都很强壮有力，于是他们相互欺凌，自相残杀，怯弱的人跪拜乞求免死，到最后，人们相互啃食，也不辨正义与否，只希望侥幸得以活命。像爰旌目这样，已经吃了食物就不会死了，但他憎恶盗贼的不义，因而不得不死。若让三国的将士和爰旌目一起商议事情，不是相差得太远了吗？

不 侵①

天下轻于身，而士以身为人②。以身为人者，如此其重也，而人不知，以③奚道④相得。贤主必自知⑤士，故士尽力竭智，直言交争⑥，而不辞其患。豫让、公孙弘⑦是矣。当是时也，智伯⑧、孟尝君知之矣。世之人主，得地百里则喜，四境皆贺，得士则不喜，不知相贺，不通乎轻重也。汤、武，千乘也，而士皆归之。桀、纣，天子也，而士皆去之。孔、墨，布衣之士也，万乘之主、千乘之君不能与之争士也。自此观之，尊贵富大不足以来士矣，必知之然后可。

[注释]

①题解："不侵"指士凛然不可侵犯。②以身为（wèi）人：为他人献出生命。③以：疑为衍文。④奚道：何由。⑤自知：无须他人教谕而知。⑥交争：相谏。争，谏诤。⑦公孙弘：战国时期齐孟尝君的门客。⑧智伯：指智伯瑶。

[译文]

把天下看得比自身轻贱，而士人却甘愿为他人献出生命。为他人献出生命，像这样难能可贵，如果不为人所了解，那怎么能与他们情投意合？贤明的君主一定是亲自了解了士人，所以士人能竭尽全部能力与智慧，直言相谏，而不躲避其祸患。豫让、公孙弘就是这样的士人。在当时，智伯、孟尝君已了解他们了。世上的君主得到百里的土地就满心欢喜，四境之内全都庆贺，得到贤士却不高兴，不知相互庆贺，这是不知道轻重啊。商汤、周武王起初只是拥有千辆兵车的诸侯，然而士人都归附他们。夏桀、殷纣是天子，然而士人都离开了他们。孔子、墨子都是贫民百姓，然而拥有兵车万辆的天子、拥有兵车千辆的诸侯王却无法与他们争夺士人。由此看来，尊贵、富有不足以招徕士，君主一定要亲自了解士人，然后才可以使士人归附。

豫让之友谓豫让曰："子之行何其惑也？子尝事范氏、中行氏①，诸侯尽灭之，而子不为报；至于智氏，而子必为之报，何故？"豫让曰："我将告子其故。范氏、中行氏，我寒而不我衣②，我饥而不我食，而时使我与千人共其养，是众人③畜我也。夫众人畜我者，我亦众人事之。至于智氏则不然，出则乘我以车，入则足我以养，众人广朝，而必加礼于吾所④，是国士⑤畜我也。夫国士畜我者，我亦国士事之。"豫让，国士也，而犹以人之于己也为念，又况于中人乎？

[注释]

①范氏、中行氏：范氏即春秋时晋国的贵族士氏，范地为士氏之食邑，故称。中行氏即春秋时晋国的贵族荀氏。中行是春秋时晋国军制之名，因荀氏的先人荀林父曾担任中行主将，后人便以中行为氏。②不我衣：不给我衣穿。衣，用做动词。③众人：这里作状语，像畜养众人一样地。④所：所在之处。⑤国士：国家级别的智勇之士。这里作状语，像畜养国士一样地。

[译文]

豫让的朋友对豫让说："你的行为怎么那么难以让人理解啊？你曾经侍奉过范氏、中行氏，诸侯把他们都灭掉了，而你不为他们报仇；至于智氏，被灭之后你却一定要替他报仇，这是什么原因？"豫让说："让我告诉你其中的缘故。范氏、中行氏，在我寒冷的时候不给我衣穿，在我饥饿的时候不给我饭吃，并时常让我跟上千的门客一起受供养,这是像养活普通人一样地养活我。大凡对待普通人一样地蓄养我的,我也像普通人一样对待他。至于智氏就不是这样,出门就给我车坐,在家就供给我充足的供养,在大庭广众之中,一定以特殊的礼遇对待我,这是像奉养国士那样奉养我,凡像对待国士那样对待我的,我也像国士那样报答他。"豫让是国士,尚且还念念不忘别人是如何对待自己的,又何况一般人呢?

孟尝君为从①,公孙弘谓孟尝君曰:"君不若使人西观秦王。意者②秦王帝王之主也,君恐不得为臣,何暇从以难③之?意者秦王不肖主也,君从以难之未晚也。"孟尝君曰:"善。愿因④请公往矣。"公孙弘敬诺,以车十乘之秦。秦昭王⑤闻之,而欲丑之以辞,以观公孙弘。公孙弘见昭王,昭王曰:"薛⑥之地小大几何?"公孙弘对曰:"百里。"昭王笑曰:"寡人之国,地数千里,犹未敢以有难也。今孟尝君之地方百里,而因欲以难寡人犹可乎?"公孙弘对曰:"孟尝君好士,大王不好士。"昭王曰:"孟尝君之好士何如?"公孙弘对曰:"义不臣乎天子,不友乎诸侯,得意则不惭为人君,不得意则不肯为人臣,如此者三人。能治可为管、商⑦之师,说义听行,其能致主霸王⑧,如此者五人。万乘之严⑨主辱其使者,退而自刎也,必以其血污其衣,有如臣者七人。"昭王笑而谢焉,曰:"客胡为若此?寡人善孟尝君,欲客之必谨谕寡人之意也。"公孙弘敬诺。公孙弘可谓不侵矣。昭王,大王也;孟尝君,千乘也。立千乘之义而不可凌,可谓士矣。

[注释]

①从(zòng):通"纵",指合纵。战国时秦在西方,六国在东方,土地南北相连,故将联合六国抗秦称为合纵。②意者:或许。③难:抵抗,与……为敌。④因:就。⑤秦昭王:即秦昭襄王,战国时秦国国君,名稷,前360~前251年在位。⑥薛:齐邑,孟尝君的封地。⑦管、商:指管仲、商鞅。⑧霸王:用做动词,成就霸、王之业。⑨严:尊,这里是"威重"的意思。

[译文]

孟尝君合纵抗秦，公孙弘对孟尝君说："您不如派人到西方观察一下秦王。抑或秦王是个有帝王之资的君主，您恐怕连做臣都不可得，哪里顾得上跟秦国作对呢？抑或秦王是个不肖的君主，那时您再合纵跟秦作对也不算晚。"孟尝君说："好。那就请您去一趟。"公孙弘答应了，于是带着十辆车前往秦国。秦昭王听说此事，想用言辞羞辱公孙弘，借以观察他。公孙弘拜见昭王，昭王问："薛这个地方面积有多大？"公孙弘回答说："方圆百里。"昭王笑道："我的国家土地纵横数千里，还不敢据以跟谁作对。如今孟尝君土地才百里见方，就想据以跟我作对，能行吗？"公孙弘回答说："孟尝君喜好士，大王您不喜好士。"昭王说："孟尝君喜好士又怎么样？"公孙弘回答说："信守节义，不向天子称臣，不与诸侯交友，如果得志，做君也毫不惭愧，不得志，就连大臣也不肯做，像这样的士，孟尝君那里有三人。善于治国，可以做管仲、商鞅的老师，其主张如果被听从施行，就能使君主成就霸、王之业，像这样的士，孟尝君那里有五人。担任使者，遭到拥有万辆兵车威重的君主侮辱，退下自刎，但一定用自己的血染污对方的衣服，犹如我这样的，孟尝君那里有七人。"昭王笑着道歉说："您何必如此？我对孟尝君是很友好的，希望您一定要向他说明我的心意。"公孙弘答应了。公孙弘可称得上凛然不可侵犯了。昭王是秦国国君，孟尝君只是齐国之臣，公孙弘能在昭王面前为孟尝君树立正义，不受凌辱，足可以叫做士了。

序　意①

维秦八年②，岁在涒滩③，秋，甲子朔④，朔之日，良人⑤请问十二纪。文信侯⑥曰："尝得学黄帝之所以诲颛顼矣，爰⑦有大圜⑧

在上，大矩⁹在下，汝能法之，为民父母。盖闻古之清世⑩，是法天地。凡十二纪者，所以纪治乱存亡也，所以知寿夭吉凶也。上揆⑪之天，下验之地，中审之人，若此则是非可不可无所遁⑫矣。

天曰顺，顺维⑬生；地曰固，固维宁；人曰信，信维听。三者咸当，无为而行。行也者，行其理⑭也。行数⑮，循其理，平其私。夫私视使目盲，私听使耳聋，私虑使心狂。三者皆私设精⑯则智无由公。智不公，则福日衰，灾日隆，以日倪⑰而西望⑱知之。

[注释]

①题解：有人认为"序意"是全书的序言，也有人认为是十二纪的序言，系残篇。②维：句首语气词，无义。秦八年：依汉代高诱说，指秦始皇八年（前239年）。③岁：岁星，这里是指太岁。太岁是古代人假想的与岁星相背运行的星体，它运行一周天正与赤道附近的十二次相合，古人以此纪年。涒（tūn）滩：太岁年名，即申年。④甲子朔：初一那天是甲子。当时用干支纪年，也用干支纪日、月。朔，每月的第一天叫朔。⑤良人：君子。⑥文信侯：指吕不韦，吕不韦被封为文信侯。⑦爰：句首语气词，无义。⑧大圜：指天。⑨大矩：指地。⑩清世：清平之世。⑪揆（kuí）：度量，这里有"考察"的意思。⑫遁：失。⑬维：句中语气词。⑭理：当依陶鸿庆说作"数"。数，指天数，天道。⑮行数：依刘咸炘说，当做"行其数"。⑯精：甚。⑰倪：通"睨"，斜视，这里是"偏斜"的意思。⑱西望：依高诱说，指日暮。

[译文]

秦始皇八年，太岁在涒滩，秋天，初一甲子日。这天，君子请问十二纪的事。文信侯吕不韦说："曾经学到黄帝教诲颛顼的话，有皇天在上，大地在下，你能效法它们，就可以做百姓的父母官。听说古代清平盛世，都是效法天地的。大凡十二纪，是用来记载国家的治乱存亡的，是用来预测人事的寿夭吉凶的。向上考察天，向下检验地，中间审察人。像这样，对与不对、可与不可都没有失误了。

天的规律是顺行，顺行才能生万物；地的本质是牢固，牢固万物才得以安宁；做人的根本是诚信，诚信才能被听从。天地人三者都恰当，就可以无为而行了。行的意思，就是行天之道。行天道，顺地理，就可以去除私心了。带着私心去看，就会使眼睛看不见东西；带着私心去听，就会使耳朵听不见声音；带着私心去考虑问题，就会使心狂乱迷惑。眼睛、耳朵和心都为私欲役使，如果过分了，就不能使思想公正。思想不公正，那么福佑就会一天天地衰减，灾祸就会一天天地兴盛，这个道理，从太阳偏斜必会西落的现象中可以看出来。

赵襄子游于囿中，至于梁，马却不肯进。青荓①为参乘②。襄子曰："进视梁下，类有人。"青荓进视梁下，豫让却③寝，佯为死人。叱青荓曰："去！长者吾④且有事。"青荓曰："少而与子友，子且为大事，而我言之，是失相与友之道；子将贼吾君，而我不言之，是失为人臣之道。如我者惟死为可。"乃退而自杀。青荓非乐死也，重失人臣之节，恶废交友之道也。青荓、豫让可谓之友也。

[注释]

①青荓：人名。②参乘：车上的护卫之士。③却：依王念孙说，当做"卬"。卬即"仰"字。④长者：豫让自称。吾：依毕沅说，当为衍文。

[译文]

赵襄子在园囿中游玩，走到桥边，骑的马向后退，不肯前进。当时青荓做参乘。襄子说："前往桥下看看，像有个人。"青荓前往，看看桥下，豫让正仰面睡觉，装作死人。他呵斥青荓说："离开，我将要做大事。"青荓说："我从小与你很要好，你现在将要做大事，我把这事说出来，这是失交友之道；你要刺杀我的君主，我不说出这事，这是失为臣之义。像我这样，只能去死了。"于是退而自杀了。青荓不是愿意死，而是看重为人臣的节操，厌恶废弃交友之道。青荓、豫让，可算作是真正的朋友了。

有始览第十三

应 同①

凡帝王者之将兴也,天必先见祥②乎下民。黄帝之时,天先见大螾大蝼③。黄帝曰:"土气胜④。"土气胜,故其色尚⑤黄,其事则⑥土。及禹之时,天先见草木秋冬不杀⑦。禹曰:"木气胜。"木气胜,故其色尚青,其事则木。及汤之时,天先见金刃生于水。汤曰:"金气胜。"金气胜,故其色尚白,其事则金。及文王之时,天先见火赤乌⑧衔丹书集于周社⑨。文王曰:"火气胜。"火气胜,故其色尚赤,其事则火。代火者必将水,天且先见水气胜。水气胜,故其色尚黑,其事则水。水气至而不知,数备⑩,将徙于土。

[注释]

①题解:"应同"旨在论述五行相克、天运转移、物类感召的道理。②见(xiàn):现,显现。祥:征兆。③螾:同"蚓",蚯蚓。蝼:蝼蛄。④胜:过。这里是"旺盛"的意思。⑤尚:崇尚。⑥则:法,效法。⑦杀:凋零。⑧火赤乌:指由火幻化而成的赤色乌鸦。⑨集:止。社:本指土神,这里指祭土神的地方。⑩数备:气数已经具备。

[译文]

古代凡是有帝王将要兴起的时候，上天必定先向地上的民众显示征兆。黄帝的时候，上天先呈现出大蚯蚓、大蝼蛄，黄帝说："这是土气旺盛。"土气旺盛，所以黄帝时的服色崇尚黄色，做事情取法土的颜色。到了夏禹的时侯，上天先呈现出秋冬时节草木仍不凋零的景象。夏禹说："这是木气旺盛。"木气旺盛，所以夏朝的服色崇尚青色，做事情取法木的颜色。到汤的时候，上天先呈现出水中出现刀剑的物象。商汤说："这是金气旺盛。"金气旺盛，所以商朝的服色崇尚白色，做事情取法金的颜色。到周文王的时候，上天先呈现出火光、红色乌鸦衔着丹书停在周社庙上的景象。周文王说："这是火气旺盛。"火气旺盛，所以周朝的服色崇尚红色，做事情取法火的颜色。代替火的必定是水，上天先呈现出水气旺盛的景象。水气旺盛，所以下一个王朝的服色应该崇尚黑色，做事情应该取法水的颜色。如果水气到来了还不知气数已经具备，那么，气数将要转移到土气上去。

天为者时，而不助农于下①。类固②相召，气同则合，声比③则应。鼓④宫而宫动，鼓角而角动。平地⑤注水，水流湿；均薪⑥施火，火就⑦燥。山云草莽，水云鱼鳞，旱云烟火，雨云水波，无不皆类其所生以示人。故以龙致雨，以形逐影⑧。师⑨之所处，必生棘楚⑩。祸福之所自来，众人以为命，安知其所。

[注释]

①依刘咸炘说，此句与上下文义不连贯，恐有脱文。②固：依许维遹说，当做"同"。③比：并，这里是"同"的意思。④鼓：敲击。下面的宫和角都是古代五音之一。⑤平地：同样平的地面。⑥均薪：铺放均匀的柴草。⑦就：靠近，接近。⑧以形逐影：根据形体寻找影子。⑨师：军队，这里指战争。⑩棘楚：指丛生多刺的灌木。

[译文]

天所做的是四时的运行，但并不帮助违背农时的人。物类相同的就互相招引，气味相同的就互相投合，声音相同的就互相响应。敲击五声的宫音，宫音就响应；敲击角音，角音就应和。在同样平的地面上倾倒水，水先向潮湿的地方流；在铺放均匀的柴草上点火，火先向干燥的地方燃烧。山上的云形状如草莽，水上的云形状如鱼鳞，干旱时的云就像燃烧的烟火，阴雨时的云就像荡漾的水波，无一不是依赖它们赖以生成的同类，来显示给人们。因此，用龙就能招来雨，靠形体就能找到影子。发生战争的地方，一定会生长出荆棘来。祸福的到来，一般人认为是"命"，哪里知道它到来的缘由。

夫覆巢毁卵，则凤凰不至；刳①兽食胎，则麒麟不来；干泽涸渔②，则龟龙不往。物之从同，不可为记③。子不遮乎亲，臣不遮乎④君。君⑤同则来，异则去。故君虽尊，以白为黑，臣不能听；父虽亲，以黑为白，子不能从。

黄帝曰："芒芒昧昧⑥，因⑦天之威⑧，与元⑨同气。"故曰同气贤于同义，同义贤于同力，同力贤于同居，同居贤于同名。帝者同气，王者同义，霸者同力，勤⑩者同居则薄矣，亡者同名则𪓣⑪矣。其智弥⑫𪓣者，其所同弥𪓣；其智弥精者，其所同弥精。故凡用意不可不精。夫精，五帝三王之所以成也。成齐类同皆有合⑬，故尧为善而众善至，桀为非而众非来。《商箴》⑭云："天降灾布祥，并有其职⑮。"以言祸福人或召之也。故国乱非独乱也，又必召寇⑯。独乱未必亡也，召寇则无以存矣。

[注释]

①刳（kū）：剖而挖空。②干泽涸渔：把池泽的水弄干来捕鱼。③不可为记：意思是不可胜记。④遮：遏制。乎：于。⑤君：疑为衍文。⑥芒芒昧昧：广大纯厚的样子。⑦因：循，顺。⑧威：则，法则。⑨元：天。⑩勤：劳苦。⑪𪓣：低劣。⑫弥：愈，更加。⑬成：疑涉上文而衍。齐类同皆有合：大意是同类事物都能相聚合。齐，等。⑭《商箴》：古书名，久佚。⑮职：主。

⑯寇：指外患。

[译文]

捣翻鸟巢，毁坏鸟卵，凤凰就不会来；剖开兽腹，吃掉兽胎，麒麟就不会来；抽干池泽来捕鱼，龟龙就不会去。同类事物相从的情况，不可胜记。儿子不会一味忍受父亲的限制，臣子不会一味忍受君主的遏制。志同道合就在一起，不投合就离开。因此，君主虽然尊贵，如果把白当成黑，臣子就不会听从；父亲虽然最亲，如果把黑当成白，儿子也不会依顺。

黄帝说："广大纯厚，这是遵循天的法则，与天同气的缘故。"所以说同气胜过同义，同义胜过同力，同力胜过同处，同处胜过同名。与天同气的称帝，与人同义的称王，与人同武力的称霸。辛劳的人同居共处，亲情就会淡薄了；逃亡的人都不仁不义，德行就更低劣了。智慧越是低劣的人，与之相同的就越是低劣；智慧越是精微的人，与之相同的就越是精微。所以，凡用心，不可以不精微。精微，是五帝三王成功的原因。事物只要类别相同，都可以相合。所以，尧做善事，众多善人都来聚拢；桀干坏事，众多坏人都趋奉。《商箴》说："上天降临灾祸布施吉祥，都有一定的对象。"这是说，祸福都是人招致的。所以国家混乱不只是混乱，又定会招来外敌入侵。国家只是混乱未必会灭亡，招致外敌入侵就无法保存了。

凡兵之用也，用于利，用于义。攻乱则脆①，脆则攻者利②；攻乱则义，义则攻者荣。荣且利，中主犹且为之，况于贤主乎？故割地宝器，卑辞屈服，不足以止攻，惟治为足③。治则为利者不攻矣，为名者不伐矣。凡人之攻伐也，非为利则因为名也。名实不得，国虽强大者，曷④为攻矣？解在乎史墨⑤来而辍⑥不袭卫，赵简子⑦可谓知动静⑧矣！

[注释]

①脆：依王念孙说，当做"服"，屈服，指被攻之国归服。②脆则攻者利：屈服了对攻的一方有利。③惟治为足：这句大意是，只有国家治理得好，才足以制止敌人的攻伐。治，指国家治理得好。④曷：何。⑤史墨：春秋时晋国的史官。⑥辍：停止。⑦赵简子：晋国的正卿。⑧知动静：知道对方的军事行动，即该行动与停止的道理。

[译文]

凡是用兵作战，都是用于得利，用于符合道义。攻打内乱的国家就容易使它屈服，敌国屈服了，那么进攻的国家就得利；攻打内乱的国家符合道义，符合道义，那么进攻的国家就荣耀。既荣耀又得利，具有中等才能的君主都会这样做，又何况是贤明的君主呢？所以，割让土地，贡献宝器，言辞卑谦屈服于人，不足以制止别国的进攻；只有国家治理好了，才能制止别国的进攻。国家治理好了，那么谋求利益的就不来进攻了，贪图名声的就不来讨伐了。大凡人们进攻他国，不是求利就是图名。如果名利都不能得到，那么国家即使很强大，又怎么会发动这种徒劳的战争呢？这道理体现在史墨去卫国了解情况回来，赵简子就停止进攻卫国这件事上，赵简子可说是懂得何时该动、何时该止的道理了。

去 尤①

世之听者，多有所尤。多有所尤，则听必悖矣。所以尤者多故，其要②必因人所喜，与因人所恶。东面望者不见西墙，南乡③视者不睹北方，意有所在也。

人有亡铁④者，意⑤其邻之子。视其行步，窃铁也；颜色，窃铁也；言语，窃铁也；动作态度，无为⑥而不窃铁也。抇其谷而得其铁，他日，复见其邻之子，动作态度，无似窃铁者。其邻之子非变也,已则变矣。变也者无他,有所尤也。

[注释]

①解题:"去尤"旨在阐明认识事物要去掉思想上的局限。尤:通"囿",蒙蔽,局限。②要:关键。③乡:通"向"。④铁(fū):斧子。⑤意:疑。⑥无为:没有。

[译文]

世上听人传言的人,大多有所局限。有所局限,那么凭传闻所下的结论一定是谬误的。受局限的原因很多,其关键必然在于人各有所爱、有所恶。面向东望的人,看不见西面的墙;朝南看的人,望不见北方。这是因为心意专于一个方向。

有一个丢了斧子的人,怀疑是他邻居的儿子偷的。看他走路的样子,像偷斧子的;看他的脸色,像偷斧子的;听他说话,像偷斧子的;看他的举止神态没有一样不像偷斧子的。这个人挖坑的时候,找到了他的斧子。过了几天,又看见他邻居的儿子,举止神态没有一样像偷了斧子的。他邻居的儿子没有改变,他自己却改变了。改变的原因没有别的,是因为有所局限。

邾①之故法,为甲裳②以帛。公息忌③谓邾君曰:"不若以组④。凡甲之所以为固者,以满窍⑤也。今窍满矣,而任力⑥者半耳。且⑦组则不然,窍满则尽任力矣。"邾君以为然,曰:"将何所以得组也?"公息忌对曰:"上用之则民为之矣。"邾君曰:"善。"下令,令官为甲必以组。公息忌知说之行也,因令其家皆为组。人有伤⑧之者曰:"公息忌之所以欲用组者,其家多为组也。"邾君不说,于是复下令,令官为甲无以组。此邾君之有所尤也。为甲以组而便⑨,公息忌虽多为组,何伤⑩也?以组不便,公息忌虽无为组,亦何益也?为组与不为组,不足以累⑪公息忌之说,用组之心,不可不察也。

[注释]

①邾(zhū):古国名,故城在今山东邹县东南。②甲裳:战衣。③公息

忌：人名。④组：用丝编织的绳带。⑤窍：孔。⑥任力：承受力。⑦且：然而。⑧伤：诋毁。⑨而：如果。便：利。⑩伤：妨碍。⑪累：累及。这里是"损害"的意思。

[译文]

邾国的旧法，制作甲裳用帛来连缀。公息忌对邾君说："不如用丝带来连缀。大凡甲之所以牢固，是因为甲的缝隙都被塞满了。现在甲连缀的缝隙虽塞满了，可承受力只有该承受的一半。而用丝带连缀就不会这样，只要连缀的缝隙塞满了，就能承受全部的力了。"邾君以为他说得对，说："将从哪里得到丝带呢？"公息忌回答说："君主使用它，那么人民就会制作它了。"邾君说："好！"于是下令，官府制作甲一定要用丝带连缀。公息忌知道自己的主张得以实行了，于是就让他家里人都制作丝带。有诋毁他的人说："公息忌之所以想用丝带，是因为他家制作了很多丝带。"邾君听了很不高兴，于是又下了命令，官府制作甲不要用丝带连缀。这是邾君有所局限啊！制甲用丝带连缀如果有好处，公息忌即使大量制作丝带，又有什么害处呢？如果用丝带连缀没有好处，公息忌即使没有制作丝带，又有什么益处呢？公息忌制作丝带或不制作丝带，都不足以损害公息忌的主张。使用丝带的目的，不能不考察清楚啊。

鲁有恶①者，其父出而见商咄②，反而告其邻曰："商咄不若吾子矣。"且其子至恶也，商咄至美也。彼以至美不如至恶，尤乎爱也。故知美之恶，知恶之美，然后能知美恶矣。《庄子》③曰："以瓦投者翔④，以钩投者战⑤，以黄金投者殆⑥。其祥⑦一也，而有所殆者，必外有所重者也。外有所重者泄⑧，盖内掘⑨。"鲁人可谓外有重矣。解在乎齐人之欲得金也，及秦墨者之相妒也⑩，皆有所乎尤也。老聃则得之矣，若植木⑪而立乎独，必不合于俗，则何可扩⑫矣？

[注释]

①恶：丑陋。②商咄：人名，以美貌著称。③引文见《庄子·达生》

篇，文字略有出入。④瓦：古代纺丝时用来绕丝的纺砖。殴：依洪颐煊说，当为"殴"之误。殴，即古文"投"字，这里是"下赌注"的意思。翔：这里是"安详"、"坦然"的意思。⑤钩：衣带钩。战：惧，担心。⑥殆：迷惑。⑦祥：好，这里指赌技高超。⑧泄：狎，亲近。⑨内掘：内心不安。掘，不安稳。⑩齐人之欲得金也，及秦墨者之相妒也：两事详见《去宥》篇。前事言齐人欲得金而夺人之金，徒见金不见人；后者言秦墨者相妒致使秦惠王偏听偏信。两事都是"有所尤"造成的。⑪植木：直立的木头。⑫扩：扩充，这里指由于受到外物的干扰而心神不安。

[译文]

鲁国有个长相丑陋的人，他的父亲出门看见商咄，回来后告诉他的邻居说："商咄不如我儿子。"而他儿子是最丑陋的，商咄是最漂亮的，他却认为最漂亮的不如最丑陋的，这是因为他受自己的偏爱所局限。所以，知道了美中的丑，丑中的美，然后才可以知道什么是美，什么是丑了。《庄子》说："用纺锤作赌注的内心坦然，用衣带钩作赌注的心里发慌，用黄金作赌注的感到迷惑。他们的赌技是一样的，而感到迷惑，必然是对外物有所看重。对外物有所看重，就会对它亲近，因而内心就不踏实。"那个鲁国人可说是对外物有所看重了。这道理体现在齐国人想得到金子，以及秦国的墨者互相嫉妒的事例上，这些都是因为有所局限啊。老聃就懂得这个道理，他像直立的木头一样独立生长，这样就不必与世俗相合，那么还能有什么使他内心不安呢？

听 言①

听言不可不察，不察则善不善不分。善不善不分，乱莫大焉。三代分善不善，故王。今天下弥衰，圣王之道废绝。世主多盛其欢乐②，大其钟鼓，侈其台榭苑囿③，以夺人财；轻④用民死，以行其怨。老弱冻馁，夭膌壮狡⑤，汔⑥尽穷屈⑦，加以死虏。攻无罪之国以索地，诛不辜之民以求利，而欲宗庙之安也，社稷之不危也，不亦难乎？

今人曰："某氏多货，其室培⑧湿，守狗死，其势可穴⑨也。"则必非之矣。曰："某国饥⑩，其城郭庳⑪，其守具寡，可袭而篡之。"则不非之。乃不知类矣。《周书》⑫曰："往者不可及⑬，来者不可待，贤明其世⑭，谓之天子。"故当今之世，有能分善不善者，其王不难矣。

[注释]

①题解："听言"旨在规劝君主听取言论应当加以考察，以分辨好坏。②盛其欢乐：使其欢乐盈盛。盛，用做使动。下文"大"、"侈"用法与此同。③苑囿：养禽兽植林木的地方。④轻：轻易。⑤夭膌（jī）壮狡：使强壮有力的人夭折瘦死。膌，通"瘠"，瘦弱。夭和膌都用做使动。狡，强壮有力。⑥汔（qì）：几，几乎。⑦穷屈（jué）：穷尽，走投无路。⑧培：房屋的后墙。⑨穴：用做动词，挖洞。⑩饥：荒年，年成不好。⑪城郭：城指内城，郭指外城。城郭连用泛指城墙。庳（bēi）：低矮。⑫《周书》：古佚书。⑬及：赶上，赶得上。⑭贤明其世：使其世道清明。

[译文]

听到话不可不考察；不考察，那么好与不好就不能分辨。好和不好不能分辨，祸乱没有比这更大的了。夏、商、周三代能分清楚好和不好，所以能称王天下。如今世道更加衰微，圣王之道被废绝。当世的君主大多极尽欢乐之盛，把钟鼓等乐器造得很大，把台榭园林修得很豪华，因而耗费了人民的钱财；轻易地让人民去送命，来发泄自己的怨愤。年老体弱的人受冻挨饿，强壮有力的人被弄得或夭折或瘦弱，走投无路，又把死亡和被俘的命运加在他们身上。攻打无罪的国家以便掠取土地，杀死无罪的人民以便夺取利益，这样做却想求得宗庙平安，让国家不危险，不是很困难吗？

假如有人说："某人有很多财物，他房屋的后墙很潮湿，看家的狗死了，可以趁机挖开墙洞。"那么，人们一定会责备这个人。如果有人说："某国遇到荒年，它的城墙低矮，它的防守器具很少，可以偷袭并能夺取它。"人们对这样的人却不责备，这就是不知道类比了。《周书》中说："过去的不可追回，未来的不可等待，能使世道清明的，就叫做天子。"所以在今天的社会上，有能分辨好和不好的，他要称王天下是不难的。

善不善本于义，不于爱①，爱利之为道大矣。夫流于海者，行之旬月②，见似人者而喜矣。及其期年③也，见其所尝见物于中国④者而喜矣。夫去人滋⑤久，而思人滋深欤？乱世之民，其去圣王亦久矣。其愿见之，日夜无间。故贤王秀士⑥之欲忧黔首者，不可不务⑦也。

[注释]

①本于义，不于爱：依许维遹说，疑作"本于利，本于爱"。②旬月：一个月。③期（jī）年：一周年。④中国：中原之国。⑤滋：益，越发。⑥秀士：杰出的人。⑦务：勉力。

[译文]

好与不好的根本在于利，在于爱，爱和利作为道义来说，是太大了。在海上漂泊的人，漂行一个月，看到像人的东西就很高兴；等到漂行一年，看到曾在中原所看到过的东西就高兴。这就是离开人越久，想念人就越深切吧！混乱社会的民众，他们离开圣王也太久远了，他们盼望见到圣王的心情，白天黑夜都没有间断。所以那些为百姓忧虑的贤明君主和杰出人士，不可不勉力啊。

功先名，事先功，言先事①。不知事，恶②能听言？不知情，恶能当③言？其与人谷言也，其有辩乎，其无辩乎④？

造父始习于大豆⑤，蜂门始习于甘蝇⑥，御大豆⑦，射甘蝇，而不徙人以为性⑧者也。不徙之，所以致远追急⑨也，所以除害禁暴也。凡人亦必有所习其心，然后能听说。不习其心，习之于学问。不学而能听说者，古今无有也。解在乎白圭之非惠子也⑩，公孙龙之说燕昭王以偃兵及应空洛之遇也⑪，孔穿⑫之议公孙龙，翟翦⑬之难惠子之法。此四士者之议，皆多故⑭矣，不可不独论⑮。

[注释]

①功先名，事先功，言先事：陈奇猷《吕氏春秋新校释》说："此文疑当做'事先功，功先名，名先言，言先事'。谓欲举事必先度其功，欲度其功必先正其名，欲正其名必先审其言，欲审其言必先明其事。如此，义方通顺。"②恶（wū）：何。③当：合，相称。④其与人谷言也，其有辩乎，其无辩乎：此句义不可通。依陶鸿庆说，当做"其与夫鷇（kòu）音也，其有辩乎，其无辩乎"。"人"乃"夫"字之误，"谷（繁体作'穀'）言"为"鷇音"之误。鷇音：鸟初孵出时的叫声。辩，通"辨"，区别。⑤造父、大豆：都是古代善于驾车的人。⑥蜂（páng）门、甘蝇：都是古代善于射箭的人。⑦御大豆：向大豆学习驾车。"御"后省略了介词"于"。下句"射甘蝇"指向甘蝇学习射箭。⑧不徙人以为性：意为不转换学习的老师或专业，是学有所成的根本。⑨致远追急：指驾驭车马的功用。下句"除害禁暴"指射箭的功用。⑩白圭：名丹，字圭，魏人。惠子：惠施，宋人，仕魏。白圭非惠子之事见《不屈》篇。⑪公孙龙：魏人，战国时名家的代表人物。燕昭王：战国时燕国君主，前311～前279年在位。偃：止息，消除。空洛：地名。遇：盟会。公孙龙说燕昭王以偃兵之事见《应言》篇。应空洛之遇事见《淫辞》篇，该篇作"空雄"当为"空雒"（雒同"洛"）之误。⑫孔穿：字子高，孔子的后代。孔穿议公孙龙之事见《淫辞》篇。⑬翟翦：魏国人，翟璜的后代。翟翦难惠子之法事见《淫辞》篇。⑭故：缘故，原因。⑮独论：熟论。

[译文]

想要成就大事一定先要建立功绩，想要建立功绩一定先要正其名分，想要正其名分一定先要审察言辞，想要审察言辞一定先要了解实情。不了解实情，怎么能判定言语是否正确呢？不了解实情，怎么能使言论与事实相符？如果不能这样，那么人言与鸟音，是有区别呢，还是无区别呢？

造父最初向大豆学习驾车、蜂门最初向甘蝇学习射箭,向大豆学习驾车时,向甘蝇学习射箭时,都专心致志,以此作为自己的本性。不三心二意,这是他们所以能学到致远追急的驭术、除暴禁害的射术的原因。人们一定要修养自己的心性,然后才能正确地听取别人的论说。不能修养自己的心性,就应当研习学问。不学习而能正确地听取别人意见的,从古到今是没有的。这道理体现在白圭非难惠子、公孙龙劝说燕昭王消除战争以及应付秦赵的空洛盟约,孔穿非议公孙龙、翟翦责难惠子制订法令等事例中。这四个人的议论,都包含着充足的理由,不可不辨察清楚。

谨 听①

昔者禹一沐而三捉发②,一食而三起,以礼有道之士,通乎己之不足也。通乎己之不足,则不与物争矣。愉易③平静以待之,使夫④自得之;因然而然之⑤,使夫自言之。亡国之主反此,乃自贤而少人⑥。少人则说者持容而不极⑦,听者自多⑧而不得。虽有天下,何益焉?是乃冥之昭⑨,乱之定,毁之成,危之宁。故殷纣以亡,比干以死,悖而不足以举⑩。故人主之性,莫过乎所疑⑪,而过于其所不疑;不过乎所不知,而过于其所以知。故虽不疑,虽已知,必察之以法,揆之以量,验之以数⑫。若此则是非无所失,而举措⑬无所过矣。

[注释]

①题解:"谨听"意思是谨慎对待所听的言论。②一沐而三捉发:与下文"一食而三起",都是形容为延揽人才而操心忙碌。沐,洗发。捉,握。③愉易:和悦。④夫:彼,指有道之士。⑤因然而然之:顺其自然之意。然之,使之然。⑥少人:认为别人不好,即轻视别人。少,用做动词,轻视。⑦持容:矜持。极:尽,指尽言。⑧自多:自以为贤。⑨冥之昭:以冥为昭,

即把昏暗当成光明。与下文"乱之定"、"危之宁"结构同。⑩不足以举：不可胜举的意思。⑪莫过乎所疑：不会在自己有所怀疑的地方犯错误。莫，不。⑫数：九术，古人关于天文、历算、占卜等方面的学问。⑬举措：举止。

[译文]

从前，禹洗一次头要多次握住头发停下来，吃一顿饭要多次站起来，以便礼遇有道的贤士，弄清楚自己的不足。弄明白了自己的不足，就不会计较外在的东西了。贤明的君主用欢悦平和的态度对待有道的贤士，使他们各得其所，一切都顺其自然，让他们尽情发表自己的意见。亡国之君则与此相反，他们自视甚高，轻视别人。轻视别人，那么游说的人就矜持而不尽情劝说了，听取意见的人自视甚高，因而就会一无所得。这样，即使享有天下，又有什么好处呢？这实际上就是把昏暗当做光明，把混乱当做安定，把毁坏当做成功，把危险当做安宁。所以商纣因此而被灭亡，比干因此而被处死，这样荒谬的事情不胜枚举。所以，君主的常情是，不会在有所怀疑处犯错，而会在深信不疑处犯错；不会在有所不知处犯错，而会在有所知处犯错。所以，即使是深信不疑的、已经知道的，也一定要用法令加以考察，用度量加以测定，用数术加以检验。这样去做了，那么对是与非的判断就没有过失，行为举止就没有过错了。

夫尧恶得贤天下而试①舜？舜恶得贤天下而试禹？断之于耳而已矣。耳之可以断也，反性命之情也。今夫惑者，非知反性命之情，其次非知观于五帝三王之所以成也，则奚自知其世之不可也？奚自知其身之不逮②也？太上③知之，其次知其不知。不知则问，不能则学。《周箴》④曰："夫自念斯⑤，学德未暮⑥。"学贤问⑦，三代之所以昌也。不知而自以为知，百祸之宗也。

[注释]

①试：用。②不逮：赶不上。③太上：最上等的。④《周箴》：古佚书。⑤斯：此。⑥暮：晚。⑦学贤问：依松皋圆说，"贤"当做"且"。

[译文]

尧何以在天下选取贤人而任用了舜呢？舜何以在天下选取贤人而任用了禹呢？只是根据传闻做出决断罢了。根据传闻可以决断，是由于回归人的本性的缘故。现在那些糊涂的人，不知道这是回归人的本性，其次是不知道观察五帝三王之所以成就帝业的原因，那又怎么知道自己的世道不好呢？怎么知道自己赶不上五帝三王呢？最上等的是无所不知，次一等的是知道自己有所不知。不知就要问，不能就要学。《周箴》说："只要自己经常思考这些问题，修养道德就不算晚。"勤学好问，这是夏、商、周三代昌盛的原因。不知道却自以为知道，这是各种祸患的根源。

名不徒①立，功不自成，国不虚存，必有贤者。贤者之道，牟②而难知，妙而难见。故见贤者而不耸③，则不惕④于心。不惕于心，则知之不深。不深知贤者之所言，不祥莫大焉。

主贤世治，则贤者在上；主不肖世乱，则贤者在下。今周室既灭，而天子已绝⑤。乱莫大于无天子。无天子则强者胜弱，众者暴寡，以兵相残，不得休息。今之世当之矣。故当今之世，求有道之士，则于四海之上，山谷之中，僻远幽闲之所，若此则幸于得之矣。得之，则何欲而不得？何为而不成？太公钓于滋泉⑥，遭纣之世也，故文王得之而王。文王，千乘也；纣，天子也。天子失之，而千乘得之，知之与不知也。诸众齐民⑦，不待知而使，不待礼而令。若夫有道之士，必礼必知，然后其智能可尽。解在乎胜书之说周公⑧，可谓能听矣；齐桓公之见小臣稷⑨，魏文侯之见田子方⑩也，皆可谓能礼士矣。

[注释]

①徒：白白地，无缘无故地。②牟：大。③耸：敬。④惕：动。⑤天子已绝：前256年，秦灭东周，名义上周天子已不复存在，所以说"天子已绝"。⑥滋泉：也作"兹泉"，泉名。⑦诸：众。齐民：指平民百姓。⑧胜书

之说周公：事见《精谕》篇。胜书以不言说周公，周公听从，使纣无以加罪于周。⑨齐桓公之见小臣稷：事见《下贤》篇。⑩魏文侯之见田子方：当为"魏文侯之见段干木"之误，事见《下贤》篇。

[译文]

名誉不会无缘无故地树立，功劳不会自然而然地成就，国家不会凭空存在，一定要有贤德的人才行。贤德之人的道术，博大而难以知晓，精妙而难以理解。所以看到贤德之人不恭敬，就不能动心，不能动心，就不能深刻了解，不能深刻了解贤德之人的言论，没有比这更不吉利了。

君主贤明，世道太平，那么贤德之人就居于上位；君主不贤明，世道混乱，那么贤德之人就处于下位。现在周王室已经灭亡，天子已经灭绝，混乱没有什么比无天子更大的了。没有天子，那么势力强的就会压倒势力弱的，人多的就会侵凌人少的，用军队相残杀，无法停止。现在的社会正是如此。所以，在当今的社会上，要寻求有道的人，就要到四海内、山谷中、偏远幽静的地方，这样，或许还能幸运地得到这样的人。得到了贤德的人，想要什么得不到呢？想做什么做不成呢？姜太公在滋泉钓鱼，正遭遇纣统治的混乱时代，所以周文王得到他因而能称王天下。文王是诸侯，纣是天子。天子失去了太公望，而文王却得到了他，这是了解与不了解造成的。那些平民百姓，不用等了解就能役使他们，不用以礼相待就能使唤他们。至于有道的贤士，一定要以礼相待，一定要了解他们，然后他们的才智才会完全发挥出来。这道理体现在胜书劝周公，周公可说是能听从劝说了；体现在齐桓公去见小臣稷，魏文侯去见段干木事例方面，他们都可说是能礼贤下士了。

务 本①

尝试观上古记②，三王之佐，其名③无不荣者，其实无不安者，功大也。《诗》④云:"有渰凄凄⑤,兴云祁祁⑥。雨我公田⑦,遂及我私。"三王之佐,皆能以公及其私矣。俗主之佐,其欲名实也,与三王之佐同,而其名无不辱者,其实无不危者,无公故也。皆患其身不贵于国也,而不患其主之不贵于天下也;皆患其家之不富也,而不患其国之不大也。此所以欲荣而愈辱,欲安而益危。安危荣辱之本在于主,主之本在于宗庙⑧,宗庙之本在于民,民之治乱在于有司⑨。《易》⑩曰:"复自道,何其咎,吉。"以⑪言本无异,则动卒⑫有喜。今处官则荒乱,临财则贪得,列近则持谏⑬,将众则罢怯⑭,以此厚望于主,岂不难哉!

[注释]

①题解:"务本"即致力于根本。②上古记:上世古书。③名:指声誉。下文"实"与"名"对举,指实利,包括地位、俸禄等。④《诗》:引诗见《诗经·小雅·大田》。⑤渰(yān):阴雨。今本《诗经》作"渰"。凄凄:寒冷的样子。⑥祁祁:众多的样子,此处形容浓云密布。⑦雨(yù):动词,降雨。公田:古代实行井田制,中间的部分属于公田,以外部分为私田。⑧宗庙:祖庙。古代很重视宗庙的祭祀,故云"主之本在于宗庙"。⑨有司:古代官府分曹理事,各有专司,所以把主管某方面事务的官吏叫"有司"。这里指百官。⑩《易》:引文见《易经·小畜》。⑪以:此。⑫卒:终。⑬列:指官位。持谏:依陈昌齐说,疑为"持谀"之误。持谀,玩弄阿谀奉承的手段。⑭罢:通"疲",软弱。

[译文]

尝试浏览上世古书,禹、汤、文武的辅臣,声誉没有不荣耀的,地位没有不安稳的,这是由于他们的功劳大。《诗经》说:"阴雨凉寒,浓云布天。雨降公田,兼润私田。"禹、汤、文武的辅臣都能靠对公家有功,从而获得一己私利。平庸君主的辅臣,期望得到名誉和地位的心情与禹、汤、文武的辅臣是相同的,可是他们的名声没有不蒙受耻辱的,他们的地位没有不发生危机的,这是由于他们没有为国家建功立业的缘故。他们都忧虑自身在国内不显贵,却不去忧虑自己的君主在天下没有隆尊的地位;他们都忧虑自己的家族不富足，却不忧虑自己的国家不能强大，这就是他们希望得到荣耀反而更加蒙辱，希望得到安定反而更加危险的原因。安定、危险、荣显、耻辱的根本在于君主，君主的根本在于宗庙，宗庙的根本在于百姓，百姓治理得好坏的根本在于百官。《周易》说："按照正常的轨道返回，周而复始，有什么灾祸？吉利。"这是说只要根本没有改变，行动终究会有喜庆。如今世人居官就荒淫悖乱，见到钱财就贪得无厌，官居君主近臣就阿谀奉承，统率军队就软弱怯懦，凭着这些表现想从君主那里满足奢望，岂不是太难了吗？

今有人于此，修身会计①则可耻，临财物资尽②则为己，若此而富者，非盗则无所取。故荣富非自至也，缘功伐③也。今功伐甚薄而所望厚，诬也；无功伐而求荣富，诈也。诈诬之道，君子不由。

[注释]

①会计：计量财物多少，此处含廉洁理财之义。②尽：通"赆"，财货。③伐：与"功"同义，功劳。

[译文]

假如有这么一个人，认为持节修身、清廉理财是可耻的，面对钱财就要占为己有，像这样而富足的，除非盗窃，否则无法从其他地方取得。因此，荣华富贵不会自己到来，是靠功劳得来的。如今世人功劳甚少却企望很高，这是欺骗；没有功劳却谋求荣华富贵，这是诈取。欺骗、诈取的方法，君子是不采用的。

人之议多曰："上用我，则国必无患。"用己者未必是也，而莫若其身自贤。而①己犹有患，用己于国，恶得无患乎？己，所制也；释其所制而夺乎其所不制，悖。未得治国、治官可也。若夫内事亲，外交友，必可得也。苟事亲未孝，交友未笃，是所未得，恶能善之矣？故论人无以其所未得，而用其所已得，可以知其所未得矣。

古之事君者，必先服②能，然后任；必反情③，然后受④。主虽过与，臣不徒取。《大雅》⑤曰："上帝临⑥女，无贰⑦尔心。"以言忠臣之行也。解在郑君之问被瞻之义也⑧，薄疑应卫嗣君以无重税⑨。此二士者，皆近知本矣。

[注释]

①而：如果。②服：任，用。③反情：指内省，省察自己。④受：指接受俸禄。⑤《大雅》：引诗见《诗经·大雅·大明》。⑥临：从高处往低处看，引申为监视。⑦贰：使动，使……不专一。⑧解在郑君之问被瞻之义也：参见《务大》篇。郑君，指郑穆公。被瞻之义，指被瞻提出的不死君难、不随君亡的主张。被瞻，郑文公的大夫。⑨薄疑应卫嗣君以无重税：参见《审应览》。薄疑，疑是卫臣。卫嗣君，卫平侯的儿子，秦贬其称为君。

[译文]

人们的议论大都说："君主如果任用我，那么国家就一定没有祸患。"其实如果真的任用他，未必是这样。（想让人任用自己，）没什么比使自身贤明更重要的了。自己尚有祸患，用他来治国，怎么能没有祸患呢？自身是自己可以控制的，放弃自己可以控制的事，却去夺取自己所不能控制的国家、官位，这就叫荒谬。荒谬的人，不让他们治理国家、管理官吏是对的。至于在家侍奉父母，在外结交朋友，是一定能做到的。如果侍奉父母不孝顺，结交朋友不真诚，这些都尚未做到，怎么能称赞他呢？所以评论人不要根据他没做到的事去评论，而要根据他已经做到的事去评论，这样才能知道他未能做到的事。

古代侍奉君主的人，一定先贡献才能，然后才担任官职；一定先省察自身，然后才接受俸禄。君主即使多给俸禄，臣子也不会无端接受。《大雅》说："上帝监视着你们，你们不要怀有贰心。"这说的是忠臣的品行。这个道理体现在郑君问被瞻的主张，薄疑以不要加重赋税回答卫嗣君两件事上。被瞻、薄疑这两位士人，都接近于知道做臣子的根本了。

谕　大①

昔舜欲旗古今②而不成，既足以成帝矣③；禹欲帝而不成，既足以正殊俗④矣；汤欲继禹而不成，既足以服四荒⑤矣；武王欲及汤而不成，既足以王道矣⑥；五伯欲继三王而不成，既足以为诸侯长矣；孔丘、墨翟欲行大道于世而不成，既足以成显名矣。夫大义之不成，既有成矣已⑦。

《夏书》⑧曰："天子之德广运⑨，乃神⑩，乃武乃文。"故务在事⑪，事在大。地大则有常祥、不庭、歧毋、群抵、天翟、不周⑫，山大则有虎豹熊蟃蜒⑬，水大则有蛟龙鼋鼍鳣鲔⑭。《商书》⑮曰："五世之庙，可以观怪。万夫之长，可以生谋。"空⑯中之无泽陂⑰也，井中之无大鱼也，新林之无长木也。凡谋物之成也，必由广大众多长久，信也。

[注释]

①题解："谕大"旨在晓谕"大"的重要。②旗古今：号令古今的意思。③这句和以下几句都是说，要有远大志向，即便大志未能实现，但必有成就。④殊俗：异方之俗。⑤四荒：四方极远之地。⑥既足以王道矣：此句当有脱误。《务大》篇作"既足以王通达矣"，此句当据以订正。通达，指舟、车、人力所能到达的地方。⑦既有成矣已：依毕沅说，"矣"、"已"二字当衍其一，而《务大》篇无"矣"字，此处"矣"字疑衍。⑧《夏书》：古佚书。引文今见于《尚书·大禹谟》，文字略有出入。⑨广运：广大、深远。⑩乃：助词，无义。神：玄妙神奇。⑪务：事。事：做。⑫常祥、不庭、歧毋、群抵、天翟、不周：都是山名，所在不详，可参阅《山海经》。⑬蟃蜒：当是兽名。依毕沅说，"或是猨狙"。猨狙，猿猴。⑭鼋（yuán）：大龟。鼍（tuó）：鼍龙，鳄鱼的一种，俗称"猪婆龙"。鳣（zhān）、鲔（wěi）：两种大鱼。⑮《商书》：古佚书。⑯空：通"孔"，小洞穴。⑰陂（bēi）：池沼。

[译文]

从前舜想号令古今,虽不能成功,却已足以成就帝业了;禹想要成就帝业,虽不能成功,却已足以匡正异方之俗了;汤想要继承禹的事业,虽不能成功,却已足以使四方荒远之地臣服了;周武王想赶上汤的事业,虽不能成功,却已足以称王四海之内了,五霸想要继承三王的事业,虽不能成功,却已足以成为诸侯的盟主了,孔丘、墨翟想要在世上推行自己的政治主张,虽不能成功,却已足以成就显赫的名声了。他们所追求的远大理想虽不能成功,却已有所成就了。

《夏书》说:"天子的功德,广大深远,玄妙神奇,既勇武又文雅。"所以,事业的成功在于做,做的关键在于目标远大。地大了,才有常祥、不庭、歧母、群抵、天翼、不周等高山;山大了,才有虎、豹、熊、猿猴等野兽;水大了,才有蛟龙、鼋、鼍、鳣、鲔等。《商书》说:"有五世以上久远的宗庙,可以看到怪异现象;统率万人的首领,可以产生奇谋。"孔穴中没有大池沼,水井中没有大鱼,新林中没有大树。凡是谋划事物取得成功的,必然是从广大、众多、长久而产生,这是确定无疑的。

季子①曰:"燕雀争善处于一屋②之下,子母相哺也,姁姁焉③相乐也,自以为安矣。灶突决④,则火上焚栋,燕雀颜色不变,是何也?乃不知祸之将及己也。"为人臣免于燕雀之智者寡矣。夫为人臣者,进其爵禄富贵,父子兄弟相与比周⑤于一国,姁姁焉相乐也,以危其社稷。其为灶突近也,而终不知也,其与燕雀之智不异矣。故曰:"天下大乱,无有安国;一国尽乱,无有安家;一家皆乱,无有安身。"此之谓也。故小⑥之定也必恃大,大之安也必恃小。小大贵贱,交相为恃,然后皆得其乐。定贱小在于贵大,解在乎薄疑说卫嗣君以王术⑦,杜赫说周昭文君以安天下⑧,及匡章之难惠子以王齐王也⑨。

[注释]

①季子：人名，生平不详。②屋：房顶。③姁（xǔ）姁焉：喜悦自得的样子。④突：烟囱。决：缺，裂。⑤比周：结党营私。⑥小：身对于家，家对于国，国对于天下，都是小。⑦薄疑说卫嗣君以王术：见《务大》篇。薄疑以"乌获举千钧，又况一斤"为喻，以"千钧"喻王术，以"一斤"喻治国，说明掌握了王术（"大义"），治国（小事）极易，强调了"贵大"之意。⑧杜赫说周昭文君以安天下：见《务大》篇。杜赫，周人。周昭文君，战国时东周之君。周昭文君愿学安定周国之道，杜赫用安定天下之道劝说他，其意仍在于明"务大"之旨。⑨匡章之难惠子以王齐王：见《爱类》篇。匡章，齐人，曾为齐威王、齐宣王将。惠子，姓惠名施，宋人，曾为梁惠王相，庄子的朋友。

[译文]

季子说："燕子和麻雀争相友好地处在一个屋檐下，母鸟哺育着幼鸟，都欢乐自得，自以为很安全了。灶的烟囱破裂了，火冒了出来，向上烧着了屋梁，燕子和麻雀脸色却没有改变，这是为什么呢？因为它们不知道灾祸将要降到自己头上啊。"做臣子的，能够避免燕子和麻雀那样见识的人太少了。做人臣的，只顾自己升官发财，父子兄弟在一国之中结党营私，欢乐自得，以危害他们的国家。这和离灶上的烟囱很近的道理是一样的，可他们始终不知道，他们的见识和燕雀没有什么不同了。所以说："天下大乱了，就没有安定的国家；整个国家都乱了，就没有安定的食邑；整个食邑都乱了，就没有地方可以安身。"说的就是这种情况。所以，小的安定一定要依赖大的安定，大的安定也一定要依赖小的安定。小和大、贵和贱，彼此互相依赖，然后才能共享安乐。使贱、小获得安定在于贵、大，这个道理体现在薄疑用成就王业的方法劝说卫嗣君、杜赫用安定天下的方法劝说周昭文君，以及匡章责难惠子而使齐王得以称王这些事上。

孝行览第十四

孝 行①

凡为天下，治国家，必务本而后末。所谓本者，非耕耘种殖之谓，务其人也。务其人，非贫而富之，寡而众之，务其本也。务本莫贵于孝。人主孝，则名章②荣，下服听，天下誉；人臣孝，则事君忠，处官廉，临难死；士民孝，则耕芸疾③，守战固，不罢北④。夫孝，三皇五帝之本务，而万事之纪也。

[注释]

①题解："孝行"意在论述治理天下应以孝为本。②章：同"彰"，卓著。③芸：通"耘"，耕耘。疾：奋力，用力。④罢：通"疲"，疲困。北：战败逃跑。

[译文]

凡是统治天下，治理国家，必先致力于根本，而后才去处理末务。所说的根本，不是耕耘和种植，而是致力于人事。致力于人事，不是让民众贫困而是让民众富足，不是让人口稀少而是让人口众多，要致力于根本。致力于根本，没有比孝行更重要的了。君主做到孝，那么声名就卓著荣耀，臣下就服从，天下人就称誉；臣子做到孝，那么就会忠诚侍奉君主，居官就清廉，面临灾难就勇于献身；士人、百姓做到孝，那么就勉力耕耘，攻战、守卫意志坚定，不疲困，不败逃。孝道，是三皇五帝的根本，也是各种事情的纲纪。

夫执一术而百善至，百邪去，天下从者，其^①惟孝也！故论人必先以所亲，而后及所疏；必先以所重，而后及所轻。今有人于此，行于亲重，而不简慢于轻疏，则是笃谨^②孝道。先王之所以治天下也。故爱其亲，不敢恶人；敬其亲，不敢慢人。爱敬尽于事亲，光耀加于百姓，究于四海，此天子之孝也。

[注释]

①其：表委婉的语气词。②笃谨：笃厚谨慎。

[译文]

掌握了一种统治方法而使许多好事出现、许多坏事消除、天下都会顺从的，大概只有孝道吧！所以评论人一定先根据他对亲人的态度，然后再推及到他对一般人的态度；一定先依据他对关系重要之人的态度，然后再推及到他对关系轻微之人的态度。假如有这样一个人，他对关系亲重的人行孝道，而对关系轻远的人也不怠慢，那么这就是谨慎笃厚于孝道了。这就是先王用来治理天下的方法啊！所以，爱自己的亲人，就不敢厌恶别人；敬自己的亲人，就不敢怠慢别人。把爱护、尊敬都用来侍奉亲人上，把光耀施加在民众身上，推广到普天下，这就是天子的孝行。

曾子曰："身者，父母之遗体也。行父母之遗体，敢不敬乎？居处不庄，非孝也；事君不忠，非孝也；莅官不敬，非孝也；朋友不笃，非孝也；战陈无勇，非孝也。五行不遂，灾及乎亲，敢不敬乎？"

《商书》曰："刑三百，罪莫重于不孝。"

[译文]

曾子说:"人的身体是父母所生,使用父母所给予的身体,怎敢不敬畏呢?居所不庄重,不孝;侍奉君主不忠诚,不孝;做官不敬业,不孝;交友不诚实,不孝;临战不勇敢,不孝。如果不能做到这五种情况,灾祸就会连累到亲人,怎敢不敬畏呢?"

《商书》上说:"刑法有三百条,罪过没有比不孝更重的了。"

曾子曰:"先王之所以治天下者五:贵德、贵贵、贵老、敬长、慈幼。此五者,先王之所以定天下也。所谓贵德,为其近于圣①也;所谓贵贵,为其近于君也;所谓贵老,为其近于亲也;所谓敬长,为其近于兄也;所谓慈幼,为其近于弟也。"

曾子曰:"父母生之②,子弗敢杀;父母置之,子弗敢废;父母全之,子弗敢阙③。故舟而不游④,道而不径⑤,能全支⑥体,以守宗庙;可谓孝矣。"

[注释]

①近于圣:与圣贤接近。②生之:生下子女之身。这里的"之"与下文"置之"、"全之"的"之"都指子女之身。③阙:通"缺",毁坏。④舟而不游:渡水时乘船而不游涉,这样可以免于水淹。舟,用做动词,乘船。⑤道而不径:走路时走大路而不走小路,这样可以避免危险。径,小路,这里用做动词,走小路之意。⑥支:同"肢",四肢。

[译文]

曾子说:"先王用来治理天下的方法有五条:崇尚道德,崇尚尊贵,尊敬老人,尊敬长者,爱护年幼的人。这五条,就是先王用来使天下安定的方法。所说的崇尚道德,是因为它接近于圣贤;所说的崇尚尊贵,是因为它接近于君主;所说的尊敬老人,是因他接近于父母;所说的尊敬长者,是因为他接近于兄长;所说的爱护年幼的人,是因为他接近于弟弟。"

曾子说:"父母生了的,你不敢弄死;父母设立的,你不敢废弃；父母保全的，你不敢损坏。所以渡水时要乘船而不能游渡，走路时走大路而不择小道，就能保全四肢身体，可以守住祖庙，这样就能称得上孝了。"

养有五道：修宫室，安床第①，节饮食，养体之道也；树五色，施五采，列文章，养目之道也；正六律，和五声，杂八音，养耳之道也；熟五谷，烹六畜，和煎调，养口之道也；和颜色，说言语，敬进退，养志之道也。此五者，代③进而厚用之，可谓善养矣。

[注释]

①床第（zǐ）：床铺，这里泛指卧具。第，床上的席子。②代：更替。

[译文]

养生之道有五种：整修房屋，安适床铺，节制饮食，这是保养身体的方法；设立五色，敷陈五彩，排列花纹，这是保养眼睛的方法；定正六律，协调五声，杂和八音，这是保养耳朵的方法；做熟五谷饭，烹煮六畜肉，调和五味，这是保养嘴巴的方法；面容和悦，言语动听，举止恭敬，这是保养意志的方法。这五种方法交替使用，就叫做善于保养了。

乐正子春①下堂而伤足，瘳②而数月，不出，犹有忧色。门人问之曰："夫子下堂而伤足，瘳而数月不出，犹有忧色，敢问其故？"乐正子春曰："善乎而问之！吾闻之曾子，曾子闻之仲尼：父母全而生之，子全而归之，不亏其身，不损其形，可谓孝矣。君子无行咫步而忘之。余忘孝道，是以忧。"故曰，身者非其私有也，严亲之遗躬也。

[注释]

①乐正子春：复姓乐正，名子春，战国时人，曾参的学生。②瘳（chōu）：病愈。

[译文]

乐正子春走下大堂时伤了脚,治疗好后几个月都没有出门,脸上仍然有忧愁的神情。学生们问他说:"先生您下堂时伤了脚,治疗好后几个月都不出门,脸上仍有忧愁的神情,请问这是什么缘故?"乐正子春说:"你们这个问题问得真好。我从曾子那里听说过,曾子又从孔子那里听说过这样的话:父母完好地生下了你,你要完好地把身体归还父母,不亏损自己的身子,不毁坏自己的形体,这就叫做孝顺了。君子一举一动都不能忘记孝道。我忘记了它,因此才忧愁。"所以说,身体不是自己私有的,而是父母给予的。

民之本教曰孝,其行孝曰养。养可能也,敬为难;敬可能也,安为难;安可能也,卒为难。父母既没①,敬行其身,无遗父母恶名,可谓能终矣。仁者,仁此②者也;礼者,履③此者也;义者,宜此者也;信者,信此者也;强者,强此者也。乐自顺此生也,刑自逆此作也。

[注释]

①没:死。②仁此:以此为仁。③履:行,做。

[译文]

民众根本的教养是孝顺,履行孝道是奉养父母。奉养父母是可以做到的,恭敬地对待父母是难以做到的;恭敬地对待父母是可以做到的,使父母舒适是难以做到的;使父母舒适是可以做到的,能始终如一是难以做到的。父母死了以后,自己行为恭敬小心,不给父母留下坏名声,就叫做能善始善终了。所说的仁,就是以孝道为仁;所说的礼,就是以孝道为行;所说的义,就是以孝道为宜;所说的信,就是以孝道为信;所说的强,就是以孝道为强。欢乐是由于实行孝道而产生,刑罚是由于违背孝道而施行。

首 时①

圣人之于事,似缓而急、似迟而速以待时。王季历困而死②,文王苦之,有不忘羑里之丑③,时未可也。武王事之④,夙⑤夜不懈,亦不忘玉门之辱⑥。立十二年⑦,而成甲子之事⑧。时固不易得。太公望,东夷之士也,欲定一世而无其主。闻文王贤,故钓于渭以观之。

[注释]

①题解:一作"胥时"。胥,通"须",等待。等待并能抓住时机,做事才能成功。②王季历:大(tài)王之子,文王之父。困而死:为国事辛劳致死。③有:通"又"。羑(yǒu)里之丑:指文王被纣拘于羑里之事。羑里,古地名,故址在今河南省汤阴县北。④之:指商纣。⑤夙:早晨。⑥不忘玉门之辱:指武王不忘文王被骂于玉门的耻辱。玉门,玉饰之门。⑦立十二年:指武王继位十二年。⑧甲子之事:武王伐纣于甲子日在牧野大败殷军,纣王自焚而死,商朝于是灭亡。

[译文]

圣人对待事情,好像很缓慢而实际上急切,好像迟宕而实际上迅速,他在等待着时机。周文王父亲季历被殷纣拘困而死,文王很痛苦,又不忘记被殷纣囚禁在羑里的耻辱。他所以没有讨伐纣,是因为时机尚未成熟。武王臣事纣王,从早到晚都不敢懈怠,他也没忘记文王被骂于玉门的耻辱。武王继位十二年,终于在甲子日那天大败殷军。时机本来就很难得。太公望是东夷的士人,他想平定天下,可是没有找到贤明的君主。他听说文王贤明,所以到渭水边钓鱼,以便观察文王的品德。

伍子胥欲见吴王而不得,客有言之于王子光①者,见之而恶其貌，不听其说而辞之。客请之王子光，王子光曰："其貌适吾所甚恶也。"客以闻伍子胥，伍子胥曰："此易故②也。愿令王子居于堂上，重帷而见其衣若手③，请因④说之。"王许。伍子胥说之半，王子光举帷，搏⑤其手而与之坐；说毕，王子光大说。伍子胥以为有吴国者，必王子光也，退而耕于野七年。王子光代吴王僚为王，任子胥，子胥乃修法制，下贤良，选练士，习战斗，六年，然后大胜楚于柏举⑥，九战九胜，追北⑦千里，昭王出奔随，遂有郢，亲射王宫⑧，鞭荆平之坟⑨三百。乡之耕，非忘其父之雠也，待时也。

[注释]

①王子光：即吴王阖闾，前514～前496年在位。②故：事。③重帷而见(xiàn)其衣若手：意思是，自己在帷幕之中只露出衣服和手来，这样王子光就看不到自己的容貌了。重帷，两层帐幕。见，现，显露。其，指伍子胥。若，和。④因：凭借。⑤搏：执，握住。⑥柏举：楚国南部的边邑。⑦北：败，此指败逃的军队。⑧亲射王宫：指伍子胥亲射楚王宫。⑨鞭：用做动词，鞭打。荆平：指楚平王。伍子胥射王宫、鞭荆平王之坟是为了报杀父、兄之仇。

[译文]

伍子胥想见吴王僚，但没能见到。有个门客向王子光讲了伍子胥的情况，王子光见到伍子胥却讨厌他的相貌，不听他讲话就谢绝了他。门客问王子光为什么这样，王子光说："他的相貌正是我最讨厌的。"门客把这话告诉了伍子胥，伍子胥说："这事容易。希望让王子光坐在堂上，我在两层帷幕后只露出衣服和手来，请让我用这种方式同他谈话。"王子光答应了。伍子胥谈话刚说了一半，王子光就掀起帷幕，握住他的手，跟他一起坐下。伍子胥说完了，王子光非常高兴。伍子胥认为以后拥有吴国的，必定是王子光，回去以后就在乡间耕作了七年。王子光取代吴王僚当了吴王，他任用伍子胥，伍子胥于是就整顿法度，举用贤良，简选精兵，演习战术。过了六年，才在柏举大败楚国，九战九胜，追赶楚国的败军超出千余里。楚昭王逃到随国，吴军于是占领了郢都。伍子胥亲自箭射楚王宫，鞭打楚平王的尸体三百下，以报杀父、兄之仇。他先前耕作，并不是忘记了杀父之仇，而是在等待时机。

墨者有田鸠①，欲见秦惠王，留秦三年而弗得见。客有言之于楚王者，往见楚王。楚王说之，与将军之节②以如秦。至，因见惠王。告人曰："之③秦之道，乃④之楚乎！"固有近之而远，远之而近者⑤。时亦然。有汤武之贤，而无桀纣之时，不成⑥；有桀纣之时，而无汤武之贤，亦不成。圣人之见时，若步之与影不可离。

[注释]

①田鸠：即田俅，齐国人。②与：给与。节：符节，古代使者用作凭证的东西。③之：动词，往。④乃：竟。⑤近之而远：指留秦三年却不能见到惠王。远之而近：指远去楚国反而能见到惠王。⑥成：指成就王业。

[译文]

墨家有个叫田鸠的，想见秦惠王，在秦国呆了三年也未能见到。有个客人把这情况告诉了楚王，田鸠就去见楚王。楚王很喜欢他，给了他将军的符节派他到秦国去。他到了秦国，才见到了惠王。他告诉别人说："要到秦国见惠王的途径，竟然是先要到楚国去啊！"事情本来就有离得近反而要远、离得远反而能近的。时机也是这样。有商汤、武王这样的贤德，却没有桀、纣那样无道的时机，就不能成就王业；有桀、纣那样无道的时机，却没有商汤、武王那样的贤德，也不能成就王业。圣人与时机的关系，就像步行时影与身不可分离一样。

故有道之士未遇时，隐匿分窜①，勤②以待时。时至，有从布衣而为天子者③，有从千乘而得天下者④，有从卑贱而佐三王者⑤，有从匹夫而报万乘者⑥。故圣人之所贵，唯时也。水冻方固，后稷⑦不种，后稷之种必待春。故人虽智而不遇时，无功。方叶之茂美,终日采之而不知;秋霜既下,众林皆赢⑧。事之难易,不在小大,务在知时。郑子阳⑨之难,猘狗溃之⑩;齐高、国之难⑪,失牛溃之⑫。众因之以杀子阳、高、国。当其时,狗牛犹可以为人唱⑬,而况乎以人为唱乎?

[注释]

①分窜:藏伏到各处。②勤:劳。③有从布衣而为天子者:指舜从百姓而成为天子。④有从千乘而得天下者:指商汤、武王从诸侯而拥有天下。⑤有从卑贱而佐三王者:指太公望、伊尹、傅说从低贱的地位而成为三王的辅佐。傅说,商王武丁的大臣,原为从事版筑的奴隶,后被武丁任为相,治理国政。⑥有从匹夫而报万乘者:指豫让为智伯刺杀赵襄子之事。豫让,智伯的家臣。赵襄子灭智伯,豫让漆身吞炭,变音容,几次行刺赵襄子而未成,终被赵襄子擒获,后请斩襄子之衣而自杀。万乘,赵襄子专晋国政,有兵车万乘。⑦后稷:名弃,周的始祖。稷本是掌农业的官员,尧任命弃为稷。后,君。周人称弃为"后稷"。⑧赢(léi):疲,这里指树叶凋零。⑨郑子阳:郑相,驷氏之后。《史记》称"驷子阳"。⑩猘(zhì)狗:疯狗。溃:乱。本书《适威》篇说:"子阳好严。有过而折弓者,恐必死,遂应猘狗而杀子阳。"即指此事。⑪高、国:指齐国的贵族高氏、国氏。⑫失牛溃之:指借追失牛之乱而杀死高氏、国氏。⑬唱:通"倡",先导。

[译文]

所以,有道的士人在没有遇到时机的时候,就在各处隐匿藏伏起来,甘受劳苦,等待时机。时机一到,有的从平民成为天子,有的从诸侯得到天下,有的从卑贱的地位成为三王的辅佐,有的以普通百姓实现了向万乘之主报仇的愿望。所以圣人所看重的,只是时机。水冻得正坚固时,后稷不去耕种;后稷耕种,一定要等待春天到来。所以,人即使有智慧,但如果遇不到时机,也不能建立功业。正当树叶生长繁茂的时候,整天采摘,也不觉得树叶会被采完;等到秋霜降下以后,所有树林里,树叶全凋零了。事情的难易,不在于大小,关键在于掌握时机。郑国的子阳遇难,是在追逐疯狗的混乱时候;齐国的高氏、国氏遇难,是在追赶逃窜之牛的时侯。众人乘着混乱杀死了子阳和高氏、国氏。遇上合适的时机，狗、牛尚且可以作为人们发难的先导，更何况以人为先导呢？

饥马盈厩，嗼然①，未见刍也；饥狗盈窖，嗼然，未见骨也。见骨与刍，动不可禁。乱世之民，嗼然，未见贤者也；见贤人，则往不可止。往②者非其形心之谓乎？齐以东帝困于天下③，而鲁取徐州；邯郸以寿陵困于万民④，而卫取茧氏⑤。以鲁卫之细，而皆得志于大国，遇其时也。故贤主秀士之欲忧黔首者，乱世当之矣。天不再与，时不久留，能不两工⑥，事在当⑦之。

[注释]

①嗼（mò）然：安静的样子。②往：归附。③齐以东帝困于天下：指前288年齐湣王称东帝，导致燕国联合秦、楚、韩、赵、魏五国伐齐，湣王出奔之事。④邯郸以寿陵困于万民：指赵肃侯因修陵寝扰民而万民不附。邯郸，代指赵。寿陵，寝陵之名。⑤茧氏：赵邑。⑥工：精巧。⑦当：逢，遇到。

[译文]

饥饿的马充满了马棚，安静无声，是因为它们没有看到草；饥饿的狗充满了狗窝，安静无声，是因为它们没有看到骨头。如果看到草和骨头，那么它们就会争抢，制止不住。混乱世道的人民，安静无声，是因为他们没有看到贤人；如果看到贤人，那么他们就会去归附，禁止不住。他们去归附贤人，难道不是身心都归附吗？齐湣王因僭称东帝被天下诸侯弄得困窘不堪，又被鲁国夺取了徐州。赵肃侯因修建寝陵扰民，人民都不亲附他，因而被卫国夺取了茧氏。凭着鲁国、卫国那样的小国，却都能从大国那里占到便宜，是因为遇到了恰当的时机。所以贤明的君主和杰出的人士想为百姓忧虑的，遇到混乱的世道，正是恰当的时机。上天不会给人两次机会，时机不会长久停留，人的才能在做事时不会两方面同时达到精巧，事情的成功在于适逢其时。

义 赏[①]

春气至则草木产，秋气至则草木落。产与落或使之[②]，非自然也。故使之者至，物无不为；使之者不至，物无可为。古之人审其所以使，故物莫不为用。

赏罚之柄[③]，此上之所以使也。其所以加[④]者义，则忠信亲爱之道彰。久彰而愈长，民之安之若性，此之谓教成。教成，则虽有厚赏严威弗能禁。故善教者，不[⑤]以赏罚而教成，教成而赏罚弗能禁。用赏罚不当亦然。奸伪贼乱贪戾之道兴，久兴而不息，民之雠[⑥]之若性。戎、夷、胡、貉、巴、越[⑦]之民是以，虽有厚赏严罚弗能禁。

郢人之以两版垣[⑧]也，吴起变之而见恶[⑨]，赏罚易[⑩]而民安乐。氐羌[⑪]之民，其虏[⑫]也，不忧其系累[⑬]，而忧其死不焚也。皆成乎邪[⑭]也。故赏罚之所加，不可不慎，且成而贼民。[⑮]

[注释]

①题解："义赏"即按道义进行赏赐。②产与落或使之：大意是，生长与衰落，是时间让它们这样的。或，代词，有的东西，这里指时间。③柄：权柄。④加：施加。⑤不：依陶鸿庆说，应为"义"之讹。⑥雠：匹敌。⑦戎、夷、胡、貉、巴、越：都是古代的少数民族。⑧版：亦作"板"，指筑墙用的夹板。垣：墙，这里用做动词，筑墙。⑨恶：怨恨。⑩易：改变。⑪氐羌：古代的少数民族。⑫虏：指被俘虏。⑬累（léi）：栓系困绑。⑭邪：邪曲。⑮上面一段意不可通，当系传写中变乱了次序。依陶鸿庆说，原文应为："郢人之以两版垣也，吴起变之而见恶；氐羌之民，其虏也，不忧其系累，而忧其死不焚也。皆成乎邪也。且成而贼民，赏罚易而民安乐。故赏罚之所加，不可不慎。"贼，害。

[译文]

春气到来草木就生长，秋气到来草木就凋零。生长与凋零，是受季节支配的，不是它们自然而然就这样的。所以支配者一到来，万物没有不跟随变化的；支配者不出现，万物没有可以发生变化的。古人能够审察支配者的情况，所以万物没有不能为己所用的。

赏罚的权力，这是由君主所掌握的。施加赏罚符合道义，那么忠诚守信、相亲相爱的原则就得以彰明。彰明长久而且日益增加，人们就像出于本性一样信守它，这就叫做教化成功。教化成功了，那么即使有严刑厚赏也不能禁止人们去做。所以善于进行教化的人，根据道义施行赏罚，因而教化能够成功。教化成功了，即使施行赏罚也不能禁止人们去做。施行赏罚不当也是这样。奸诈虚伪贼乱贪暴的风气兴起，长期盛行得不到平息，人们就像出于本性一样比着去做。戎、夷、胡、貉、巴、越等族的人就是这样，即使有严刑厚赏也不能禁止他们。

郢人用两块夹板筑墙，吴起改变了这种方法而遭怨恨。氐族、羌族的人，他们被俘虏以后，不担心被捆绑，却担忧死后不能被焚烧。这些都是由于邪曲陋俗造成的。再说，邪曲陋俗形成了，就会对人民有害处。用赏罚改变这种情况，人民就会感到安乐。所以施加赏罚，不可不慎重啊。

昔晋文公将与楚人战于城濮①，召咎犯而问曰："楚众我寡，奈何而可？"咎犯对曰："臣闻繁礼之君，不足于文②；繁战之君，不足于诈③。君亦诈之而已。"文公以咎犯言告雍季④，雍季曰："竭泽而渔，岂不获得？而明年无鱼；焚薮而田⑤，岂不获得？而明年无兽。诈伪之道，虽今偷⑥可，后将无复，非长术也。"文公用咎犯之言，而败楚人于城濮。反⑦而为赏，雍季在上。左右谏曰："城濮之功，咎犯之谋也。君用其言而赏后其身，或者不可乎！"文公曰："雍季之言，百世之利也；咎犯之言，一时之务也。焉有以一时之务先百世之利者乎？"孔子闻之，曰："临难用诈，足以却敌；反而尊贤，足以报德。文公虽不终⑧，始足以霸矣。"赏重则民移之，民移之则成焉。成乎诈，其成毁⑨，其胜败⑩。天下胜者众矣，而霸者乃五。文公处其一，知胜之所成也。胜而不知胜之所成，与无胜同。秦胜于戎，而败乎殽⑪；楚胜于诸夏⑫，而败乎柏举。武王得之矣，故一胜而王天下。众诈盈国，不可以为安，患非独外也。

[注释]

①城濮：春秋时卫国地名。故址在今河南省范县南。②足：满足。文：文采，指礼乐的规模盛大。③诈：指欺骗对方。④雍季：人名，事迹不详。⑤田：打猎。这个意义后来写作"畋"。⑥偷：苟且。⑦反：通"返"，返回。⑧不终：不能坚持到最后，即不能始终这样做。⑨其成毁：即使成功了，最终也必定毁坏。⑩其胜败：即使胜利了，最终也必定失败。⑪殽：崤山，分东、西二崤，故址在今河南省西部。⑫诸夏：指中原地区的国家。

[译文]

从前晋文公将与楚国人在城濮作战，召来咎犯问他说："楚国兵多，我国兵少，怎样才能取胜呢？"咎犯回答说："我听说礼仪繁杂的君主，对于礼仪的繁杂从不感到满足；作战频繁的君主，对于诡诈之术从不感到满足。您只对楚国实行诈术就行了。"文公把咎犯的话告诉了雍季，雍季说："把池塘弄干了来捕鱼，怎能不捕得鱼？可是第二年就没有鱼了；把沼泽地烧光了来打猎，怎能不获得野兽？可是第二年就没有野兽了。诈骗的方法，虽说现在暂且可得利，可以后就不能再得利了，这不是长久之计。"文公采纳了咎犯的意见，因而在城濮打败了楚国人。回国以后行赏，雍季居首位。文公身边的人劝谏说："城濮战役的胜利，是由于采用了咎犯的谋略。您采纳了他的意见，可是行赏却把他放在后边，这或许不可以吧！"文公说："雍季的话，对百世有利；咎犯的话，只是顾及一时。哪有把只顾及一时放在对百世有利前面的道理呢？"孔子听到这件事以后，说："遇到危难用诈术，足以打败敌人；回国以后尊崇贤人，足以回报恩德。文公虽然不能坚持到底，却足以成就霸业了。"赏赐重人民就转变观念，人民转变观念就能成功。靠诈术，即便成功了，最终也必定毁坏；即使胜利了，最终也必定失败。普天下取得胜利的诸侯很多，可是成就霸业的才五个。文公是其中的一个，知道胜利是如何取得的。胜利了如果不知道这胜利是如何取得的，那就跟没有取得胜利一样。秦国战胜了戎，但却在殽打了败仗；楚国战胜了中原国家，但却在柏举打了败仗。周武王懂得这个道理，所以打了一次胜仗就称王于天下了。各种诈术充满国家，国家不可能安定，祸患不仅仅是来自国外啊！

赵襄子出围①，赏有功者五人，高赦②为首。张孟谈③曰："晋阳之中，赦无大功，赏而为首，何也？"襄子曰："寡人之国危，社稷殆④，身在忧约⑤之中，与寡人交而不失君臣之礼者，惟赦。吾是以先之。"仲尼闻之⑥，曰："襄子可谓善赏矣！赏一人，而天下之为人臣莫敢失礼。"为六军则不可易⑦，北取代⑧，东迫⑨齐，令张孟谈逾城潜行，与魏桓、韩康期⑩而击智伯，断其头以为觞⑪，遂定三家⑫，岂非用赏罚当邪？

[注释]

①赵襄子出围：智伯率韩、魏两家在晋阳包围了赵襄子，襄子令家臣张孟谈与韩、魏两家暗中联系，联合灭掉了智氏。②高赦：他书或作"高赫"、"高共"，赵襄子家臣。③张孟谈：赵襄子家臣。④殆：危。⑤约：困。⑥仲尼闻之：赵襄子事发生在孔子死后，此处系伪托。⑦六军：周时制度，天子设有六军。这里泛指军队。易：轻慢。⑧代：战国时国名，故址在今河南省蔚县一带，后为赵襄子所灭。⑨迫：逼。⑩魏桓：即魏桓子，名驹。韩康：即韩康子，名虎。期：约定日期。⑪觞（shāng）：古代酒器。⑫三家：指韩、赵、魏。

[译文]

赵襄子摆脱晋国的围困以后，赏赐五个有功劳的人，高赦为首。张孟谈说："晋阳之事，高赦没有大功，赏赐时却以他为首，这是为什么呢？"襄子说："我的国家社稷遇到危难，我陷于忧困之中,与我交往而不失君臣之礼的,只有高赦。因此我把他放在最前面。"孔子听到这件事以后,说:"襄子可以说是善于赏赐!赏赐了一个人,天下那些当臣子的,就没人敢于失礼了。"赵襄子用这种办法治理军队,军队就不敢轻慢。他向北灭掉代国,向东威逼齐国,让张孟谈翻越城墙暗中去跟魏桓、韩康约定日期,联合攻打智伯,胜利以后砍下智伯的头作为酒器,终于奠定了三家分晋的局面,难道不是因为施行赏罚恰当吗?

慎 人①

功名大立,天也。为是故②,因不慎其人③,不可。夫舜遇尧,天也。舜耕于历山④,陶⑤于河滨,钓于雷泽⑥,天下说之,秀士从之,人也。夫禹遇舜,天也。禹周于天下,以求贤者,事利黔首,水潦川泽之湛⑦滞壅塞可通者,禹尽为之,人也。夫汤遇桀,武遇纣,天也。汤、武修身积善为义,以忧苦于民,人也。

[注释]

①题解:"慎人"意在强调事在人为的道理。②是:此。故:缘故。③人:这里指人为的努力。④历山:山名。名历山者较多,大多附会为舜耕作的遗址。此似指今山东省历城县南的历山,又名舜耕山、千佛山。⑤陶:制陶器。⑥雷泽:古泽名,即雷夏,在今山东省菏泽县东北。⑦湛:通"沉",沉积。

[译文]

能使功名显赫,靠的是天意,因为这个缘故,就不慎重对待人为的努力,是不行的。舜遇到尧那样的明君,是天意。舜在历山种地,在黄河边制作陶器,在雷泽钓鱼,天下的人很喜欢他,杰出的人士都追随他,这是人为努力的结果。禹遇到舜那样的明君,是天意。禹周游天下,以便寻求贤德的人,做对百姓有利的事情。那些淤积阻塞的积水河流、湖泊，凡是可以疏通的，禹全都疏通了。这些就是人为的努力。汤遇到桀那样的暴君，武王遇到纣那样的暴君，是天意。商汤、武王修养自身品德，积善行义，为百姓忧虑劳苦，这是人为的努力。

舜之耕渔，其贤不肖与为天子同。其未遇时也，以其徒属堀地财①，取水利②，编蒲苇，结罘③网，手足胼胝不居④，然后免于冻馁之患。其遇时也，登为天子，贤士归之，万民誉之，丈夫女子，振振殷殷⑤，无不戴⑥说。舜自为诗曰："普天之下，莫非王土；率⑦土之滨，莫非王臣。⑧"所以见尽有之也。尽有之，贤非加也；尽无之，贤非损也。时使然也。

[注释]

①地财：指五谷。②水利：指鱼鳖。③罘（fú）：捕兽的网。④胼（pián）胝（zhī）：手掌和脚底磨起的茧子。居：止，休息。⑤振振殷殷：形容喜悦的样子。⑥戴：爱戴。⑦率：沿着。⑧上面的诗句亦见《诗经·小雅·北山》，不过"普"，《诗经》作"溥"。此言舜所作，或为假托。

[译文]

舜种地捕鱼的时候，他的贤德与缺点同当天子时是一样的。他在没遇到时机的时侯，带领自己的下属种五谷，捕鱼鳖，编蒲苇，织鱼网，手和脚磨出茧子都不休息，仅得以免除受冻挨饿的威胁；他在遇到时机的时候，即位当了天子，贤德的人全归附他，所有的人都赞誉他，男男女女都非常高兴，没有不爱戴喜欢他的。舜亲自作诗说："普天之下，无处不是王的土地；四海之内，无人不是王的臣民。"用以表明自己拥有了全部天下。拥有了全部天下，并不是他的贤德增加了；一无所有时，并不是他的贤德减损了。这是时机使他这样的。

百里奚①之未遇时也，亡虢②而虏晋，饭③牛于秦，传鬻④以五羊之皮。公孙枝⑤得而说之，献诸缪公，三日，请属事焉。缪公曰："买之五羊之皮而属⑥事焉，无乃天下笑乎？"公孙枝对曰："信贤而任之，君之明也；让贤而下之⑦，臣之忠也。君为明君，臣为忠臣。彼信⑧贤，境内将服，敌国且畏，夫谁暇笑哉？"缪公遂用之。谋无不当，举必有功，非加贤也。使百里奚虽贤，无得缪公，必无此名矣。今焉知世之无百里奚哉？故人主之欲求士者，不可不务博也。

[注释]

①百里奚：春秋时人。据《史记·秦本纪》记载，他原为虞大夫，虞亡时被晋虏去，作为陪嫁之臣送入秦。后出走，为楚人所执，秦穆公以五张牡黑羊皮赎回，任为大夫，称"五羖大夫"，后帮助穆公建立霸业。②亡虢：依高诱说，当为"亡虞"，指从虞国出亡。③饭：喂养。④传鬻（yù）：转卖。⑤公孙枝：春秋时秦国大夫。⑥属（zhǔ）事：指委任官职。属，委托。⑦下之：指居于贤人之下。⑧信：确实。

[译文]

百里奚在未遇到时机的时候，从虞国逃出，被晋国俘虏，后在秦国喂牛，以五张羊皮的价格被转卖。公孙枝得到百里奚以后很喜欢他，把他推荐给秦穆公，过了三天，请求委任他官职。穆公说："用五张羊皮买来的人却委任以官职，恐怕要被天下耻笑吧！"公孙枝回答说："相信贤人而任用他，这是君主的英明；让位给贤人自己甘居他的位置下面，这是臣子的忠诚。君主是英明的君主，臣子是忠诚的臣子。他如果确实贤德，国内都将顺从，敌国都将畏惧，谁还会有闲空耻笑呢？"穆公于是就任用了百里奚。百里奚出谋略没有不得当的，做事情一定成功，这并不说明他的贤德增加了。百里奚虽然有贤德，如果不遇见穆公，也一定没有这样的名声。现在怎能知道世上没有百里奚这样的人呢？所以君主想要寻求贤士的话，不可不广泛寻求。

孔子穷①于陈、蔡之间,七日不尝食,藜羹不糁②。宰予备③矣,孔子弦歌于室,颜回④择菜于外。子路与子贡⑤相与而言曰:"夫子逐于鲁,削迹⑥于卫,伐树于宋⑦,穷于陈、蔡。杀夫子者无罪,藉⑧夫子者不禁,夫子弦歌鼓舞,未尝绝音。盖君子之无所丑⑨也若此乎?"颜回无以对,入以告孔子。孔子愀然⑩推琴,喟然⑪而叹曰:"由与赐,小人也!召,吾语之。"子路与子贡入,子贡曰:"如此者,可谓穷矣!"孔子曰:"是何言也?君子达⑫于道之谓达,穷⑬于道之谓穷。今丘也拘⑭仁义之道,以遭乱世之患,其所也⑮,何穷之谓⑯?故内省而不疚于道,临难而不失其德,大寒⑰既至,霜雪既降,吾是以知松柏之茂也。昔桓公得之莒⑱,文公得之曹⑲,越王得之会稽⑳。陈、蔡之厄㉑,于丘其幸乎!"孔子烈然㉒返瑟而弦,子路抗然㉓执干而舞。子贡曰:"吾不知天之高也,不知地之下㉔也。"古之得道者,穷亦乐,达亦乐,所乐非穷达也。道得于此,则穷达一也,为寒暑风雨之序㉕矣。故许由虞乎颍阳㉖,而共伯得乎共首㉗。

[注释]

①穷:困窘。②藜羹:指煮的野菜。藜,一种野菜,嫩叶可食。糁(sǎn),以米和羹。③宰予:字子我,孔子的学生。备:依高诱说,当做"惫",疲困,这里指饿坏了。④颜回:字子渊,孔子的学生。⑤子路:仲由,字子路,孔子的学生。子贡:端木赐,字子贡,孔子的学生。⑥削迹:指隐居。⑦伐树于宋:按《史记·孔子世家》载:"孔子去曹,适宋,与弟子习礼大树下。宋司马桓魋欲杀孔子,拔其树,孔子去。"这里的"伐树于宋"即指此事而言。⑧藉:凌辱,欺辱。⑨丑:耻。⑩愀(cù)然:不高兴的样子。⑪喟(kuì)然:叹气的样子。⑫达:达观。⑬穷:与"达"相对,困窘。⑭拘:这里是"固守"的意思。⑮其所也:这里是"适得其所"的意思。所,处所。⑯何穷之谓:宾语前置句,表示反问。意思是怎么能叫困穷呢?⑰大寒:严寒。⑱桓公得之莒:指齐桓公遭无知之难,出奔莒而萌生复国称霸之心。得之,指生霸心。⑲文公得之曹:指晋文公因骊姬之谗,出亡过曹而萌生复国称霸之心。⑳越王得之会稽:指越王勾践被吴王夫差打败,栖于会稽山而

萌生复国称霸之心。㉑厄：挫折，受困。㉒烈然：威严的样子。㉓抗然：威武的样子。㉔"高"和"下"：指广大无边，喻孔子圣德如天地那么宏大。㉕为：如。序：更代。㉖许由：尧时的贤人。相传尧把君位让给他，他逃至箕山下农耕而食。尧又请他当九州之长，他到颍水边洗耳，表示不愿听这种话。虞：乐。颍阳：颍水之北，许由耕于箕山，自得其乐，所以说他"虞乎颍阳"。㉗共伯：即共伯和，西周时共国君主，名和。共首：即共首山，故址在今河南省封丘县西。

[译文]

孔子被困在陈国、蔡国之间，七天没吃粮食，煮的野菜里也没有米粒。宰予饿坏了，孔子在屋里用琴瑟伴奏唱歌，颜回在外面择野菜。子路跟子贡一起说道："先生在鲁国被逐，在卫国隐居，在宋国树下习礼时被人伐倒树，在陈国、蔡国遇到窘境。要杀先生的人没有罪，凌辱先生的人不受禁止，而先生歌声从未中止过。君子竟是这样不知羞耻吗？"颜回无话回答，进屋把这些话告诉了孔子。孔子很不高兴地推开琴瑟，叹息着说："仲由和端木赐是小人啊！叫他们进来，我告诉他们。"子路和子贡进来了，子贡说："像现在这种情况，可以说是困窘了。"孔子说："这是什么话呢？君子在道义上通达叫做通达，在道义上困穷叫做困穷。现在我固守仁义的原则，因而遭受混乱世道所带来的祸患，这正是我应得的处境，怎么能叫困穷呢？所以，反省自己，在原则上不感到内疚；面临灾难，不丧失自己的品德；严寒到来，霜雪降落以后，松柏不凋落，我因此而知道松柏生命力旺盛。从前齐桓公因出奔莒国而萌生复国称霸的志向，晋文公因出亡曹国而萌生复国称霸的志向，越王勾践因受会稽之耻而萌生复国称霸的志向。在陈国、蔡国遇到困境，对我大概是幸运吧！"孔子威严地重新拿起瑟弹起来，子路威武地拿着盾牌跳起舞来。子贡说："我不知天的高远、地的广大啊！"古代得道的人，困窘时也高兴，显达时也高兴，高兴的并不是困窘与显达。如果通晓了道的意蕴，那么困窘和显达都是一样的，就像寒暑风雨交替出现一样。所以许由在颍水之北自得其乐,共伯在共首山逍遥自得。

遇 合①

凡遇,合也②。时不合,必待合而后行。故比翼之鸟③死乎木,比目之鱼④死乎海。孔子周流海内,再干⑤世主,如齐至卫,所见八十余君,委质⑥为弟子者三千人,达徒⑦七十人。七十人者,万乘之主得一人用可为师,不为无人。以此游,仅至于鲁司寇⑧,此天子之所以时绝也,诸侯之所以大乱也。乱则愚者之多幸也,幸⑨则必不胜其任矣。任久不胜,则幸反为祸。其幸大者,其祸亦大,非祸独及己也。故君子不处幸,不为苟,必审诸己然后任,任然后动。

[注释]

①题解:"遇合"意在阐述相遇适合、合时才能成事的道理。②遇:指得到君主赏识。合:指合于时机。③比翼之鸟:鸟名。《尔雅·释地》说:"南方有比翼鸟焉,不比不飞。"此与下文的"比目之鱼",都是比喻形影不离。④比目之鱼:鱼名。《尔雅·释地》说:"东方有比目鱼焉,不比不行。"⑤再:表示重复,两次,这里指多次。干:求取,这里指谋求官职。⑥委质:指初次拜见尊长时献上礼物。质,古代初次拜见尊长时所送的礼物。这个意义后来写作"贽"。⑦达徒:指成绩优秀的学生。⑧司寇:古代官职名,掌刑法。⑨幸:侥幸。

[译文]

凡是受到君主赏识的,一定是因为有合适的时机。时机不合适,一定要等待时机合适然后再行动。所以,比翼鸟死在树上,比目鱼死在海里。孔子周游天下,多次向当世君主谋求官职,到过齐国、卫国,谒见过八十多个君主。献上见面礼给他当学生的有三千人，其中成绩优秀的有七十人。这七十个人，拥有万辆兵车的大国君主，得到其中一人都可把他当做老师，这不能说没有人才。然而孔子带领这些人周游列国，官职仅做到鲁国的司寇。不能任用圣人，这就是周天子之所以在当时灭绝的原因，这就是诸侯之所以大乱的原因。世道混乱，那么愚昧的人就多有被侥幸任用的机会。侥幸地被任用，那就必定不能胜任职位了。长期不能胜任，那么侥幸就成为祸害。越侥幸的，祸害也就越大，并不是祸害偏偏降临他自己。所以君子不存侥幸心理，不做苟且的事，一定慎重考虑自己的能力，然后再担任职务，担任职务然后再行动。

凡能听说者，必达乎论议者也。世主之能识论议者寡，所遇恶得不苟？凡能听音者，必达于五声。人之能知五声者寡，所善恶得不苟？

客有以吹籁①见越王者，羽、角、宫、徵、商不缪②，越王不善③；为野音④，而反善之。说之道亦有如此者也。

人有为人妻者，人告其父母曰："嫁不必生⑤也。衣器之物，可外藏⑥之，以备不生。"其父母以为然，于是令其女常外藏。姑妐⑦知之，曰："为我妇而有外心，不可畜⑧。"因出之。妇之父母以谓⑨为己谋者以为忠，终身善之，亦不知所以然矣。宗庙之灭，天下之失，亦由⑩此矣。

[注释]

①籁（lài）：古代一种管乐器。②缪：通"谬"，错乱。③善：意动，认为善。④野音：指鄙俗之音。⑤生：指生子。古代妇人无子即可被休弃，所以下文劝其外藏衣物，以备不生。⑥外藏：藏私财于外。⑦姑妐（zhōng）：公婆。姑，夫之母。妐，夫之父。⑧畜：容留。⑨谓：告诉。⑩由：通"犹"，如同。

[译文]

凡是能听从劝说的，一定是通晓议论的人。世上的君主能识别议论的很少，他们所任用的怎能不是苟且求荣的人呢？凡是能欣赏音乐的，一定是通晓五音的人。能懂五音的很少，他们所喜欢的怎能不是鄙俗之音呢？

宾客中有个凭吹箫出名去谒见越王的人，羽、角、宫、徵、商五音吹得一点儿不走调，越王却认为不好；吹奏鄙野之音，越王却认为很好。

有个出嫁为人妻的人，有人告诉她的父母说："出嫁以后不一定生孩子，衣服器具等物品，可以拿到外边藏起来，以防不生孩子被休弃。"她的父母认为这人说得对，于是就让女儿经常把财物拿到外边藏起来。公婆知道了这事，说："当我们的媳妇却有外心，不可以留着她。"于是就休了她。这个女子的父母认为给自己出主意的人对自己忠诚，就把女儿被休的事告诉了他，并终身与他交好，最终也不明白女儿被休的原因。宗庙的毁灭，天下的丧失，也是由于这样的原因。

故曰：遇合①也无常。说，适然②也。若人之于色也，无不知说美者，而美者未必遇也。故嫫母执③乎黄帝，黄帝曰："厉④女德而弗忘，与女正⑤而弗衰，虽恶⑥奚伤？"若人之于滋味，无不说甘脆，而甘脆未必受也。文王嗜昌蒲菹⑦，孔子闻而服⑧之，缩頞⑨而食之。三年，然后胜之⑩。人有大臭⑪者，其亲戚兄弟妻妾知识，无能与居者。自苦而居海上⑫。海上人有说其臭者，昼夜随之而弗能去。

[注释]

①遇合：指得到君主的赏识。②适然：偶然。③嫫母：古代丑女，相传黄帝因她品德高尚而娶她为妻。执：执事，服侍。④厉：磨砺。女（rǔ）：通"汝"，你。⑤正：通"政"。⑥恶：貌丑。⑦昌蒲菹（zū）：腌制的昌蒲根。昌蒲，即菖蒲，这里指菖蒲根。菹，腌菜。⑧而服：依孙人和说，当为衍文。⑨缩頞（è）：皱眉。頞，鼻梁。⑩胜之：可以吃菖蒲菹。⑪大臭：即狐臭。⑫上：边。

[译文]

所以说，受到君主赏识是靠不住的，被人喜欢也是偶然的。就像人们对于女色一样，没有不知道喜欢长得漂亮的，可是长得漂亮的未必能遇上。所以嫫母服侍黄帝，黄帝说："不停地修养你的品德，托付你掌管内宫，不疏远你，虽然长得丑陋又有什么妨碍？"就像人们对于滋味一样，没有人不喜欢又甜又脆的东西，可是又甜又脆的东西有人未必能接受。周文王爱吃菖蒲做的腌菜，孔子听了，皱着眉才勉强吃下去。过了三年，才吃习惯。有个有狐臭的人，他的父母、兄弟、妻子、朋友，没有谁能跟他在一起居住。他自己感到很痛苦，就住在海上。海上有喜欢他这种臭味的人，日夜跟随着他不能离开。

说亦有若此者。陈有恶人焉，曰敦洽雠麋，椎颡广颜①，色如漆赫②，垂眼③临鼻，长肘而盭④。陈侯见而甚说之，外使治其国，内使制其身。楚合诸侯，陈侯病，不能往，使敦洽雠麋往谢焉。楚王怪其名而先见之，客有进状有恶其名言有恶状⑤。楚王怒，合大夫而告之，曰："陈侯不知其不可使，是不知⑥也；知而使之，是侮也。侮且不智，不可不攻也。"兴师伐陈，三月然后丧。恶足以骇人，言足以丧国，而友之足于陈侯而无上也，至于亡而友不衰。

[注释]

①椎颡（sǎng）：顶尖。椎，椎击器具，这里是"尖"的意思。颡，额。广颜：宽额。②漆赫（zhě）：黑红色。赫，红褐色。③眼：眼珠子。④盭（lì）：依毕沅说，"盭"下当脱"股"字。盭股，两腿歪向两旁。盭，乖戾。股，大腿。⑤此句义不通，依谭戒甫说，"有进"之"有"，当为衍文；又句末"状"字上，当脱"其"字，原文当做"客进，状有恶其名，言有恶其状"。⑥知（zhì）：通"智"，明智。

[译文]

喜欢人，也有类似这种情形的。陈国有个丑人，名叫敦洽雠麋，尖顶宽额，面色黑红，眼睛下垂，接近鼻子，胳膊很长，大腿向两侧弯曲。陈侯看见，很喜欢他，在官外让他治理国家，在官内让他负责自己的饮食起居。楚国盟会诸侯，陈侯有病，不能前往，派敦洽雠麋前往楚国道歉。楚王对他的名字感到奇怪，就先接见了他。他进去了，相貌比名字还丑陋，说话比相貌还糟糕。楚王很生气，召来大夫们，告诉他们说："陈侯不知道这人不可当使者派遣，是不明智；知道了却还要派他出使，这就是慢侮。慢侮且不明智，不可不攻打他。"于是发兵攻打陈国，三个月之后灭掉了陈国。丑陋足以惊吓别人，言论足以使国家灭亡，可是陈侯却喜爱他到了极点，没有人能超过他，直到亡国，喜爱的程度都不曾减弱。

夫不宜遇而遇者，则必废。宜遇而不遇者，此国之所以乱，世之所以衰也。天下之民，其苦愁劳务从此生。

凡举人之本，太上以志，其次以事，其次以功。三者弗能，国必残亡，群孽大至，身必死殃，年得至七十、九十犹尚幸。贤圣之后①，反而孽民②，是以贼其身，岂能独哉③？

[注释]

①贤圣之后：指陈国。陈国君是舜的后世子孙，所以这样说。②孽民：害民。孽，病，害。③岂能独哉：哪能只是独自受害呢？言外之意，还要殃及其民。

[译文]

不应该受赏识的却受到赏识的，最终一定会被废弃。应该受赏识的却没有受到赏识，这就是国家之所以混乱、世道之所以衰微的原因。天下的百姓，他们的愁苦劳碌，也就因此产生了。

大凡举荐人的根本，最上等的是凭道德，其次是凭事业，再次是凭功绩。这三种人不能得到提拔任用，国家一定会残破灭亡，各种灾祸就会纷至沓来，自身一定会遭殃，能活到七十岁、九十岁，就算侥幸。圣贤的后代，反而给人民带来危害，因此祸及自身，岂只是独自受危害吗？连人民也要跟着遭殃啊！

慎大览第十五

慎 大①

贤主愈大愈惧,愈强愈恐。凡大者,小②邻国也;强者,胜其敌也。胜其敌则多怨,小邻国则多患。多患多怨,国虽强大,恶得不惧?恶得不恐?故贤主于安思危,于达思穷,于得思丧。《周书》曰:"若临深渊,若履薄冰③。"以④言慎事也。

[注释]

①题解:"慎大"意在告诉君主在强大、胜利面前,更要保持谨慎。②小:轻视,小看。③履:踩。这两句诗《诗·大雅·小旻》作"如临深渊,如履薄冰"。④以:此。

[译文]

贤明的君主,土地越广大越感到恐惧,力量越强盛越感到害怕。凡土地广大的,就会小看邻国;力量强盛的,就能战胜敌国。战胜敌国,就会招致怨恨;小看邻国,就会招致祸患。怨恨多了,祸患多了,国家即便强大,又怎能不恐惧?怎能不害怕?所以贤明的君主在平安的时候就想到危险,在显赫的时候就想到困窘,在有所得的时候就想到有所失。《周书》上说:"就像面临深渊一样,就像脚踩薄冰一样。"这是说做事要小心谨慎。

桀为无道,暴戾顽①贪,天下颤②恐而患之,言者不同,纷纷分分③,其情难得。干辛任威④,凌轹⑤诸侯,以及兆民⑥,贤良郁怨。杀彼龙逢,以服群凶⑦。众庶泯泯⑧,皆有远志,莫敢直言,其生若惊。大臣同患,弗周而畔⑨。桀愈自贤,矜过善非⑩,主道重塞,国人大崩。汤乃惕惧,忧天下之不宁,欲令伊尹往视旷夏⑪,恐其不信,汤由亲自射伊尹⑫。伊尹奔夏三年,反报于亳⑬,曰:"桀迷惑于末嬉⑭,好彼琬、琰⑮,不恤其众。众志不堪,上下相疾⑯,民心积怨,皆曰:'上天弗恤,夏命其卒。'"汤谓伊尹曰:"若告我旷夏尽如诗⑰。"汤与伊尹盟,以示必灭夏。伊尹又复往视旷夏,听于末嬉。末嬉言曰:"今昔天子梦西方有日,东方有日,两日相与斗,西方日胜,东方日不胜。"伊尹以告汤。商涸旱⑱,汤犹发师,以信伊尹之盟,故令师从东方出于国,西以进。未接刃而桀走,逐之至大沙⑲,身体离散,为天下戮⑳。不可正谏㉑,虽后悔之,将可奈何!汤立为天子,夏民大说,如得慈亲,朝不易位㉒,农不去畴㉓,商不变肆㉔,亲郼㉕如夏。此之谓至公,此之谓至安,此之谓至信。尽行伊尹之盟,不避旱殃,祖伊尹世世享商㉖。

[注释]

①顽:贪婪。②颤:惊。③分分:依王念孙说,当做"介介",怨恨的意思。④干辛:桀之谀臣。任:放纵。⑤凌轹(lì):欺压、干犯。轹,车轹碾过,这里指欺压。⑥兆民:天子所治之民。⑦凶:通"讻",争吵不休,这里指群臣的诤谏。⑧泯(mǐn)泯:纷乱的样子。⑨弗周:不亲附。畔:通"叛"。⑩矜:自夸。善:用做意动,以……为善。⑪旷夏:大国夏。⑫汤由亲自射伊尹:这句意思是,汤为使夏信任伊尹,所以扬言亲自射伊尹,伊尹获罪而出亡。⑬亳(bó):古邑名,商汤的都城,一般认为在今河南偃师。⑭末嬉:或作"妹嬉"、"妹喜",有施氏之女。相传桀伐有施氏,有施氏把他的女儿献给了桀,很受桀的宠信。⑮琬、琰:桀的两个宠妾。⑯疾:怨恨。⑰诗:

指有韵之文，即上文的"商汤弗恤，夏命其卒"。⑱涸旱：干旱，指遇到灾难。⑲大沙：地名，即南巢，位于当时华夏族所居地区的南方。《尚书·仲之诰》说："成汤放桀于南巢"。在今安徽省巢县西南。⑳戮：耻笑。㉑正谏：直言相谏。㉒位：官位。㉓畴：田亩。㉔肆：商人聚集经营的地方。㉕郼(yī)：汤为天子之前的封国，这里代指殷商。这句大意是，夏民得以安居乐业，所以亲近殷商如同亲近自己的民族一样。㉖祖：对始建功德者的尊称。享：指受祭祀。

[译文]

夏桀统治无道，暴虐贪婪。天下人无不惊恐、忧虑。人们议论纷纷，混乱不堪，满腹怨恨，他也很难知道民众的真实想法。干辛肆意逞威风，欺凌诸侯，殃及百姓。贤良的人心中忧郁怨恨，夏桀于是杀死了敢谏的关龙逢，想以此来压制群臣的诤谏。人们动乱起来，都有远走高飞的打算，没有谁再敢直言，都生活在惊慌不安中。大臣们怀有共同的忧患，不再亲附桀，都有离叛的心意。夏桀越发认为自己贤能，夸耀自己的错误，以非为是。为君之道被重重阻塞，国人分崩离析。面对这种情况，汤感到很恐惧，忧虑天下不得安宁，想让伊尹到夏国去观察动静，担心夏国不信伊尹，于是扬言要亲自射杀伊尹。伊尹逃亡到夏国，过了三年，回到亳，向汤禀报说："桀被末嬉所迷惑，又喜欢爱妾琬、琰，不怜悯民众。大家都忍受不了了，在上位的与在下位的互相痛恨，人民心里充满了怨恨，都说：'上天不保佑夏国，夏国的命运就要完了。'"汤对伊尹说："你告诉我的夏国情况都像诗里唱的一样。"汤与伊尹订立了盟约，用以表明一定要灭夏的决心。伊尹又去观察夏国的动静，装作听命信任末嬉的样子。末嬉说道："昨天夜里天子梦见西方有个太阳，东方有个太阳，两个太阳互相争斗，西方的太阳胜利了，东方的太阳没有胜利。"伊尹把这话禀告了汤。这时正值商遭遇旱灾，汤仍然发兵攻夏，以便信守和伊尹订立的盟约。他命令军队从亳绕到桀国都的西部，然后发起进攻。还没有交战，桀就逃跑了。汤追赶他到大沙。桀身首分离，被天下人所耻笑。当初不听劝谏，即使后来懊悔了，又能怎样呢！汤做了天子，夏的百姓非常高兴，就像得到慈父一般。朝廷不更换官位，农民不离开田亩，商贾不改变商肆，人民亲近殷犹如亲近夏一样。这就叫最大的公正，最大的安定，最大的信用。汤完全依照和伊尹订立的盟约去做了，不躲避旱灾，获得了成功，因此让伊尹世世代代在商朝享受祭祀。

武王胜殷，入殷，未下舆①，命封黄帝之后于铸②，封帝尧之后于黎③，封帝舜之后于陈。下舆，命封夏后之后于杞④，立成汤之后于宋，以奉桑林⑤。武王乃恐惧，太息流涕⑥，命周公旦进殷之遗老，而问殷之亡故，又问众之所说，民之所欲。殷之遗老对曰："欲复盘庚⑦之政。"武王于是复盘庚之政，发巨桥⑧之粟，赋鹿台⑨之钱，以示民无私。出拘救罪，分财弃责⑩，以振⑪穷困。封⑫比干之墓，靖箕子之宫⑬，表商容之闾⑭，徒⑮过者趋，车过者下。三日之内，与谋之士封为诸侯，诸大夫赏以书社⑯，庶士施政⑰去赋。然后济于河，西归报于庙⑱。乃税马于华山⑲，税牛于桃林⑳，马弗复乘，牛弗复服㉑，埋㉒鼓旗甲兵，藏之府库，终身不复用。此武王之德也。故周明堂㉓外户不闭，示天下不藏也。唯不藏也可以守至藏㉔。武王胜殷，得二虏而问焉，曰："若国有妖乎？"一虏对曰："吾国有妖。昼见星而天雨血㉕，此吾国之妖也。"一虏对曰："此则妖也，虽然，非其大者也。吾国之妖，甚大者，子不听父，弟不听兄，君令不行，此妖之大者也。"武王避席再拜之。此非贵虏也，贵其言也。故《易》曰："愬愬㉖履虎尾，终吉。"

[注释]

①舆：车。②铸：古国名。《史记》作"祝"。③黎：古国名。《史记》作"蓟"。④夏后：夏君。后，君主。杞：古国名。⑤桑林：汤祈祷的地方。⑥涕：眼泪。⑦盘庚：商汤的第九代孙，是商的中兴君主。⑧巨桥：纣储粮的粮仓名，故址在今河北曲周县东北。⑨赋：布施。鹿台：钱库名，纣藏钱财于

此。⑩责（zhài）：通"债"，债务。⑪振：通"赈"，救济。⑫封：堆土使高大。比干忠心谏纣而被杀，武王为表彰他的忠诚，所以把他的坟墓修得很高。⑬靖：通"旌"，表彰。宫：室。⑭表：标记，这里用作动词。商容：商代贤人，相传被纣废黜。⑮徒：徒步。⑯书社：古代二十五家为一社，在册籍上书写社人姓名，称为"书社"。这里借指一定数量的人口、土地。⑰施政：依孙锵鸣说，通"弛征"，减轻赋税。⑱西归：指归于地理位置在西方的丰、镐。庙：指文王庙。⑲税：释，放。华山：阳华山，在今陕西商洛南。⑳桃林：古地域名，其地约相当于河南灵宝以西、陕西潼关以东地区。㉑服：役使。㉒衅（xìn）：古代的一种祭礼，杀牲并用牲血涂抹钟鼓等器物。㉓明堂：天子理政之处。㉔至藏：指至德之藏，即最完美的品德。㉕雨（yù）：降落。血：指像血一样红的雨。㉖愬愬：恐惧的样子。

[译文]

周武王战胜了殷商，进入都城，还没有下车，就命令把黄帝的后代封到铸地，把帝尧的后代封到黎地，把帝舜的后代封到陈地。下了车，命令把大禹的后代封到杞地，立汤的后代为宋的国君，让他们承继桑林的祭祀。之后，武王仍然很恐惧，长叹流泪。命令周公旦找来殷商的遗老，问他们商灭亡的原因，又问民众喜欢什么，希望什么。商的遗老回答说："人民希望恢复盘庚的政治。"武王于是就恢复了盘庚的政治，散发巨桥的米粟，施舍鹿台的钱财，以此向民众表示自己没有私心。释放被拘禁的人，挽救犯了罪的人。分发钱财，免除债务，以此来救济贫困。又将比干的坟墓修理高大，使箕子的住宅显赫彰明，在商容的旧居竖起标志，行人路过要加快脚步，乘车的人路过要下车致敬。三天之内，参与谋划伐商的贤士都被封为诸侯，大夫们则都赏给了土地，普通的士人也都减免了赋税。然后武王才渡过黄河，回到丰镐，到祖庙内报功。于是把马放到阳华山，把牛放到桃林，不再让马、牛驾车服役，又把战鼓、军旗、铠甲、兵器涂上牲血，藏进府库，永远不再使用。这就是武王的仁德。周天子明堂的大门不关闭，向天下人表明没有私藏。只有没有私藏，才能保持最高尚的品德。武王战胜殷商后，抓到两个俘虏,问他们说:"你们国家有怪异的事吗?"一个俘虏回答说:"我们国家有怪异的事,白天出现星星,天上降下血雨,这就是我们国家怪异的事。"另一个俘虏回答说:"这诚然是怪异的事,虽说如此,但还算不上大的怪异。我们国家特大的怪异是儿子不听从父亲,弟弟不听从兄长,君主的命令不能贯彻实行,这才算最大的怪异事呢。"武王急忙离开座席,向他行再拜之礼。这不是认为俘虏尊贵,而是尊重他的言论。所以《周易》说:"一举一动都战战兢兢,像踩着老虎的尾巴一样,最终一定吉祥。"

赵襄子攻翟①,胜老人、中人②,使使者来谒之。襄子方食抟饭③,有忧色。左右曰:"一朝而两城下,此人之所以喜也,今君有忧色何?"襄子曰:"江河之大④也,不过三日。飘风暴雨,日中不须臾⑤。今赵氏之德行,无所于积,一朝而两城下,亡其及我乎!"孔子闻之曰:"赵氏其昌乎?"夫忧所以为昌也,而喜所以为亡也。胜非其难者也,持⑥之其难者也。贤主以此持胜,故其福及后世。齐荆吴越,皆尝胜矣,而卒取亡,不达乎持胜也。唯有道之主能持胜。孔子之劲⑦,举国门之关⑧,而不肯以力闻。墨子为守攻,公输般服⑨,而不肯以兵加。善持胜者,以术强弱。

[注释]

①翟:国名。②老人:依毕沅说,当做"左人"。左人、中人:城邑名。③抟饭:捏成团的饭。④大:这里指涨水。⑤这句是本老子"飘风不终朝、骤雨不终日"的意思,用来说明强大的事物不易持久。飘风,旋风。⑥持:守,保持。⑦劲(jìng):强劲有力。⑧关:门闩。⑨墨子为守攻,公输般服:公输般为楚国造云梯,要攻打宋国,墨子听说后去劝阻。公输般九次攻城,墨子九次打退他;公输般守城,墨子九次攻下。事见《墨子·公输》。公输般,古代巧匠。

[译文]

赵襄子派新稚穆子攻打翟国,攻下了左人城、中人城。新稚穆子派使者回来报告襄子,襄子正在吃捏成团的饭,听了以后,脸上显出忧愁的表情。身边的人说:"一下子攻下两座城,这是人们感到高兴的事,现在您却忧愁,这是为什么呢?"襄子说:"长江、黄河涨水,不超过三天就会退落,疾风、暴雨不能整天不停。现在我们赵氏的品行还没有蓄积丰厚,一下子攻下两座城,灭亡恐怕要找到我了吧!"孔子听到这件事以后说:"赵氏大概要昌盛了吧!"忧虑是昌盛的基础,喜悦是灭亡的起始。取得胜利不是困难的事,保持住胜利才是困难的事。贤明的君主按照这种认识,保持住胜利,所以他的福分能传到子孙后代。齐国、楚国、吴国、越国,都曾胜利过,可是最终都遭到了灭亡,这是因为它们不懂得如何保持胜利啊!只有通达的君主,才能保持胜利。孔子力气那么大,能举起国都城门的门闩,却不肯以力大闻名天下。墨子善于攻城守城,使公输般折服,却不肯以善于用兵名扬天下。善于保持胜利的人,能有办法使弱小变成强大。

下 贤[①]

有道之士,固骄[②]人主;人主之不肖者,亦骄有道之士。日以相骄,奚时相得[③]?若儒、墨之议与齐、荆之服[④]矣。

贤主则不然。士虽骄之,而己愈礼之,士安得不归之?士所归,天下从之帝[⑤]。帝也者,天下之适[⑥]也;王也者,天下之往也。得道之人,贵为天子而不骄倨[⑦],富有天下而不骋夸[⑧],卑为布衣而不瘁摄[⑨],贫无衣食而不忧慑[⑩]。恳乎其诚自有[⑪]也,觉乎其不疑有以[⑫]也,桀乎其必不渝移[⑬]也,循[⑭]乎其与阴阳化也,匆匆[⑮]乎其心之坚固也,空空乎其不为巧故[⑯]也,迷[⑰]乎其志气之远也,昏[⑱]乎其深而不测也,确乎其节之不庳[⑲]也,就就[⑳]乎其不肯自是,鹄[㉑]乎其羞用智虑也,假[㉒]乎其轻俗诽誉也。以天为法,以德为行[㉓],以道为宗,与物变化而无所终穷。精充天地而不竭,神覆宇宙而无望㉔。莫知其始,莫知其终,莫知其门,莫知其端,莫知其源。其大无外㉕,其小无内㉖。此之谓至贵。士有若此者,五帝弗得而友㉗,三王弗得而师,去其帝王之色㉘,则近可得之㉙矣。

[注释]

①题解:"下贤"旨在论述君主应该礼贤下士。②骄:傲视。③相得:指相投合。④儒、墨之议:指儒、墨互相非议。齐、荆之服:指齐楚互相不服。⑤帝:衍文。⑥适:往。⑦倨:傲慢。⑧骋:放任,放纵。夸:自大,炫耀。⑨瘁摄:失意屈辱。⑩慑:恐惧。⑪自有:指有道。⑫有以:有原因。⑬桀:突出。渝:改变。⑭偱:顺。⑮夘夘:明确的样子。⑯空空:诚实的样子。巧故:诈伪。⑰迷:依俞樾说,通"弥",远。⑱昏:幽深。⑲确:刚强。庳(bēi):低下。⑳就就(yóu):犹豫的样子,这里指行事谨慎。㉑鹄:通"浩",大。㉒假:通"遐",远。㉓行(xíng):品行。㉔无望:指没有边际。㉕其大无外:指道大则无所不包。㉖其小无内:指道微则小至极。㉗友:用作动词,指与之交友。下文的"师"字用法同。㉘帝王之色:指帝王尊贵的神态。㉙得之:指得贤士为师、为友。

[译文]

有道的士人本来就傲视君主,不贤明的君主,也傲视有道的士人。他们天天这样互相傲视,什么时候才能相投合?这就像儒家、墨家互相非议和齐国、楚国彼此不服气一样。

贤明的君主则不是这样。士人虽然傲视自己,而己越发以礼相待。这样,士人怎能不归附呢?士人归附了,天下人就跟着归附。所谓帝,是指天下人都来亲附;所谓王,是指天下人都来归服。得道的人,有天子的尊贵地位而不显现骄横傲慢,富有天下而不放纵自夸;卑下到当百姓而不感到失意屈辱,贫困到无衣无食而不忧愁恐惧。他们诚恳坦荡,确实具备了高尚的修养;他们大彻大悟,遇事不疑,必然是弄清了事理原因;他们卓尔不群,坚守信念,绝不改变;他们顺应自然,随着阴阳一起变化;他们明察事理,意志坚定牢固;他们忠厚淳朴,不行诈伪行为;他们志向远大,高远无边际；他们思想深邃，难以测量；他们刚毅坚强，节操高尚；他们做事谨慎，不自以为是；他们光明正大，耻于运用智谋；他们胸襟宽广，看轻世俗的诽谤、赞誉。他们以天为法则，以德为品行，以道为根本，随万物变化而没有穷尽。他们精神充满天地，不会竭尽；覆盖宇宙，无边无际。他们所拥有的"道"，没有谁知道何时开始，没有谁知道何时终结，没有谁知道它的门径在哪儿，没有谁知道它的开端在哪儿，没有谁知道它的本源在哪儿。道大到无所不包，小到微乎其微。这就叫做无比珍贵。士人能达到这种境界，五帝也不能与他交友，三王也不能以他为师。如果抛开帝王身上的尊贵光环，那就差不多能得贤士为友、为师了。

尧不以帝见善绻①，北面而问焉。尧，天子也；善绻，布衣也。何故礼之若此其甚也？善绻，得道之士也。得道之人，不可骄也。尧论②其德行达智而弗若，故北面③而问焉。此之谓至公。非至公其孰能礼贤？

周公旦，文王之子也，武王之弟也，成王之叔父也。所朝于穷巷④之中，瓮牖⑤之下者七十人。文王造之而未遂⑥，武王遂之而未成，周公旦抱少主⑦而成之。故曰成王不唯以身下士邪？

[注释]

①善绻（quǎn）：尧时的有道之士。②论：分析，判断。③北面：面向北。古代以面向南为尊，君主面南而坐，臣子面北而待。尧北面而问善绻，是为了表示尊敬。④穷巷：陋巷。⑤瓮（wèng）牖（yǒu）：用破瓮遮蔽窗户，形容贫困简陋。瓮，陶制的盛东西的器皿。牖，窗户。⑥造：始。遂：达，达到。⑦少主：指周成王。成王继位时尚年幼，周公辅成王以听政。

[译文]

尧不用帝王的身份去会见善绻，而是面朝北恭敬地向他请教。尧是天子，善绻是平民，尧为什么这样极度礼遇他呢？因为善绻是得道的人。对得道的人，不可傲视。尧分析自己的德行智谋不如善绻，所以面向北恭敬地向他请教。这就叫做无比公正。不是无比公正之人，谁又能礼遇贤者呢？

周公旦是周文王的儿子，武王的弟弟，成王的叔父。他朝见过住在穷巷陋室里的人有七十个。这件事，文王开了头而没有做到，武王做了而没有完成，周公旦辅佐年幼的成王才真正完成。这不是正说明成王亲自礼贤下士吗？

齐桓公见小臣稷①，一日三至弗得见。从者曰："万乘之主，见布衣之士，一日三至而弗得见，亦可以止矣。"桓公曰："不然。士骜②禄爵者，固轻其主；其主骜霸王者，亦轻其士。纵夫子骜禄爵，吾庸③敢骜霸王乎？"遂见之，不可止。世多举桓公之内行④，内行虽不修，霸亦可矣。诚⑤行之此论，而内行修，王犹少⑥。

子产⑦相郑，往见壶丘子林⑧，与其弟子坐必以年⑨，是倚其相于门也⑩。夫相万乘之国而能遗之⑪，谋志论行而以心与人相索⑫，其唯子产乎！故相郑十八年⑬，刑三人，杀二人。桃李之垂于行⑭者，莫之援⑮也；锥刀之遗于道者，莫之举⑯也。

[注释]

①小臣稷：春秋时齐国的隐士，复姓小臣，名稷。②骜：通"傲"，傲视，轻视。③庸：何，怎么。④内行：指私生活。⑤诚：表示假设，果真。⑥王犹少：称王尚且不止。⑦子产：郑国相公孙侨，字子产。⑧壶丘子林：郑国的高士，复姓壶丘，名子林。⑨年：年龄。⑩这句的大意是，子产去拜见壶丘子林与他的弟子，是按年龄的长幼排定座次，不因自己是相而居上座，这就好像把相的尊贵放在门外似的。是，此。倚，置。⑪遗之：指扔掉相的架子。⑫索：求。⑬《左传》谓子产相郑二十二年，《史记·循吏列传》作二十六年。⑭行（háng）：道路。⑮援：拉，攀。⑯举：拾取。

[译文]

齐桓公去见小臣稷，一天去三次都没能见到。随从的人说："大国君主去见一介平民，一天去了三次都没能见到，就算了吧！"

桓公说："不对。看轻爵位、俸禄的士人，固然轻视君主；看轻王霸大业的君主，也轻视士人。纵使先生他看轻爵位、俸禄，我怎敢看轻王霸之业呢？"桓公终于见到了小臣稷，随从没能阻止他。世人大多指责桓公的私生活，他的私生活虽不检点，但能做到这一点，称霸还是可以的。如果真的按上述原则去做，而且私生活检点，恐怕就不只是称王了！

子产在郑国为相，去见壶丘子林，跟壶丘子林的学生们坐在一起，一定按年龄就座，这是把相位的尊贵放在一边了。身为大国的相，而能丢下相的架子，谈论志向，议论品行，真心实意地与人探求道理，大概只有子产能这样吧！他在郑国做了十八年相，仅处罚了三个人，杀死两个人。桃李的果实下垂到道上，也没有谁去摘取；小刀丢落在路上，也没有谁去拾起。

魏文侯见段干木①，立倦而不敢息，反见翟黄②，踞③于堂而与之言。翟黄不说。文侯曰："段干木官之则不肯，禄之则不受。今女欲官则相位，欲禄则上卿。既受吾实④，又责⑤吾礼，无乃难乎？"故贤主之畜人也，不肯受实者其礼之。礼士莫高乎节欲，欲节则令行矣。文侯可谓好礼士矣。好礼士，故南胜荆于连堤⑥，东胜齐于长城⑦，虏齐侯，献诸天子，天子赏文侯以上闻⑧。

[注释]

①魏文侯：战国初魏国建立者，前446～前396年在位。段干木：战国时期魏国的隐士。②翟黄：魏文侯上卿。③踞：古人坐时两膝着地，臀部靠在脚后跟上。这是一种不恭敬的坐姿，坐时，臀部和两足底着地，状似簸箕，故又称"箕踞"。④实：指爵禄。⑤责：要求。⑥连堤：楚地名。⑦长城：指齐境内的长城。⑧上闻：指始列为侯，名字上闻于天子。

[译文]

魏文侯去见段干木，站得疲倦了却不敢休息。回来以后见翟黄，箕踞在堂上跟他谈话。翟黄很不高兴。文侯说："段干木这人，让做官他不肯，给俸禄他不接受，现在你想当官就任你相位，想得俸禄就给你上卿的俸禄。你既得到了我给你的官职、俸禄，又要求我以礼相待，恐怕很难办到吧。"所以贤明的君主对待人，不肯接受官职、俸禄的就以礼相待。礼遇士人没有比节制自己的欲望更好的了。欲望得到节制，命令就可以执行了。魏文侯可以说是喜好礼遇士人了，喜好礼遇士人，所以向南能在连堤战胜楚国，向东能在长城战胜齐国，俘虏齐侯，并把他献给周天子。周天子奖赏文侯，封他做诸侯。

报　更①

国虽小，其食足以食天下之贤者②，其车足以乘③天下之贤者，其财足以礼天下之贤者。与天下之贤者为徒④，此文王之所以王也。今虽未能王，其以为安也，不亦易乎？此赵宣孟之所以免⑤也，周昭文君⑥之所以显也，孟尝君⑦之所以却荆兵也。古之大立功名与安国免身者，其道无他，其必此之由也⑧。堪士⑨不可以骄恣屈也。

[注释]

①题解："报更"就是报答、报偿的意思。本文意在说明，君主要得到士人的报偿就必须礼遇士人。②"食"：前一个"食"字是名词，食物；后一个"食"字，用做动词，给……吃，供养。③乘：供……乘。④为徒：指在一起。徒，徒党。⑤赵宣孟：即赵宣子赵盾，春秋时晋国正卿。免：指免于难。⑥周昭文君：战国时东周国国君。⑦孟尝君：战国时齐国公子田文，封于薛。孟尝君是他的封号。⑧此：指与贤者为徒。由：经由。"此"是"由"的前置宾语。⑨堪：通"媅"，乐，喜爱。

[译文]

国家即使很小，它的粮食也足以供养天下的贤士，它的车辆也足以乘载天下的贤士，它的钱财也足以礼遇天下的贤士。与天下的贤士为伍，这是周文王称王天下的原因。现在即使不能称王，以贤士来安定国家，不也是很容易的吗？这是赵宣子免于被杀、周昭文君得以显荣、孟尝君使楚军退却的根本原因所在。古代建立功名和安定国家、免除自身灾难的人，没有别的途径，必定是遵循这个准则。喜欢贤士不可用骄横的态度，使他屈从而来。

昔赵宣孟子将上之绛①，见骫桑②之下，有饿人卧不能起者。宣孟止车，为之下食③，蠲而餔之，再④咽而后能视。宣孟问之曰："女何为而饿若是？"对曰："臣宦⑤于绛，归而粮绝，羞行乞而憎自取，故至于此。"宣孟与脯二胸⑥，拜受而弗敢食也。问其故，对曰："臣有老母，将以遗之。"宣孟曰："斯⑦食之，吾更与女。"乃复赐之脯二束，与钱百，而遂去之。处二年，晋灵公欲杀宣孟，伏士于房⑧中以待之，因发酒于宣孟。宣孟知之，中饮而出。灵公令房中之士疾追而杀之。一人追疾，先及宣孟之面⑨，曰："嘻！君辇⑩，吾请为君反死。"宣孟曰："而名为谁？"反走⑪对曰："何以名为？臣骫桑下之饿人也。"还斗而死。宣孟遂活。此书之所谓"德几无小"⑫者也。宣孟德一士，犹活其身，而况德万人乎？故《诗》曰："赳赳武夫，公侯干城⑬。""济济多士，文王以宁⑭。"人主胡可以不务哀⑮士？士其难知，唯博之为可，博则无所遁⑯矣。

[注释]

①上：从地势低的地方到高的地方去叫"上"。绛：即故绛，晋国当时的都城，在今山西翼城县东南。②骫（wěi）桑：蟠曲的桑树。饿人：因挨饿而病倒的人。③下食：准备食物。④蠲（juān）：清洁，这里用如动词。餔：通"哺"，给人食物吃。⑤宦：当仆隶。⑥脯：干肉。胸（qú）：弯曲的干肉。⑦斯：尽。⑧房：正室两侧的房舍。⑨之面：依孙锵鸣、陈奇猷说，当做"面之"。面之：背向宣孟。⑩辇（yú）：车，这里用做动词，乘车。⑪反走：退避以示恭敬。⑫德几无小：此句当是《尚书》佚文。几，微。⑬见《诗经·周南·兔罝》。赳赳，雄壮的样子。干，盾牌。"干"和"城"都用来比喻捍

卫者。⑭见《诗经·大雅·文王》。济济,众多的样子。⑮哀:爱怜。⑯遁:逃失。

[译文]

　　从前,赵宣子将要到国都绛邑去,看见一棵蟠曲的桑树下,有一个饿得躺在地上起不来的人,宣子停下车,让人给他准备食物,并把食物弄干净给他吃。他咽下两口后,能睁开眼看了。赵宣子问他说:"你为什么饿到这种地步?"他回答说:"我在绛给人做仆隶,回家的路上断了粮,羞于去乞讨,又厌恶偷取别人的食物,所以才饿到这种地步。"宣子给了他两块干肉,他拜着接受了却不敢吃。问他为什么,他回答说:"我家有老母亲,我想把这些干肉送给她。"赵宣子说:"你全都吃了它,我另外再送你。"于是又赠给他两捆干肉和一百枚钱,就离开了。过了二年,晋灵公想杀死赵宣子,在房中埋伏了兵士,等待赵宣子到来。晋灵公于是请赵宣子饮酒,赵宣子知道了灵公的阴谋,酒喝到一半就走了出去。灵公命令房中的士兵赶快追杀他。有一个人追得很快,先追到赵宣子跟前,说:"喂,您快上车逃走,我愿为您回去拼命。"赵宣子说:"你名字叫什么?"那人退避回答说:"问名字干什么?我是桑下饿得快死的那个人啊。"他返身与灵公的兵士搏斗而死,赵宣子于是得以活命。这就是《尚书》所说的"恩德再微也无所谓小"的意思!赵宣子对一个人施恩德,尚且能使自身活命,更何况对万人施恩德呢?所以《诗经》说:"雄赳赳的武士,是公侯的屏障。""人才济济,文王因此安康。"君主怎能不致力于爱怜贤士呢?贤士是很难发现的,只有广泛寻求才可以,广泛寻求,就不会失掉了。

　　张仪,魏氏余子①也。将西游于秦,过东周。客有语之于昭文君者,曰:"魏氏人张仪,材士也,将西游于秦,愿君之礼貌②之也。昭文君见而谓之曰:"闻客之秦,寡人之国小,不足以留客。虽游,然岂必遇哉?客或不遇,请为寡人而一归也。国虽小,请与客共之。"张仪还走，北面再拜。张仪行，昭文君送而资之。至于秦，留有间，惠王说而相之。张仪所德于天下者，无若昭文君。周，千乘也，重过万乘也。令秦惠王师之。逢泽之会③，魏王尝为御，韩王为右，名号至今不忘。此张仪之力也。

[注释]

①余子：庶子。②礼貌：用做动词，以礼相待。③逢泽之会：指秦在逢泽盟会诸侯。逢泽，泽名，故址在今河南开封市东南。

[译文]

张仪是魏国大夫的庶子，将要向西到秦国去游说，路过东周。宾客中有人把这个情况告诉昭文君，说："魏国人张仪，是个很有才干的人。他将要向西至秦国游说，希望您对他以礼相待。"昭文君会见张仪，并对他说："听说客人要到秦国去，我的国家小，不足以留住客人，您去游说秦国，难道一定会受到赏识吗？客人倘或得不到赏识，请看在我的面上再回来，我的国家虽小，愿与您共同掌管。"张仪退避，而向北拜了两拜。张仪临走之际，昭文君给他送行并资助钱财。张仪到了秦国，逗留了一段时间，秦惠王很喜欢他，让他当了相。张仪在天下受到的恩德，没有比在昭文君那里受到的更大了。周是个小国，张仪看待它超过了大国。他让秦惠王以昭文君为师。秦国在逢泽盟会诸侯的时候，魏王曾给昭文君驾车，韩王给昭文君当车右，昭文君的名号至今没有被忘掉，这都是张仪的力量啊！

孟尝君前在于薛①，荆人攻之。淳于髡②为齐使于荆，还反，过于薛，孟尝君令人礼貌而亲郊送之，谓淳于髡曰："荆人攻薛，夫子弗为忧，文无以复侍矣。"淳于髡曰："敬闻命矣。"至于齐，毕报，王曰："何见于荆？"对曰："荆甚固③，而薛亦不量其力。"王曰："何谓也？"对曰："薛不量其力，而为先王立清庙④。荆固而攻薛，薛清庙必危，故曰薛不量其力，而荆亦甚固。"齐王知颜色^⑤，曰："嘻！先君之庙在焉。"疾举兵救之，由是薛遂全。颠蹶^⑥之请，坐拜之谒，虽得则薄矣。故善说者，陈其势，言其方^⑦，见人之急也，若自在危厄之中，岂用强力哉？强力则鄙矣。说之不听也，任不独在所说，亦在说者。

[注释]

①薛：孟尝君封地，故城在今山东省滕县东南。②淳于髡：齐国大夫，以博学著称。③固：本指独占，这里是"贪婪"的意思。④清庙：宗庙。宗庙肃然清静，故称清庙。⑤齐王：指齐宣王，齐威王之子，前320～前302年在位。知颜色：变了脸色。知，显现。⑥颠蹶：仆倒。⑦方：主张。

[译文]

孟尝君从前在薛邑的时候，楚国人攻打薛。淳于髡为齐国出使楚国，在返回的时候，路过薛。孟尝君让人以礼侍奉，并亲自到郊外送他，对他说："楚国人攻打薛，如果先生您对此事不感到担忧，我将没有机会再侍奉您了。"淳于髡说："我遵命了。"到了齐国，禀报完毕，齐王说："到楚国见到了什么？"淳于髡回答说："楚国很贪婪，薛也不自量力。"齐王说："你说的是什么意思？"淳于髡回答说："薛不自量力，给先王立了宗庙。楚国贪婪而攻打薛，薛的宗庙必定危险。所以说薛不自量力，楚国也太贪婪了。"齐王变了脸色，说："哎呀！先王的宗庙在那里呢！"于是赶快派兵援救薛，因此薛才得以保全。趴在地上请求，跪拜着请求，即使能得到援救，也是很少的。所以善于劝说的人，陈述形势，讲述主张，看到别人危急，就像自己处于危难之中，这样，哪里用得着极力劝说呢？极力劝说就下作了。劝说而不被听从，责任不仅在被劝说的人，也在劝说者一方。

不 广^①

智者之举事必因时。时不可必成^②，其人事则不广。成亦可，不成亦可，以其所能托其所不能，若舟之与车。北方有兽，名曰蹶③，鼠前而兔后，趋则跲④，走则颠⑤，常为蛩蛩距虚⑥取甘草以与之。蹶有患害也，蛩蛩距虚必负而走。此以其所能托其所不能。

[注释]

①题解："不广"即不废弃，意在说明人为努力的必要性。广，通"旷"。依俞樾说，是"废弃"、"荒废"的意思。②成：这里是"得"的意思。③蹶：通"蟨（jué）"，兽名。④跲（jiá）：牵绊，绊倒。⑤颠：跌倒。⑥蛩（qióng）蛩距虚：古代传说中的兽名，前足高，善走而不善求食，要与蟨互相依赖而生存。

[译文]

明智的人做事情一定要根据时机，时机不一定能得到，但人为的努力却不可废弃。得到时机也好，得不到也好，用自己能做到的弥补不能做到的，就像船和车互相弥补各自的不足一样。北方有一种野兽，名叫蟨，前腿像鼠腿一样短，后腿像兔腿一样长，走快了就绊脚，一跑就跌倒。它常常替蛩蛩距虚采鲜美的草，采了就给它。蟨有危险的时候，蛩蛩距虚一定背着它逃走。这就是用自己能够做到的来弥补自己不能做到的。

鲍叔、管仲、召忽①，三人相善，欲相与定齐国，以公子纠为必立。召忽曰："吾三人者于齐国也，譬之若鼎之有足，去一焉则不成。且小白则必不立矣，不若三人佐公子纠也。"管子曰："不可。夫国人恶公子纠之母，以及公子纠，公子小白无母，而国人怜之。事未可知，不若令一人事公子小白。夫有齐国，必此二公子也。"故令鲍叔傅公子小白，管子、召忽居公子纠所。公子纠外物则固难必②。虽然，管子之虑近之矣。若是而犹不全也，其天邪！人事则尽之矣。

[注释]

①召（shào）忽：周召公之后，仕于齐，遭齐之乱，与管仲、公子纠奔

鲁，后公子纠被杀，召忽殉难。②固难必：不一定如愿以偿。这里指公子纠在外，不能说一定能成为齐国君主。这里用庄子"久物不可必"之意。

[译文]

鲍叔、管仲、召忽三个人彼此很友好，想一起安定齐国，认为公子纠一定能立为君主。召忽说："我们三个人对于齐国来说，就像鼎有三足一样，缺少一个也不成。况且公子小白是一定不会立为君主了，不如三个人都辅佐公子纠。"管仲说："不行，齐国人厌恶公子纠的母亲，因而累及公子纠，公子小白没有母亲了，因而齐国人很怜爱他。事情如何尚未可知，不如让一个人去侍奉公子小白。将来享有齐国的，一定是这两位公子中的一位。"因此让鲍叔做公子小白的老师，管仲、召忽留在公子纠那里。公子纠在国外，不能说一定能成为齐国的君主，虽说如此，管仲的考虑还是差不多了。这样做了如果还不够周全，那大概是天意吧！人为的努力总算是尽到了。

齐攻廪丘①。赵使孔青②将死士而救之，与齐人战，大败之。齐将死，得车二千，得尸三万，以为二京③。宁越④谓孔青曰："惜矣，不如归尸以内攻之⑤。越闻之，古善战者，莎随贲服⑥。却舍延尸⑦，车甲尽于战，府库尽于葬，此之谓内攻之。"孔青曰："敌齐不尸则如何？"宁越曰："战而不胜，其罪一；与人出而不与人入，其罪二；与之尸而弗取，其罪三。民以此三者怨上。上无以使下，下无以事上，是之谓重攻之。"宁越可谓知用文武矣。用武则以力胜，用文则以德胜。文武尽胜，何敌之不服！

[注释]

①廪丘：原为齐邑，三家分晋后属赵。故址在今河南范县一带。②孔青：赵将。③京：人工堆成的高丘，这里指把敌尸积聚在一起后，封土而成的高丘。④宁越：赵国中牟人，曾为周威公师。⑤归尸以内攻之：意思是，归还齐国尸体，齐人必怨其上，且葬死者必将耗其钱财，所以说"内攻之"。内攻，

从内部攻击它。⑥莎随：指双方相持，不进不退。䓤服：即匍匐，也是"进退不得"的意思。⑦却舍：后退三十里。舍，三十里为一舍。延尸：收尸。延，纳。

[译文]

齐国攻打廪丘。赵国派孔青率领死士去援救，跟齐国人作战，把齐国人打得大败。齐国的将帅战死，孔青获战车两千辆，尸体三万具，他把这些尸体堆积起来，封土而成两个高丘。宁越对孔青说："太可惜了，不如把尸体归还给齐国而从内部攻击它。我听说过，古代善于作战的人，使敌人进退维谷，匍匐不前。我军后退三十里，给敌军以收尸的机会。战车、铠甲在战争中丧失尽了，府库里的钱财在安葬战死者时用光了，这就叫做从内部攻击它。"孔青说："齐人如果不来收尸，那该怎么办？"宁越说："作战不能取胜，这是他们的第一条罪状；率领士兵出去作战而不能把他们带回来，这是他们的第二条罪状；给他们尸体却不收取，这是他们的第三条罪状。民众将因为这三条而怨恨在上位者。在上位者没有办法役使民众，民众又无从侍奉在上位者，这就叫做又一次攻击它。"宁越可以说是懂得运用文武两种办法了。用武，就凭力量取胜；用文，就凭仁德取胜。用文、用武都能取胜，什么样的敌人不能降服！

晋文公欲合诸侯，咎犯曰："不可。天下未知君之义也。"公曰："何若？"咎犯曰："天子避叔带之难①，出居于郑，君奚不纳之，以定大义，且以树誉。"文公曰："吾其能乎？"咎犯曰："事若能成，继文之业，定武之功②，辟土安疆，于此乎在矣。事若不成，补周室之阙③，勤④天子之难，成教垂名，于此乎在矣。君其勿疑。"文公听之，遂与草中之戎、骊土之翟⑤，定天子于成周⑥。于是天子赐之南阳⑦之地，遂霸诸侯。举事⑧义且利，以立大功，文公可谓智矣，此咎犯之谋也。出亡十七年，反国四年而霸，其听皆如咎犯者邪？

[注释]

①天子：指周襄王。叔带之难：周襄王同母弟叔带在周作乱，襄王出奔郑。②文：指晋文侯。武：指曲沃武公，公子重耳的祖父，灭晋侯湣，统一晋国。③阙：缺点，过失。④勤：帮助。⑤戎、翟：古代部族名。草中、骊土：二邑名，在晋东。⑥成周：即洛邑，故址在今洛阳。⑦南阳：古地域名，因在太行山南、黄河之北，山南、河北为阳，故名南阳。⑧举事：用事，治理国事。

[译文]

晋文公打算盟会诸侯，咎犯说："不行，天下人还不了解您的道义啊。"文公说："应该怎么做？"咎犯说："天子躲避叔带的灾难，流亡在郑国。您何不接纳他，以此确立大义，而且借此树立自己的声誉。"文公说："我能做到吗？"咎犯说："如果事情能成，那么继承文侯的事业，确立武公的功绩，开拓土地，安定边疆，就在此一举了；如果事情不能成，那么弥补周王室的过失，救助周天子的灾难，成就教化，留名青史，也在此一举了。您不要犹豫了。"文公听从了他的建议。于是就跟草中的戎族人、骊土的翟族人一起把周天子安置在成周。天子赐给他南阳的土地，文公从而称霸诸侯。做事情既合道义又有利，因而立了大功，文公可算作明智了，这都是咎犯的计谋啊！文公出亡十七年，回晋国四年就称霸诸侯，他听信的大概都是咎犯那样的人吧？

管子、鲍叔佐齐桓公举事，齐之东鄙人有常致苦①者。管子死，竖刀、易牙用②，国之人常致不苦，不知致苦。卒为齐国良工③，泽及子孙。知大礼，知大礼虽不知国可也。

[注释]

①致苦：指向上传达困苦的情况。②竖刀、易牙：齐桓公臣，管仲死后专权，桓公死后作乱。用：指用事，掌权。③此句以下意义不明，似当指管仲而言。

[译文]

管仲、鲍叔辅佐齐桓公治理国事时,齐国东方边境地区的人有经常向上反映困苦情况的。管仲死了,竖刀、易牙掌权,国内的人经常向上反映不困苦的情况,不敢反映困苦的情况。管仲最终成为齐国的优秀人物,他的恩泽惠及子孙后代,是因为他懂得大礼。懂得大礼,即使不懂得国事也是可以的。

察 今①

上胡不法先王之法②,非不贤也,为其不可得③而法。先王之法,经乎上世而来者也,人或益之,人或损之,胡可得而法?虽人弗损益,犹若④不可得而法。东夏之命⑤,古今之法,言异而典⑥殊。故古之命多不通乎今之言者,今之法多不合乎古之法者。殊俗之民,有似于此。其所为欲同,其所为异。口惛之命不愉⑦,若舟车衣冠滋味声色之不同,人以自是,反以相诽。天下之学者多辩,言利⑧辞倒,不求其实,务以相毁,以胜为故⑨。先王之法,胡可得而法?虽可得,犹若不可法。凡先王之法,有要于时⑩也。时不与法俱至,法虽今而至,犹若不可法。故择⑪先王之成法,而法其所以为法⑫。先王之所以为法者,何也?先王之所以为法者,人也,而己亦人也。故察己则可以知人,察今则可以知古。古今一也,人与我同耳。有道之士,贵以近知远,以今知古,以益所见知所不见。故审堂下之阴⑬,而知日月之行,阴阳之变;见瓶水之冰,而知天下之寒,鱼鳖之藏也;尝一脟肉⑭,而知一镬⑮之味,一鼎之调⑯。

[注释]

①题解:"察今"即审察当今的时势状况,旨在阐述因时变法的思想。②前一"法"字是动词,有"取法"、"效法"的意思;后一"法"字是名

词,指法令制度。③不可得:不可能。④犹若:仍然,还是。⑤东:指东夷,东方少数名族。夏:指华夏,中原各国。命:名,指事物的名称。⑥典:典章制度。⑦口惛之命:指方言。惛,依吴汝纶说,通"吻"。愉:通"渝",改变。⑧利:锋利。⑨故:事。⑩要于时:与时代相合。要,合。⑪择:或作"释",释,放弃,丢弃。⑫所以为法:用来制定法令的依据。⑬阴:阴影。⑭一脔(luán)肉:一块肉。脔,通"脔",切成的块状肉。⑮镬(huò):无足的鼎。与下文的"鼎",都是古代煮肉器具。⑯调:调和,这里指调味。

[译文]

当今的君主为什么不效法古代帝王的法令制度?并不是古代帝王的法令制度不好,是因为它不可效法。古代帝王的法令制度,是经过前代流传下来的,有的人增补过它,有的人删削过它,怎么可能被效法?即使人们没有增补、删削过,还是不可能被效法。东夷和华夏对事物的名称、言词不同,古代和现代的法度、典制不一样。所以古代的名称与现在的叫法大多不一致,现在的法度与古代的法度大多不相合。不同习俗的人民,与这种情况相似。他们所要实现的愿望相同,他们的做法却不同。各地的方言不能改变,如同船、车、衣、帽、美味、音乐、色彩的不同一样,可是人们却自以为是,反过来又互相责难。天下有学识的人,大都善辩,言谈锋利,是非颠倒,不追求事物的实际,致力于互相诋毁,以言辞胜过对方为能事。古代君主的法度,怎么可能被效法呢?即使可能做到,还是不可以效法。凡是古代帝王的法令制度,都是符合当时的实情的。当时的实情不能与法令制度一起流传下来,法令制度虽然流传到现在,还是不可效法。所以,要放弃古代帝王现成的法制条文,而取法他们制定法令制度的依据。古代帝王制定法令制度的依据是什么呢?古代帝王制定法令制度的依据是人,而自己也是人。所以考察自己就可以知道别人,考察现在就可以知道古代。古今的道理是一样的,别人与自己是相同的。通达之人,他们的可贵之处,在于由近的可以推知远的,由现在的可以推知古代的,由见到的可以推知没有见到的。所以，观察堂屋下面的阴影，就可以知道日月运行的情况，阴阳变化的情况；看到瓶里的水结了冰，就知道天下已经寒冷，鱼鳖已经潜藏了；尝一块肉，就可以知道一锅肉的味道，就可以知道一鼎肉的调味情况。

荆人欲袭宋，使人先表澭水①。澭水暴益②，荆人弗知，循表而夜涉，溺死者千有馀人，军惊而坏都舍③。向其先表之时可导④也，今水已变而益多矣，荆人尚犹循表而导之，此其所以败也。今世之主，法先王之法也，有似于此。其时已与先王之法亏⑤矣，而曰"此先王之法也"，而法之以为治，岂不悲哉！故治国无法则乱，守法而弗变则悖，悖乱不可以持国。世易时移，变法宜矣。譬之若良医，病万变，药亦万变。病变而药不变，向之寿民⑥，今为殇子⑦矣。故凡举事必循法以动，变法者因时而化，若此论则无过务⑧矣。夫不敢议法者，众庶⑨也；以死守者，有司⑩也；因时变法者，贤主也。是故有天下七十一圣⑪，其法皆不同。非务相反也，时势异也。故曰良剑期乎断，不期乎镆铘⑫；良马期乎千里，不期乎骥骜⑬。夫成功名者，此先王之千里也。

[注释]

①表：做标记。下文"循表"之"表"，指标记。澭水：古水名，当为古黄河的支流，其故道为黄河所淤塞，当在河南省境内。②暴：突然。益：即"溢"的古字，水满外溢。③而：如。都舍：都市里的房子。④向：从前。可导：指可以顺着标记渡过去。⑤亏：通"诡"，异。⑥寿民：长寿的人。⑦殇（shāng）子：未成年而死的人。⑧无过务：无错事。⑨众庶：众人，指百姓。⑩有司：指各种官吏。⑪七十一圣：指古代的圣贤君主。⑫镆（mò）铘（yé）：宝剑名。⑬骥（jì）骜（ào）：骏马名。

[译文]

楚国人想攻打宋国，派人先在澭水中设置渡河的标志。澭水突然上涨，楚国人不知道，仍按标志在夜里渡河，淹死的有一千多人，军队惊恐混乱的状况就像城里的房屋倒坍一样。当初他们事先设置标志的时候，是可以沿着标志渡河的，现在河水已经发生变化而上涨了，楚国人还按照原来的标志渡河，这就是他们失败的原因。现在的君主要效法古代帝王的法令制度，与这种情况相似。他所处的时代已经与古代帝王的法令制度不适应了，却还说"这是古代帝王的法令制度"，用这种办法治国，难道不是很可悲吗？所以，治国没有法令制度就会出现混乱，死守法令制度不变就荒谬了，荒谬和混乱，是不能保住国家的。社会变化了，时代发展了，变法是应该的了。这就像高明的医生一样，病复杂多变，药也应根据情况加以变化。病变了药却不变，原来可以长寿的人，如今就会成为短命的人了。所以凡是做事情一定要依照法令制度去行动，变法的人要随着时代而变化，如果懂得这个道理，那就没有错误的事了。那些不敢议论法令制度的，是一般的百姓；死守法令制度的，是各种官吏；顺应时代变法的，是贤明的君主。因此，古代享有天下的七十一位圣贤君主，他们的法令制度都不相同，并不是他们有意要彼此相反，而是因为时代和形势不同。所以说，好剑期望它能砍断东西，不一定期望它有镆铘那样的美名；好马期望它能行千里远，不一定期望它有骥骜那样的美称。成就功名，这正是古代帝王所希望达到的"千里"啊。

　　楚人有涉江者，其剑自舟中坠于水，遽契①其舟，曰："是②吾剑之所从坠。"舟止，从其所契者入水求之。舟已行矣，而剑不行，求剑若此，不亦惑乎！以此③故法为其国与此同。时已徙矣，而法不徙，以此为治，岂不难哉？

　　有过于江上者，见人方引婴儿而欲投之江中，婴儿啼。人问其故，曰："此其父善游。"其父虽善游，其子岂遽④善游哉？此任物⑤亦必悖矣。荆国之为政，有似于此。

[注释]

①遽：立刻，马上。契：刻。②是：此，这里。③此：依王念孙说，"此"为衍文。④岂遽：相当于"岂"。⑤此任物："此"上当脱"以"字。任物，对待事物。

[译文]

楚国有个渡江的人，他的剑从船上掉到水里，他急忙在船边刻上记号，说："这里是我的剑掉下去的地方。"等船停了，他就从刻记号的地方下水去找剑。船已经移动了，可是剑却没有移动，像这样寻找剑，不是太糊涂了吗！用旧法来治理国家，与此相同。时代已经前进了，可是法令制度却不随着改变，想用这种办法治理好国家，难道不是很难吗？

有个从江边经过的人，看见一个人正拉着小孩想把他扔到江中，小孩哭起来。人们问这样做的缘故，那人说："这个小孩的父亲擅长游泳。"父亲虽然擅长游泳，儿子难道就擅长游泳吗？用这种办法来处理事物，也一定是荒谬的了。楚国处理政事的情况，与这相似。

先识览第十六

先 识①

凡国之亡也,有道者必先去,古今一也。地从于城②,城从于民,民从于贤。故贤主得贤者而民得,民得而城得,城得而地得。夫地得岂必足行其地③、人说④其民哉?得其要而已矣。

[注释]

①题解:"先识"就是先见、预言,阐明贤者能够预见国家败亡的道理,告诫君主要寻贤、任贤,并指出"善听"的重要性。②地从于城:意思是,城存则地存,城亡则地亡。③足行其地:指亲自到那里去。④说:劝说。

[译文]

大凡国家濒于灭亡的时候,有道的人一定会事先离开,古今都是一样的。土地的归属取决于城邑的归属,城邑的归属取决于民众的归属,民众的归属取决于贤人的归属。所以,贤明的君主得到贤人辅佐,民众自然就得到了;得到民众,城邑自然就得到了;得到城邑,土地自然就得到了。获得土地难道一定要亲自到达那里,一一劝说那里的民众吗?只要得到治国的根本就够了。

夏太史令终古出其图法①，执而泣之。夏桀迷惑，暴乱愈甚。太史令终古乃出奔如商②。汤喜而告诸侯曰："夏王无道，暴虐百姓，穷其父兄，耻其功臣，轻其贤良，弃义听谗，众庶咸怨，守法之臣③，自归于商。"殷内史向挚④见纣之愈乱迷惑也，于是载其图法，出亡之周。武王大说，以告诸侯曰："商王大乱，沈于酒德⑤，辟⑥远箕子，爱近姑与息⑦。妲己⑧为政，赏罚无方，不用法式，杀三不辜⑨，民大不服。守法之臣，出奔周国。"

[注释]

①太史令：官职名，掌典册、祭祀、天文历算等。终古：人名。图法：图录和法典。②太史令终古乃出奔如商：传说桀凿池为夜宫，男女杂处，三旬不理朝政。终古执其图法泣谏，桀不听，终古遂出奔商。③守法之臣：指夏太史令终古。守法，掌管法典。④内史：官职名。掌著作简册、策命官爵等。向挚：人名。⑤沈于酒德：沉湎在饮酒当中。沈，溺于所好。酒德，以酗酒为德，指酒后混乱。⑥辟：通"避"，躲避。⑦姑：妇女，指宠妃。息：小儿，这里指男宠。⑧妲（dá）己：纣的宠妃。⑨杀三不辜：指剖比干之心、析材士之股、刳（kū）孕妇而观其胞胎这三件事情。不辜，无罪的人。

[译文]

夏朝的太史令终古拿出典册，抱着哭泣，夏桀执迷不悟，荒淫暴虐更厉害了。终古于是逃奔商。商汤高兴地告诉诸侯说："夏王无道，残害百姓，窘迫父兄，侮辱功臣，轻慢贤人，背弃道义，听信谗言。众人都怨恨他，他的掌管典册的太史令终古已归顺了商。"殷商的内史向挚，看到纣王越来越昏惑迷乱，于是用车载着殷商典册逃奔周。武王非常高兴，把这事告诉诸侯说："商王非常昏乱，沉湎于饮酒作乐，躲避疏远箕子，亲近妇人和男宠，妲己参与朝政，赏罚没有准则，做事不依法度，残杀了三个无辜的人，民众大为不服。他的掌管典册的臣子已出逃到周的国都。"

晋太史屠黍①见晋之乱也，见晋公之骄而无德义也，以其图法归周。周威公见而问焉②，曰："天下之国孰先亡？"对曰："晋先亡。"威公问其故，对曰："臣比③在晋也，不敢直言，示晋公以天妖④，日月星辰之行多以不当。曰：'是何能为？'又示以人事多不义，百姓皆郁怨。曰：'是何能伤？'又示以邻国不服，贤良不举。曰：'是何能害？'如是，是不知所以亡也。故臣曰晋先亡也。"居三年，晋果亡⑤。威公又见屠黍而问焉，曰："孰次之？"对曰："中山⑥次之。"威公问其故，对曰："天生民而令有别，有别，人之义⑦也，所异于禽兽麋鹿也，君臣上下之所以立也。中山之俗，以昼为夜，以夜继日，男女切倚⑧，固⑨无休息，康乐，歌谣好悲，其主弗知恶，此亡国之风也。臣故曰中山次之。"居二年，中山果亡⑩。威公又见屠黍而问焉，曰："孰次之？"屠黍不对。威公固问焉，对曰："君次之。"威公乃惧，求国之长者⑪，得义莳、田邑⑫而礼之，得史骥、赵骈⑬以为谏臣，去苛令三十九物⑭，以告屠黍。对曰："其⑮尚终君之身乎！"曰⑯："臣闻之，国之兴也，天遗之贤人与极言⑰之士；国之亡也，天遗之乱人与善谀之士。"威公薨⑱，肂⑲九月不得葬，周乃分为二⑳。故有道者之言也，不可不重也。

[注释]

①屠黍：晋幽公的太史。②周威公：战国时小国西周国君。焉：之，代屠黍。③比（bì）：近来。④天妖：不吉祥的天象。妖，不祥的征兆。⑤晋果亡：这里指晋幽王遇乱而死。⑥中山：春秋时白狄别支鲜虞族所建国家，战国时改称中山，位于今河北省中部偏西一带。⑦人之义：指人伦。⑧切（qiè）倚：偎依，指男女之间没有礼法。⑨固：坚持，持续。⑩中山果亡：为魏文侯所灭。⑪长者：指德高望重的人。⑫义莳、田邑：都是当时的贤人。⑬史骥、赵骈：都是当时的直言之人。⑭物：事。⑮其：表委婉的语气词，有"大概"、"恐怕"的意思。⑯曰：主语是屠黍。⑰极言：尽言，敢于把所有的话都说出来。⑱薨（hōng）：古代专指诸侯死。⑲肂（sì）：暂殡，假葬，即把棺柩暂时埋在地中，等待正式安葬。⑳周乃分为二：周威公死后，西周分裂为西周、东周二小国。

[译文]

晋国的太史屠黍,看到晋国混乱,君主骄横,缺德少义,于是带着晋国的典册归顺周国。周威公接见他时问道:"天下的诸侯国哪个先亡?"屠黍回答说:"晋国先灭亡。"威公问他原因,屠黍回答说:"我近来在晋国,不敢直言劝谏,我拿天象的异常、日月星辰的运行不合常规启示晋君,他说:'这些又能怎么样?'我又拿人事的处理多不符合道义、百姓郁闷怨恨的情况启示他,他说:'这些又能有什么妨害?'我又拿邻国不归服、贤人得不到举用的情况启示他,他说:'这些又能有什么危害?'像这样,就是不知道国家何以灭亡的原因啊。所以我说晋国先亡。"过了三年,晋国果然灭亡了。威公又接见屠黍,问他说:"接下来是哪一个国家灭亡?"屠黍回答说:"中山国接着要灭亡。"威公问他原因,屠黍回答说:"上天生下人来,让男女有别。男女有别,这是人伦大义,是人与禽兽麋鹿不同的地方,也是君臣上下关系得以确立的基础。中山国的习俗,以日为夜,夜以继日,男女耳鬓厮磨,互相偎依,没有停止的时候,纵情淫乐,喜好悲音,对这种习俗,中山国的君主不知厌恶,这是亡国的风俗啊,所以我说中山国接着要灭亡。"过了两年,中山国果然灭亡了。威公又接见屠黍,问他:"哪一国接着要灭亡?"屠黍不回答。威公坚持问他,他回答说:"接着要灭亡的是您。"威公听了才知道害怕,访求国中德高望重的人,得到义莳、田邑两位贤者,对他们以礼相待;得到史骈、赵骈两位直言之士,让他们做谏官,废除了苛刻的法令三十九条。威公把这些情况告诉了屠黍,屠黍回答说:"这大概可以保您一生平安吧!"又说:"我听说过,国家将兴盛的时候,上天给它降下贤人和敢于直谏的人;国家将灭亡的时候,上天给它降下乱臣贼子和善于阿谀谄媚的人。"威公死了,暂殡九个月不得安葬,周国于是分裂为两个小国。所以有道之士的话,不可以不重视啊。

周鼎著饕餮①，有首无身，食人未咽，害及其身，以言报更②也。为不善亦然。白圭③之中山，中山之王欲留之，白圭固辞，乘舆而去。又之齐，齐王④欲留之仕，又辞而去。人问其故，曰："之二国者皆将亡。所学⑤有五尽。何谓五尽？曰：莫之必⑥，则信尽矣；莫之誉，则名尽矣；莫之爱，则亲尽矣；行者无粮、居者无食，则财尽矣；不能用人、又不能自用，则功尽矣。国有此五者，无幸⑦必亡。中山、齐皆当此。"若使中山之王与齐王闻五尽而更之，则必不亡矣。其患不闻，虽闻之又不信。然则人主之务，在乎善听而已矣。夫五割而与赵⑧，悉起而距军乎济上⑨，未有益也。是弃其所以存⑩，而造⑪其所以亡也。

[注释]

①饕（tāo）餮（tiè）：古代传说中一种贪残的恶兽，钟鼎彝器上常铸刻其头部形状作为装饰。②报更：报偿。③白圭：魏人，与惠施同时。中山：指赵武灵王所灭的中山，与上文中山当属二国。④齐王：指齐湣王。⑤所学：等于说"所闻"。⑥必：相信，信赖。⑦无幸：无可幸免。⑧五割而与赵：指中山国五次割地给赵国。⑨悉起而距军乎济上：指齐湣王率领齐军在济水一带抵御以燕国为首的五国联军的进攻。距，通"拒"，抵御。⑩所以存：用以使自己生存的东西，指上文的信、名、亲、财、功。⑪造：招致。

[译文]

周鼎上铸有饕餮纹的装饰，有头没有身子，吃了人不及下咽，祸害降临自身，这是表明恶有恶报啊。做不善的事也是这样。白圭到中山国，中山国的君主想留下他，白圭坚决推辞，乘车离开了。又到了齐国，齐国君主想留他做官，他又推辞，离开了齐国。有人问他原因，他说："这两个国家都将要灭亡。我听说有所谓'五尽'，什么叫'五尽'？就是：没有人相信，那么信用就丧尽了；没有人赞誉，那么名声就丧尽了；没有人喜爱，那么亲情就丧尽了；行路的人没有干粮，居家的人没有吃的，那么财物就丧尽了；不能任用贤人，又不能发挥自己的作用，那么功业就丧尽了。国家有这五种情况，必定灭亡，无可幸免。中山、齐国正符合这些情况。"假如中山的君主和齐国的君主听了"五尽"的道理，并改正自己的所为，那就一定不会灭亡了。他们的祸患在于没有听到这些话，即使听到了又不相信。这样看来，君主的任务，在善于听取意见罢了。中山五次割让土地给赵国，齐湣王率领全部军队在济水一带抵御以燕国为首的五国联军，都没有用啊。这是由于他们抛弃了那些能使国家生存的根本，而招致了那些灭国的祸患。

观 世①

天下虽有有道之士，国②犹少。千里而有一士，比肩③也；累世④而有一圣人，继踵⑤也。士与圣人之所自来，若此其难也，而治必待之，治奚由至？虽幸而有，未必知也，不知则与无贤同。此治世之所以短，而乱世之所以长也。故王者不四⑥，霸者不六⑦，亡国相望，囚主相及⑧。得士则无此之患。此周之所封⑨四百馀，服国八百馀，今无存者矣。虽存，皆尝亡矣。贤主知其若此也，故日慎一日，以终其世。譬之若登山，登山者，处已高矣，左右视，尚巍巍焉⑩山在其上。贤者之所与处，有似于此。身已贤矣，行已高矣，左右视，尚尽贤于己。故周公旦曰："不如吾者，吾不与处，累我者也；与我齐者，吾不与处，无益我者也。"惟贤者必与贤于己者处。贤者之可得与处也，礼之也。

[注释]

①题解："观世"就是详察当世治乱的缘由。②国：依王念孙、蒋维乔说，疑当做"固"。③比肩：并肩，肩靠着肩。④累世：连续数代。⑤继踵：接踵，脚挨着脚。与"比肩"本意都是形容人多，这里则表明贤者难得。⑥王者不四：称王的君主没有出现四个。这是对"三王"而言。⑦霸者不六：称霸的诸侯没有出现六个。这是对春秋"五霸"而言。⑧囚主相及：被囚禁

的君主一个接一个。⑨封：指分封诸侯。⑩巍巍焉：高峻的样子。

[译文]

　　天下虽然有得道之士，但本来就很少。如果方圆千里有一个贤士，那就很多了，可以称得上是肩并肩了；如果几代出一个圣人，可以称得上是脚挨脚了。贤士和圣人的出现，竟这样困难，可是国家的安定却一定要依靠他们，像这样，国家安定的局面怎么能到来？虽然如此，幸而有贤人，却未必被人知道。不被人知道，那就跟没有贤人一样。这就是为什么治世很短而乱世很长的原因。所以称王的人没有出现第四位，称霸诸侯的人没有出现第六位，被灭亡的国家却一个接着一个，被囚禁的君主一个挨着一个。得到贤士就没有这样的祸患了。这就是周朝所封的四百多个诸侯、归服的八百多个国家，现在没有存在的原因。即便有存在下来的，也都曾灭亡过。贤明的君主知道这些，所以一天比一天谨慎，以保自己终身平安。就好像是登山，登山的人，爬到的地方已经很高了，左右看看，山还是高高在上。贤人和别人相处，与此相似。自己已经很贤明了，品行已经很高尚了，左右看看，还有许多超过自己的人。所以周公旦说："不如我的人，我不跟他在一起，因为他会拖累我；跟我差不多的人，我不跟他在一起，因为他对我没有益处。"只有贤人一定跟超过自己的人在一起。跟贤人在一起是能够办到的，那就是礼遇他们。

　　主贤世治，则贤者在上；主不肖世乱，则贤者在下。今周室既灭，天子既废，乱莫大于无天子。无天子则强者胜弱，众者暴寡，以兵相刬①，不得休息。而佞进②。今之世当之矣。故欲求有道之士，则于江海之上，山谷之中，僻远幽闲之所，若此则幸于得之矣。太公钓于滋泉③，遭纣之世也，故文王得之。文王，千乘也；纣，天子也。天子失之，而千乘得之，知之与不知也。诸众齐民，不待知而使，不待礼而令。若夫有道之士，必礼必知，然后其智能可尽也。

[注释]

①刬（chǎn）：灭。②而佞进：依王念孙说，此三字疑在上文"贤者在下"之下。陈奇猷疑为注文。佞，奸佞小人。进，受到举用。③滋泉：水名。疑即今陕西渭水。

[译文]

君主贤明，世道安定，贤人就居高位；君主不肖，世道混乱，贤人就在下位，奸佞小人却受到提拔重用。现在周王室已经灭亡，天子已经废黜，世道混乱没有比无天子更严重的了。没有天子，强大的就战胜弱小的，人多势众的就侵凌势孤力单的，用武力消灭对方，没有止息的时候。如今的世道正是这样。所以想要访求有道之士，就应该到江海之滨、山谷之中、僻远幽静之处去，这样做有幸就能得到他们。太公望在滋泉边钓鱼，是因为遇到纣王的乱世，所以周文王能够得到他。文王只是拥有千辆兵车的诸侯，纣王是天子，然而天子失去了太公，而诸侯却得到了，这是因为文王了解太公，而纣王不了解太公啊。平民百姓，不必了解就可以驱使他们，不必礼遇就可以命令他们。至于有道之士，一定要礼遇他们，一定要了解他们，然后才可以让他们把智慧、才能全都贡献出来。

晏子之晋，见反裘负刍息于涂①者。以为君子也，使人问焉，曰："曷为而至此？"对曰："齐人累之②，名为越石父③。"晏子曰："嘻！"遽解左骖④以赎之，载而与归。至舍，弗辞而入。越石父怒，请绝⑤。晏子使人应之曰："婴未尝得交也，今免子于患，吾于子犹未邪？"越石父曰："吾闻君子屈乎不己知者，而伸乎己知者。吾是以请绝也。"晏子乃出见之，曰："向⑥也见客之容而已，今也见客之志。婴闻察实者不留声⑦，观行者不讥辞⑧，婴可以辞而无弃⑨乎？"越石父曰："夫子礼之，敢不敬从。"晏子遂以为客⑩。俗人有功则德⑪，德则骄。今晏子功免人于厄矣，而反屈下之，其去俗亦远矣。此令功⑫之道也。

[注释]

①反裘：翻穿皮衣。古人穿皮衣一般是毛朝外，这里的"反裘"指毛朝里穿，为的是爱惜毛。刍（chú）：喂牲口的草。涂：道路。②齐人累之：齐人把他当做奴隶。累，通"缧"，本指拘系犯人的绳索，引申为囚禁。③越石父（fǔ）：人名。④骖：驾车时辕马两旁的马。⑤绝：断绝交情。⑥向：刚才。⑦察实者不留声：考察人的功实，不留意人的名声。留，留意，这里有"察"的意思。⑧讯：察，查问。辞：言辞。⑨辞：谢罪。弃：被动用法，被拒绝。⑩客：指上宾。⑪德：用如动词，自认为有德。⑫令功：《晏子春秋》、《新序》作"全功"，今从之。

[译文]

晏子出使到晋国去，看见一个反穿皮衣背着草正在路边休息的人。晏子觉得这人是个君子，就派人问他说："你为什么落到这个地步？"那人回答说："我给齐国人做奴隶，名叫越石父。"晏子听后说："噢！"立刻解下最左边驾车的马把这个人赎了出来，让他乘车一起回去。到了馆舍，晏子不向他告辞就进去了。越石父很生气，请求与晏子绝交。晏子派人回答他说："我不曾跟你结交啊。现在我把你从患难中解救出来，我对你还不够意思吗？"越石父说："我听说君子在不了解自己的人面前可以忍受屈辱，在了解自己的人面前就要挺胸做人。因此，我要和您绝交。"晏子于是出来见越石父，说："刚才只是看到您的容貌罢了，现在才看到您的心志。我听说考察人实情的人，不太留意人的虚名；观察人行为的人，不太注意人的言辞。我可以向您谢罪而不被拒绝吗？"越石父说："先生您以礼对待我，我怎敢不恭敬从命。"晏子于是把他待为宾客。世俗之人有功劳就自以为有恩德，有恩德就对别人骄慢。现在晏子有从困境中解救人的功劳，自己反而屈尊待人，他超出世俗已经太远了。这就是保全功劳的方法呀。

子列子穷，容貌有饥色。客有言之于郑子阳①者，曰："列御寇，盖有道之士也，居君之国而穷，君无乃为不好士乎？"郑子阳令官遗之粟数十秉②。子列子出见使者，再拜而辞。使者去，子列子入，其妻望而拊心③曰："闻为有道者妻子，皆得逸乐。今妻子有饥色矣，君过④而遗先生食，先生又弗受也。岂非命也哉？"子列子笑而谓之曰："君非自知我也，以人之言而遗我粟也，至已而⑤罪我也，有⑥罪且以人言。此吾所以不受也。"其卒民果作难，杀子阳。受人之养而不死其难，则不义，死其难则死无道⑦也，死无道，逆也。子列子除不义去逆也岂不远哉？且方有饥寒之患矣，而犹不苟取，先见其化⑧也。先见其化而已动⑨，达乎性命之情也。

[注释]

①子阳：郑附庸国的君主，又为郑相。②秉：古量名，十六斛为一秉。③望：怨。拊心：手拍胸脯，表示气愤。④过：探望。⑤已而：过不久。⑥有：通"又"。⑦死无道：为无道的人而死。⑧先见其化：事先预见到事情的发展变化。⑨已：通"以"。动：采取相应的行动，指谢绝子阳的馈赠。

[译文]

列子很贫困，脸上有饥饿的气色。有个宾客把这种情况告诉了郑相子阳，说："列御寇是个有道的士人，在您的国家居住却很贫困，您恐怕不喜欢士人吧？"子阳让属官送给列子几百石粮食。列子出来会见使者，拜而又拜，推辞不受。使者离开了，列子进了门，妻子一见他就怨恨地捶着胸脯说："听说有道之人的妻子、儿女都能得到安乐。如今妻子、儿女已经面有饥色，相国派人探望并给先生您送来吃的，先生您又不接受，我们岂不是命中注定要挨饿吗？"列子笑着对她说："相国自己并不了解我，是因为别人的话，才送给我粮食的，过不了多久，又将会因为别人的话治我的罪，这就是我不接受馈赠的原因。"后来，郑国的民众果然发难，杀死了子阳。接受了人家的供养，却不为他遭难去死，就是不义；为他遭难去死，就是为无道的人而死。为无道的人而死，就是悖逆。列子免除了不义，避开了悖逆，岂不是很有远见吗？正当他受饥寒之苦的时候,仍旧不肯随便接受别人的馈赠,这是因为他事先预见了事情的发展变化。事先预见了事物的发展变化,从而采取相应的对策,这就通晓性命的真谛了。

知 接①

人之目以照②见之也,以瞑则与不见同③,其所以为照、所以为瞑异④。瞑士⑤未尝照,故未尝见,瞑者目无由接⑥也。无由接而言见,诬⑦。智亦然。其所以接智、所以接不智同,其所能接、所不能接异。智者其所能接远也,愚者其所能接近也。所能接近而告之以远,奚由相得?无由相得,说者虽工⑧,不能喻⑨矣。戎人见暴⑩布者而问之曰:"何以为之莽莽⑪也?"指麻而示之。怒曰:"孰之壤壤⑫也,可以为之莽莽也?"故亡国非无智士也,非无贤者也,其主无由接故也。无由接之患,自以为智,智必不接。今不接而自以为智,悖。若此则国无以存矣,主无以安矣。智无以接,而自知弗智,则不闻亡国,不闻危君。

[注释]

①题解:"知接"就是"智力所及"的意思。本篇论述的是智力所及与知贤的道理。②照:同"昭",明亮。③瞑:闭目。这里是"失明"的意思。同:指看见或看不见,眼睛都是相同的。④其所以为照、所以为瞑异:大意是,其接触外物,或明亮、或失明,则是不同的。⑤瞑士:即下文"瞑者",指失明的人。⑥接:接触,这里指接触外物。⑦诬(wū):诬妄,欺骗。⑧工:指善辩。⑨喻:用如使动,使……明白。⑩暴(pù):同"曝",晒。⑪莽莽:又长又大的样子。⑫壤壤:纷乱的样子。

[译文]

人的眼睛,因为明亮才能看见东西,失明就看不见东西,看见或看不见,眼睛是相同的,但接触外物时,或明亮、或失明,却是不同的。失明的人眼睛未曾明亮过，所以从未看见过东西。失明的人眼睛无法与外物接触，没办法与外物接触，却说看见了，这是欺骗。智力也是这样。人们的智力达到或达不到，凭借的条件是相同的，但接触外物时，或聪明、或愚笨，却是不同的。聪明的人，他们的智力能达到很远；愚笨的人，他们的智力所及范围很近。智力所及很近的人，却告诉他长远的变化趋势，怎么能够理解？对于不能理解的人，解说的人即使善辩，也无法使他明白。有个戎人看到一个晒布的，就问他说："用什么东西织得这样又长又大呢？"那个人指着麻丝让戎人看，戎人生气地说："哪有这样乱纷纷的东西可以织得这样又长又大呢？"所以被灭亡的国家不是没有聪明的士人，也不是没有贤德的人，而是因为亡国的君主智力不及，无法接触他们的缘故啊。无法接触他们所带来的祸患，是自以为聪明，这样势必智力达不到。如果智力达不到，却又自以为聪明，这是糊涂。像这样，国家就无法存在了，君主就不能安定了。如果君主智力达不到，而自知智力不高，那么就不会有灭亡的国家，不会有处于险境的君主了。

管仲有疾，桓公往问之，曰："仲父之疾病①矣，将何以教寡人？"管仲曰："齐鄙人②有谚曰：'居者无载③，行者无埋④。'今臣将有远行⑤，胡可以问？"桓公曰："愿仲父之无⑥让也。"管仲对曰："愿君之远易牙、竖刀、常之巫、卫公子启方⑦。"公曰："易牙烹其子以慊⑧寡人，犹尚可疑邪？"管仲对曰："人之情，非不爱其子也。其子之忍⑨，又将何有于君⑩？"公又曰："竖刀自宫⑪以近寡人，犹尚可疑邪？"管仲对曰："人之情，非不爱其，其身之忍，又将何有于君？"公又曰："常之巫审于死生，能去苛病⑫，犹尚可疑邪？"管仲对曰："死生，命也。苛病，失⑬也。君不任⑭其命守其本，而恃归巫，彼将以此无不为也。"公又曰："卫公子启方事寡人十五年矣，其父死而不敢归哭，犹尚可疑邪？"管仲对曰："人之情,非不爱其父也,其父之忍,又将何有于君?"公曰:"诺。"管仲死,尽逐之。食不甘,宫不治,苛病起,朝不肃⑮。居三年,公曰:"仲父不亦过乎?孰谓仲父尽⑯之乎?"于是皆复召而反⑰。明年,公有病,常之巫从中出曰:"公将以某日薨。"易牙、竖刀、常之巫相与作乱,塞宫门,筑高墙,不通人,矫以公令。有一妇人逾垣入,至公所。公曰:"我欲食。"妇人曰:"吾无所得。"公又曰:"我欲饮。"妇人曰:"吾无所得。"公曰:"何故?"对曰:"常之巫从中出曰:'公将以某日薨。'易牙、竖刀、常之巫相与作乱,塞高墙,不通人,故无所得。卫公子启方以书社四十下卫⑱。"公慨焉叹,涕出曰:"嗟乎!圣人之所见,岂不远哉?若死者有知,我将何面目以见仲父乎?"蒙袂而绝乎寿宫⑲。虫⑳流出于户,上盖以杨门㉑之扇,三月不葬㉒。此不卒听管仲之言也。桓公非轻难㉓而恶管子也,无由接见也。无由接,固却其忠言,而爱其所尊贵也。

[注释]

①病:病得很重,病危。②鄙人:乡野之人。③居者:指家居之人。载:车载之物。④埋:指埋葬之物。管仲引此俗谚,意在说明自己病危将死,不能再考虑其他无关的事情了。⑤远行:死的委婉说法。⑥无:通"毋"。⑦常之巫:巫者。他书或作"堂巫"。启方:卫国的公子,在齐国做官,齐桓公的宠臣之一,他书或作"开方"。⑧慊(qiè):满足,这里用如使动。⑨忍:残忍,狠心。⑩何有于君:对您又能怎样呢?⑪宫:阉割。⑫苛病:指鬼降给人的疾病。⑬失:指精神失其守。⑭任:听凭。⑮肃:整饬。⑯尽:指尽可听从。⑰反:返,用如使动,让……回来。⑱书社:古代二十五家为社,把社内人名登录在册,称之书社。下卫:降卫。⑲袂(mèi):衣袖。绝:气绝身亡。寿宫:宫中寝室。⑳虫:尸虫。㉑杨门:依高诱说,当是门名。㉒三月不葬:据《史记·齐世家》、《左传》记载,当做"三月不殡,九月不葬"。㉓轻难(nàn):轻视灾难。

[译文]

管仲得了重病,桓公去探望他,说:"仲父您的病很严重了,您有什么话要教导我呢?"管仲说:"齐国鄙野的人有句谚语说:

'家居的人，不用准备外出时车上装载的东西；行路的人，不用准备家居时需要埋藏的东西。'我快要死了，哪还值得询问？"桓公说："希望仲父您不要推辞。"管仲回答说："希望您能疏远易牙、竖刀、常之巫、卫公子启方。"桓公说："易牙把自己的儿子煮了来满足我的口味，这样的人还用怀疑吗？"管仲回答说："人的本性不是不爱自己的儿子啊，他连自己的儿子都狠心煮了，对您又能怎样呢？"桓公又说："竖刀自我阉割以便在身边侍奉我，这样的人还用怀疑吗？"管仲回答说："人的本性不是不爱自己的身体啊，他连自身都狠心阉割了，对您又能怎样呢？"桓公又说："常之巫能洞察死生，能驱除鬼降给人的疾病，这样的人还用怀疑吗？"管仲回答说："死生是命中注定的，鬼降给人的疾病是精神失守引起的。您不听从天命，守持根本，却倚仗常之巫，他将借此无所不为了。"桓公又说："卫公子启方侍奉我十五年了，他的父亲死了，他都不敢回去哭丧，这样的人还用怀疑吗？"管仲回答说："人的本性不是不爱自己的父亲啊，他连自己的父亲都能狠心对待，对您又能怎样呢？"桓公说："好吧。"管仲死了，桓公把易牙等人全部赶走了。桓公吃饭不香，后宫不安，鬼病四起，朝政混乱。过了三年，桓公说："仲父不也过分了吗？谁说仲父的话都得听从呢？"于是又把易牙等人都召了回来。第二年，桓公病了，常之巫从宫内出来说："君主将在某日去世。"易牙、竖刀、常之巫一起作乱，堵塞了宫门，筑起了高墙，不让人出入，假托这是桓公的命令。有一个妇人翻墙进入宫内，到了桓公住的地方。桓公说："我想吃饭。"妇人说："我没有办法弄到。"桓公又说："我想喝水。"妇人说："我没有办法弄到。"桓公问："为什么？"妇人回答说："常之巫从宫内出来说：'君主将在某日去世。'易牙、竖刀、常之巫一起作乱，堵塞了宫门，筑起了高墙，不让人进来，所以没办法弄到饭和水。卫公子启方带着四十社的人家投降了卫国。"桓公慨然叹息，流着泪说："唉！圣人的预见，难道不是很远吗？如果死者有知，我有什么脸面去见仲父呢?"于是用衣袖蒙住脸,死在寿宫。尸虫爬出门外,尸体上盖着杨门的一扇门,过了三个月不能停枢,过了九个月不能下葬。这是因为桓公不能始终听从管仲的话啊。桓公不是轻视灾难,厌恶管仲,而是智力不够,无法知晓管仲有远见的谏言。正因为无法知晓,所以拒绝管仲的忠言,去宠信他所喜欢的几个奸人。

察　微①

使②治乱存亡若高山之与深溪,若白垩③之与黑漆,则无所用智,虽愚犹可矣。且④治乱存亡则不然,如可知,如可不⑤知;如可见,如可不见。故智士贤者相与积心愁虑⑥以求之,犹尚有管叔、蔡叔之事与东夷八国不听之谋⑦。故治乱存亡,其始若秋毫⑧。察其秋毫,则大物不过矣。

[注释]

①题解:"察微"即考察事物的端倪,本文意在阐发察微知著的道理。②使:假使。③白垩(è):白色的土。④且:等于说"而"。⑤可不:依毕沅说,当做"不可"。⑥愁虑:等于说"积虑"。愁,依王引之说,通"揫",聚的意思。⑦管叔、蔡叔之事与东夷八国不听之谋:管叔、蔡叔为周武王之弟,武王灭商后,分别封于管(今河南郑州)和蔡(今河南上蔡西南)。武王死,成王幼,周公摄政,管叔、蔡叔不服,和纣王之子武庚一起叛乱,东夷八国服从他们不听正命。⑧秋毫:鸟兽在秋天新长出的细毛,用以比喻极微小的事物或东西。

[译文]

假使治乱存亡的区别像高山和深谷,像白土和黑漆那样分明的话,那么就没有必要运用智慧,愚人也可以知道了。可是治乱存亡的区别并不是这样。好像可知,又好像不可知;好像可见,又好像不可见。所以有才智、贤明的人都在千方百计、用尽心机去探求治乱存亡的征兆，尽管如此，尚且有管叔、蔡叔的叛乱事件，和东夷八国不服王命的阴谋。所以治乱存亡，它们刚刚出现的时候，就像鸟兽在秋天新长出的细毛那样。如果能够明察秋毫，那么，在大事上就不会出现过失了。

鲁国之法，鲁人为人臣妾①于诸侯，有能赎之者，取其金于府②。子贡赎鲁人于诸侯，来而让，不取其金。孔子曰："赐③失之矣。自今以往，鲁人不赎人矣。"取其金则无损于行，不取其金则不复赎人矣。子路拯溺者，其人拜④之以牛，子路受之。孔子曰："鲁人必拯溺者矣。"孔子见之以细，观化远⑤也。

[注释]

①臣：男奴仆。妾：女奴仆。②府：收藏钱财的地方，这里指公家府库。③赐：即孔子弟子子贡，姓端木，名赐，字子贡。④拜：谢。⑤观化远：指对事情的发展变化有远见。

[译文]

鲁国的法令规定，鲁国人在其他诸侯国给人做奴仆的，如有能赎出他们的，可以从国库中支取金钱。子贡从其他诸侯国赎出了做奴仆的鲁国人，回国后却辞让，不从国库中支取金钱。孔子说："端木赐做错了。从今以后，鲁国人不会再赎人了。"支取国库中金钱，对品行并没有损害；不支取国库中金钱，就没人再赎人了。子路救了一个溺水的人，那个人用牛来酬谢他，子路收下了牛。孔子说："鲁国人一定会救溺水的人了。"孔子能见微知著，这是由于他能够对事物的发展变化从远处加以考察啊。

楚之边邑曰卑梁①，其处女与吴之边邑处女桑②于境上，戏而伤卑梁之处女。卑梁人操其伤子以让③吴人，吴人应之不恭，怒，杀而去之。吴人往报之，尽屠其家。卑梁公④怒，曰："吴人焉敢攻吾邑？"举兵反攻之，老弱尽杀之矣。吴王夷眛⑤闻之怒，使人举兵侵楚之边邑，克夷⑥而后去之。吴、楚以此大隆⑦。吴公子光又率师与楚人战于鸡父⑧，大败楚人，获其帅潘子臣、小帷子、陈夏啮⑨，又反伐郢⑩，得荆平王之夫人以归⑪，实为鸡父之战。凡持国，太上知始，其次知终，其次知中。三者不能，国必危，身必穷。《孝经》曰："高而不危，所以长守贵也；满而不溢，所以长守富也。富贵不离其身，然后能保其社稷，而和其民人。"楚不能之也。

[注释]

①卑梁：司马迁、毕沅都说是吴边邑，与本文记载不同。②桑：用如动词，采桑。③子：指上文"处女"。古代男孩、女孩都可以称为"子"。让：责备。④卑梁公：卑梁邑的守邑大夫。楚僭称王，故守邑大夫都称公。⑤夷昧：春秋时吴国国君，吴王寿梦的儿子，前530～前527年在位。⑥夷：平。⑦隆：依孙诒让说，通"哄（hòng）"，相斗。⑧公子光：据《史记》、《吴越春秋》记载，为吴王诸樊的儿子。鸡父：古地名，在今河南固始县东南。⑨潘子臣、小帷子：都是楚国大夫。陈夏啮（niè）：陈国大夫夏啮。鸡父之战，陈助楚，故其大夫为吴所擒。按：据《左传》记载，鸡父之战，吴获陈夏啮在鲁昭公二十三年；吴太子终累获潘子臣、小帷（又作"帷"）子在鲁定公六年，与本文所记不同。⑩反：复。郢：楚国国都。⑪得荆平王之夫人以归：本文言"伐郢"，"得荆平王之夫人以归"，与《左传》所载不同。

[译文]

楚国有个边境城邑叫卑梁，那里的姑娘与吴国边境城邑的姑娘一起在边境上采桑叶，在采桑劳动的嬉戏中，吴国姑娘伤了卑梁姑娘。卑梁人带着受伤的姑娘去责备吴国人，吴国人应答很不恭敬，卑梁人很生气，杀死了那个吴国人就离开了。吴国人去报复，把那个楚国人全家都杀死了。卑梁的守邑大夫大怒，说："吴国人怎敢侵犯我的城邑？"发兵去攻打吴国人，连老弱全都杀死了。吴王夷昧听到这事后大怒，派人率兵侵犯楚国的边境城邑，攻克后把它夷为平地，然后才离开。吴国、楚国因此展开大战。吴公子光又率领军队在鸡父跟楚国军队交战，把楚军打得大败，俘虏了楚军的主帅潘子臣、小帷子以及陈国的夏啮。又接着攻打郢，俘获了楚平王的夫人，把她带回吴国，这实际上还是鸡父之战的延续。大凡要守住国家，最上等的是洞察事情的开端，其次是预见到事情的结局，再次是了解事情进展的情况。这三者都做不到，国家一定危险，自身一定困窘。《孝经》说："高却不倾危，才能长期保住尊贵；满却不外溢，才能长期保住富足；尊贵、富裕不离身，这样才能保住国家，使民众和谐。"楚国不能做到这些。

郑公子归生①率师伐宋。宋华元率师应之大棘②，羊斟御③。明日将战，华元杀羊飨士，羊斟不与焉。明日战，怒谓华元曰："昨日之事，子为制④；今日之事，我为制。"遂驱入于郑师。宋师败绩，华元虏。夫弩机差以米⑤则不发。战，大机也。飨士而忘其御也，将以此败而为虏，岂不宜哉！故凡战必悉熟偏⑥备，知彼知己，然后可也。

[注释]

①归生：春秋时期郑国大夫，字子家。②华元：春秋时期宋国大夫，历事文公、共公、平公三君。应：应战。大棘：宋邑，故址在今河南柘城县西北。③羊斟：宋人，华元的驭手，后奔鲁。御：驾车。④制：这里是"控制"、"掌握"的意思。⑤弩机：弩牙，弩上发箭的装置。弩，古代一种利用机械力量发射箭的弓。米：指一个米粒的长度。⑥偏：通"遍"。

[译文]

郑公子归生率军攻打宋国。宋国的华元率军在大棘应战，羊斟给他做驭手。第二天将要作战，华元杀羊犒赏兵士，羊斟却不在犒赏之列。第二天作战的时候，羊斟愤怒地对华元说："昨天犒赏的事由你掌握，今天驾车的事该由我掌握了。"于是就驾车一直冲到郑国军队里。宋国军队大败，华元被俘。弩上的弩牙相差一个米粒就不能发射，作战正像一个大弩。犒赏兵士却忘了自己的驭手，将帅因此战败被俘，难道不应该吗？所以，大凡作战一定要熟悉全部情况，做好全面准备，知己知彼，然后才可作战。

鲁季氏①与郈氏②斗鸡，郈氏介③其鸡，季氏为之金距④。季氏之鸡不胜，季平子怒，因归郈氏之宫而益其宅。郈昭伯怒，伤之于昭公，曰："禘⑤于襄公之庙也，舞者二人⑥而已，其馀尽舞于季氏。季氏之无道无上久矣，弗诛，必危社稷。"公怒，不审，乃使郈昭伯将师徒以攻季氏，遂入其宫。仲孙氏、叔孙氏⑦相与谋曰："无季氏，则吾族也死亡无日矣。"遂起甲以往，陷西北隅以入之，三家为一，郈昭伯不胜而死。昭公惧，遂出奔齐，卒于干侯⑧。鲁昭听伤而不辩⑨其义，惧以鲁国不胜季氏，而不知仲、叔氏之恐，而与季氏同患也。是不达乎人心也。不达乎人心，位虽尊，何益于安也？以鲁国恐不胜一季氏，况于三季？同恶⑩固相助。权物若此其过也，非独仲、叔氏也，鲁国皆恐。鲁国皆恐，则是与一国为敌也，其得至干侯而卒犹远。

[注释]

①季氏：季孙氏，鲁国最有权势的贵族。此指季平子。②郈（hòu）氏：鲁国公室。此指郈昭伯。③介：甲，用如动词，给……披上甲。④为之金距：给鸡套上金属爪。距，鸡爪。⑤禘（dì）：古代帝王、诸侯举行各种大祭的总称。凡祭天、宗庙时祭和宗庙大祭都称作禘。⑥二人：依毕沅说，当为"二八"之误。古代舞制，天子八佾（舞蹈时八人一行，谓之一佾），诸侯六佾，大夫四佾。鲁本是诸侯，礼当六佾，今只用二佾，其余四佾为季氏占有。故《论语·八佾》说季氏"八佾舞于庭"。⑦仲孙氏、叔孙氏：都是鲁国的贵族，与季孙氏同为鲁桓公后代。⑧干侯：晋邑，故址在今河北成安县东南。⑨辩：通"辨"，分辨。⑩同恶（wù）：所厌恶的相同。这里指仲孙氏、叔孙氏、季孙氏都厌恶昭公。

[译文]

鲁国的季氏与郈氏斗鸡，郈氏给他的鸡披上甲，季氏给鸡套上金属爪。季氏的鸡没有战胜，季平子很生气，于是侵占郈氏的房屋，扩大自己的庭院。郈昭伯非常恼怒，就在昭公面前诋毁季氏说:"您在襄公庙举行大祭的时候,舞蹈的人仅有十六个而已,其余的人都到季氏家去了。季氏家舞蹈人数超过礼制,他目无君主已很长时间了,不杀掉他,一定会危害国家。"昭公大怒,不加调查,就派郈昭伯率领军队去攻打季氏,攻入了他的庭院。仲孙氏、叔孙氏彼此商量说:"如果没有了季氏,那我们家族离灭亡也没几天了。"于是发兵前往救助,攻破院墙的西北角,进入庭院,三家合兵一处,郈昭伯战败被杀。昭公害怕了,于是逃到齐国,后来死在干侯。鲁昭公听信诬毁季氏的话,却不分辨是非曲直,是否合乎道义,他只害怕鲁国不能胜过季氏,却不了解仲孙氏、叔孙氏也很恐惧,他们与季孙氏是患难与共的,这是由于不了解人心啊!不了解人心,地位即便尊贵,对安定又有什么益处呢?凭借鲁国尚且害怕不能胜过一个季氏,更何况三个季氏呢?他们都厌恶昭公,本来就会互相救助。昭公权衡事情错误到如此地步,不只是仲孙氏、叔孙氏,整个鲁国都会感到恐惧。整个鲁国都感到恐惧,这就是与整个国家为敌了。昭公与整个国家为敌,在国内就该被杀,今死在干侯,还算有幸死得晚了呢!

去 宥①

东方之墨者谢子②,将西见秦惠王。惠王问秦之墨者唐姑果③。唐姑果恐王之亲谢子贤④于己也,对曰:"谢子,东方之辩士也。其为人甚险,将奋于说⑤,以取少主⑥也。"王因藏怒以待之。谢子至,说王,王弗听。谢子不说,遂辞而行。凡听言以求善也,所言苟善,虽奋于取少主,何损?所言不善,虽不奋于取少主,何益?不以善为之悫⑦,而徒以取少主为之悖,惠王失所以为听矣。用志若是,见客虽劳,耳目虽弊⑧,犹不得所谓也。此史定所以得行其邪⑨也,此史定所以得饰鬼以人、罪杀不辜,群臣扰乱,国几大危也。人之老也,形益衰而智益盛。今惠王之老也,形与智皆衰邪?

[注释]

①题解:"去宥"论述要正确认识事物,必须去掉主观偏见。②谢子:姓谢,子是古代对人的尊称。他书或作"射子"。③唐姑果:秦国的墨家人物。他书或作"唐姑"、"唐姑梁"。④贤:胜过,超过。⑤奋于说:竭力游说。⑥取少主:取得少主的欢心。少主:指惠王的太子。⑦为之悫(què):认为他忠厚老实。为,通"谓"。下句"为"与此同。悫,诚实,忠厚。⑧弊:疲惫。⑨史定:秦史官,名定。行其邪:即指下文的"饰鬼以人,罪杀不辜"。

[译文]

东方墨家学者谢子,将要到西方去拜见秦惠王。惠王向秦国墨家学派的唐姑果打听谢子的情况。唐姑果担心秦王亲近谢子超过自己,就回答说:"谢子是东方能言善辩的人,他为人很阴险,这次来将竭力游说,以博取太子的欢心。"秦王于是心怀愤怒地等待谢子到来。谢子来了,游说秦王,秦王不听从他的意见。谢子很不高兴,于是就告辞走了。凡听取别人的谏言,是为了从中得到好处,如果所说的意见好,即便是竭力想取悦太子,又有什么损害?如果所说的意见不好,即便不取悦太子,又有什么益处?不因为他的意见好认为他诚实,而仅因为他想取悦太子就认为他悖逆,惠王丧失了听取谏言的目的了。像这样运用心思,会见宾客即使很劳苦,耳朵眼睛即使非常疲惫,还是得不到宾客言谈的要旨。这就是史定能干邪僻事的原因,史定因而能用人装扮成鬼、加罪杀戮无辜的人,以致群臣骚乱,国家几乎危亡。人到了年老的时候,身体越来越衰弱,可是智慧却越来越旺盛。现在惠王到了老年,身体和智慧全都衰竭了吗?

荆威王学书于沈尹华①,昭釐②恶之。威王好制③,有中谢④佐制者,为昭釐谓威王曰:"国人皆曰王乃沈尹华之弟子也。"王不说,因疏沈尹华。中谢,细人⑤也,一言而令威王不闻先王之术,文学之士不得进,令昭釐得行其私。故细人之言,不可不察也。且数怒⑥人主,以为奸人除路⑦,奸路以除而恶壅却⑧,岂不难哉?夫激矢⑨则远,激水则旱⑩,激主则悖,悖则无君子矣。夫不可激者,其唯先有度。

[注释]

①荆威王:即楚威王,名熊商。前339~前329年在位。书:指古代文献典籍。沈尹华:楚威王之臣。②昭釐(xī):当是楚威王之臣。③制:法律,法制。④中谢:官职名,侍奉帝王的近臣。⑤细人:小人,指地位卑贱的人。⑥怒:用如使动,意为激怒。⑦除路:扫清仕进的路。⑧壅却:阻绝。⑨激矢:这里指奋力拉弓引箭。⑩旱:通"悍",凶猛。

[译文]

楚威王向沈尹华学习文献典籍,昭釐对此很忌恨。威王喜好法制,有个帮助制定法令的中谢官替昭釐对威王说:"国人都说:'大王是沈尹华的弟子。'"威王不高兴了,于是就疏远了沈尹华。中谢官是地位卑贱的人,一句话就能让威王不听先王的治道,使那些研习、精通古代文献典籍的人不得重用,让昭釐得以实现自己的阴谋。所以,对地位卑贱的人所说的话,不可不明察啊。他们多次激怒人主,借此替奸人扫清仕进的路。奸人仕进的路扫清了,却又厌恶贤人仕进的路被阻塞,这岂不是很难吗?奋力引弓拉箭,箭就射得远;阻遏水流,水势就猛;激怒君主,君主就会悖谬,君主悖谬就没有君子辅佐了。不可激怒的,大概只有心中早有定则的君主吧。

邻父①有与人邻者,有枯梧树,其邻之父②言梧树之不善也,邻人遽伐之。邻父因请而以为薪。其人不说曰:"邻者若此其险也,岂可为之邻哉?"此有所宥③也。夫请以为薪与弗请,此不可以疑枯梧树之善与不善也。

[注释]

①邻父：当涉下文而衍。②父：古代对老年男子的尊称。③宥：通"囿"，局限，蒙蔽。

[译文]

有个和别人邻居的人，家中有棵干枯的梧桐树，与他为邻的一位老者说，这棵梧桐不好，他立刻就把它伐了。邻家老者于是要那棵梧桐树，想用来当柴烧。他不高兴地说："这个邻居竟这样险诈，怎么可与他做邻居呢？"这是有所蒙蔽啊。要那棵梧桐做柴烧，或是不要，这些都不能作为怀疑梧桐树好坏的依据。

齐人有欲得金者，清旦，被①衣冠，往鬻②金者之所，见人操金，攫③而夺之。吏搏④而束缚之，问曰："人皆在焉，子攫人之金，何故？"对吏⑤曰："殊⑥不见人，徒见金耳。"此真大有所宥也。

夫人有所宥者，固以昼为昏，以白为黑，以尧为桀。宥之为败亦大矣。亡国之主，其皆甚有所宥邪？故凡人必别宥然后知，别宥则能全其天⑦矣。

[注释]

①被（pī）：通"披"，这里是"穿戴"的意思。②鬻（yù）：卖。③攫：本指鸟用爪疾取，引申为抓取。④搏：抓住。⑤吏：依孙人和说，当是涉上文而衍。⑥殊：极，非常。这里有"根本"的意思。⑦天：指身体，生命。

[译文]

齐国有个一心想得到金子的人，清晨，他穿上衣服，戴好帽子，到卖金子的人那里，看见有人拿着金子，抓住金子就夺了过来。官吏把他抓住捆了起来，问他说："人都在这里，你抢人家的金子，这是为什么？"他回答说："我根本没有看见人，只看见金子罢了。"这真是被蒙蔽到极点了。

有所蒙蔽的人，当然会把白天当成黑夜，把白当成黑，把尧当成桀。被蒙蔽的害处真也太大了！亡国的君主们，大概都是被蒙蔽到极点了吧。所以，人一定要能够区分什么是蒙蔽，然后才能知道事物的全貌，能区分什么是蒙蔽，就能保全自身了。

审分览第十七

审 分[①]

凡人主必审分,然后治可以至,奸伪邪辟之涂[②]可以息,恶气苛疾无自[③]至。夫治身与治国,一理之术也。今以众地者,公作则迟,有所匿其力也;分地则速,无所匿迟[④]也。主亦有地,臣主同地,则臣有所匿其邪[⑤]矣,主无所避其累[⑥]矣。

[注释]

①题解:"审分"指明察君臣的职分。分,名分,职分。②涂:通"途",途径。③苛疾:恶疾,重病。无自:无从。④无所匿迟:指无法藏匿力气,无法缓慢耕种。⑤邪:私。⑥累:负累。

[译文]

大凡君主,一定要明察君臣的职分,然后国家安定的局面才可以实现,奸诈、邪僻的渠道才可以堵塞,浊气、恶疫才无法出现。修身与治国道理是一样的。现在许多人种地,共同耕作就缓慢,这是因为人们有办法隐藏力气;分开耕作就迅速,这是因为人们无法隐藏力气,无法缓慢耕作。君主治理国家也像种地一样,臣子和君主共同治理,那么臣子就有办法隐藏自己的阴私,君主就无法避开负累了。

凡为善难，任善①易。奚以知之？人与骥俱走，则人不胜骥矣；居于车上而任骥，则骥不胜人矣。人主好治人官②之事，则是与骥俱走也，必多所不及矣。夫人主亦有居车③，无去车，则众善皆尽力竭能矣，谄谀诐④贼巧佞之人无所窜⑤其奸矣，坚穷⑥廉直忠敦之士毕竞劝骋骛⑦矣。人主之车，所以乘物也。察乘物之理，则四极⑧可有。不知乘物，而自怙⑨恃，夺⑩其智能，多其教诏，而好自以⑪，若此则百官恫扰，少长相越，万邪并起。权威分移，不可以卒，不可以教，此亡国之风也。

[注释]

①任善：任用善人，即任用做善事的人。②人官：官吏。③居车：坐在车上。④诐（bì）：邪僻。⑤窜：藏匿。⑥坚：刚强。穷：依刘师培说，当为"睿"字之误。睿，睿智，明智。⑦劝：勉励，鼓励。骋骛：奔跑，这里是"竭力效劳"的意思。⑧四极：四方边远之地。⑨怙（hù）恃：仗恃，凭借。⑩夺：依王念孙说，当为"奋"之误。奋，矜恃，矜夸。⑪自以：刚愎自用。

[译文]

凡是亲自去做好事就困难，任用别人做好事就容易。凭什么知道是这样呢？人与千里马一起跑，那么人不能跑过千里马；人坐在车上驾驭千里马，那么千里马就不能跑过人了。君主喜欢处理官吏职权范围内的事，那么，这就是和千里马一起跑啊，一定在很多方面都赶不上。君主必须像驾车的人一样，坐在车上，不要离开车子，那么众多做好事的人，都会尽心竭力了，阿谀奉承、邪恶奸巧的人就无法藏匿其奸了，刚强睿智、忠诚淳朴的人，就争相奔走效劳了。君主的车子，是用来载物的。懂得了载物的道理，那么四方边远之地都可以拥有；不懂得载物的道理，仗恃自己的能力，夸耀自己的才智，教令下得很多，喜好刚愎自用，这样，各级官吏就都恐惧骚乱，长幼失序，各种邪恶一起出现。权力分散下移，不得善终，不可施教，这是亡国的风俗啊。

王良①之所以使马者，约②审之以控其辔，而四马莫敢不尽力。有道之主，其所以使群臣者亦有辔。其辔何如？正名审分，是治之辔已。故按其实而审其名，以求其情；听其言而察其类，无使放悖③。夫名多不当其实，而事多不当其用者，故人主不可以不审名分也。不审名分，是恶壅而愈塞④也。壅塞之任，不在臣下，在于人主。尧、舜之臣不独义⑤，汤、禹之臣不独忠，得其数⑥也；桀、纣之臣不独鄙⑦，幽、厉之臣不独辟，失其理也。

[注释]

①王良：春秋时晋国驾车高手。②约：简要。③放：放纵。悖：悖逆。④恶壅而愈塞：厌恶壅闭，反而更加阻塞。壅，壅闭。⑤尧、舜之臣不独义：尧、舜的臣子不全都仁义。⑥得其数：驾驭得法的意思。数，术。⑦鄙：鄙陋。

[译文]

　　王良驾马的方法，是明察驾马的要领，握住马缰绳，所以四匹马没有敢不用尽力气的。有道术的君主，他驾驭臣子们也有"缰绳"。那"缰绳"是什么呢？端正名爵，审察职分，这就是治理臣子们的"缰绳"。所以，按实际审察他们的职分，以便求得实情；听到言论要考察他们的行为，不要让言行彼此悖逆。名爵有很多不符合实际，所做的事有很多不切合实用的，所以君主不可不审名定分。不审名定分，这就是厌恶壅闭却更加阻塞啊。阻塞的责任，不在臣子，而在君主。尧、舜时代的臣子不全都仁义，汤、禹时代的臣子不全都忠诚，他们能称王天下，是驾驭得法啊！桀、纣的臣子不全都鄙陋，幽王、厉王的臣子不全都邪僻，他们亡国丧身，是因为驾驭不得法啊。

　　今有人于此，求牛则名马①，求马则名牛，所求必不得矣；而因用威怒，有司必诽怨矣，牛马必扰乱矣。百官，众有司也；万物，群牛马也。不正其名，不分其职，而数用刑罚，乱莫大焉。夫说以智通，而实以过悗②；誉以高贤，而充以卑下；赞以洁白，而随以污德；任以公法，而处以贪枉；用以勇敢，而埋③以罢怯。此五者，皆以牛为马、以马为牛，名不正也。故名不正，则人主忧劳勤苦，而官职烦乱悖逆矣。国之亡也，名之伤也，从此生矣。白之顾益黑④，求之愈不得者，其此义邪！

[注释]

①求牛则名马：想要牛，却呼马的名字。②过：当作"遇"。遇，依王念孙说，通"愚"。悗（mán）：迷惑。③埋（yīn）：充塞。④白之顾益黑：想让它白，反而更加黑了。顾，反而。

[译文]

假如有这样一个人，想要牛却说出马的名字，想要马却说出牛的名字，那么他所要的一定不能得到，而他却因此耍威发怒，主管人员一定会责备怨恨他，牛马一定会被扰乱。百官就像众多的主管人员一样，万物就如同众多的牛马一样。不端正他们的名爵，不区别他们的职责，却多次使用刑罚，祸乱没有比这更大的了。称道一个人明智通达，实际上这人却愚蠢糊涂；称赞一个人贤德高尚，实际上这人却很卑下；赞誉一个人品德高洁，可这人表露出的却是品德污秽；任命一个人掌公法，这人做起事来却贪赃枉法；任用一个外表勇敢的人，可他内心却疲弱怯懦。这五种情况，都是以牛为马、以马为牛，都是名分不正啊。所以，名分不正，那么君主就忧愁劳苦，百官就混乱悖逆了。国家被灭亡，名声受损害，就由此产生出来了。想要白，反而更加黑了；想得到，反而越发得不到，大概就是这个道理吧。

故至治之务，在于正名。名正则人主不忧劳矣，不忧劳则不伤其耳目之主①。问而不诏②，知而不为③，和而不矜④，成而不处⑤，止者不行⑥，行者不止，因刑而任⑦之，不制于物，无肯为使，清静以公，神通乎六合⑧，德耀乎海外，意观乎无穷，誉流乎无止，此之谓定性于大湫⑨，命之曰无有⑩。故得道忘人⑪，乃大得人⑫也，夫其非道也⑬？知德忘知，乃大得知也⑭，夫其非德也？至知不几，静乃明几也⑮，夫其不明也。大明不小事，假乃理事也⑯，夫其不假也？莫人不能，全乃备能也⑰，夫其不全也？是故于全乎去能，于假乎去事，于知乎去几，所知者妙⑱矣。若此则能顺其天，意气得游乎寂寞之宇矣，形性得安乎自然之所矣。全乎万物而不宰⑲，泽被天下而莫知其所自始，虽不备五者⑳，其好之者是也。

[注释]

①耳目之主：指耳目的天性。②问而不诏：征询臣下意见，自己不专断地下命令。诏，上告下。③知而不为：指君主知道怎样去做，却不亲自去做。④和而不矜：指君主能调和万物，却不自夸。矜，自夸。⑤不处：指不居功。处，居。⑥止者不行：本身静止的东西不让它运动。行，用如使动。⑦任：任用，使用。⑧六合：指上、下、四方。下句的"海外"指四海之外。"六合"与"海外"都是极言其广大。⑨性：命。大湫（qiū）：大的空洞。⑩无有：无形，这里指"道"。"道"无形，故曰"无有"。⑪得道忘人：得道的人，能忘掉别人。⑫大得人：大得人心。⑬夫其非道也：那怎么能不算道呢。⑭知德忘知，乃大得知也：知道自己有德，却不自夸，不在乎别人是否知道，人皆仰慕，这样更能被人所知。⑮至知不几，静乃明几也：非常有德的人外表不机敏，安然处之，机敏就会显露出来。几，机敏。⑯大明不小事，假乃理事也：最贤明的君主不做小事，大事才能做。假，大。⑰莫人不能，全乃备能也：修真得道的人不是事事都能做，但人们全归附他，于是就无所不能了。莫人，依俞樾说，当为"真人"，修真得道的人。⑱妙：微妙。⑲宰：主宰。⑳五者：指上文所说的"得道忘人"、"知德忘知"、"至知不几"、"大明不小事"、"莫人不能"五种情况。

[译文]

所以达到国家政治清明需要做的事情，在于端正名分。名分端正了，那么君主就不受忧愁劳苦了。不忧愁劳苦，那么就不会损伤耳目的天性了。多询问，却不专断地下命令。虽然知道该怎样做，却不亲自去做。能使万物和谐，却不自夸。事情做成了，却不居功。静止的东西不让它运动，运动的东西不让它静止。依照事物的特点加以使用，不受外物所制约，不肯被外物役使。清静而公正，精神流传到天地四方，品德照耀到四海之外，思想永不枯竭，美名流传不止。这就叫做把性命寄托在深邃幽远的地方，命名为无形。所以，得道之人能忘掉别人，这样就很得人心，那怎能不算有道呢？知道自己有德，不在乎别人是否知道，这样就更能为人所知，那怎能不算有德呢？非常有德的人外表不机敏，安然处之，机敏就会显露出来，那怎能算不聪明呢？特别聪明的人不做小事，才能做大事，那怎能不算伟大呢？真正得道的人不是事事都能做，但人们全都归附他，于是就无所不能了，那怎能不算完美之人呢？因此，有了众人效力就无需事事都能做，做了大事就无需做小事，被人了解了就不用外表机敏，所知道的就很微妙了。像这样，那就能顺应天性，意气就可以在空廓寂静的宇宙中遨游了，身心就可以在自然中获得安适了。包容万物却不主宰，恩泽覆盖天下却没有人知道从哪里开始的。这样，即使不具备上述五种情况，也可以说，是这些行为的爱好者了。

勿 躬[①]

人之意苟善，虽不知，可以为长。故李子[②]曰："非狗不得兔，兔化而狗，则不为兔[③]。"人君而好为人官，有似于此。其臣蔽之，人时[④]禁之；君自蔽，则莫之敢禁。夫自为人官，自蔽之精[⑤]者也。被箠[⑥]日用而不藏于箧，故用则衰[⑦]，动则暗，作则倦[⑧]。衰、暗、倦，三者非君道也。

[注释]

①题解："勿躬"就是说君主不必亲自做臣子该做的事，要让百官"毕

力尽智"。②李子：李悝（kuī），战国初期法家代表人物。③非狗不得兔，兔化而狗，则不为兔：以狗、兔分别喻君、臣。非君主则不可驭臣子，这就如同兔化为狗，狗也无兔可获一样。④时：不时，不断。⑤精：甚，严重。⑥被（fú）篲（huì）：扫帚。⑦用则衰：指君主思虑人臣之事，心志就会衰竭。⑧作则倦：指君主亲自去做人臣之事，就会疲惫不堪。

[译文]

人的心意如果善良，即使不懂得什么，也可以当君长。所以李悝说："没有狗就不能捕获兔，兔如果变得和狗一样，那就无兔可捕了。"君主如果喜欢做臣子该做的事，就与此相似了。臣子蒙蔽君主，别人还能不时地加以制止；君主自我蒙蔽，那就没有人敢制止了。君主做臣子该做的事，这是最严重的自我蒙蔽行为。扫帚每天都要使用，就不把它藏在箱子里。所以，君主思虑臣子职权范围内的事，心志就会衰竭；亲自去做臣子职权范围内的事，就会昏昧；亲自去做臣子该做的事，就会疲惫。衰竭、昏昧、疲惫，这三种情况，不是君道的要求。

大桡①作甲子，黔如作房首②，容成③作历，羲和④作占日，尚仪⑤作占月，后益⑥作占岁，胡曹⑦作衣，夷羿⑧作弓，祝融⑨作市，仪狄⑩作酒，高元⑪作室，虞姁⑫作舟，伯益⑬作井，赤冀⑭作臼，乘雅⑮作驾，寒哀⑯作御，王冰作服⑰牛，史皇作图⑱，巫彭⑲作医，巫咸作筮⑳。此二十官者，圣人之所以治天下也。圣王不能二十官之事，然而使二十官尽其巧，毕其能，圣王在上故也。圣王之所不能也，所以能之也；所不知也，所以知之也。养其神、修其德而化矣，岂必劳形愁弊㉑耳目哉？是故圣王之德，融乎㉒若日之始出，极烛㉓六合，而无所穷屈；昭乎若日之光，变化万物，而无所不行；神合乎太一㉔，生无所屈，而意不可障；精通乎鬼神，深微玄妙而莫见其形。今日南面㉕，百邪自正，而天下皆反其情，黔首毕乐其志、安育其性，而莫为不成。故善为君者，矜㉖服性命之情，而百

勿躬　261

官已治矣，黔首已亲矣，名号已章矣。

[注释]

①大桡：传说中黄帝的臣子，曾创六十甲子以纪日。②黔如：当是传说中的人名，其事未详。房首：当为"蔀首"。古代历法规定，十九年设置七个闰月，这叫做"章"，四章为"蔀"，一蔀七十六年，起算点为冬至日，即为"蔀首"。③容成：传说中黄帝的臣子，历法的创造者。④羲和：传说中黄帝的臣子，掌天文历法。⑤尚仪：《世本》作"常仪"，相传为娵訾氏女，帝喾妃，以善于占月之晦、朔、弦、望著称。⑥后益：即益，相传为舜的臣子。⑦胡曹：传说中黄帝的臣子，衣服的首创者。⑧夷羿：一般作"后羿"，相传为夏代东夷族首领，名羿，以善射著称。⑨祝融：颛顼氏之后，曾做高辛氏火官，死后被尊为火神。⑩仪狄：传说中夏禹时造酒的第一人。⑪高元：传说中房屋的创造者。⑫虞姁：传说中船的创造者。⑬伯益：也称"益"，他书或作"伯翳"，相传为舜时的东夷族首领，善于畜牧、狩猎。⑭赤冀：相传为神农氏的臣子，始作杵、臼等。⑮乘雅：《荀子·解蔽》作"乘杜"。杜是其名，因发明用马驾车，故称之为"乘杜"。⑯寒哀：人名。⑰王冰：当为"王亥"之误，汤的七世祖，相传他开始从事畜牧业。服：驾驭。⑱史皇：相传为黄帝的史官。图：指图画物像，即绘画。⑲巫彭：古代传说中的神医。⑳巫咸：一作"巫戌"，商王太戊的大臣，相传他发明了用蓍草占卦。筮（shì）：用蓍草占卦。㉑慭：通"掔"，积。弊：通"蔽"，这里用如使动。㉒融乎：光明的样子。㉓极：普遍。烛：照耀。㉔太一："道"的别名，指创造天地万物的元气。㉕南面：指君主面南而治。㉖矜：慎重。

[译文]

大桡创造了六十甲子用来纪日，黔如创造了蔀首计算法，容成创造了历法，羲和创造了计算日子的方法，尚仪创造了计算月份的方法，后益创造了计算年份的方法，胡曹创造了衣服，夷羿创造了弓，祝融创造了市场，仪狄创造了酒，高元创造了房屋，虞姁创造了船，伯益创造了井，赤冀创造了舂米臼，乘雅创造了用马驾车，寒哀创造了驾车术，王亥创造了驾牛的方法，史皇创造了绘画，巫彭创造了医术，巫咸创造了占卜术。这二十位官员，正是圣人治理天下的依靠。圣贤的君王自己也不能做二十位官员做的事，然而却能让二十位官员献出全部技艺和才能，这是因为圣贤君王居上位的缘故。圣贤君王有所不能，因此才有所能；有所不知，因此才有所知。修养自己的精神品德，就能化育万物了，哪里一定要劳苦自身，把耳朵、眼睛搞得疲惫不堪呢？因此，圣贤君王的品德，光灿灿地就像月亮刚出来，普遍照耀天地四方，没有照不到的地方，明亮亮地就像太阳的光芒，能化育万物，没有做不到的事情；精神与道符合，生命不会受到挫折，因而心志不可阻挡；精气与鬼神相通，深微玄妙，没有人能看见形体。这样，一旦君主南面而治，各种邪曲的事自然会得到纠正，天下的人都重返自然本性，老百姓内心都感到高兴，安心培育自己的善性，因而就没有做不成功的事。所以，善于当君主的人，谨慎地顺从生命的本性，因而百官就能得到治理了，老百姓就能亲附了，名声也就彰显了。

管子复①于桓公曰："垦田大②邑，辟土艺③粟，尽地力之利，臣不若宁速④。请置以为大田⑤。登降辞让，进退闲习，臣不若隰朋⑥，请置以为大行⑦。蚤入晏⑧出，犯君颜色，进谏必忠，不辟死亡，不重贵富，臣不如东郭牙⑨，请置以为大谏臣⑩。平原广城，车不结轨⑪，士不旋踵⑫，鼓⑬之，三军之士视死如归，臣不若王子城父⑭，请置以为大司马⑮。决狱折中⑯，不杀不辜，不诬无罪，臣不若弦章⑰，请置以为大理⑱。君若欲治国强兵，则五子者足矣；君欲霸王，则夷吾在此。"桓公曰："善。"令五子皆任其事，以受令于管子。十年，九合诸侯，一匡⑲天下，皆夷吾与五子之能也。管子，人臣也，不任己之不能，而以尽五子之能，况于人主乎？人主知能不能⑳之可以君民也，则幽诡愚险之言无不职㉑矣，百官有司之事毕力竭智矣。五帝三王之君民也，下固不过毕力竭智也。夫君人而知无恃其能、勇、力、诚、信，则近之矣。

[注释]

①复：禀告。②大：扩大。③艺：种植。④宁遬：即宁戚，春秋时卫国人。为人挽车至齐，在车下饭牛而歌，齐桓公拜为大夫。⑤大田：官名，田官之长。⑥隰（xí）朋：齐大夫，帮助管仲辅佐齐桓公成就霸业。⑦大行：官名，掌接待宾客。⑧蚤：通"早"。晏：晚。⑨东郭牙：齐桓公臣。⑩大谏臣：谏官。⑪车不结轨：指战车行进有条不紊。结，交，交错。⑫士不旋踵：指士兵不退缩。旋，转，掉转。踵，本指脚后跟，这里指脚。⑬鼓：击鼓。⑭王子城父：齐襄公旧臣，后为齐桓公臣。⑮大司马：掌攻伐征战的官名。⑯折中：调节过与不及，使适中，即恰当。⑰弦章：即宾胥无，字子旗。⑱大理：掌治狱的官名。⑲匡：匡正，挽救。⑳能不能：指能做什么与不能做什么。㉑幽：幽隐，隐蔽。诡：诈伪。愚：欺骗。职：通"识"，辨识。

[译文]

管子向桓公禀报说："开垦田地，扩大城邑，开辟土地，种植谷物，充分利用地力，我不如宁遬，请让他当田官之长。迎接宾客，熟悉升降、辞让、进退等各种礼仪，我不如隰朋，请让他当接待宾客的官。早入朝，晚退朝，敢于触怒国君，忠心谏诤，不躲避死亡，不看重富贵，我不如东郭牙，请让他当大谏臣。在广阔的原野上作战，战车整齐行进而不紊乱，士兵不退缩，击鼓进军，三军士兵都视死如归，我不如王子城父，请让他当大司马。断案恰当，不杀无辜的人，不诬陷无罪的人，我不如弦章，请让他当大理。您如果想治国强兵，那么这五个人就足够了；您要想成就霸王之业，那么有我在这里。"桓公说："好。"于是让五个人都担任了那些官职，接受管子的命令。过了十年，桓公多次盟会诸侯，匡正天下，这些都是靠管夷吾和那五个人的才能啊。管子是臣子，他不承担自己不能做的事情，而让五人各尽其能，更何况君主呢？君主如果知道自己能做什么与不能做什么，就可以治理人民，那么隐蔽狡伪、欺骗危险的言论就没有不能识别的了，各种官吏对自己主管的事情就会尽心竭力了。五帝三王治理人民时，臣下不过是尽心竭力罢了。如果懂得治理人民不要依仗自己的才能、勇武、有力、诚实、守信，那就接近于君道了。

凡君也者，处平静，任德化，以听其要①，若此则形性弥赢②而耳目愈精，百官慎职而莫敢愉绖③，人事其事，以充其名。名实相保，之谓知道。

[注释]

①听：治理。要：根本。②赢：满，充实。③愉：通"偷"，苟且，懈怠。绖：通"延"，缓慢。

[译文]

凡是当君主的，应该处于平静之中，使用道德去教化人民，治理根本的东西。这样，从外表到内心就会更加充实，耳目就会越发聪明；各种官吏就会谨慎地恪尽职守，没有敢苟且懈怠的；人人做好自己应做的事情，切合自己的名声。名声和实际相符，这就叫做懂得了道。

不 二①

听群众人②议以治国，国危无日矣。何以知其然也？老耽贵柔③，孔子贵仁④，墨翟贵廉⑤，关尹贵清⑥，子列子贵虚⑦，陈骈贵齐⑧，阳生贵己⑨，孙膑贵势⑩，王廖贵先⑪，兒良贵后⑫。

[注释]

①题解："不二"即一致的意思。本篇论述了统一的重要性。②群众人：即众人。③老耽：即老聃，老子。他曾提出"以柔克刚"的主张。④孔子贵仁：孔子把"仁"看做最高品德。⑤墨翟贵廉：墨子主张"非乐"、"节用"、"节葬"等，并身体力行，一生过着清苦的生活。廉，节俭。⑥关尹：相传为春秋末期道家人物，曾为函谷关尹，故名"关尹"。他主张"在己无居"、"其动若水，其静若镜"。⑦子列子：即列子，列御寇，战国时期道家人物。他

说："莫如静，莫如虚。静也虚也，得其居矣。"⑧陈骈：即田骈，战国时期齐国人，彭蒙的学生，与慎到同派，主张"齐万物以为首"。⑨阳生：战国时期魏国人，主张"贵生"、"重己"。⑩孙膑：战国时期兵家代表人物，齐国人，孙武的后代，认为"战胜而强之，故天下服矣"。⑪王廖：当为战国时期的兵家。他善将兵，战前谋划仔细。⑫兒（ní）良：当为战国时期的兵家。他善兵家权谋之学，注重战后总结。

[译文]

听从众人议论来治理国家，国家遭到危险就为时不远了。根据什么知道会是这样呢？老聃崇尚柔，孔子崇尚仁，墨翟崇尚廉，关尹崇尚清，列子崇尚虚，陈骈崇尚齐，阳生崇尚己，孙膑崇尚势，王廖崇尚先，兒良崇尚后。

有金鼓，所以一①耳；必②同法令，所以一心也；智者不得巧，愚者不得拙，所以一众也；勇者不得先，惧者不得后，所以一力也。故一则治，异则乱；一则安，异则危。夫能齐万不同③，愚智工拙皆尽力竭能，如出乎一穴④者，其唯圣人矣乎！无术之智，不教之能，而恃强速贯习⑤，不足以成也。

[注释]

①一：用如动词，统一。②必：依孙锵鸣说，当做"也"字，属上句。③齐万不同：使众多不同的事物齐同。齐，用如使动，使……齐。④如出乎一穴：这是比喻说法，意思是说如气出于一孔。⑤速：敏捷。贯：贯通。习：熟习。

[译文]

作战时设置锣鼓，是为了用来统一士兵的听闻；法令一律，是为了用来统一人们的思想；聪明的人不得灵巧，愚蠢的人不得笨拙，是为了用来统一众人的智力；勇敢的人不得抢先，胆怯的人不得落后，是为了用来统一人们的力量。所以，统一就天下太平，不统一就天下大乱；统一就平安，不统一就危险。能够使众多不同的事物齐同，使愚蠢、聪明、灵巧、笨拙的人都竭力尽才，就像气出于一孔的，大概只有圣人吧！没有驭臣之术的智谋，不具备经过教化而拥有的才能，依仗强力、敏捷，贯通、熟习，是不足以成事的。

执 一①

天地阴阳不革②，而成万物不同。目不失其明，而见白黑之殊。耳不失其听③，而闻清浊④之声。王者执一，而为万物正⑤。军必有将，所以一之也；国必有君，所以一之也；天下必有天子，所以一之也；天子必执一，所以抟⑥之也。一则治，两则乱。今御骊⑦马者，使四人人操一策⑧，则不可以出于门闾⑨者，不一也。

[注释]

①题解："执一"就是执守根本，即"执一术而应万事"的意思。②革：改革。③听：当做"聪"，听力。④清：指商音。浊：指宫音。⑤正：主。⑥抟：通"专"，集中。⑦骊：并驾。⑧策：马鞭。⑨闾：里巷的大门。

[译文]

天地阴阳不变，才生成各不相同的万物。眼睛不丧失视力，才能分辨出黑白的差别；耳朵不丧失听力，才能听出商音、宫音的不同；称王者掌握住"执一"这一根本，才能成为万物的主宰。军队一定要有将帅，这是为了用来统一军队；国家一定要有君主，这是为了统一全国的行动；天下一定要有天子，这是为了统一天下的行动；天子一定要掌握住根本，这是为了使政权集中。统一天下就能治理好，不统一天下就会混乱。譬如驾驭并排拉车的四匹马，让四个人每人拿一根马鞭，那就连里巷的门都出不去，这就是行动不一造成的。

楚王问为国于詹子①，詹子对曰："何闻为身，不闻为国。"詹子岂以国可无为哉？以为为国之本，在于为身。身为而家为，家为而国为，国为而天下为。故曰以身为家，以家为国，以国为天下。此四者，异位同本。故圣人之事，广之则极宇宙，穷日月，约之则无出乎身者也。慈亲不能传于子，忠臣不能入②于君，唯有其材者为近之。

[注释]

①詹子：名何，当时的隐者。②入：纳。

[译文]

楚王向詹何问如何治理国家，詹何回答说："我只听说过修养自身，没有听说过治理国家。"詹何难道认为国家可以不要治理吗？他是认为治理国家的根本在于修养自身。自身修养好了，家庭才能治理好；家庭治理好了，国家才能治理好；国家治理好了，天下才能治理好。所以说，靠自身的修养来治理家庭，靠家庭的治理来治理国家，靠国家的治理来治理天下。这四种情况，所处的地位虽不一样，但根本是相同的。所以圣人所做的事情，往远处说，可以大到天地四方、日月所能照到的地方，往简要处说，没有离得开修养自身的。慈父、慈母不一定能把好品德传给儿子，忠臣的意见不一定能被君主采纳，只有有才能的儿子和君主，才能接近于做到修养自身。

田骈以道术说齐，齐王应之曰："寡人所有者，齐国也，愿闻齐国之政。"田骈对曰："臣之言，无政而可以得政。譬之若林木，无材而可以得材。愿王之自取齐国之政也。"骈犹浅言之也，博言之，岂独齐国之政哉？变化应来而皆有章，因性任物而莫不宜当①，彭祖以寿，三代以昌，五帝以昭，神农以鸿②。

[注释]

①当：合适。②鸿：昌盛。

[译文]

田骈以道术游说齐王,齐王回答他说:"我所拥有的只是齐国,希望听听如何治理齐国的政事。"田骈回答说:"我说的虽然没有政事,但可以由此推知政事。这就好像林子里的树一样,本身虽不是木材,但可由此得到木材。希望您从我的话中自己推知治理齐国政事的道理。"田骈是就浅显方面说的,就广博方面而言,岂止是治理齐国的政事如此呢?万物的变化应和,都是有规律的,根据事物的本质来使用万物,就没有什么不恰当的,彭祖因此而长寿,夏商周因此而昌盛,五帝因此而卓著,神农因此而兴盛。

吴起谓商文①曰:"事君果有命矣夫!"商文曰:"何谓也?"吴起曰:"治四境之内,成训教,变习俗,使君臣有义,父子有序,子与我孰贤②?"商文曰:"吾不若子。"曰:"今日置质③为臣,其主安④重;今日释玺⑤辞官,其主安轻。子与我孰贤?"商文曰:"吾不若子。"曰:"士马成列,马与人敌⑥,人在马前,援枹一鼓⑦,使三军之士乐死若生,子与我孰贤?"商文曰:"吾不若子。"吴起曰:"三者子皆不吾若⑧也,位则在吾上,命也夫事君⑨!"商文曰:"善。子问我,我亦问子。世变主少,群臣相疑,黔首不定,属⑩之子乎?属之我乎?"吴起默然不对,少选⑪,曰:"与子。"商文曰:"是吾所以加于子之上已!"吴起见其所以长,而不见其所以短;知其所以贤,而不知其所以不肖。故胜于西河⑫,而困于王错⑬,倾造大难⑭,身不得死焉⑮。夫吴胜于齐⑯,而不胜于越⑰。齐胜于宋⑱,而不胜于燕⑲。故凡能全国完身⑳者,其唯知长短赢绌㉑之化邪!

[注释]

①商文:魏国大臣。②贤:胜。③置质:义同"委质"。古代初次拜见君长时送礼物。④安:乃。⑤玺:印玺,印章。⑥敌:相当。⑦枹(fú):鼓槌。鼓:击鼓。⑧不吾若:不如我。⑨命也夫事君:即"事君命也夫"的倒装句。

⑩属：同"嘱"，托付，委托。⑪少选：一会儿。⑫胜于西河：指吴起为魏夺取西河地。西河，地名，故址在今陕西东部黄河西岸一带。⑬困于王错：为王错所困。指文侯死后，王错向武侯讲吴起的坏话，吴起被迫逃到楚国。⑭倾造大难：不久遭遇大难。指吴起在楚国被旧贵族射死一事。倾：通"顷"，不久。造：遭到。⑮身不得死焉：自身不得善终。⑯吴胜于齐：指吴王夫差在艾陵打败齐国。⑰不胜于越：指吴王夫差被越王勾践打败。⑱齐胜于宋：指齐湣王灭宋。⑲不胜于燕：指齐湣王被乐毅率六国兵打败。⑳全国完身：保住国家和自身不被灭亡。"全"和"完"，都用如使动。㉑嬴绌：即"伸屈"。

[译文]

吴起对商文说："侍奉君主果真是靠命运啊！"商文说："您说的是什么意思？"吴起说："治理全国，完成教化，改变习俗，使君臣之间有道义，父子之间有次序，您跟我比，谁强？"商文说："我不如您。"吴起说："一旦献身君主做臣子，君主的地位就尊贵；一旦交出印玺辞官，君主的地位就轻微。在这方面您跟我比，谁强？"商文说："我不如您。"吴起说："兵士战马已经排成列，战马与人相当，人在马前将要发起进攻，拿起鼓槌一击鼓，让三军的兵士视死如归，在这方面您跟我比，谁强？"商文说："我不如您。"吴起说："这三样您都不如我，职位却在我之上，侍奉君主果真靠命运啊！"商文说："好。您问我，我也问问您。世道改变，君主年少，臣子之间互相猜疑，百姓们很不安定，遇到这种情况，把政权托付给您呢，还是托付给我？"吴起沉默不语，过了一会儿，说："托付给您。"商文说："这就是我的职位在您之上的原因啊。"吴起看到了自己的长处，却看不到自己的短处；知道自己的优点，却不知道自己的缺点。所以他在西河打了胜仗，但却被王错弄得处境困难，不久就遭遇大难，自身不得善终。吴国战胜了齐国，却不能胜过越国。齐国战胜了宋国，却不能战胜燕国。所以，凡是能保全国家和自身的，大概只有知道长短伸屈的变化才行吧！

审应览第十八

审应[①]

人主出声应容[②],不可不审。凡主有识,言不欲先。人唱我和,人先我随,以其出为之入[③],以其言为之名,取其实以责其名,则说者不敢妄言,而人主之所执其要矣。

孔思[④]请行,鲁君曰:"天下主亦犹寡人也,将焉之?"孔思对曰:"盖闻君子犹鸟也,骇则举[⑤]。"鲁君曰:"主不肖而皆以然也,违[⑥]不肖,过[⑦]不肖,而自以为能论天下之主乎?凡鸟之举也,去骇[⑧]从不骇。去骇从不骇,未可知也。去骇从骇,则鸟曷为举矣?"孔思之对鲁君也,亦过矣。

[注释]

①题解:"审应"指君主说话表情要审慎。②出声:说话。应容:脸上做出反应。③以其出为之入:根据他外在的表现考察他的内心。④孔思:即孔伋,字子思,孔子之孙。⑤举:起飞。⑥违:离开。⑦过:往。⑧骇:扰。

[译文]

君主对自己的言语神色,不可不慎重。凡是有见识的君主,说话都不想先开口。别人倡导,自己附和;别人先做,自己跟随。根据他外在的表现，考察他的内心；根据他的言语，考察他的名声；根据他的实际，推求他的名声。这样，游说的人就不敢胡言乱语，而君主就能掌握住要领了。

孔思请求离开鲁国，鲁国君主说："天下的君主也都像我一样啊，你将要到哪里去呢？"孔思回答说："我听说君子就像鸟一样，受到惊吓就飞走。"鲁国君主说："君主不贤德，天下都是这样啊。离开不贤明的君主，还到不贤明的君主那里去，你认为这样能了解天下的君主吗？凡鸟飞走，都是离开受惊扰的地方，到不受惊扰的地方去，惊扰与不惊扰，并不能知道，如果离开惊扰它的地方还到惊扰它的地方去，那么鸟为什么要飞走呢？"孔思那样回答鲁国君主，是不对的。

魏惠王使人谓韩昭侯①曰："夫郑乃韩氏亡之也②，愿君之封其后也。此所谓存亡继绝③之义。君若封之，则大名④。"昭侯患之。公子食我⑤曰："臣请往对之。"公子食我至于魏，见魏王，曰："大国命弊邑⑥封郑之后，弊邑不敢当也。弊邑为大国所患，昔出公之后声氏⑦为晋公，拘于铜鞮⑧，大国弗怜也，而使弊邑存亡继绝，弊邑不敢当也。"魏王惭曰："固非寡人之志也，客请勿复言。"是举不义以行不义⑨也。魏王虽无以应，韩之为不义，愈益厚也。公子食我之辩，适足以饰非遂过⑩。

[注释]

①魏惠王：魏武王的儿子。前369～前319年在位。韩昭侯：《任数》篇作"韩昭釐侯"。②郑乃韩氏亡之也：郑国是被韩昭侯的祖父韩哀侯灭亡的。③存亡继绝：使被灭亡的国家得以存在，使被灭绝的世系得以延续。④大名：使名声显扬。大，用如使动。⑤公子食我：人名。⑥大国：对别国的尊称，这里指魏国。弊邑：对别国谦称自己的国家。弊，通"敝"。⑦出公：晋出公，前474～前452年在位，为智伯及韩、赵、魏四卿所攻，出奔齐，死于途中。声氏：依孙诒让说，疑即静公。静公名俱酒，出公五世孙，立二年，韩、赵、

魏三家分晋，静公迁为家人。⑧铜鞮（dī）：地名，在今山西省沁县南。⑨举不义以行不义：举出别国的不义行为（指魏不救声氏）来为自己行不义（指韩不封郑之后）辩解。⑩适：正好。饰非遂过：文过饰非。

[译文]

魏惠王派人对韩昭侯说："郑国是被韩国灭亡的，希望您分封郑国君主的后代。这就是所说的使灭亡的国家得以存在，使灭绝的世系得以延续的道义。您如果封郑国君主的后代，那么您的名声就会显赫。"昭侯很忧虑这件事，公子食我说："请允许我去回答他。"公子食我到了魏国，见到魏王以后说："贵国命令我国封郑国君主的后代，我国不敢答应。我国一向被贵国视为祸患。从前晋出公的后代声氏当晋国君主，后来被囚禁在铜鞮，贵国不怜悯他，却让我国保存灭亡的国家，延续灭绝的世系，我国不敢答应。"魏王惭愧地说："这本不是我的意思，请客人不要再说了。"这是举别人的不义行为，来为自己做不义的事辩解。魏王虽然无话回答，但韩国做不义的事却更加厉害了。公子食我的善辩，正足以文过饰非。

魏昭王问于田诎①曰："寡人之在东宫之时②，闻先生之议曰：'为圣易。'有诸乎？"田诎对曰："臣之所举③也。"昭王曰："然则先生圣于？"田诎对曰："未有功而知其圣也，是尧之知舜也；待其功而后知其舜也，是市人之知圣也。今诎未有功，而王问诎曰'若圣乎'，敢问王亦其尧邪？"昭王无以应。田诎之对，昭王固非曰"我知圣也"耳，问曰"先生其圣乎"，已因以知圣对昭王。昭王有非其有④，田诎不察。

[注释]

①魏昭王：前295～前277年在位。田诎：魏昭王臣。②在东宫之时：指当太子时。③举：提出，说出。④有非其有：享有不是自己应该享有的声誉，这里指"尧之知舜"而言。

[译文]

魏昭王向田诎问道："我在东宫当太子的时候，听到先生您议论说：'当圣贤很容易。'有这样的话吗？"田诎回答说："这是我说的话。"昭王说："那么先生您是圣贤吗？"田诎回答说："没有功绩却能知道这人是圣贤，这是尧对舜的了解；等到有了功绩然后才知道他是圣贤，这是一般人对舜的了解。现在我没有功绩，您却问我说'你是圣贤吗'，请问您也是尧吗？"昭王无话可答。田诎回答昭王的时候，昭王本来不是说"我了解圣贤"，而是问他说"您是圣贤吗"，田诎于是就用了解圣贤的话回答昭王。这样，就使昭王享有了自己不该享有的声誉，而田诎在对答时也不省察。

赵惠王谓公孙龙①曰："寡人事偃兵②十馀年矣，而不成，兵不可偃乎？"公孙龙对曰："偃兵之意，兼爱天下之心也。兼爱天下，不可以虚名为也，必有其实。今蔺、离石③入秦，而王缟素布总④；东攻齐得城，而王加膳置酒。秦得地而王布总，齐亡地而王加膳，所非兼爱之心也。此偃兵之所⑤以不成也。"今有人于此，无礼慢易⑥而求敬，阿党⑦不公而求令⑧，烦号数变而求静，暴戾贪得而求定，虽黄帝犹若困。

[注释]

①赵惠王：《史记·赵世家》、《战国策·赵策》俱作"赵惠文王"，前298~前266年在位。公孙龙：战国时期赵国人，属名家。②偃兵：停止战争。偃，止息。③蔺、离石：二县名，原属赵，后被秦夺去，其地在今山西省西部。④缟素布总：指丧国之服。缟素，白色的丧服。布总，以布束发，是古人服丧时的一种装束。⑤所：是，此。⑥慢易：轻慢。⑦阿党：阿私，偏袒一方。⑧令：善，好。

[译文]

赵惠王对公孙龙说："我致力于止息战争有十多年了，可是不成功。战争不可以消除吗？"公孙龙回答说："止息战争的本意，体现了平等友爱天下人的思想。平等友爱天下人，不可以靠虚名来实现，一定要有实际内容。现在蔺、离石二县归属了秦国，您就穿上丧国的装束；向东攻打齐国夺取了城邑，您就加餐庆贺，这都不符合平等友爱天下人的思想。这就是止息战争之所以不成功的原因啊。"假如有这样一个人，傲慢无礼却想受到尊敬，结党营私处事不公却想得到好名声，号令烦难屡次变更却想平静，乖戾残暴贪得无厌却想安定，即使是黄帝也会感到为难。

卫嗣君①欲重税以聚粟，民弗安，以告薄疑②曰："民甚愚矣。夫聚粟也，将以为民也。其自藏之与在于上，奚择③？"薄疑曰："不然。其在于民而君弗知④，其不如在上也；其在于上而民弗知，其不如在民也。"凡听必反诸己，审则令无不听矣。国久则固，固则难亡。今虞⑤、夏、殷、周无存者，皆不知反诸己也。

[注释]

①卫嗣君：蒯聩后八世平侯之子，秦贬其号为君。②薄疑：卫嗣君之臣。③奚择：有什么区别。择，区别。④知：晓得，这里是"得到"的意思。⑤虞：即有虞氏，古部落名，其首领舜继尧而为帝，故又称虞舜。

[译文]

卫嗣君想加重赋税来聚敛粮食，民众感到不安，他就把这种情况告诉薄疑说："民众太愚昧了！我聚积粮食，是为民众着想。他们自己保存粮食与保存在国库，有什么区别呢？"薄疑说："不对。粮食保存在民众手里，您就不能得到，这就不如保存在国库了；粮食保存在国库里，民众就不能得到，这就不如保存在民众手里了。"大凡听到某种意见，一定要反省自己，能详察，那么命令就没有不被听从的了。立国时间长了就稳固，国家稳固就难以灭亡。现在虞、夏、商、周没有存在的，都是因为不知道反省自己啊。

公子沓①相周，申向说之而战②。公子沓訾之曰："申子说我而战，为吾相也夫？"申向曰："向则不肖，虽然，公子年二十而相，见老者而使之战，请问孰病③哉？"公子沓无以应。战者，不习也；

使人战者,严驵④也。意者恭节而人犹战,任不在贵者矣。故人虽时有自失者,犹无以易恭节。自失不足以难,以严驵则可⑤。

[注释]

①公子沓:人名。②申向:周人。战:战栗,恐惧。③病:瑕疵,过失。④严驵:严厉骄横。驵:通"怚(jǔ)",骄。⑤以严驵则可:意为"以严驵则可以难"。

[译文]

公子沓任周国的相国,申向劝说他时战栗不止。公子沓责备他说:"您劝说我时战栗不止,是因为我是相国吗?"申向说:"我是不肖的人,虽说这样,但是您年纪二十岁就当了相国,会见年老的人却让他战栗不止,请问这是谁的过错呢?"公子沓无话回答。战栗是因为不习惯见尊贵者,让人战栗却是因为严厉骄横。假如谦虚恭敬待人而别人还是战栗不止,那么责任就不在尊贵的人了。所以,虽说时常有犯过失的人,但自己还是不能改变态度去谦虚恭敬地待人。别人犯过失不足以责难,用严厉骄横的态度待人则应责难。

重 言①

人主之言,不可不慎。高宗②,天子也,即位谅暗③,三年不言。卿大夫恐惧,患之。高宗乃言曰:"以余一人正四方④,余唯恐言之不类⑤也,兹故不言。"古之天子,其重言如此,故言无遗者。

成王与唐叔虞燕居⑥,援梧叶以为珪⑦。而授唐叔虞曰:"余以此封女。"叔虞喜,以告周公。周公以请曰:"天子其封虞邪?"成王曰:"余一人与虞戏也。"周公对曰:"臣闻之,天子无戏言。天子言,则史书之,工诵之,士称之。"于是遂封叔虞于晋。周公旦可谓善说矣,一称而令成王益重言,明爱弟之义,有辅王室之固⑧。

[注释]

①题解:"重言"意在告诉君主说话应该慎重。②高宗:殷王小乙(盘庚之弟)的儿子武丁,德义高美,殷人尊他为"高宗"。③谅暗(ān):或作"谅阴"、"亮阴"等,指帝王居丧。④余一人:古代天子自称。正四方:使四方正。⑤类:善。⑥成王:周成王,周武王的儿子。唐叔虞:成王的弟弟,封于唐(即后来的晋),故称"唐叔虞"。燕居:退朝而居,闲居。⑦珪:也作"圭",古代玉名,诸侯用作守邑符信。⑧有:通"又"。辅王室之固:古代诸侯乃天子屏障,叔虞封于晋,可藩屏周王室,使之巩固。

[译文]

君主说话,不可不慎重。殷高宗是天子,即位以后,守孝三年不说话。卿、大夫们非常惊恐害怕,对此感到忧虑。高宗这才说道:"凭我一个人的力量使四方得到纠正,我只是担心说的话不恰当啊,因此才不说话。"古代的天子,他们对说话慎重到这种地步,所以说的话没有失误的。

周成王与弟弟唐叔虞闲居时,摘下一片梧桐叶子当做珪,交给唐叔虞说:"我拿这个封你。"叔虞很高兴,把这事告诉了周公。周公向成王请示说:"天子您封过叔虞了吧?"成王说:"我是跟叔虞开玩笑罢了。"周公回答说:"我听说过,天子没有开玩笑的话。天子一说话,史官就记下来,乐人就吟诵,士人就颂扬。"成王于是就把叔虞封在晋国。周公旦可说是善于劝说了,他一劝说就使成王对言谈更加慎重,使爱护弟弟这种道义得以彰明,又因为封叔虞于晋而使周王室更加稳固。

荆庄王①立三年,不听而好讔②。成公贾③入谏,王曰:"不谷禁谏者,今子谏,何故?"对曰:"臣非敢谏也,愿与君王讔也。"王曰:"胡不设④不谷矣?"对曰:"有鸟止于南方之阜,三年不动不飞不鸣,是何鸟也?"王射⑤之,曰:"有鸟止于南方之阜,其三年不动,将以定志意也;其不飞,将以长羽翼也;其不鸣,将以览民则也。是鸟虽无飞，飞将冲天；虽无鸣，鸣将骇人。贾出矣，不谷知之矣。"明日朝，所进者五人，所退者十人。群臣大说，荆国之众相贺也。故《诗》曰⑥："何其久也，必有以⑦也。何其处⑧也，必有与⑨也。"其庄王之谓邪！成公贾之讔也，贤于太宰嚭之说也。太宰嚭之说，听乎夫差，而吴国为墟⑩；成公贾之讔，喻乎荆王，而荆国以霸。

[注释]

①荆庄王：即楚庄王，前613～前591年在位。②听：指听朝、听政。讔（yǐn）：隐语。③成公贾：楚庄王之臣。④设：施，行，这里有"讲隐语"之意。⑤射：猜度，揣测。⑥下引诗句见《诗经·邶风·旄丘》，原诗作："何其处也，必有与也。何其久也，必有以也。"⑦有以：有原因。⑧处：居，安居。⑨有与：义同"有以"。⑩吴国为墟：吴国成为丘墟，指吴国被越国灭亡。

[译文]

楚庄王即位三年，不理政事，却爱好隐语。成公贾入朝劝谏，庄王说："我禁止人们来劝谏，现在你却来劝谏，是什么原因呢？"成公贾回答说："我不敢来劝谏，我希望跟您讲隐语。"庄王说："你何不对我讲隐语呢？"成公贾回答说："有只鸟停在南方的土山上，三年不动不飞不叫，这是什么鸟啊？"庄王猜测说："有只鸟停在南方的土山上，它之所以三年不动，是要借此来安定意志；它之所以不飞，是要借此来生长羽翼；它之所以不鸣，是要借此来观察民间的法度。这鸟虽然不飞，但一飞就将冲上天空；虽然不鸣，但一鸣就将使人惊恐。你出去吧，我知道隐语的含义了。"第二天上朝，提拔的有五个人，罢免的有十个人。臣子们都非常高兴，楚国的人们都互相庆贺。因此《诗》说："为什么这么久不行动呢，一定是有原因的。为什么安居不动呢，一定是有缘故的。"这大概说的就是庄王吧！成公贾讲的隐语，胜过太宰嚭劝说的言论。太宰嚭劝说的言论被夫差听从了，吴国因此成为废墟；成公贾讲的隐语，被楚王理解了，楚国因此称霸诸侯。

齐桓公与管仲谋伐莒①，谋未发而闻于国，桓公怪之，曰："与仲父谋伐莒，谋未发而闻于国，其故何也？"管仲曰："国必有圣人②也。"桓公曰："嘻！日之役者，有执蹠癙③而上视者，意者其是邪！"乃令复役，无得相代。少顷，东郭牙至。管仲曰："此必是已。"乃令宾者延④之而上，分级而立⑤。管子曰："子邪言伐莒者？"对曰："然。"管仲曰："我不言伐莒，子何故言伐莒？"对曰："臣闻君子善谋，小人善意。臣窃意之也。"管仲曰："我不言伐莒，子何以意之？"对曰："臣闻君子有三色：显然⑥喜乐者，钟鼓之色也；湫然⑦清静者，衰绖⑧之色也；艴然⑨充盈，手足矜者，兵革之色也。日者臣望君之在台上也，艴然充盈，手足矜者，此兵革之色也。君呿而不唫⑩，所言者'莒'也⑪；君举臂而指，所当者莒也。臣窃以虑诸侯之不服者，其惟莒乎！臣故言之。"凡耳之闻以声也。今不闻其声，而以其容与臂，是东郭牙不以耳听而闻也。桓公、管仲虽善匿，弗能隐矣。故圣人听于无声，视于无形。詹何、田子方⑫、老耽是也。

[注释]

①莒（jǔ）：西周时分封的诸侯国，战国初期为楚所灭，后属齐，在今山东省莒县一带。②圣人：指聪明睿智之人。③蹠癙（zhí）：当指可以用足踏的耒。蹠，蹈，踏。癙，字书无考，依孙诒让说，疑为"枱（sì）"之异文。枱，古代翻土农具上的木柄。④宾者：即傧相，接引宾客和赞礼的人。延：引，领。⑤分级而立：分别在左右台阶上站定。古礼，主客不同阶。⑥显然：欢乐的样子。⑦湫（qiū）然：清冷的样子。⑧衰（cuī）绖（dié）：指丧服。衰，丧衣，以麻布制成。绖，围在头上、缠在腰间的散麻绳。⑨艴（bó）然：恼怒的样子。⑩呿（qū）：张口。唫（jìn）：闭口。⑪所言者"莒"也：所说的是"莒"啊。"莒"字上古是开口字，所以说此字时口形是"呿而不唫"。⑫詹何：道家人物。《韩非子·解老》中说他在室内闻牛鸣而知牛的颜色。田子方：战国时人，学于子贡，崇尚礼义。

[译文]

齐桓公与管仲谋划攻打莒国,谋划的事尚未公布就被国人知道了,桓公感到很奇怪,说:"与仲父谋划攻打莒国,事未公布就被国人知道了,这是什么原因呢?"管仲说:"国内一定有聪明睿智的人啊。"桓公说:"嘻!那天服役的人有拿着耒向上张望的,我猜想大概就是这个人吧!"于是就命令那天服役的人再来服役,不准替代。过了一会儿,东郭牙来了。管仲说:"这一定是那个把消息传出去的人了。"于是就派礼宾官员带他上来,管仲和他分宾主在台阶上站定。管仲说:"你一定是传播攻打莒国消息的人吧?"东郭牙回答说:"是的。"管仲说:"我没有说过攻打莒国的话,你为什么要传播攻打莒国的消息呢?"东郭牙回答说:"我听说君子善于谋划,小人善于揣测,我是私下揣测出来的。"管仲说:"我没有说过攻打莒国的话,你根据什么揣测出来的?"东郭牙回答说:"我听说君子有三种神色:面露喜悦之色,这是欣赏钟鼓等乐器时的神色;面带清冷安静之色,这是居丧时的神色;怒气冲冲,手足挥动,这是要用兵打仗的神色。那天我望见您在台上怒气冲冲,手足挥动,这是要用兵打仗的神色。您的嘴张开了,没有闭上,这表明您所说的是'莒'。您举起胳膊指点,被指的正是莒国。我私下考虑,诸侯当中不肯归服齐国的,大概只有莒国了吧,因此我就传播了攻打莒国的消息。"大凡耳朵能够听到,是因为有声音。现在没有听到声音,却根据别人的面部表情与手臂动作了解别人的意图,这是东郭牙不靠耳朵就能听到别人的话啊。桓公、管仲虽善于保守秘密,也不能掩盖住。所以,圣人能在无声之中有所听闻,能在无形之中有所察见。詹何、田子方、老聃就是这样啊。

精 谕[1]

圣人相谕不待言，有先言言者[2]也。海上之人有好蜻者，每居海上，从蜻游，蜻之至者百数而不止，前后左右尽蜻也，终日玩之而不去。其父告之曰："闻蜻皆从女居，取而来，吾将玩之。"明日之海上，而蜻无至者矣。

胜书[3]说周公旦曰："廷小人众，徐言则不闻，疾言则人知之。徐言乎，疾言乎？"周公旦曰："徐言。"胜书曰："有事于此，而精[4]言之而不明，勿言之而不成。精言乎，勿言乎？"周公旦曰："勿言。"故胜书能以不言说，而周公旦能以不言听。此之谓不言之听。不言之谋，不闻之事，殷虽恶周，不能疵矣。口唒[5]不言，以精[6]相告，纣虽多心，弗能知矣。目视于无形，耳听于无声，商闻虽众，弗能窥矣。同恶同好，志皆有欲，虽为天子，弗能离矣。

[注释]

①题解："精谕"意在说明人们的思想可以不用言语，而通过精神表现出来。②有先言言者：思想可以先于言语表达出来。第一个"言"是名词，第二个"言"是动词。③胜书：人名。④精：微。⑤唒（wěn）：同"吻"。⑥精：精诚。

[译文]

圣人相互晓谕不需要言语，有在言语的前面表达思想的东西。海上有个喜欢蜻蜓的人，每当他停留在海上，都会跟蜻蜓在一起嬉戏，飞来的蜻蜓，数以百计都不止，前后左右都是蜻蜓，整天玩赏它们，它们都不离开。他的父亲告诉他说："听说蜻蜓都跟你在一起，你把它们带来，我也要玩赏蜻蜓。"第二天到了海上，可是一只蜻蜓也没有来。

胜书劝说周公旦道："庭堂小而人众多，轻声徐缓说您不能听到,大声激扬说别人就会知道。是轻声徐缓地说呢,还是大声激扬地说呢?"周公旦说:"轻声说。"胜书说:"假如有件事情,隐微地说,说不明白;不说,就办不成。是隐微地说呢,还是不说呢?"周公旦说:"不说。"所以,胜书能凭借不说话劝说周公,周公旦也能凭借对方不说话,听懂他的意思。这就叫做不需别人说话就能听出。不说出计谋,听不到事情,殷商虽然厌恶周朝,也挑不出周朝的毛病。嘴巴不说话,而通过精诚告诉对方,纣王虽然多心,也不能知道周朝的计谋。眼睛看到的都是无形的,耳朵听到的都是无声的,商朝探听消息的人虽然很多,也窥不见周朝的秘密。听者与说者好恶相同,志欲一样,即使是天子,也不能把他们隔断。

孔子见温伯雪子①,不言而出。子贡曰:"夫子之欲见温伯雪子好②矣,今也见之而不言,其故何也?"孔子曰:"若夫人③者,目击而道存矣,不可以容声矣。"故未见其人而知其志,见其人而心与志皆见,天符同也。圣人之相知,岂待言哉?

白公④问于孔子曰:"人可与微言⑤乎?"孔子不应。白公曰:"若以石投水⑥,奚若⑦?"孔子曰:"没人⑧能取之。"白公曰:"若以水投水,奚若?"孔子曰:"淄、渑⑨之合者,易牙⑩尝而知之。"白公曰:"然则人不可与微言乎?"孔子曰:"胡为不可?唯知言之谓⑪者为可耳。"白公弗得也。知谓则不以言⑫矣。言者,谓之属也。求鱼者濡,争兽者趋,非乐之也⑬。故至言去言,至为无为。浅智者之所争则末矣。此白公之所以死于法室⑭。

[注释]

①温伯雪子:当时的贤者,事迹不详。②好:义未详。《庄子·田子方》作"久"。③夫人:那个人。夫,彼,那。④白公:楚大夫,名胜,楚平王之孙,太子建之子。太子建因受陷害而出奔郑,后被郑人杀死。为报父仇,他谋划杀死楚国领兵救郑的令尹子西、司马子期。下文的"微言"即指此。⑤微言:不明说,以暗喻示意。⑥若以石投水:比喻微言像把石头投入水中一样,

无人知晓。⑦奚若：何如，怎么样。⑧没人：在水中潜行的人。⑨淄、渑：齐国境内二水名。合：汇合。⑩易牙：齐桓公近臣，善于识别滋味。⑪谓：意。⑫不以言：依陶鸿庆说，"言"字当叠。⑬求鱼者濡，争兽者趋，非乐之也：这几句是说，濡、趋是为了得鱼、得兽，如果不需濡、趋便可得鱼、得兽，人们就不会濡、趋了。以此喻"言""谓"的关系。濡，沾湿。趋，快步走，奔跑。⑭法室：刑室，监狱。一说为浴室。

[译文]

孔子去拜见温伯雪子，没说话就出来了。子贡说："先生您想见温伯雪子已很久了，现在见到了却不说话，这是什么原因呢？"孔子说："像他那样的人，用眼一看就知道是得道之人，不用再讲话了。"所以，还没有见到那个人就能知道他的志向，见到那个人以后他的内心与志向都能看得很清楚，这是因为彼此都与天道相合。圣人相互了解，哪里要等待言语呢？

白公向孔子问道："人可以跟他讲隐秘的话吗？"孔子不回答。白公说："讲隐秘的话就像把石头投入水中一样，不让人知道，怎么样？"孔子说："在水中潜行的人能得到它。"白公说："就像把水倒入水中一样，不为人所知，怎么样？"孔子说："淄水、渑水汇合在一起，易牙尝一尝就能区分它们。"白公说："这样说来，人不可以跟他讲隐秘的话了吗？"孔子说："为什么不可以？只有懂得所说意思的人才可以啊。"白公不懂得所说话的意思。懂得意思就可以不用言语了，因为言语是表达思想的。捕鱼的要沾湿衣服，追逐野兽的人要奔跑，并不是他们愿意湿衣或奔跑。所以，极高明的言语是抛弃言语，极高超的作为是无所作为。才智短浅的人所争的是很渺小的事，这就是白公后来死在监狱的原因。

齐桓公合诸侯，卫人后至。公朝而与管仲谋伐卫，退朝而入，卫姬①望见君，下堂再拜，请卫君之罪。公曰："吾于卫无故②，子曷为请？"对曰："妾望君之入也，足高气强，有伐国之志也。见妾而有动色，伐卫也。"明日君朝③，揖管仲而进之。管仲曰："君舍卫乎？"公曰："仲父安识④之？"管仲曰："君之揖朝也恭，而言也徐，见臣而有惭色，臣是以知之。"君曰："善。仲父治外，夫人治内，寡人知终不为诸侯笑矣。"桓公之所以匿者不言也，今管子乃以容貌音声，夫人乃以行步气志。桓公虽不言，若暗夜而烛燎也。

[注释]

①卫姬：齐桓公的夫人，娶于卫，故称"卫姬"。②故：事，指战争之事。③君朝：依陈昌齐说，当为"公朝"。④识：知道。

[译文]

齐桓公会盟诸侯，卫国人来晚了。桓公上朝时与管仲谋划攻打卫国的事情。退朝以后，桓公进入内室，卫姬望见他，下到堂前拜了两拜，为卫国君主请罪。桓公说："我不对卫国发动战事，你为什么要请罪？"卫姬回答说："我望见您进来的时候，迈着大步，怒气冲冲，有攻打别国的志向。见到我就变了脸色，这表明是要攻打卫国啊。"第二天桓公上朝，向管仲拱手请他进来。管仲说："您不攻打卫国了吧？"桓公说："仲父您怎么看出来的？"管仲说："您升朝时作揖很恭敬，见我面有愧色，我凭借这些知道的。"桓公说："好。仲父治理宫外的事情，夫人治理宫内的事情，我知道自己终究不会被诸侯们耻笑了。"桓公用以掩盖自己意图的办法是不说话，现在管子却凭着神色语气、夫人却凭着走路姿态觉察到了。桓公虽然不说话，他的意图就像黑夜点燃烛火一样，让人看得清楚明白。

晋襄公①使人于周曰："弊邑寡君寝疾②，卜以守龟③，曰：'三涂为祟④。'弊邑寡君使下臣愿藉途⑤而祈福焉。"天子许之，朝，礼使者事毕，客出。苌弘谓刘康公⑥曰："夫祈福于三涂，而受礼于天子，此柔嘉⑦之事也，而客武色，殆有他事，愿公备之也。"刘康公乃儆戎车⑧卒士以待之。晋果使祭事先，因令杨子⑨将卒十二万而随之，涉于棘津⑩，袭聊、阮、梁⑪蛮氏，灭三国焉。此形名不相当，圣人之所察也，苌弘则审矣。故言不足以断小事，唯知言之谓者可为。

[注释]

①晋襄公：晋文公的儿子欢也，前627～前621年在位。②弊邑：谦称自己的国家。寝疾：卧病。③守龟：占卜用的龟甲。④三涂：古山名，在今河南省嵩县西南、伊河北岸。这里的"三涂"指三涂山山神。祟：神祸。⑤藉途：借道。⑥苌弘：周景王、敬王大臣刘文公所属大夫。刘康公：周定王之子（一说为周匡王之子），食邑在"刘"，谥"康公"。刘在今河南偃师南。⑦柔嘉：温和而美善。⑧儆（jǐng）：使人警惕。戎车：兵车，战车。⑨杨子：晋国的将帅。按：《左传·昭公十七年》："晋荀吴帅师涉自棘津"，与此不同。⑩棘津：此处当指孟津（依服虔说，见《水经注·河水五》所引），古黄河渡口，在今河南省孟州市南。⑪聊、阮、梁：都是蛮族的小国名。

[译文]

晋襄公派人去周朝说："我国君主卧病不起，用龟甲占卜，卜兆说：'是三涂山山神降下的灾祸。'我国君主派我来，想借路去向三涂山山神寻求福佑。"周天子答应了他，于是升朝，按礼节接待完使者，客人出去了。苌弘对刘康公说："向三涂山山神求福，在天子这里受到礼遇，这是温和美善的事情，可是来客却表现出勇武的神色，恐怕还有别的事情吧，希望您防备他。"刘康公就让战车士卒做好戒备等待着。晋国果然先做祭祀的事，趁机派杨子率领十二万士兵跟随着，渡过棘津，袭击聊、阮、梁蛮人小国，灭掉了这三个国家。这就是实际和名称不相符啊，这种情况圣人是能够明察的，苌弘对此就审察清楚了。所以仅凭言辞不足以决断事情，只有懂得言辞的意思才可以决断事情。

具　备①

今有羿、蠭蒙、繁弱②于此，而无弦，则必不能中也。中非独弦也，而弦为弓中之具③也。夫立功名亦有具，不得其具，贤虽过汤、武，则劳而无功矣。汤尝约于郼、薄④矣，武王尝穷于毕、郢⑤矣，伊尹尝居于庖厨⑥矣，太公⑦尝隐于钓鱼矣。贤非衰也，智非愚也，皆无其具也。故凡立功名，虽贤，必有其具，然后可成。

[注释]

①题解："具备"旨在论述建立功名必须具备的条件。②羿：即后羿，传说中夏代东夷族的首领，以善射箭著称。蠭（páng）蒙：传说中夏代善于射箭的人，曾学射于羿。繁弱：古代良弓名。③具：器具，这里指条件。④约：贫困，卑微。薄：通"亳"。汤时的都城，故址在今河南省商丘县北。⑤毕、郢：毕：即毕原，在今陕西省咸阳市北。郢：也作"程"，古邑名，周文曾迁居于此，故址在今陕西省咸阳市东。⑥居于庖厨：指曾为庖厨之臣。⑦太公：指太公望。

[译文]

假如有羿、蠭蒙这样的善射之人和繁弱这样的良弓，却没有弓弦，那么一定不能射中靶心。射中不只是靠弓弦，但弓弦是射中的条件。建立功名也有必要的条件。不具备条件，即使贤德超过了商汤、武王，也会劳而无功。汤曾经在郼、亳受贫困，武王曾经在毕、郢受困窘，伊尹曾经在厨房里当奴仆，太公望曾经隐居钓鱼。并不是说他们的贤德衰微了，也不是他们的愚蠢了，而是因为不具备条件。所以凡是建立功名，即使贤德，也要具备条件，然后才能成功。

宓子贱治亶父①，恐鲁君之听谗人，而令己不得行其术也，将辞而行，请近吏②二人于鲁君，与之俱至于亶父。邑吏皆朝，宓子贱令吏二人书。吏方将书，宓子贱从旁时掣摇其肘，吏书之不善，则宓子贱为之怒。吏甚患之，辞而请归。宓子贱曰："子之书甚不善，子勉③归矣！"二吏归报于君，曰："宓子不得为书。"君曰："何故？"吏对曰："宓子使臣书，而时掣摇臣之肘，书恶而有甚怒，吏皆笑宓子。此臣所以辞而去也。"鲁君太息而叹曰："宓子以此谏寡人之不肖也。寡人之乱子，而令宓子不得行其术，必数有之矣。微二人，寡人几过。"遂发所爱，而令之亶父，告宓子曰："自今以来，亶父非寡人之有也，子之有也。有便于亶父者，子决为之矣。五岁而言其要④。"宓子敬诺，乃得行其术于亶父。三年，巫马旗短褐衣弊裘⑤，而往观化于亶父，见夜渔者，得则舍之。巫马旗问焉，曰："渔为得也，今子得而舍之，何也？"对曰："宓子不欲人之取小鱼也。所舍者小鱼也。"巫马旗归，告孔子曰："宓子之德至矣，使民暗行，若有严刑于旁。敢问宓子何以至于此？"孔子曰："丘尝与之言曰：'诚乎此者刑乎彼⑥。'宓子必行此术于亶父也。"夫宓子之得行此术也，鲁君后得之也。鲁君后得之者，宓子先有其备也。先有其备，岂遽必哉？此鲁君之贤也。

[注释]

①宓（fú）子贱：孔子弟子宓不齐，字子贱。亶（dǎn）父（fǔ）：即单父，春秋时期鲁邑，在今山东省单县。②近吏：君主身边的人，指宠臣。③勉：这里是"赶快"的意思。④言其要：报告施政的主要情况。⑤巫马旗：通作"巫马期"，孔子的弟子。短褐：古代平民所穿的粗陋衣服。短，通"裋（shù）"，僮仆所穿的衣服。褐，粗毛编织的衣服。衣（yì）：穿。弊裘：破旧的皮衣。⑥诚乎此者刑乎彼：即诚于心而形于外的意思。刑，通"形"。

[译文]

宓子贱去治理亶父，担心鲁国君主听信谗言，从而使他不能推行自己的主张，将要走的时候，向鲁国君主请求，让君主身边的两个官吏跟从。到了亶父，亶父的官吏都来朝见，宓子贱让那两个官吏书写记录。官吏刚要书写，宓子贱从旁边不时地摇动他们的胳膊肘，官吏写得很不好，宓子贱就因此发怒。官吏为此厌恨，告辞请求回去。宓子贱说："你们写得很不好，赶快回去吧！"两个官吏回去后向鲁国君主禀报，说："不可以给宓子贱这个人书写。"鲁国君主说："是什么原因？"官吏回答说："宓子贱让我们书写，却不时地摇动我们的胳膊肘,写得不好又大发脾气,亶父的官吏都因此而发笑。这就是我们所以要告辞的原因。"鲁国君主长叹道:"宓子贱是用这种方式对我的缺点进行劝谏啊。我扰乱宓子贱,使宓子贱不能实行自己的主张,这样的事一定发生过多次了。假如没有你们两位,我几乎要犯错误。"于是就派所宠爱的人去亶父,告诉宓子贱说:"从今以后,亶父不归我所有,归你所有。如果有对亶父有利的事情,你自己决断去做吧。五年后报告施政要点。"宓子贱恭敬地答应了,这才得以在亶父推行自己的主张。过了三年,巫马旗穿着粗劣的衣服和破旧的皮衣,到亶父去观察宓子贱施行教化的情况,看到夜里捕鱼的人,得到鱼后又扔回水里。巫马旗问他说:"捕鱼是为了得到鱼,现在你得到鱼却把它扔回水里,这是为什么呢?"那人回答说:"宓子不让人们捕取小鱼,我扔回水中的都是小鱼。"巫马旗回去以后,告诉孔子说:"宓子的德政达到极点了,他能让人们黑夜中独自做事,就像有严刑在身旁一样。请问宓子是用什么办法而达到这种境界的?"孔子说:"我曾经跟他说过:'自己心诚,就能在外显现实行。'宓子贱一定是在亶父推行这个主张了。"宓子贱得以推行主张,是因为鲁国君主后来领悟到了这一点。鲁国君主之所以后来能领悟到这一点,那是因为宓子贱事先有了准备。事先有了准备,难道就一定能使君主领悟吗?这就是鲁国君主的贤明之处啊!

三月婴儿,轩冕①在前,弗知欲也;斧钺②在后,弗知恶也;慈母之爱谕焉,诚也。故诚有诚乃合于情,精有精乃通于天。乃通于天,水木石之性,皆可动也,又况于有血气者乎?故凡说与治之务莫若诚。听言哀者,不若见其哭也;听言怒者,不若见其斗也。说与治不诚,其动人心不神③。

[注释]

①轩冕:古代卿大夫的车服。轩,古代大夫以上的人所乘坐的车子。冕,

古代大夫以上的人所戴的礼帽。②钺：古代兵器，形似斧，比斧大。③不神：指不能感化人。

[译文]

三个月大小的婴儿，轩冕在前不知羡慕，斧钺在后不知厌恶，对慈母的爱却能明白，这是因为婴儿的心赤诚的原因。所以，诚而又诚才合乎真情，精而又精才与天性相通。与天性相通，水、木、石的本性都可以改变，更何况有血气的人呢？所以凡是劝说别人与治理政事，要做的事没有比赤诚更重要的了。听人说的话很悲哀，不如看到他哭泣；听别人说的话很愤怒，不如看到他与人斗架。劝说别人、治理政事不赤诚，那就不能感动人心。

离俗览第十九

高 义①

君子之自行也,动必缘义,行必诚义,俗虽谓之穷,通也。行不诚义,动不缘义,俗虽谓之通,穷也。然则君子之穷通,有异乎俗者也。故当功以受赏,当罪以受罚。赏不当,虽与之必辞;罚诚②当,虽赦之不外③。度④之于国,必利长久。长久之于主,必宜内反于心,不惭然后动。

孔子见齐景公⑤,景公致廪丘以为养⑥。孔子辞不受,入⑦谓弟子曰:"吾闻君子当功⑧以受禄。今说景公⑨,景公未之行而赐之廪丘,其不知丘亦甚矣!"令弟子趣⑩驾,辞而行。孔子,布衣也,官在鲁司寇,万乘难与比⑪行,三王之佐不显⑫焉,取舍不苟⑬也夫!

[注释]

①题解:"高义"即推崇义,旨在论述义的原则。②诚:如果。③不外:不敢推却,指不敢不受惩罚。外,摒弃,推却掉。④度(duó):衡量。⑤齐景公:春秋时期齐国君主,名杵臼,前547~前490年在位。⑥廪丘:齐邑名,在今山东郓城西北。以为养:指把它(廪丘)作为食邑。⑦入:疑为"出"之误。⑧当功:面对功,即有功。⑨景公:"景"是谥号,此处不该如此称

呼，当是追书之辞。⑩趣（cù）：赶快。⑪万乘：指万乘之主，拥有万辆兵车的大国君主。比：并。⑫不显：不比他显赫。⑬不苟：不苟且。

[译文]

君子自身的作为，举动必须遵循义，行为必须忠于义，世俗虽然认为行不通，但君子认为行得通；行为不忠于义，举动不遵循义，世俗虽然认为行得通，但君子认为行不通。这样看来，君子所谓的行得通或不通，就与世俗不同了。所以有功，就接受相应的奖赏；有罪，就接受相应的惩罚。如果不该受赏，那么即使赏给自己，也一定谢绝；如果应该受罚，那么即使赦免自己，也不躲避惩罚。用这种原则考虑国家大事，一定会对国家有长远的好处。要对君主有长远的好处，君子一定要内心反省，不感到惭愧，然后才行动。

孔子拜见齐景公，景公把廪丘送给他作为食邑。孔子谢绝不肯接受，出来以后，对学生们说："我听说君子有功才接受俸禄。现在我劝说景公听从我的主张，景公还没有实行，却要赏赐给我廪丘，他太不了解我了。"让学生们赶快套好车，告辞后就走了。孔子这时是平民，他在鲁国只做过司寇，然而拥有万辆兵车的大国君主难以与他相提并论，三位帝王的辅佐之臣也不比他显赫，这是因为他的取舍都不马虎啊！

子墨子游公上过①于越。公上过语墨子之义，越王说之，谓公上过曰："子之师苟肯至越，请以故吴之地，阴江之浦②，书社三百以封夫子。"公上过往复于子墨子，子墨子曰："子之观越王也，能听吾言、用吾道乎？"公上过曰："殆未能也。"墨子曰："不唯越王不知翟之意，虽子亦不知翟之意。若越王听吾言用吾道，翟度身而衣，量腹而食，比于宾萌③，未敢求仕。越王不听吾言、不用吾道，虽全越以与我，吾无所用之。越王不听吾言、不用吾道，而受其国，是以义翟④也。义翟何必越，虽于中国⑤亦可。"凡人不可不熟论。秦之野人⑥，以小利之故，弟兄相狱⑦，亲戚相忍⑧。今可得其国，恐亏其义而辞之，可谓能守行矣。其与秦之野人相去亦远矣。

[注释]

①游：用如使动，使……游。公上过：墨子的徒弟。②阴江：江名。浦：江边。③宾萌：客居之民，从外地迁入的人。萌，民。④翟：交易。⑤中国：指中原各国。⑥野人：指效野之农。⑦狱：打官司。⑧亲戚：这里指亲人。忍：残。

[译文]

墨子派公上过去游说越国。公上过讲述了墨子的主张，越王很喜欢，对公上过说："您的老师如果愿意到越国来，我愿把过去吴国的土地阴江沿岸三百社的地方封给他。"公上过回去禀报墨子，墨子说："你认为越王能听从我的话，采纳我的主张吗？"公上过说："恐怕不能。"墨子说："不仅越王不了解我的心意，即便是你也不了解我的心意。假如越王听从我的话，采纳我的主张，我量体穿衣，估量肚子吃饭，我将处于客居之民的地位，不敢要求做官；假如越王不听从我的话，不采纳我的主张，即使把整个越国给我，我也用不着它。越王不听从我的话，不采纳我的主张，我却接受他的国家，这是拿原则做交易。拿原则做交易，何必到越国去？中原之国也是可以的。"大凡对于人不可不仔细考察。秦国的乡野之人，因为一点小利的缘故，弟兄之间就相互打官司，亲人之间就相互残害。现在墨子可以得到越王的国土，却担心损害了自己的道义，因而谢绝了，这可说是能保持自己的操行了。秦国的乡野之人与他相差也太远了。

荆人与吴人将战，荆师寡，吴师众。荆将军子囊①曰："我与吴人战，必败。败王师，辱王名，亏壤土，忠臣不忍为也。"不复于王而遁。至于郊，使人复于王曰："臣请死。"王曰："将军之遁也，以其为利也。今诚利，将军何死？"子囊曰："遁者无罪，则后世之为王臣者，将皆依不利之名而效臣遁。若是，则荆国终为天下挠②。"遂伏剑而死。王曰："请成将军之义。"乃为之桐棺三寸③，加斧锧其上④。人主之患，存而不知所以存，亡而不知所以亡。此存亡之所以数至也。郼、岐⑤之广也，万国之顺也，从此生矣⑥。荆之为⑦四十二世矣，尝有干谿、白公之乱⑧矣，尝有郑襄、州侯之避⑨矣，而今犹为万乘之大国，其时有臣如子囊与！子囊之节，非独厉⑩一世之人臣也。

[注释]

①子囊：春秋时期楚庄王的儿子。②挠：挫败。③桐棺三寸：指刑人之棺。棺木只有三寸厚，表明是受刑而死。④加斧锧其上：表示"处以刑罚"的意思。斧，古代杀人时用作刑具。锧，古代杀人时垫的砧板。⑤岐：武王灭桀前所居之地。⑥郼、岐之广也，万国之顺也，从此生矣：这几句大意是说：汤、武王之所以能灭掉桀、纣，统一天下，天下诸侯都归附，正是由于这个原因（指桀、纣不知存亡的道理）。⑦为：依王念孙、孙锵鸣说，"为"下当脱"荆"或"国"字。⑧干谿、白公之乱：据《左传·昭公十二年》载：楚灵王伐楚，"次于干谿"；又十三年载：楚灵王无道，公子弃疾为司马，"先除王宫"，后派人去干谿瓦解灵王的军队，夏五月，灵王于干谿自缢而死。"干谿之乱"即指此言。白公，指白公胜，楚平王太子建之子。太子建为郑人所杀，白公胜为报父仇，杀死领兵救郑的楚令子西、司马子旗，并占据了楚都。"白公之乱"即指此事而言。⑨郑襄、州侯之避：指郑袖、州侯助楚王行邪僻。襄，依王念孙说，当做"褏"（袖）字。郑袖，楚怀王幸姬。州侯，楚襄王宠臣。⑩厉：磨砺，勉励。

[译文]

楚国人与吴国人将要作战，楚国军队人少，吴国军队人多。楚国将军子囊说："我国与吴国作战，一定会失败。让君主的军队失败，让君主的名誉受辱，使国家的土地受损失，忠臣不忍心这样做。"没有向楚王禀告就跑回来了。到了郊外，派人向楚王禀告说："我请求被处死。"楚王说："将军你跑回来，是认为这样做有利。

现在确实有利，将军你为什么要死呢？"子囊说："跑回来的，如果没有罪过，那么后世做君主将领的人，都会借口作战不利而效法我逃跑。这样，楚国最终就会被天下的诸侯挫败。"于是用剑自杀而死。楚王说："让我成全他的道义。"就给他做了三寸厚的桐木棺表示惩处，把斧子、砧子等刑具放在棺材上表示处以死刑。君主的弊病是，保住国家却不知道为什么会保住，失去国家却不知道为什么会失去，这就是保住国家与失掉国家的情况频繁出现的原因。郫、岐的扩大，各国的归顺，由此就产生了。楚国成为国家已经四十二代了，曾经有过灵王被迫在干谿自缢而死，白公胜杀死子西、子旗攻陷楚都那样的祸乱，曾经有过郑袖、州侯帮楚王行邪僻的事情，可是如今仍是个拥有万辆兵车的大国，这大概就是因为它经常有像子囊那样的大臣吧！子囊的气节，不只是磨砺一代臣子啊！

　　荆昭王①之时，有士焉曰石渚。其为人也公直无私，王使为政。道有杀人者，石渚追之，则其父也。还车而反，立于廷曰："杀人者，仆之父也。以父行法，不忍；阿有罪，废国法，不可。失法伏罪，人臣之义也。"于是乎伏斧锧，请死于王。王曰："追而不及，岂必伏罪哉！子复事矣。"石渚辞曰："不私其亲，不可谓孝子；事君枉法，不可谓忠臣。君令赦之，上之惠也；不敢废法，臣之行也。"不去斧锧，歿头乎王廷。正法枉必死，父犯法而不忍，王赦之而不肯，石渚之为人臣也，可谓忠且孝矣。

[注释]

①荆昭王：楚昭王，名熊轸，前515～前489年在位。

[译文]

　　楚昭王时，有个贤士名叫石渚。他为人公正无私，昭王派他治理政事。有个在道上杀人的人，石渚追赶上他，原来是他父亲。他掉转车子返回来，站在朝廷上说："杀人的人是我父亲。对父亲施用刑法，我不忍心；偏袒有罪的人，废弃国家刑法，这不可以。执法有失要受惩处，这是臣子应遵守的道义。"于是就趴伏在斧锧上，请求在昭王面前受死。昭王说："追赶杀人的人没有追上，哪里一定要受惩处呢？你重新担任职务吧。"石渚说："不偏爱自己的父亲，不可以叫做孝子；侍奉君主而违法，不可以叫做忠臣。您命令赦免我，这是君主的恩惠；不让刑法废弃，这是臣子的操行。"他不让拿掉刑具，在昭王朝廷上自刎而死。按照公正的刑法，违法一定处死，父亲犯法，自己不忍心处以死刑；君主赦免了自己，却不肯予以接受。石渚作为臣子，可说是既忠且孝了。

上　德①

为天下及国，莫如以德，莫如行义。以德以义，不赏而民劝②，不罚而邪止。此神农、黄帝之政也。以德以义，则四海之大，江河之水，不能亢③矣；太华④之高，会稽⑤之险，不能障矣；阖庐之教⑥，孙、吴⑦之兵，不能当矣。故古之王者，德回⑧乎天地，澹⑨乎四海，东西南北，极日月之所烛⑩，天覆地载，爱恶不臧⑪，虚素⑫以公，小民皆⑬之，其之敌⑭而不知其所以然，此之谓顺天；教变容改俗，而莫得其所受之，此之谓顺情。故古之人，身隐而功著，形息⑮而名彰，说通而化奋⑯，利行乎天下而民不识⑰，岂必以严罚厚赏哉？严罚厚赏，此衰世之政也。

[注释]

①题解："上德"即崇尚德政。本篇旨在论述德、义是治理天下和国家的根本。②劝：指努力向善。③亢：通"抗"，抵御。④太华（huà）：即西岳华山。⑤会（kuài）稽（jī）：即会稽山，在浙江省中部。⑥阖庐：通作"阖闾"，本卷《用民》篇说："阖庐试其民于五湖，剑皆加于肩，地流血几不可止。"所谓"阖庐之教"，即指此类事而言。⑦孙：指孙武。吴：指吴起。⑧回：转，运转。⑨澹：通"赡"，足。⑩烛：照耀。⑪臧：通"藏"，隐匿。

⑫虚素：处虚服素、恬淡质朴的意思。⑬皆：通"偕"。⑭之：与。敌：通"适"，往。⑮形息：指身死。⑯化奋：教化大行。奋，发扬。⑰识：知。

[译文]

治理天下和国家，莫过于用德，莫过于行义。用德行义，不用赏赐，人民就会努力向善；不用刑罚，邪恶就能制止。这是神农、黄帝的德政。用德行义，那么四海的广大，长江、黄河的流水，都不能抵御；华山的高大，会稽山的险峻，都不能阻挡；阖庐的教化，孙武、吴起的军队，都不能抵挡。所以，古代称王的人，他们的道德布满天地间，充满在四海内，东西南北，一直到达日月所能照耀的地方。他们的道德像天一样覆盖着万物，像地一样承载着万物，无论对喜爱的还是厌恶的，都不藏匿他的道德。他们恬淡质朴，处事公正，普通百姓也都随之公正；普通百姓与君王一起公正处事，自己却不知道为什么会这样，这就叫做顺应了天性。教化改变了普通百姓的面貌和习俗，普通百姓自己却不知道受了教化，这就叫做顺应了人情。所以古代的人，他们自身隐没了，可是功绩却卓著；他们本身死了，可是名声却显扬；他们的主张畅通，教化大行，给天下人带来利益，可是人民并未察觉到。哪里一定要用严刑厚赏呢？严刑厚赏，这是衰败社会的政治手段。

三苗①不服，禹请攻之，舜曰："以德可也。"行德三年而三苗服。孔子闻之，曰："通乎德之情，则孟门、太行②不为险矣。故曰德之速，疾乎以邮③传命。"周明堂④，金在其后⑤，有以见先德后武也。舜其犹此乎！其臧武通于周矣。

[注释]

①三苗：也称"有苗"，古部族名，居住在江、淮、荆州一带。传说舜时被迁到三危（今甘肃敦煌一带）。②孟门：古山名，在山西、陕西交界处，绵亘黄河两岸。太行：山名，在山西、河北交界处，多横谷。这里"孟门、太行"指二山的要塞。③疾：速。邮：古代传递文书、供应食宿车马的驿站。

④明堂：古代天子宣明政教、举行大典的地方。⑤金在其后：指金属乐器及器具陈列在堂后。按五行学说，金主杀气，所以把它作为"武"的象征。

[译文]

三苗不归服，禹请求攻打它，舜说："用德政就可以了。"实行德政三年，三苗就归服了。孔子听到了这件事，说："通晓了德教的实质，那么孟门、太行山就不算险峻了。所以说德教的迅速，比用驿车传递命令还快。"周代的朝堂把金属乐器和器物摆在后边，这是用来表示先行德教，后诉诸武力啊。舜或许就是这样做的吧，他不轻易动用武力的精神流传到了周代。

晋献公为丽姬远太子①。太子申生居曲沃②，公子重耳居蒲③，公子夷吾居屈④。丽姬谓太子曰："往昔君梦见姜氏⑤。"太子祠而膳⑥于公，丽姬易之。公将尝膳，姬曰："所由远，请使人尝之。"尝人，人死；食狗，狗死；故诛太子。太子不肯自释，曰："君非丽姬，居不安，食不甘。"遂以剑死。公子夷吾自屈奔梁⑦。公子重耳自蒲奔翟⑧。去翟过卫，卫文公⑨无礼焉；过五鹿⑩如齐，齐桓公死；去齐之曹，曹共公视其骈胁⑪，使袒而捕池鱼；去曹过宋，宋襄公⑫加礼焉；之郑，郑文公⑬不敬，被瞻⑭谏曰："臣闻贤主不穷穷⑮。今晋公子之从者，皆贤者也。君不礼也，不如杀之。"郑君不听；去郑之荆，荆成王⑯慢焉；去荆之秦，秦缪公⑰入之。晋既定，兴师攻郑，求被瞻。被瞻谓郑君曰："不若以臣与之。"郑君曰："此孤之过也。"被瞻曰："杀臣以免国，臣愿之。"被瞻入晋军，文公将烹之，被瞻据镬而呼曰："三军之士皆听瞻也：自今以来，无有忠于其君，忠于其君者将烹。"文公谢焉，罢师，归之于郑。且被瞻忠于其君，而君免于晋患也；行义于郑，而见说于文公也；故义之为利博矣。

[注释]

①晋献公：春秋晋国国君，前676～前651年在位。丽姬：即骊姬。晋献

公伐骊戎，获骊姬。有宠，生奚齐，欲立之，故陷害太子申生。②曲沃：古邑名，晋的别都，故址在今山西省闻喜县东北。③公子重耳：即后来的晋文公。蒲：晋邑名，在今山西省隰县西北。④公子夷吾：晋献公之子。屈：晋邑名，在今山西省古县北。⑤昔：通"夕"。姜氏：即齐姜，太子申生之母，其时已死。⑥膳：进食，奉献食物。下文"尝膳"之"膳"指食物。⑦梁：春秋时国名，嬴姓，后为秦穆公所灭。⑧翟：也作"狄"，古部族名。⑨卫文公：春秋时卫国君主，前659～前635年在位。⑩五鹿：卫邑名，在今河南濮阳东北。⑪曹共公：曹国君主，前652～前618年在位。骈胁：肋骨紧密相连，是一种生理畸形。⑫宋襄公：春秋时宋国君主，前650～前637年在位。⑬郑文公：春秋时郑国君主，前672～前628年在位。⑭被瞻：郑大夫。⑮不穷穷：不永远困窘。前"穷"字是"终"的意思；后"穷"字是"困窘、困厄"的意思。⑯荆成王：楚成王，春秋时期楚国君主，前671～626年在位。⑰秦缪公：即秦穆公（缪通"穆"），春秋时期秦国君主，前659～前621年在位。

[译文]

晋献公为了宠妾丽姬而疏远了太子。太子申生住在曲沃，公子重耳住在蒲城，公子夷吾住在屈邑。丽姬对太子说："前几天夜里君主梦见了你母亲姜氏。"太子就祭祀姜氏，并把食品献给献公，丽姬用毒食替换了膳食。献公要吃膳食，丽姬说："膳食从远处送来，请先让人尝尝。"让人尝，人死了；让狗吃，狗死了。所以要杀死太子。太子不肯为自己辩解，说："君主如果没有丽姬，睡觉就不安稳，吃饭就不香甜。"于是就用剑自杀了。公子夷吾从屈邑逃到梁国。公子重耳从蒲城逃到翟。离开翟，经过卫国，卫文公不以礼相待。经过五鹿，到了齐国，正赶上齐桓公死了。又离开齐国到了曹国，曹共公想看看他连在一起的肋骨，就让他脱了衣服去捕池里的鱼。离开曹国，经过宋国，宋襄公以礼相待。到了郑国，郑文公不尊敬他，被瞻劝告说："我听说贤明的君主不会永远困厄。现在晋公子随行的人，都是贤德之人。您不以礼相待，不如杀了他。"郑国君主没听从他的劝告。离开郑国，到了楚国，楚成王待他不恭。离开楚国，到了秦国，秦穆公把他送回晋国。重耳即位以后，发兵攻打郑国，索取被瞻。被瞻对郑国君主说："不如把我交给晋国。"郑国君主说："这是我的过错。"被瞻说："杀死我能使国家免除灾难，我愿意这样做。"被瞻到了晋国军队里，晋文公要煮死他，被瞻抓住大锅喊道："三军的兵士都听我说：从今以后，不要再忠于自己的君主了，忠于自己君主的人将被煮死。"文公向他道歉，撤回了军队，让被瞻回到了郑国。被瞻忠于自己的君主，因而使君主避免了晋国的祸患；他在郑国按义的原则行事，因而受到了晋文公的喜欢。所以，义带来的好处是很大了。

墨者钜子①孟胜，善荆之阳城君②。阳城君令守于国③，毁璜以为符④，约曰："符合听之。"荆王薨，群臣攻吴起，兵于丧所，阳城君与焉，荆罪之。阳城君走，荆收其国。孟胜曰："受人之国，与之有符。今不见符，而力不能禁，不能死，不可。"其弟子徐弱⑤谏孟胜曰："死而有益阳城君，死之可矣；无益也，而绝墨者于世，不可。"孟胜曰："不然。吾于阳城君也，非师则友也，非友则臣也。不死，自今以来，求严师必不于墨者矣，求贤友必不于墨者矣，求良臣必不于墨者矣。死之，所以行墨者之义而继其业者也。我将属钜子于宋之田襄子⑥。田襄子，贤者也，何患墨者之绝世也？"徐弱曰："若夫子之言，弱请先死以除路。"还殁头⑦前于孟胜。因使三人⑧传钜子于田襄子。孟胜死，弟子死之者百八十三人。以致令于田襄子，欲反死孟胜于荆，田襄子止之曰："孟子已传钜子于我矣，当听。"遂反死之。墨者以为不听钜子不察⑨。严罚厚赏，不足以致此。今世之言治，多以严罚厚赏，此上世之若客⑩也。

[注释]

①钜子：也作"巨子"，战国时期墨家称其学派有重大成就的人为"钜子"，如同说"大师"。钜子之职是由前任钜子认可并传给的。②阳城君：楚国人。③国：指阳城君的食邑。④璜（huáng）：古玉器名，形状像璧的一半。符：古代传达命令或调兵将用的凭证，以铜、玉、竹、木等制成，中间剖分

开，双方各执一半，合之以验真伪。⑤徐弱：孟胜的学生。⑥田襄子：事迹无考，当为墨家首领。⑦殁头：刎颈。⑧三人：依吴闿生说，当为"二人"。⑨不察：不知，指不知墨家之义。⑩若客：义未详。许维遹疑为"苛察"之误。苛察，以繁烦苛酷为明察。

[译文]

　　墨家学派的钜子孟胜，与楚国的阳城君交好。阳城君让他守卫自己的食邑，剖分开璜玉作为符信，与他约定说："符信相合才能听从命令。"楚悼王死了，大臣们攻打吴起，在停丧的地方动起了兵器，阳城君参与了这件事，楚国治他的罪。阳城君逃走了。楚国要收回他的食邑。孟胜说："我接受了人家的食邑，与他有符信为凭证。现在没有见到符信，而自己的力量又不能禁止楚国收回食邑，不为他殉死，是不行的。"他的学生徐弱劝阻他说："死了如果对阳城君有好处，那么为他殉死是可以的；如果对阳城君没有好处，却使墨家在社会上断绝了，是不可以的。"孟胜说："不对。我对于阳城君来说，不是老师就是朋友，不是朋友就是臣子。如果不为此而死，那么，从今以后，一定不会从墨家中寻求严师了，一定不会从墨家中寻求贤友了，也一定不会从墨家中寻求良臣了。为此而死，正是为了实行墨家的道义，从而使墨家的事业得以为继啊！我将把钜子的职务托付给宋国的田襄子。田襄子是贤德的人，哪里用得着担心墨家在社会上会断绝呢？"徐弱说："像先生您说的这样，那我请求先死以便扫清道路。"转过身去在孟胜之前刎颈而死。孟胜于是就派两个人把钜子的职务传给田襄子。孟胜死了，学生们为他殉死的有一百八十三人。那两个人把孟胜的命令传达给田襄子，想返回楚国为孟胜殉死，田襄子制止他们说："孟子已把钜子的职务传给我了，你们应当听我的。"两个人仍然返回去为孟胜殉死。墨家认为不听从自己的钜子的话就是不知墨家的教义。严刑厚赏，不足以到这种地步。现在社会上谈到治理天下国家，大都认为要用严刑厚赏，这就是古代所认为的以繁烦苛酷为明察啊！

用 民[①]

凡用民，太上以义，其次以赏罚。其义则不足死，赏罚则不足去就[②]，若是而能用其民者，古今无有。民无常用也，无常不用也，唯得其道为可。

阖庐之用兵也，不过三万。吴起之用兵也，不过五万。万乘之国，其为三万五万尚多。今外之则不可以拒敌，内之则不可以守国，其民非不可用也，不得所以用之也。不得所以用之，国虽大，势虽便，卒虽众，何益？古者多有天下而亡者矣，其民不为用也。用民之论，不可不熟。剑不徒断，车不自行，或使之也。夫种麦而得麦，种稷而得稷，人不怪也。用民亦有种，不审其种，而祈民之用，惑莫大焉。

[注释]

①题解："用民"即役使民，文章旨在指出，国家存亡的关键在于国君使用民众的方法。②去就：指去恶行善。

[译文]

大凡役使民众，最上等的是使用道义，其次是使用赏罚。如果道义不足以让民众献出生命，如果赏罚不足以让民众除恶行善，这样却能使用自己民众的，从古到今都没有过。民众不可以总被使用，也不可以总不被使用，只有掌握了正确的方法，民众才可以被使用。

阖庐用兵，不超过三万。吴起用兵，不超过五万。拥有万辆兵车的大国，用兵比三万、五万还多，可是对外不可以御敌，对内不可以保国，它们的民众并不是不可用，只是没有掌握恰当的用民方法。没有掌握恰当的用民方法，国家即使很大，形势即使很有利，士兵即使很多，又有什么好处？古代有很多享有天下可是最后却亡国的,就是因为民众不被他们使用啊。使用民众的道理,不可不作详尽的了解。剑不会自己凭空砍断东西,车不会自己行走,是有人让它们有这样的结果。播种麦子就收获麦子,播种谷子就收获谷子,人们对此并不感到奇怪。使用民众也有播种的问题,不考察播下什么种子,却要求使用民众,没有比这更糊涂的了。

当禹之时,天下万国,至于汤而三千余国,今无存者矣,皆不能用其民也。民之不用,赏罚不充①也。汤、武因②夏、商之民也,得所以用之也。管、商亦因齐、秦之民也,得所以用之也。民之用也有故,得其故,民无所不用。用民有纪有纲。壹引其纪③,万目皆起;壹引其纲,万目皆张。为民纪纲者何也?欲也,恶也。何欲何恶?欲荣利,恶辱害。辱害所以为罚充也,荣利所以为赏实也。赏罚皆有充实,则民无不用矣。

阖庐试其民于五湖,剑皆加于肩,地流血几不可止。句践试其民于寝宫,民争入水火,死者千馀矣,遽击金而却之。赏罚有充也。莫邪不为勇者兴,惧者变,勇者以工,惧者以拙,能与不能也。

[注释]

①赏罚不充:赏罚不能兑现。充,充实。②因:依仗,凭靠。③壹:假如,一旦。纪:本指丝缕的头绪,又可指网上的绳,引申为法纪之义。

[译文]

在禹那个时代,天下有上万个诸侯国,到汤那个时代,天下有三千多个诸侯国,现在这些诸侯国都不存在了,是因为他们不能使用自己的民众啊。民众不被使用,是因为赏罚没能实施。商汤、武王凭借的是夏朝、商朝的民众,这是因为他们掌握了使用民众的方法。管仲、商鞅凭借的也是齐国、秦国的民众,这是因为他们掌握了使用民众的方法。使用民众是有原因的,懂得了其中的原因,民众就会听凭使用。使用人民有纲纪,就像渔网,一旦举起纲纪,万目都随之张开。使用人民的纲纪是什么呢？是希望和厌恶。希望什么，又厌恶什么？希望荣耀、利益，厌恶耻辱、祸害。耻辱、祸害是用来实施惩罚的；荣耀、利益是用来兑现赏赐的。赏罚都能实现，民众就没有不被使用的了。

阖庐在五湖检验他的民众，剑都刺到了肩膀，血流遍地，几乎都不能制止民众前进。勾践在他寝宫着火时检验他的民众，民众争着赴汤蹈火，死的有一千多人，赶紧鸣金才能让民众后退，这是因为赏罚都能兑现。莫邪那样的良剑不因为用者是勇敢或怯懦而改变锋利的程度，勇敢的人有了它更灵巧，怯懦的人有了它更笨拙，这是由于他们善于使用或是不善于使用的原因。

夙沙①之民，自攻其君而归神农。密须②之民，自缚其主而与③文王。汤、武非徒能用其民也，又能用非己之民。能用非己之民，国虽小，卒虽少，功名犹可立。古昔多由布衣定一世者矣，皆能用非其有也。用非其有之心，不可察④之本。三代之道无二，以信为管⑤。

[注释]

①夙沙：他书或作"宿沙"，传说中上古部族名。②密须：古国名，为周文王所灭，故址在今甘肃省灵台县西南。③与：亲附，归附。④察：依毕沅说，该字上当脱一"不"字。⑤管：枢要，指事物的关键。

[译文]

夙沙国的人民，杀死自己本国的君主来归附神农。密须国的民众，捆上自己本国的君主来归附周文王。汤、武王不仅能用本国的民众，还能用不属于本国的民众。能用不属于本国的民众，国家即使很小，士兵即使很少，仍然可以建立功名。古代有很多由平民而一举平定天下的人，这是因为他们都能用不属于自己所有的民众啊。用不属于自己所有的民众的这种想法，是不可不考察的根本啊！夏、商、周三代的法则没有别的，就是把信用作为关键。

宋人有取道①者，其马不进，倒而投之潞水②。又复取道，其马不进，又倒而投之潞水。如此三者。虽造父③之所以威马，不过此矣。不得造父之道，而徒得其威，无益于御。人主之不肖者，有似于此。不得其道，而徒多其威。威愈多，民愈不用。亡国之主，多以多威使其民矣。故威不可无有，而不足专恃。譬之若盐之于味，凡盐之用，有所托也。不适，则败托而不可食。威亦然，必有所托，然后可行。恶乎托？托于爱利。爱利之心谕④，威乃可行。威太甚则爱利之心息，爱利之心息，而徒疾行威，身必咎矣。此殷、夏之所以绝也。君利势也，次官⑤也。处次官，执利势，不可而不察于此。夫不禁而禁⑥者，其唯深见此论邪！

[注释]

①取道：出行，赶路。②倒：杀。潞水：依王念孙说，当做"潠水"。③造父：古代善于驭马的人，曾为周穆王御者。④谕：知晓，这里是被知晓的意思。⑤次官：义未详。似指决定官吏的等次。次，等次。⑥不禁而禁：不须威罚就可禁止人为非。

[译文]

宋国有个赶路的人，他的马不肯前进，就杀死它，把它扔到潠水里。又重新赶路，他的马不肯前进，又杀死它，把它扔到潠水里。这样反复了三次。即使是造父对马树立威严的方法，也不过如此。那个宋国人没有学到造父的驭马术，却仅仅学到了威严，这对于驭马没有好处。那些不贤德的君主，与此相似。他们没有得到做君主的方法，却仅有当君主的威严。威严越多，民众越不被使用。亡国的君主，大多凭借威严使用民众。所以威严不可没有，但不足以专门依仗。就像盐对于味道一样，大凡使用盐，一定要有所依托。如果用量不适度，就败坏了所凭借的东西，不可食用了。威严也是这样。一定要有所凭借，然后才可施行。凭借什么呢？凭借爱和利。爱和利的心被人知晓了，威严才可施行。威严太过分了，爱和利的心就会消失。爱和利的心消失了，却一味地厉行威严，那么自身一定遭殃。这就是夏、商之所以灭亡的原因。君主有利有势，能决定官吏的等级。处于决定官吏等级的地位，掌握着利益和权势，君主对此不可不审察清楚。不须刑罚禁止就能禁止人们为非的，大概只有深刻认识到这一道理才能实现吧！

适　威①

先王之使其民，若御良马，轻任新节②，欲走不得，故致千里。善用其民者亦然。民日夜祈用而不可得，苟得为上用，民之走之也，若决积水于千仞之溪，其谁能当之？《周书》曰："民，善之则畜③也，不善则雠也。"有雠而众，不若无有。厉王，天子也，有雠而众，故流于彘，祸及子孙，微召公虎而绝无后嗣④。今世之人主，多欲众之，而不知善，此多其雠也。不善则不有⑤，有必缘其心，爱之谓也，有其形不可谓有之。舜布衣而有天下。桀，天子也，而不得息⑥，由此生矣。有无之论，不可不熟。汤、武通于此论，故功名立。

[注释]

①题解："适威"指君主立威应适度。文章旨在告诫君主，立威超过了一定的度就会败亡的道理。②任：负担。新节：依许维遹说，当做"执节"。节，策，马鞭。③畜：通"慉（xù）"，喜爱，眷爱。④微召公虎而绝无后嗣：厉王被逐后，太子靖藏在召公虎家中，国人包围了召公虎家，召公虎以自己的儿子代替太子，太子才幸免于死，所以这样说。微，非，不是。召公虎，即召伯虎，召公奭的后代。厉王死后，他拥立太子靖（即周宣王）即位。⑤不有：指不能得到人民拥护。⑥息：安，指安居其位。

[译文]

先王役使自己的百姓，就像驾驭好马一样，轻车上路，手里拿着马鞭，马想尽情跑也办不到，所以能到达千里远的地方。善于役使百姓的人也是这样。百姓日夜祈求被使用却不能做到，如果能被君主所使用，百姓为君主奔走效劳，就像积水从万丈深的溪中决口冲出来，谁又能阻挡得住呢？《周书》说："百姓，善待他们就和君主友好；不善待他们，就和君主成为仇人。"有很多仇人，就不如没有。周厉王是天子，他有很多仇人，所以被放逐到彘，灾祸累及子孙，如果没有召公虎，就断绝了后嗣。现今世上的君主，大多想使自己的百姓众多，却不知道善待他们，这是增加自己的仇人啊。不善待百姓，就不能得到百姓拥护。得到拥护，必须让百姓从内心拥护，这就是所说的爱戴了。只拥有表面上的爱戴不能叫做得到百姓拥护。舜是平民，却拥有了天下；桀是天子，却不得安宁，这些都是从能否得民心这里产生出来的。得失民心的道理，不可不熟知。商汤、武王精通这个道理，所以功成名就。

　　古之君民者，仁义以治之，爱利以安之，忠信以导之，务除其灾，思致其福。故民之于上也，若玺①之于涂也，抑②之以方则方，抑之以圜③则圜。若五种之于地也，必应其类，而蕃息于百倍。此五帝三王之所以无敌也。身已终矣，而后世化之如神，其人事审④也。

　　魏武侯⑤之居中山也，问于李克⑥曰："吴之所以亡者何也？"李克对曰："骤⑦战而骤胜。"武侯曰："骤战而骤胜，国家之福也，其独以亡，何故？"对曰："骤战则民罢，骤胜则主骄。以骄主使罢民，然而国不亡者，天下少矣。骄则恣，恣则极物；罢则怨，怨则极虑⑧。上下俱极，吴之亡犹晚。此夫差之所以自殁于干隧⑨也。"

[注释]

①玺：印。涂：指"封泥"。古代公私简牍封闭时，捆以绳，于绳端或交叉处加以检木，上盖印章，作为信验，以防私拆。这种钤有印章的泥块称为"封泥"。②抑：按压。③圜：通"圆"。④审：详尽细密。⑤魏武侯：名击，

魏文侯之子，前395～前370年在位。文侯攻灭中山国后，封太子击为中山君，所以这里说他"居中山"。⑥李克：战国初期政治家，子夏的学生。太子击为中山君时，他任中山相。⑦骤：屡次。⑧极虑：指用尽巧诈的心思。⑨干隧：也作"干遂"，吴地名，在今江苏省苏州市西北。

[译文]

　　古代统治百姓的君主，用仁和义治理百姓，用爱和利安定百姓，用忠和信教导百姓，致力于为百姓除害，想着为百姓造福。所以百姓对于君主来说，就像把玺印打在封泥上一样，用方形的按压就成为方形的，用圆形的按压就成为圆形的；就像把五谷种在土地上一样，收获的果实必定与种子相同，而且能繁衍增长到原来的百倍。这就是五帝三王之所以无敌天下的原因。他们自己虽然不在人世了，可是后世蒙受他们的教化，尊奉他们如神灵一样，这是因为他们明察人事啊！

　　魏武侯任中山君的时候，向李克问道："吴国之所以灭亡的原因是什么？"李克回答说："是因为屡战屡胜。"武侯说："屡战屡胜，这是国家的福分，为何因此而亡，这是什么原因呢？"李克回答说："多次作战百姓就会疲惫，多次胜利君主就会骄傲。以骄傲的君主役使疲惫的百姓，这样国家却不灭亡的，天下都少有。骄傲就会使人放纵，放纵就会用尽所欲之物；疲惫就会使人怨恨，怨恨就会用尽巧诈的心思。君主和百姓都达到所能承受的极点，吴国的灭亡还算晚了呢！这就是夫差之所以在干隧自刎的原因。"

　　东野稷以御见庄公①，进退中绳，左右旋中规②。庄公曰："善。"以为造父不过也，使之钩百而少及焉③。颜阖④入见，庄公曰："子遇东野稷乎？"对曰："然，臣遇之。其马必败⑤。"庄公曰："将何败？"少顷，东野之马败而至。庄公召颜阖而问之曰："子何以知其败也？"颜阖对曰："夫进退中绳，左右旋中规，造父之御，无以过焉。乡⑥臣遇之，犹求其马，臣是以知其败也。"

[注释]

①东野稷：姓东野，名稷。庄公：指卫庄公。②中绳、中规：都指符合规则。③使之钩百而少及焉：义未详。《庄子·达生》作"使之钩百而反"。钩百，绕一百个圈子。钩，圆形，用如动词，则有绕圈义。④颜阖：战国时期鲁国人。⑤败：累坏的意思。⑥乡：刚才。

[译文]

东野稷来见庄公表演驾车技术，他的驾车前进后退都符合规则，左转右转都合乎规矩。庄公说："好。"认为造父也不能超过他。又让他的马绕一百个圈后再回来。过了一会儿，颜阖来拜见，庄公说："你遇到东野稷了吗？"颜阖回答说："是的，我遇到了他。他的马一定会累坏的。"庄公说："怎么会累坏呢？"过了一会儿，东野稷的马累坏了回来。庄公召来颜阖问他说："你怎么知道他的马要累坏呢？"颜阖回答说："前进后退都符合规则，左转右转都合乎规矩，造父驾车的技术都无法超过他了。刚才我遇到他，他还在无休止地要求自己的马，我因此知道他的马一定要累坏。"

故乱国之使其民，不论人之性，不反人之情，烦为教而过不识，数为令而非不从，巨为危而罪不敢，重为任而罚不胜。民进则欲其赏，退则畏其罪。知其能力之不足也，则以为①继矣。以为继知，则上又从而罪之，是以罪召罪。上下之相僦也，由是起矣。

故礼烦则不庄，业烦则无功，令苛则不听，禁多则不行。桀、纣之禁，不可胜数，故民因而身为戮，极也，不能用威适②。子阳③极也好严，有过而折弓者，恐必死，遂应猘狗而弑子阳④，极也。周鼎有窃曲⑤，状甚长，上下皆曲，以见极之败也。

[注释]

①为：通"伪"。②不能用威适：依陈昌齐说，此五字当是注文窜入正文。③子阳：郑相，驷氏之后。《史记》称"驷子阳"。④遂应猘（zhì）狗而弑子阳：就乘追赶疯狗之机杀死了子阳。猘，狗发疯。⑤窃曲：古代铜器上的一种花纹。

[译文]

所以，混乱的国家役使自己的百姓，不了解人的本性，不反求人的常情，频繁地制订教令，却对人们不能掌握加以责备；屡次下达命令，却对人们不能听从加以责难；制造巨大的危难，却对人们不敢迎难而上加以治罪；把任务弄得十分繁重，却对人们不能胜任加以惩罚。百姓前进就希望得到赏赐，后退就害怕受到惩处，当知道自己的能力不足时，就会弄虚作假了。做虚假的事，君主知道了，又加以惩处，这就是因为畏罪而获罪。君主和百姓相互仇恨，就由此产生了。

所以，礼节烦琐就不庄重，事情烦琐就不会有成效，命令严苛就不被听从，禁令多了就行不通。桀、纣的禁令不可胜数，所以百姓借此而背叛，他们自身也被杀死，这是因为他们过分到极点了。子阳喜好严厉，有个人因过失弄断了弓，担心会被杀死，于是就乘追赶疯狗的机会杀死了子阳，这是因为他过分到极点了。周鼎上铸有"窃"曲形花纹，花纹上下弯曲且很长，以此表明过分的害处。

为 欲①

使民无欲，上虽贤，犹不能用。夫无欲者，其视为天子也与为舆隶②同，其视有天下也与无立锥之地同，其视为彭祖③也与为殇子④同。天子至贵也，天下至富也，彭祖至寿也，诚无欲则是三者不足以劝。舆隶至贱也，无立锥之地至贫也，殇子至夭也，诚无欲则是三者不足以禁。会⑤有一欲，则北至大夏⑥，南至北户⑦，西至三危⑧，东至扶木⑨，不敢乱⑩矣；犯白刃，冒流矢，趣水火，不敢却也；晨寤⑪兴，务耕疾庸⑫，樸为烦辱⑬，不敢休矣。故人之欲多者，其可得用亦多；人之欲少者，其得⑭用亦少；无欲者，不可得用也。人之欲虽多，而上无以令之，人虽得其欲，人犹不可用也。

令人得欲之道，不可不审矣。

[注释]

①题解："为欲"指利用民众的欲望。本文从此角度论述了役使民众的方法。②舆隶：奴隶。③彭祖：古代传说中长寿的人。④殇（shāng）子：未成年而死的孩子。⑤会：适逢。⑥大夏：古湖泽名。《淮南子·地形训》说："西北方曰大夏，曰海泽。"⑦北户：上古国名，所谓南荒之国。⑧三危：山名，在今甘肃省敦煌东。⑨扶木：即扶桑，古代传说中的东方之国。⑩乱：作乱。⑪寤：睡醒。⑫庸：佣，受雇佣代人种田。⑬樸：依高诱说，为古"耕"字。烦辱：繁杂劳苦。⑭得：依孙锵鸣说，"得"上当脱一"可"字。

[译文]

假使人们没有欲望，君主即使贤明，还是不能使用他们。没有欲望的人，他们看待当天子，与当奴仆相同；他们看待享有天下，与没有立锥之地相同；他们看待彭祖那样长寿的人，与夭折的孩子相同。天子是最尊贵的，天下是最富有的，彭祖是最长寿的，如果没有欲望，那么这些情况都不足以勉励人们。奴仆是最低贱的，没有立锥之地是最贫穷的，夭折的孩子是最短命的，如果没有欲望，那么这些情况都不足以禁止人们。如果有一种欲望，那北到大夏，南到北户，西到三危，东到扶桑，人们就都不敢作乱了；迎着闪光的刀，冒着飞来的箭，奔赴水火之中，人们也不敢退却；清早就起身，致力于耕种，受人雇佣，从事繁杂劳苦的耕作，人们也不敢休息。所以，欲望多的，可以用的地方也就多；欲望少的，可以用的地方也就少；没有欲望的，就不可被使用了。人们的欲望即使很多，君主却没有恰当的方法役使他们，人们虽然得到了欲望，还是不可以被使用。让人们得到欲望的方法，不可不审察清楚啊！

善为上者，能令人得欲无穷，故人之可得用亦无穷也。蛮夷反舌①殊俗异习之国，其衣服冠带、宫室居处、舟车器械、声色滋味皆异，其为欲使一也。三王不能革，不能革而功成者，顺其天也；

桀、纣不能离，不能离而国亡者，逆其天也。逆而不知其逆也，湛②于俗也。久湛而不去则若性。性异非性③，不可不熟。不闻道者，何以去非性哉？无以去非性，则欲未尝正矣。欲不正，以治身则夭，以治国则亡。故古之圣王，审顺其天而以行欲，则民无不令矣，功无不立矣。圣王执一④，四夷皆至者，其此之谓也！执一者至贵也，至贵者无敌。圣王托于无敌，故民命敌⑤焉。

[注释]

①蛮夷：古代对我国境内少数民族的泛称。反舌：蛮夷与华夏言语异声，故称"反舌"。②湛：通"沉"。③性异非性：本性与非本性不同。④执一：指掌握住根本之道。⑤敌：通"适"。适，归附。

[译文]

善于当君主的人，能使人们得到无穷无尽的欲望，所以人们也就可无穷尽地被役使。言语、风俗、习惯都与华夏不同的蛮夷之国，他们的衣服、帽子、衣带、房屋、住处、车船、器物、声音、颜色、饮食，都与华夏不同，但他们都为欲望所驱使却是一样的。三王不能改变这种情况，不能改变这种情况而能成就功业，这是因为顺应了人的天性；桀、纣没有背离这种情况，没有背离这种情况而国家遭到灭亡，这是因为违背了人的天性。违背了人的天性却不知道，这是因为沉溺在习俗中了。长期沉溺在习俗中而不能觉察，那就变成自己的习性了。本性与非本性不同，这是不可不分辨清楚的。不懂这个道理的人，怎么能去掉非本性的东西呢？无法去掉非本性的东西，那么欲望可能就不正当了。欲望可能不正当，用它治身就会夭折，用它治国就会亡国。所以古代的圣贤君主，审察并顺应人的天性，以便满足人的欲望，那么民众就没有不听从命令的了，功业就没有不建立的了。圣贤的君主执守根本，四方部族都来归附，大概说的就是这种情况吧！执守根本的人是最尊贵的，最尊贵的人没有对手。圣贤的君主托身于没有对手的境地，所以民众的命运都依附于他们了。

群狗相与居，皆静无争。投以炙鸡，则相与争矣。或折其骨，或绝其筋，争术①存也。争术存，因争；不争之术存，因不争。取争之术而相与争，万国无一。凡治国，令其民争行义也；乱国，令其民争为不义也。强国，令其民争乐用也；弱国，令其民争竞不用也。夫争行义乐用与争为不义竞不用，此其为祸福也，天不能覆，地不能载。

[注释]

①争术：指引起争夺的条件。

[译文]

一群狗呆在一起，都安安静静无所争夺。如果把烤熟的鸡扔给它们，就相互争夺了。有的被咬折了骨，有的被咬断了筋，这是因为存在着争夺的条件。存在着争夺的条件，就争夺；不存在争夺的条件，就不争夺；不存在争夺的条件却相互争夺，没有任何一国有这样的事。凡是安定、清明的国家，都是让百姓争做符合道义的事；黑暗、混乱的国家，都是让百姓争做不义的事。强大的国家，都是让百姓争着乐为君主所使用；弱小的国家，都是让百姓争着不为君主所使用。争做符合道义的事、争为君主所用与争做不义的事、争着不为君主所使用，这两种情况所带来的祸和福，天覆地载都不为多。

晋文公伐原①，与士期七日。七日而原不下，命去之②。谋士言曰："原将下矣。"师吏请待之，公曰："信，国之宝也。得原失宝，吾不为也。"遂去之。明年，复伐之，与士期必得原然后反。原人闻之，乃下。卫人闻之，以文公之信为至矣，乃归文公。故曰"攻原得卫"者，此之谓也。文公非不欲得原也，以不信得原，不若勿得也。必诚信以得之。归之者非独卫也。文公可谓知求欲矣。

[注释]

①原:古国名,在今山西省沁水县,周文王的儿子始封在此。后东迁,在今河南济源西北。重耳回国即位,原不顺服,所以讨伐它。②去之:离开回晋国。

[译文]

晋文公攻打原国,与士卒约以七天为期。过了七天可是原国仍不投降,文公就命令离开。将士们说:"原国就要投降了。"军官们都请求等一下,文公说:"信用是国家的珍宝。得到原国失掉珍宝,我不做这样的事。"于是离开了。第二年,又攻打原国,与士兵约定一定要攻克原国,然后才返回。原国人听到这消息,于是就投降了。卫国人听到这件事,认为文公的信用达到极点了,也归顺了文公。所以人们说的"攻打原国同时得到了卫国",指的就是这事。文公并不是不想得到原国,而是认为不守信用得到,还不如不得到。一定要靠诚信得到原国。归顺的不仅仅是卫国啊,文公可说是懂得如何满足自己的欲望了!

贵 信①

凡人主必信,信而又信,谁人不亲?故《周书》曰:"允②哉允哉",以言非信则百事不满③也。故信之为功大矣。信立,则虚言可以赏④矣。虚言可以赏,则六合之内皆为己府矣。信之所及,尽制之矣。制之而不用,人之有也;制之而用之,己之有也。己有之,则天地之物毕为用矣。人主有见⑤此论者,其王不久矣;人臣有知此论者,可以为王者佐矣。

[注释]

①题解:"贵信"即以诚信为贵。君主诚信,天下顺服。本篇论述了君主诚信的可贵。②允:诚信,真诚。③满:成。④赏:鉴别。⑤见:发现,

明白。

[译文]

大凡君主一定要诚信,诚信了再诚信,谁能不亲附呢?所以《周书》说:"诚信啊!诚信啊!"这是说如果不诚信,那么任何事都不能成功。所以,诚信所产生的功效太大了。如果树立了诚信,那么假话就可以鉴别了。假话可以鉴别,那么整个天下都为己所支配了。在诚信所达到的地方,事物都能够控制了。能够控制却不加以利用,仍会为他人所有;能控制而又加以利用,才会为己所有。为己所有,那么天地万物就全都为己所用了。君主如果知道这个道理,那么他很快就能称王了;臣子如果知道这个道理,那么他就可当帝王的辅佐了。

天行不信,不能成岁;地行不信,草木不大。春之德①风,风不信,其华②不盛,华不盛,则果实不生。夏之德暑,暑不信,其土不肥,土不肥,则长遂③不精。秋之德雨,雨不信,其谷不坚④,谷不坚,则五种不成。冬之德寒,寒不信,其地不刚,地不刚,则冻闭不开。天地之大,四时之化,而犹不能以不信成物,又况乎人事?

君臣不信,则百姓诽谤,社稷不宁;处官不信,则少不畏长,贵贱相轻;赏罚不信,则民易犯法,不可使令。交友不信,则离散郁怨,不能相亲;百工不信,则器械苦伪⑤,丹漆染色不贞⑥。夫可与为始⑦,可与为终,可与尊通,可与卑穷者,其唯信乎!信而又信,重袭⑧于身,乃通于天。以此治人,则膏雨甘露⑨降矣,寒暑四时当矣。

[注释]

①德:事物的属性,这里有"表征"、"象征"的意思。②华:古"花"字。③遂:成。④坚:坚实,指谷粒成熟,坚实饱满。⑤苦(gǔ):粗劣。伪:作假。⑥丹:红色。漆:黑色。贞:纯正。⑦可与为始:即"可与之为

始"，意思是，可以跟他一块开始。⑧重袭：重叠。⑨膏雨：肥沃大地的雨水。甘露：甜美的露水。

[译文]

　　天的运行不守规律，就不能形成岁时；地的运行不守规律，草木就不能长大。春天的特征是风，风不能按时刮，花就不能开得盛，花开得不盛，那么果实就不会生长。夏天的特征是热，热不能按时来，土地就不会肥沃，土地不肥沃，那么植物成熟的状况就不好。秋天的特征是雨，雨不能按时下，谷粒就不会坚实饱满，谷粒不坚实饱满，那么五谷就不能成熟。冬天的特征是寒冷，寒冷不能按时来，那么地冻得就不坚固，地冻得不坚固，地面就不能冻裂。天地这么大，四时交替变化，尚且不能不遵循规律生成万物，又何况人事呢？

　　君臣不诚信，那么百姓就会指责批评，国家就不得安宁；当官不诚信，那么年轻的就不敬畏年长的，地位尊贵的和地位低下的就会互相轻视；赏罚不诚信，那么百姓就会轻易地犯法，不可役使；交朋友不诚信，那么就会离散怨恨，不能互相亲近；各种工匠不诚信，那么制造出的器物就会假冒粗劣，丹和漆等颜料就不纯正。可以跟它一块开始，可以跟它一块终止，可以跟它一块尊贵显达，可以跟它一块卑微穷困的，大概只有诚信吧！诚信了再诚信，重叠于身，就能通晓天意。靠这个来治理人，那么滋润大地的雨水和甜美的露水就会降下来，寒暑四季就会按时了。

　　齐桓公伐鲁。鲁人不敢轻战，去鲁国五十里而封①之。鲁请比关内侯以听，桓公许之。曹翙谓鲁庄公②曰："君宁死而又死③乎，其宁生而又生④乎？"庄公曰："何谓也？"曹翙曰："听臣之言，国必广大，身必安乐，是生而又生也；不听臣之言，国必灭亡，身必危辱，是死而又死也。"庄公曰："请从。"于是明日将盟，庄公与曹翙皆怀剑至于坛⑤上。庄公左搏桓公，右抽剑以自承⑥，曰："鲁国去境数百里。今去境五十里，亦无生矣。钧⁷其死也，戮于君前⁸。"管仲、鲍叔进。曹翙按剑当两陛⁹之间曰："且二君将改图，毋或进者！"庄公曰："封于汶⁽¹⁰⁾则可，不则请死。"管仲曰："以地卫君，非以君卫地。君其许之！"乃遂封于汶南，与之盟。归而欲勿予，管仲曰："不可。人特劫君而不盟⁽¹¹⁾，君不知，不可谓智；临难而不能勿听，不可谓勇；许之而不予，不可谓信。不智不勇不信，有此三者，不可以立功名。予之，虽亡地，亦得信。以四百里之地见信于天下，君犹得也。"庄公，仇也；曹翙，贼也。信于仇贼，又况于非仇贼者乎？夫九合⁽¹²⁾之而合，壹匡之而听⁽¹³⁾，从此生矣。管仲可谓能因物矣。以辱为荣，以穷为通，虽失乎前，可谓后得之矣。物固不可全也⁽¹⁴⁾。

[注释]

①封：封土筑墙为界。②曹翙（huì）：他书或作"曹刿"。鲁庄公：春秋时鲁国君主，前693~前662年在位。③死而又死：指身危国亡。④生而又生：指身安国存。⑤坛：土筑的高台，用于祭祀、会盟等。⑥自承：指把剑冲着自己。庄公这样做是表示自己决心同齐桓公拼命。⑦钧：通"均"，相同。⑧戮于君前：死在您面前，和您同归于尽。⑨陛：台阶。⑩汶：水名，泰山一带水皆名汶，靠近齐国。⑪特：仅，只是。不盟：指不订立"去鲁国五十里"为界的盟约。⑫九合：指齐桓公多次盟会诸侯。⑬壹，一切，全部。听：听从。⑭物固不可全也：事情本来不可能十全十美的。

[译文]

齐桓公攻打鲁国。鲁国人不敢轻易作战，在距离鲁国都城五十里的地方用土筑起了防护墙。鲁国请求像齐国的封邑大臣一样服从齐国，桓公答应了。曹翙对鲁庄公说："您是愿意死而又死呢，还是愿意生而又生？"庄公说："你说的是什么意思？"曹翙说："您听从我的话，国土一定扩大，您自身一定安乐，这就是生而又生；如果不听从我的话，国家必定灭亡，您自身一定遭到危险耻辱，这就是死而又死。"庄公说："我愿意听从你的话。"第二天将要盟会时,庄公与曹翙都怀揣着剑,到了盟会的土坛上。庄公左手抓住桓公,右手抽出剑来指向自己,说:"鲁国都城本来离边境几百里,现在却只有五十里,反正也无法生存了。与你拼命同样是死,让我死在您面前。"管仲、鲍叔要上去,曹翙手按着剑站在两阶之上说:"两位君主将另作打算,谁都不许上去。"庄公说:"在汶水封土为界就可以,不然的话就请求一死。"管仲对桓公说:"是用领土保卫君主,不是用君主保卫领土,您还是答应了吧!"于是在汶水南面封土为界,跟鲁国订立了盟约。桓公回国后想不给鲁国土地,管仲说:"不可以。人家只是要劫持您,并不想跟您订立盟约,您却不知道,这不能说是聪明;面对危难,做不到不受人家的胁迫,这不能说是勇敢;答应了人家却不还给人家土地,这不能说是诚信。不聪明、不勇敢、不诚信,有这三样,不可以建立功名。给它土地,虽说失去了土地,还能得到诚信的名声。用四百里土地在天下人面前显出诚信,您还是合算的。"庄公,是仇人;曹翙,是敌人。对仇人、敌人都讲诚信,更何况对不是仇敌的呢?桓公多次盟会诸侯而能成功,使天下都得到匡正,天下人能听从,就由此产生出来。管仲可说是能因势利导了。他把耻辱变成光荣,把困窘变成通达,虽说前边有所失,但后来有所得了。事情本来就不可能十全十美啊。

举 难[①]

以全举人固难,物之情也。人伤尧以不慈之名[②],舜以卑父之号[③],禹以贪位之意[④],汤、武以放弑之谋[⑤],五伯[⑥]以侵夺之事。由此观之,物岂可全哉?故君子责人则以人[⑦],自责则以义。责人以人则易足,易足则得人;自责以义则难为非,难为非则行饰[⑧]。故任天地而有馀。不肖者则不然,责人则以义,自责则以人。责人以义责难赡⑨，难赡则失亲；自责以人则易为，易为则行苟。故天下之大而不容也，身取危，国取亡焉。此桀、纣、幽、厉之行也。尺之木必有节目，寸之玉必有瑕瓋⑩。先王知物之不可全也，故择务而贵取一⑪也。

[注释]

①题解："举难"：用十全十美的标准选用人是很难的。本文旨在论述选拔、任用人不能求全责备的道理。②人伤尧以不慈之名：尧传位于舜而不予子，所以有人以"不慈"之名诋毁他。③舜以卑父之号：即"伤舜以卑父之号"，"伤"字承上文而省略。《韩非子·忠孝》说："瞽叟为父而舜放之"，所以这里说有人以"卑父"之号诋毁舜。④禹以贪位之意：舜推荐禹为继承人，有子，故有人以"贪位"中伤他。⑤汤、武以放弑之谋：汤打败桀，桀出奔南方。武王伐商，纣兵败自焚而死。放，逐。弑，下杀上。⑥五伯：即"五霸"。⑦以人：指按普通人的标准。⑧饬：通"饬"。⑨难赡：义不可通，依毕沅说，疑当做"难赡"，难以满足要求。⑩节目：树木枝干交接的地方为节，文理纠结不顺的部分为目。瑕瓋（zhè）：玉上的斑点。⑪务：事务。取一：指取其长处。

[译文]

　　用十全十美的标准荐举人一定很难，这是事物的实情。有人用不疼爱儿子的名声诋毁尧，用不孝顺父亲的称号诋毁舜，用内心贪图帝位来诋毁禹，用谋划放逐、杀死君主来诋毁商汤、武王，用侵吞掠夺别国来诋毁五霸。由此看来，事物怎能十全十美呢？所以，君子要求别人就按照一般的标准，要求自己却按照义的标准。按照一般的标准要求别人就容易满足，容易满足就能得到别人的拥护；按照义的标准要求自己就难做错事，难做错事，行为就会严正。所以，承担天地间的重任还游刃有余。不贤德的人就不会这样。他们要求别人按照义的标准，要求自己却按照一般的标准。按照义的标准要求别人就难以满足，难以满足就会失去亲近的人；按照一般的标准要求自己就容易做到，容易做到行为就苟且。所以天下这么大，他们竟无法容身，自己招致危险，国家招致灭亡。这就是桀、纣、周幽王、厉王的所作所为啊。一尺长的树木必有错结，一寸大的玉石必有瑕疵。先王知道事物不可能十全十美，所以对事物的选择只看重它的长处。

季孙氏劫公家①，孔子欲谕术则见外②，于是受养而便说③，鲁国以訾孔子曰："龙食乎清而游乎清，螭④食乎清而游乎浊，鱼食乎浊而游乎浊。今丘上不及龙，下不若鱼，丘其螭邪！"夫欲立功者，岂得中绳哉？救溺者濡，追逃者趋。

[注释]

①劫公家：把持鲁国公室政权。②谕术：即"谕以术"，以理使之晓谕。见外：被疏远。③便说：便于劝说。④螭（chī）：古代传说中的一种龙。

[译文]

季孙氏把持鲁公室政权，孔子想晓之以理，但这样就会被疏远，于是就去接受他的衣食，以便劝说他。鲁国人因此都责备孔子，孔子说："龙在清澈的水里吃东西，在清澈的水里游动；螭在清澈的水里吃东西，在浑浊的水里游动；鱼在浑浊的水里吃东西，在浑浊的水里游动。现在我往上赶不上龙，往下不像鱼那样，我大概像螭一样吧！"想建功立业的人，哪能要求他处处都合乎标准呢？援救溺水的人自己要沾湿衣服，追赶逃跑的人自己要奔跑。

魏文侯弟曰季成①，友曰翟璜②。文侯欲相之，而未能决，以问李克，李克对曰："君欲置相，则问乐腾与王孙苟端③孰贤。"文侯曰："善。"以王孙苟端为不肖，翟璜进之；以乐腾为贤，季成进之。故相季成。凡听于主，言人不可不慎。季成，弟也，翟璜，友也，而犹不能知，何由知乐腾与王孙苟端哉？疏贱者知，亲习者不知，理无自然④。自然⑤而断相，过。李克之对文侯也亦过。虽皆过，譬之若金之与木，金虽柔，犹坚于木⑥。

[注释]

①季成：魏文侯弟。②翟璜：又作"翟黄"。③乐腾与王孙苟端：都是魏文侯的臣。④理无自然：不会行这样的道理。无自，无从。然，这样。⑤自然：依俞樾说，此二字上当脱"理无"二字。⑥金虽柔，犹坚于木：这是比喻说法，意为李克的过错较文侯为轻。

[译文]

魏文侯的弟弟名叫季成，朋友名叫翟璜。文侯想让他们当中的一个做相国，可是不能决定人选，就询问李克，李克回答说："您想立相国，那么看看乐腾与王孙苟端哪个贤良。"文侯说："好。"文侯认为王孙苟端不好，是翟璜举荐的；认为乐腾好，是季成举荐的，所以就任季成当了相国。凡是进言被君主听从的，谈论别人不可不慎。季成是弟弟，翟璜是朋友，文侯尚且不能了解他们，又怎么能了解乐腾与王孙苟端呢？对疏远低贱的人了解，对亲近熟悉的人却不了解，没有这样的道理。没道理却要以此决断相位，这就错了。李克回答文侯的话也错了。虽然文侯和李克都错了，但是如同金与木一样，金虽然柔软，但还是比木坚硬。

孟尝君问于白圭曰："魏文侯名过桓公，而功不及五伯，何也？"白圭对曰："文侯师子夏，友田子方，敬段干木，此名之所以过桓公也。卜相曰'成与璜孰①可'，此功之所以不及五伯也。相也者，百官之长也。择者欲其博也。今择而不去二人，与用其雠亦远矣。且师友②也者，公可也；戚爱③也者，私安也。以私胜公，衰国之政也。然而名号显荣者，三士羽翼之也。"

[注释]

①卜：挑选。孰：哪一个。②师友：指任用师友为相。③戚爱：指任用弟弟与所宠爱的人为相。戚，近亲，此指弟弟，即上文的季成。爱，所宠爱之人，此指上文的翟璜。

[译文]

孟尝君问白圭说："魏文侯的名声超过了齐桓公，可是功业却赶不上五霸，这是为什么呢？"白圭回答说："文侯以子夏为师，以田子方为友，敬重段干木，这就是他的名声超过齐桓公的原因。选择相国的时候说'季成与翟璜哪一个可以'，这就是他的功业赶不上五霸的原因。相国是百官之长，选择时要广泛地挑选。现在选择相国却离不开那两个人，这跟桓公用自己的仇人管仲做相，相差太远了。况且以师友为相，是公利；以亲属宠爱的人为相，是私利。把私利放在公利之上，这是衰微国家的政治。然而他的名声却显赫荣耀，这是因为三位贤士在辅佐他。"

宁戚①欲干齐桓公，穷困无以自进，于是为商旅将任车②以至齐，暮宿于郭③门之外。桓公郊迎客，夜开门，辟④任车，爝火⑤甚盛，从者甚众。宁戚饭牛居车下，望桓公而悲，击牛角疾歌。桓公闻之，抚其仆之手曰："异哉！之歌者非常人也！"命后车⑥载之。桓公反，至，从者以请。桓公赐之衣冠，将见之。宁戚见，说桓公以治境内。明日复见，说桓公以为天下。桓公大说，将任之。群臣争⑦之曰："客，卫人也。卫之去齐不远，君不若使人问之。而固贤者也，用之未晚也。"桓公曰："不然。问之，患其有小恶。以人之小恶，亡人之大美，此人主之所以失天下之士也已。"凡听必有以矣，今听而不复问，合其所以也。且人固难全，权而用其长者，当举也。桓公得之矣。

[注释]

①宁戚：即宁遫。②任车：装载货物的车子。任，装载。③郭：外城。④辟：同"避"，躲避，这里用如使动，使……躲避。⑤爝（jué）火：小火把。⑥后车：副车，侍从的车。⑦争：同"诤"，劝谏。

[译文]

宁戚想向齐桓公谋求官职，但处境穷困，无法使自己得到举荐，于是就替商人赶着装载货物的车子到了齐国，傍晚在城门外住。齐桓公到郊外迎客，夜里打开城门，让装载货物的车子躲避，火把很亮，跟从的人很多。宁戚在车下喂牛，望见桓公，心里很悲伤，就敲击牛角大声歌唱。桓公听到歌声，抚摸着自己车夫的手说："真是与众不同啊！这个唱歌的不是一般人！"就命令副车载上他。桓公回去，到了朝廷里，侍从的人请示桓公如何安置宁戚。桓公赐给他衣服帽子，准备召见他。宁戚见到桓公，用如何治国的话劝说桓公。第二天又拜见桓公，用如何治天下的话劝说桓公。桓公非常高兴，准备起用他。臣子们劝谏说："这个客人是卫国人。卫国离齐国不远，您不如派人去打听一下。如果他确是贤德的人，再任用也不晚。"桓公说："不是这样。去打听，担心他有小毛病。因为人家的小毛病，舍掉人家的大优点，这是君主失掉天下贤才的原因。"凡是听取别人的主张一定要有根据，现在听从了他的主张而不再去追究他的为人如何，这是因为他的主张符合听者心中的标准。况且人本来就难以十全十美，衡量以后用其所长，这是举荐人才的正确做法。桓公可说是掌握这个原则了。

恃君览第二十

知 分①

达士者，达乎死生之分。达乎死生之分，则利害存亡弗能惑矣。故晏子与崔杼②盟而不变其义；延陵季子③，吴人愿以为王而不肯；孙叔敖三为令尹而不喜，三去令尹而不忧，皆有所达也，有所达则物弗能惑。

[注释]

①题解："知分"即通晓生和死的区分，根据道义去做事。②崔杼：齐国大夫。他与庆封杀齐庄公，劫持齐国将军、大夫等盟誓。③延陵季子：即季札，吴王寿梦的少子，受封于延陵，故号"延陵季子"，有贤名。

[译文]

通达事理的人士，通晓死生的分别。通晓死生的分别，那么利害和存亡就不能使他迷惑了。所以，晏子与崔杼盟誓却不改变自己恪守的道义。延陵季子，吴国人想让他当国王他不肯。孙叔敖几次当令尹却不显得高兴，几次不当令尹却不显得忧愁，这是因为他们都通达事理啊。通达事理，那么外物就不能使他迷惑了。

荆有次非①者，得宝剑于干遂。还反涉江，至于中流，有两蛟夹绕其船。次非谓舟人曰："子尝见两蛟绕船能两活者乎？"船人曰："未之见也。"次非攘臂祛衣②，拔宝剑曰："此江中之腐肉朽骨③也！弃剑以全己，余奚爱焉！"于是赴江刺蛟，杀之而复上船。舟中之人皆得活。荆王闻之，仕之执圭④。孔子闻之曰："夫善哉！不以腐肉朽骨而弃剑者，其次非之谓乎！"

[注释]

①次非：人名。②攘臂：捋起衣服，露出手臂，表示振奋。祛（qū）衣：撩起衣服。③腐肉朽骨：次非自指，表示自己决心与蛟龙以死相拼。④执圭：春秋时期楚国爵位名。古代用圭区分爵禄等级。

[译文]

楚国有个叫次非的人，在干遂得到了一把宝剑。回来的时候渡长江，到了江心，有两条蛟龙从两边缠住他所乘坐的船。次非对船工说："你见过两条蛟龙缠绕住船，龙和船上的人都能活命的吗？"船工说："没见过。"次非捋起袖子，伸出胳膊，撩起衣服，拔出宝剑，说："我最多不过成为江中的腐肉朽骨罢了，如果丢掉剑能保全自己，我何必爱惜呢？"于是跳到江中去刺蛟龙，杀死蛟龙后又重新上船。船里的人都得以活命了。楚王听到这事以后，封他为执圭的爵位。孔子听到这事以后说："好啊，不因为将成为腐肉朽骨而丢掉宝剑的，大概只有次非才能做到吧！"

禹南省①，方济乎江，黄龙负舟。舟中之人五色无主。禹仰视天而叹曰："吾受命于天，竭力以养人。生，性也；死，命也。余何忧于龙焉？"龙俯耳低尾而逝。则禹达乎死生之分、利害之经也。

凡人物者，阴阳之化也。阴阳者，造乎天而成者也。天固有衰嗛废伏②，有盛盈坌息③；人亦有困穷屈匮④，有充实达遂。此皆天之容物理⑤也，而不得不然之数也。古圣人不以感私伤神，俞然⑥而以待耳。

[注释]

①省：查看，检查。②嗛（qiàn）：通"歉"，不足，亏缺。废：毁弃。伏：伏藏。③坌（bèn）：通"坌"，聚积。息：繁殖，生息。④屈（jué）：竭尽。匮：缺乏，不足。⑤物理：依谭戒甫说，当作"物之理"。⑥俞然：安然。

[译文]

禹到南方视察，在他渡江的时候，有一条黄龙把他乘的船驮了起来。船上的人大惊失色。禹仰天感慨地说："我从上天接受使命，尽力养育人民，生和死都是命中注定的。我对龙有什么害怕的呢？"于是龙伏下耳朵、垂下尾巴游开了。这样看来，禹是通晓死、生的区别，利、害的关键了。

一切人和物，都是阴阳化育而成的，阴阳是由大自然创造而形成的。大自然本来就有衰微、亏缺、毁弃、隐伏，有兴盛、充盈、聚积、生息；人也有困顿、窘迫、贫穷、匮乏，有充足、富饶、显贵、成功。这些都是大自然包容万物的原则，是不得不如此的自然规律。古代圣人不因自己感怀私念而伤害神明，只是安然地对待罢了。

晏子与崔杼盟，其辞曰："不与崔氏而与公孙氏①者，受其不祥！"晏子俯而饮血②，仰而呼天曰："不与公孙氏而与崔氏者，受此不祥！"崔杼不说，直兵③造胸，句兵④钩颈，谓晏子曰："子变子言，则齐国吾与子共之；子不变子言，则今是已！"晏子曰："崔子，子独不为夫《诗》乎！《诗》曰：'莫莫葛藟，延于条枚。凯弟君子，求福不回⑤。'婴且可以回而求福乎？子惟⑥之矣！"崔杼曰："此贤者，不可杀也。"罢兵而去。晏子援绥而乘，其仆将驰，晏子抚其仆之手曰："安之，毋失节。疾不必生，徐不必死。鹿生于山，而命悬于厨。今婴之命有所悬矣。"晏子可谓知命矣。命也者，不知所以然而然者也，人事智巧以举错者不得与焉。故命也者,就之未得,去之未失,国士知其若此也,故以义为之决而安处之。

[注释]

①公孙氏:齐群公子的儿子,故称"公孙氏"。此指齐公室而言。②饮血:即歃(shà)血,古代盟会时的一种仪式,口含牲血表示信誓。③直兵:矛一类兵器。造:到,触到。④句(gōu)兵:戟一类兵器。句,弯曲,此义后来写作"勾"。⑤"《诗》曰"五句:下引诗句见《诗经·大雅·旱麓》。莫莫:繁茂的样子。葛藟:藤本植物。凯弟(tì):今本《诗经》作"岂弟",皆通"恺悌",平易近人。回:邪曲,邪僻。⑥惟:思,思考。

[译文]

晏子与崔杼盟誓。崔杼的誓词说:"不亲附崔氏而亲附齐国公室的,遭受祸殃!"晏子低下头含了血,抬头向上天呼告说:"不亲附齐国公室而亲附崔氏的,遭受祸殃!"崔杼很不高兴,用矛顶着他的胸,用戟勾住他的脖子,对晏子说:"改变你所说的话,我跟你共同享有齐国;如果不改变你所说的话,那么现在就杀死你!"晏子说:"崔子,你难道没有学过《诗经》吗?《诗经》说:'密密麻麻的葛藤,爬上树干枝头;平易近人的君子,不以邪道求福。'我难道能够以邪道求福吗?你考虑考虑这些话吧!"崔杼说:"这是个贤德的人,不可以杀死他。"于是崔杼撤去兵器离开了。晏子拉着车的绳索上了车,他的车夫要赶马飞跑,晏子轻抚车夫的手说:"安稳点,不要失去礼节!快了不一定能活,慢了不一定就死。鹿生长在山上,可是命却掌握在厨师手里。如今我的命也掌握在别人手里了。"晏子可以说是懂得命了。命指的是不知为什么会这样却终于这样了。靠耍小聪明乖巧做事的人,是不能理解这些奥秘的。所以,命这东西,靠近它未必能得到,离开它也未必能失去。国家杰出的士人知道命就是这样的,所以按照义的原则去决断,安然地对待它。

白圭问于邹公子夏后启①曰:"践绳之节②,四上③之志,三晋之事④,此天下之豪英。以处于晋,而迭闻晋事,未尝闻践绳之节、四上之志。愿得而闻之。"夏后启曰:"鄙人也,焉足以问?"白圭曰:"愿公子之毋让也!"夏后启曰:"以为可为,故为之。为之,天下弗能禁矣。以为不可为,故释之。释之,天下弗能使矣。"白圭曰:"利弗能使乎?威弗能禁乎?"夏后启曰:"生不足以使之,则利曷足以使之矣?死不足以禁之,则害曷足以禁之矣?"白圭无以应。夏后启辞而出。凡使贤不肖异,使不肖以赏罚,使贤以义。故贤主之使其下也必义,审赏罚,然后贤不肖尽为用矣。

[注释]

①邹公子夏后启:夏后启是邹公子之名。邹,古国名,本作"邾",在今山东邹城东南。②践绳之节:未详。高诱注为"正直",似指正直人士的节操。践,踏、履行。绳,墨绳,木工用以取直。③四上:义未详。依俞樾说,当作"匹士",指普通平民士人。④三晋之事:战国初期韩、赵、魏三家专晋国政,最后分晋而自立为侯。

[译文]

白圭向邹公子夏后启问道:"正直士人的节操,平民百姓的志向,三家分晋的事情,这些都是天下最杰出的。因为我住在晋国,所以能经常听到晋国的事情,不曾听说正直之士的节操、平民百姓的志向,希望能听您说一说。"夏后启说:"我是鄙陋之人,哪里值得一问?"白圭说:"希望您不要推辞。"夏后启说:"认为可做,所以就去做,做了,天下谁都不能禁止他;认为不可做,所以就不去做,他不去做,天下谁也不能驱使他。"白圭说:"利益也不能驱使他吗?威严也不能禁止他吗?"夏后启说:"就连生存都不足以驱使他,那么利益又怎能驱使他呢?连死亡都不足以禁止他,那么祸害又怎能禁止他呢?"白圭无话回答。夏后启告辞走了。使用贤德和不贤的人方法不同:役使不肖的人用赏罚,使用贤德的人用道义。所以贤明的君主使用自己的臣属一定要根据道义,慎施赏罚,然后贤德的人和不贤的人都能为己所用了。

观　表[1]

　　凡论人心，观事传，不可不熟，不可不深。天为高矣，而日月星辰云气雨露未尝休也；地为大矣，而水泉草木毛羽裸鳞[2]未尝息也。凡居于天地之间、六合之内者，其务为相安利也，夫为相害危者，不可胜数。人事皆然。事随心，心随欲。欲无度者，其心无度。心无度者，则其所为不可知矣。人之心隐匿难见，渊深难测。故圣人于事志[3]焉。圣人之所以过人以先知，先知必审徵表[4]。无徵表而欲先知，尧、舜与众人同等。徵虽易，表虽难，圣人则不可以飘[5]矣。众人则无道至焉。无道至则以为神，以为幸。非神非幸，其数不得不然。邴成子[6]、吴起近之矣。

[注释]

　　①题解："观表"即观察事物的外表，本篇旨在通过观察事物的表象来认识其本质。②毛：指有毛皮的动物，如虎、狼等。羽：指飞禽。裸：指麋鹿牛羊之类裸蹄动物。鳞：指龙鱼之类。③志：观其志。④徵：依高诱说，这里指与内心相一致的征兆。表：这里指与内心不同的虚假表象。⑤飘：迅疾。⑥邴（hòu）成子：鲁国大夫。

[译文]

　　大凡衡量人心，观察事物，不可不明审，不可不深入。天是很高了，可日月星辰云气雨露不曾休止过；地是很大了，可水泉草木飞禽走兽不曾灭绝过。大凡处于天地间、四方之内的，本来都应尽力做到相安互利，可是它们之间互相危害的，却数不胜数。人和事也都如此。事情取决于人心，人心取决于欲望。欲望没有限度的，人心也没有限度。人心没有限度，那么他的所作所为就不可知道了。人的心思隐藏着，难以窥见，就像深渊难以测量一样。所以圣人考察事情一定要先观察行事之人的志向。圣人之所以超过一般人，是因为能先知先觉，要先知先觉，必须审察征兆和表象。没有征兆、表象却想先知先觉，就是尧、舜也和一般人一样做不到。征兆虽易于观察，假象虽难于考查，圣人却不匆忙下结论。一般人就无法达到先知先觉了，无法达到先知先觉，就认为先知者是靠神力，是靠幸运。实际上，先知既不是靠神力，也不是靠幸运，而是圣人根据征兆、表象看到事理不得不如此。郈成子、吴起就接近于先知先觉了。

郈成子为鲁聘于晋，过卫，右宰谷臣①止而觞之，陈乐而不乐，酒酣而送之以璧。顾反，过而弗辞。其仆曰："向者右宰谷臣之觞吾子也甚欢。今侯渫过②而弗辞？"郈成子曰："夫止而觞我，与我欢也。陈乐而不乐，告我忧也。酒酣而送我以璧，寄之我也。若由是观之，卫其有乱乎！"倍③卫三十里，闻宁喜④之难作，右宰谷臣死之，还车而临⑤，三举而归。至，使人迎其妻子，隔宅而异之⑥，分禄而食之。其子长而反其璧。孔子闻之，曰："夫智可以微谋，仁可以托财者，其郈成子之谓乎！"郈成子之观右宰谷臣也，深矣妙矣。不观其事而观其志，可谓能观人矣。

[注释]

①右宰谷臣：卫大夫。《左传·襄公十三年》作"右宰谷"。右宰本是官名，此以官为姓。②侯：何。渫（xiè）过：重过。③倍：通"背"。④宁喜：即宁悼子，卫大夫宁惠子的儿子。卫献公被逐，他杀死卫侯剽而纳献公。这里的"宁喜之难"，指杀卫侯剽。⑤临（lìn）：哭悼死者。⑥异之：使之异，让他们与自己分开住。

[译文]

郈成子为鲁国出使晋国，路过卫国，卫国的右宰谷臣挽留并宴请他，右宰谷臣陈列乐器奏乐，乐曲却不欢快；喝酒喝到畅快之际，把璧玉送给了郈成子。郈成子从晋国回来，经过卫国，却不向右宰谷臣告别。他的车夫说:"先前右宰谷臣宴请您,感情很融洽;现在重新经过这里,为什么不向他告别?"郈成子说:"他挽留并宴请我,是要跟我欢乐一番。可陈列上乐器奏乐,乐曲不欢快,这是向我表示他的忧愁啊;喝酒喝得正畅快的时候,他把璧玉送给了我,这是把璧玉托付给我啊。从这些迹象来看,卫国大概有祸乱吧!"郈成子离开卫国三十里,听到宁喜作乱杀死卫君,右宰谷臣为卫君殉难,就掉转车子回去哭悼右宰谷臣,哭了三次,然后才回国。到了鲁国,派人去接右宰谷臣的妻子、孩子,把房子隔开让他们与自己分开住,分出自己的俸禄来养活他们。右宰谷臣的儿子长大了,郈成子把璧玉还给了他。孔子听到这件事,说:"论智慧可以通过隐微的方式跟他进行谋划,论仁德可以托付给他财物的,说的就是郈成子吧!"郈成子观察右宰谷臣,真是深入、精妙了。不观察他做的事情,而观察他的思想,可以说是能观察人了。

　　古之善相马者,寒风是①相口齿,麻朝相颊,子女厉相目,卫忌相髭②,许鄙相尻③,投伐褐相胸胁,管青相䐛肳④,陈悲相股脚⑤,秦牙相前,赞君相后。凡此十人者,皆天下之良工也。其所以相者不同,见马之一徵也,而知节⑥之高卑,足之滑易⑦,材之坚脆,能之长短。非独相马然也,人亦有徵,事与国皆有徵。圣人上知千岁,下知千岁,非意⑧之也,盖有自云也。绿图幡薄⑨,从此生矣。

[注释]

①寒风是:即"韩风氏",与下文的"麻朝"、"子女厉"、"卫忌"、"许鄙"、"投伐褐"、"管青"、"陈悲"、"秦牙"、"赞君",都是古代善相马者。②髭:嘴边的胡须。③尻(kāo):臀部。④䐛:疑为"唇"之讹。肳:同"吻"。⑤股:大腿。脚:小腿。⑥节:指骨节。⑦滑易:指快慢。⑧意:通"臆",猜想,测度。⑨绿图幡薄:似指"河图"。幡薄,当即簿册。"幡"与

"薄"意同,"薄"通"薄"。河出绿图幡薄,是帝王圣者受命的瑞兆。

[译文]

　　古代善于相马的人,寒风是观察品评马的口齿,麻朝观察品评马的面颊,子女厉观察品评马的眼睛,卫忌观察品评马的须髭,许鄙观察品评马的屁股,投伐褐观察品评马的胸肋,管青观察品评马的嘴唇,陈悲观察品评马腿,秦牙观察品评马的前部,赞君观察品评马的后部,所有这十个人,都是天下的良工巧匠。他们相马的部位不同,但看到马的一个特征,都能知道马骨节的高低,腿脚的快慢,体质的强弱,才能的高下。不仅相马是这样,人也有征兆,事情和国家都有征兆。圣人往上知道千年以前的事,往下知道千年以后的事,并不是靠猜想,而是有根据的。绿图、幡薄这些吉祥的征兆,从此就产生了。

开春论第二十一

察 贤[①]

今有良医于此,治十人而起九人。所以求之万也[②]。故贤者之致功名也,比乎良医,而君人者不知疾求,岂不过哉!今夫塞[③]者,勇力时日卜筮祷祠无事焉,善者必胜。立功名亦然,要在得贤。魏文侯师卜子夏,友田子方,礼段干木,国治身逸。天下之贤主,岂必苦形愁[④]虑哉!执其要而已矣。雪霜雨露时[⑤],则万物育矣,人民修矣,疾病妖厉[⑥]去矣。故曰尧之容若委衣裘[⑦],以言少事也。

[注释]

①题解:"察贤"就是察举贤能的意思。②所以求之万也:这是找他治病者成千上万的原因。③塞:古代一种棋类游戏。④愁:通"揫(jiū)",聚。⑤时:适时。⑥妖:怪异。厉:灾害,祸害。⑦委衣裘:义同"垂衣裳",喻无为而治。委,下垂。

[译文]

假如这里有一位良医,给十个人治病,治好了九个,这是成千上万的人来找他治病的原因。贤人能为君主成就功名,就好比良医能给人治好病一样,可是当君主的却不知赶快去寻求,这难道不是过失吗？假如是下棋的人，勇力、时机、占卜、祭祷都没有什么用处，技巧高者一定获胜。建立功名也是如此，关键就在于得到贤人。魏文侯以卜子夏为老师，以田子方为朋友，礼遇段干木，国家太平，自身安逸。天下贤明的君主哪里一定要劳身费心呢？只要掌握治国的要领就行了。霜雪雨露合乎时节，万物就会生长了，人们就会舒适了，疾病、怪异和灾祸就不会发生了。所以古人说起尧的仪表形态，就说他穿着宽大、下垂的衣服，这是说他政务很少啊！

宓子贱治单父，弹鸣琴，身不下堂，而单父治。巫马期①以星出，以星入，日夜不居②，以身亲之，而单父亦治。巫马期问其故于宓子，宓子曰："我之谓任人，子之谓任力；任力者故劳，任人者故逸。"宓子则君子矣。逸四肢，全耳目，平心气，而百官③以治，义④矣，任其数⑤而已矣。巫马期则不然，弊⑥生事精⑦，劳手足，烦教诏，虽治犹未至也。

[注释]

①巫马期：春秋末期鲁国人，姓巫马，名施，字子期，孔子的弟子。或作"巫马旗"。②居：休息。③百官：各个办事机关。④义：宜，适宜，应该。⑤数：术，方法。⑥弊：毁坏，损害。⑦事：耗费。精：指人的精气。

[译文]

宓子贱治理单父，静坐弹琴，身不下厅堂，而单父就治理好了；巫马期披星戴月，早出晚归，昼夜不休，亲自处理各种政务，单父也治理好了。巫马期向宓子请教其中的缘故。宓子说："我的方法叫做使用人才，你的做法叫做使用力气。使用力气的人当然劳苦，使用人才的人当然安逸。"宓子可说是君子了。使四肢安逸，耳目保全，心气平和，而官府的各种事务治理得很好，这是应该的了，他只不过使用正确的方法罢了。巫马期就不是这样，他损伤生命，耗费精气，使手足疲劳，教令烦琐，尽管也治理得不错，但还未达到最高境界。

期 贤①

今夫爚②蝉者,务在乎明其火、振其树而已。火不明,虽振其树,何益?明火不独在乎火,在于暗。当今之时,世暗甚矣,人主有能明其德者,天下之士,其归之也,若蝉之走明火也。凡国不徒安,名不徒显,必得贤士。

[注释]

①题解:"期贤"就是"期待贤者"的意思。②爚(yuè):用火照。

[译文]

如今以火照蝉的人,要做的事只在于弄亮火光、摇动树木罢了。火光不明,即使摇动树木,又有什么用呢?弄亮火光,不只在于火光本身,更在于黑暗的映衬。现在这个时候,世道黑暗到了极点,国君中如有能彰明自己德行的,天下的士人归附他,就像蝉奔向明亮的火光那样。大凡国家都不会无缘无故地安定,国君的名声也不会无缘无故地显赫,一定要得到贤士的辅佐才行。

赵简子昼居①,喟然太息曰:"异哉!吾欲伐卫十年矣,而卫不伐。"侍者曰:"以赵之大而伐卫之细②,君若不欲则可也,君若欲之,请令③伐之。"简子曰:"不如而言也。卫有士十人于吾所,吾乃且④伐之,十人者其言不义也,而我伐之,是我为不义也。"故简子之时,卫以十人者按赵之兵,殴简子之身。卫可谓知用人矣,游⑤十士而国家得安。简子可谓好从谏矣,听十士而无侵小夺弱之名。

[注释]

①居:闲坐。②细:小。③令:疑为"今"之误。今,立即。④且:将要。⑤游:用如使动。

[译文]

赵简子白日闲坐，慨然长叹，说："真是不寻常啊，我想讨伐卫国已有十年了，可总是伐不成卫国。"侍从的人说："凭赵国这样的大国来伐卫国那样的小国，您要是不想伐它，也就罢了；您要是想，请允许我立即去讨伐它。"赵简子说："事情不像你说的那样，卫国有十位士人在我这里。我要讨伐卫，可是这十个人都说讨伐卫国是不义的，如果我还去伐它，那我就是做不义的事了。"因此，赵简子的时候，卫国用十个士人，就遏止了赵国的军队，直到简子去世。卫国可算是懂得使用人才了，让十位士人出游赵国，国家就获得了安全；简子可算是喜欢听从劝谏了，接受十位士人的意见，从而免除了侵夺弱小的恶名。

魏文侯过段干木之闾①而轼②之，其仆③曰："君胡为轼？"曰："此非段干木之闾欤？段干木盖贤者也，吾安敢不轼？且吾闻段干木未尝肯以己易寡人也，吾安敢骄之？段干木光乎德，寡人光乎地；段干木富乎义，寡人富乎财。"其仆曰："然则君何不相之？"于是君请相之，段干木不肯受。则君乃致禄百万，而时往馆④之。于是国人皆喜，相与诵之曰："吾君好正，段干木之敬⑤；吾君好忠，段干木之隆⑥。"居无几何，秦兴兵欲攻魏，司马唐⑦谏秦君曰："段干木贤者也，而魏礼之，天下莫不闻，无乃不可加兵乎？"秦君以为然，乃按兵，辍不敢攻之。魏文侯可谓善用兵矣。尝闻君子之用兵，莫见其形，其功已成，其此之谓也。野人之用兵也，鼓声则似雷，号呼则动地，尘气充天，流矢如雨，扶伤舆死⑧，履肠涉血，无罪之民，其死者量⑨于泽矣，而国之存亡、主之死生犹不可知也。其离仁义亦远矣！

[注释]

①闾（lǘ）：这里指里巷。②轼：车前横木，这里用如动词，凭轼，即双手扶在车前横木上，表示尊敬。③仆：驾车的人。④馆：往其住所探望。⑤段

干木之敬：即敬段干木，这是宾语前置句。⑥段干木之隆：也是宾语前置句。隆，用如使动，尊显。⑦司马唐：战国秦大夫，他书或作"司马庚"。⑧舆：抬。死：依毕沅说，与"尸"同。⑨量：满。

[译文]

　　魏文侯经过段干木居住的里巷，手扶车轼表示敬意。他的车夫说："您为什么要扶轼致敬？"魏文侯说："这不是段干木居住的里巷吗？段干木是个贤者呀，我怎敢不致敬？而且我听说，段干木从不愿用自己的操守换取我的君位，我怎敢对他骄慢无礼？段干木是在德行上显耀，而我只是在地位上显耀；段干木是在道义上富有，而我只是在财物上富有。"他的车夫说："既然如此，那您为什么不让他做国相呢？"于是魏文侯就请段干木做国相，段干木不肯接受。文侯就给了他丰厚的俸禄，并且时常到住所去拜访他，于是国人都很高兴，共同吟诵道："我们国君喜欢公正，把段干木来敬重；我们国君喜欢忠诚，把段干木来尊崇。"没过多久，秦国出兵，想攻打魏国，司马唐劝谏秦君说："段干木是个贤者，魏国敬重他，天下没有不知道的，恐怕不能对魏国动兵吧？"秦君认为司马唐说得对，就让军队停下来，不再攻魏。魏文侯可说是善于用兵了。曾听说君子用兵，没有人看见军队的行动，大功却已告成，恐怕说的就是魏文侯吧。鄙陋无知的人用兵，鼓声如雷，喊声动地，烟尘满天，箭飞如雨，扶救伤兵，抬运死尸，踩踏尸体，趟着血泊，无辜百姓尸横遍野。尽管这样，国家的存亡、君主的生死，还是无法预料。这种做法离仁义实在是太远了！

审 为①

　　身者所为②也，天下者所以为③也，审所以为，而轻重得矣。今有人于此，断首以易冠，杀身以易衣，世必惑之。是何也？冠所以饰首也,衣所以饰身也,杀所饰,要所以饰,则不知所为矣。世之走利,有似于此。危身伤生,刈颈断头以徇④利,则亦不知所为也。

[注释]

①题解:"审为"就是要弄清楚哪是手段,哪是目的。②所为(wèi):指为之服务的对象,即行为的目的。为:介词。③所以为:指达到目的的手段。④徇:通"殉",为……而死。

[译文]

自家生命是目的,天下是用来保养生命的手段。弄清哪是目的,哪是手段,二者的轻重就知道了。假如有这么一个人,砍掉头颅来交换帽子,残杀身躯来交换衣服,世上人一定认为他糊涂。这是为什么呢?因为帽子是用来装饰头部的,衣服是用来打扮身体的,残杀要打扮的对象来求装饰用品,这就不懂得什么是目的了。世上的人追逐财利与这种情形相似。他们危害身体,损伤生命,甚至不惜割断脖子、砍掉头颅来逐利,这也是不懂得什么才是目的啊。

太王亶父①居邠,狄人攻之。事以皮帛而不受,事以珠玉而不肯,狄人之所求者,地也。太王亶父曰:"与人之兄居而杀其弟,与人之父处而杀其子,吾不忍为也。皆勉处②矣!为吾臣与狄人臣,奚以异?且吾闻之,不以所以养③害所养④。"杖策⑤而去。民相连而从之,遂成国于岐山之下。太王亶父可谓能尊生矣。能尊生,虽贵富不以养伤身,虽贫贱不以利累形。今受其先人之爵禄,则必重⑥失之。生之所自来者久矣,而轻⑦失之,岂不惑哉?

[注释]

①太王亶父:即古公亶父,周人先祖,文王祖父。自邠迁居岐山之下,领导周人开发周原,周部族势力从此日渐强盛。武王灭商后,追尊为太王。②勉处:好好住下去。③所以养:指土地。④所养:指民众。⑤杖策:拄着手

杖。⑥重：用如意动，把……看得很重，舍不得。⑦轻：用如意动，把……看得很轻，不在乎。

[译文]

太王亶父居住在邠地，北方狄人来攻打他。太王亶父用皮毛丝帛侍奉他们，狄人不肯接受；用珍珠美玉侍奉他们，狄人不应允。狄人索要的是土地。太王亶父说："跟人家的哥哥住在一起，却杀了他的弟弟，跟人家的父亲在一起，却杀了他的儿子，我不忍心这样做。你们都好好在这里住下去吧！给我做臣民与给狄人做臣民有何不同呢？而且我听说，不该用养育民众的土地来危害所要养育的民众。"于是拄着手杖离开了邠，民众成群结队跟着他，终于在岐山下又建起了国家。太王亶父可说是能够看重生命的了。能够看重生命，即使富贵，也不因为供养丰足损害身体；即使贫贱，也不为了利益而拖累身体。现在的人们继承了先人的官爵、俸禄，就一定看得很重，舍不得失去。生命的由来已很长久了，人们却不把失去生命放在心上，这难道不糊涂吗？

韩、魏相与争侵地。子华子见昭釐侯①，昭釐侯有忧色。子华子曰："今使天下书铭②于君之前，书之曰：'左手攫之则右手废③，右手攫之则左手废，然而攫之必有天下。'君将攫之乎？亡其不④与？"昭釐侯曰："寡人不攫也。"子华子曰："甚善。自是观之，两臂重于天下也。身又重于两臂。韩之轻于天下远，今之所争者，其轻于韩又远。君固⑤愁身伤生以忧之臧⑥不得也？"昭釐侯曰："善。教寡人者众矣，未尝得闻此言也。"子华子可谓知轻重矣。知轻重，故论不过。

[注释]

①昭釐侯：韩昭釐侯，战国时期韩国君主，谥昭釐。②铭：书写或镂刻在器物上用以记功、记事或自警的文字。③攫（jué）：抓取。废：依成玄英说，指砍掉。④亡（wú）其：选择连词，还。不（fǒu）：否。⑤固：通

"顾",反而。⑥"之臧":当作"臧之"。"臧"同"赃",这里指抢夺来的财物。

[译文]

韩国与魏国互相争夺侵占来的土地。子华子拜见韩昭釐侯,昭釐侯面带忧色。子华子说:"假使现在让天下人在您面前写下铭文,这样写道:'左手抓取这篇铭文,就会被砍掉右手,右手抓取这篇铭文,就会被砍掉左手,但是抓取了铭文就一定拥有天下。'您是抓取,还是不抓取呢?"昭釐侯说:"我是不抓取的。"子华子说:"非常好。由此看来,两只手臂比天下重要,而身体又比两臂重要。韩国比天下次要得多,现在您争夺的土地,又比韩国次要得多。您反倒要劳神伤身,还要为得不到这些土地而忧虑吗?"昭釐侯说:"好,教诲我的人很多,但我从未听过这样的话。"子华子可说是知晓轻重了。知晓轻重,所以论说不会犯错。

中山公子牟①谓詹子曰:"身在江海之上②,心居乎魏阙之下③,奈何?"詹子曰:"重生,重生则轻利。"中山公子牟曰:"虽知之,犹不能自胜也。"詹子曰:"不能自胜则纵之,神无恶④乎。不能自胜而强不纵者,此之谓重伤⑤。重伤之人无寿类⑥矣。"

[注释]

①中山公子牟:战国时期魏国公子,名牟,封于中山,故名中山公子牟。又名魏牟。②身在江海之上:指隐居江湖。③心居乎魏阙之下:心中想着朝廷,向往荣华富贵。魏阙,宫门两侧高大的楼观,其下两旁为悬布法令的地方,用以代指朝廷。④恶:害怕。⑤重(chóng)伤:双重伤害。不能自胜,神已伤;又强制不放纵,神再伤。⑥寿类:长寿的人。

[译文]

中山公子牟对詹子说:"我身在江湖,却心系朝廷,该怎么办?"詹子说:"看重生命。看重生命就会淡泊名利。"中山公子牟说:"我虽知这个道理,还是克制不了自己。"詹子说:"不能克制自己就放纵它，这样，精神就没什么伤害了吧；不能克制自己，又勉强不放纵，这叫做双重伤害。双重伤害的人是不会长寿的。"

爱 类①

仁于他物，不仁于人，不得为仁。不仁于他物，独仁于人，犹若为仁。仁也者，仁乎其类者也。故仁人之于民也，可以便之，无不行也。神农之教②曰："士有当年而不耕者，则天下或受其饥矣；女有当年而不绩③者，则天下或受其寒矣。"故身亲耕，妻亲绩，所以见致民利④也。贤人之不远海内之路，而时往来乎王公之朝，非以要利也，以民为务故也。人主有能以民为务者，则天下归之矣。王也者，非必坚甲利兵选卒练⑤士也，非必隳⑥人之城郭杀人之士民也。上世之王者众矣，而事皆不同，其当世之急、忧民之利、除民之害同。

[注释]

①题解："爱类"，就是仁爱自己的同类。②教：教令。下面引语当是托于神农的古农家学说。③绩：缉麻，搓麻线。④见：显示，表示。致民利：给人民利益。⑤练：拣，挑选。⑥隳（huī）：毁坏。

[译文]

对其他物类仁爱，对人却不仁爱，不能算仁；对其他物类不仁爱，只对人仁爱，仍然算仁。所谓仁，就是对他的同类仁爱。所以仁爱的人对于百姓，只要可以使他们获利，就没有什么事情不去做的。神农的教令说："男人如有壮年不种田的，天下就有人因此挨饿；女子如有壮年不缉麻的，天下就有人因此受冻。"所以，神农亲自种田，妻子亲自缉麻，以此表示要为百姓谋利。贤人不嫌海内路途遥远，时常来往于王公朝廷，并不是为了谋求私利，而是要努力为百姓谋利的缘故。君主如有以为百姓谋利为要务的，那么天下就会归附他了。统一天下，并不一定要靠坚固的铠甲、锋利的兵器，挑选精兵猛士，不一定非要毁坏人家的城郭，杀戮人家的臣民啊。上古时期称王的人很多，他们的情形虽各不相同，但在承担社会的急难、关心民众的利益、消除民众的祸害方面，都是相同的。

公输般为高①云梯，欲以攻宋。墨子闻之，自鲁往，裂裳裹足，日夜不休，十日十夜而至于郢。见荆王曰："臣北方之鄙人也，闻大王将攻宋，信有之乎？"王曰："然。"墨子曰："必得宋乃攻之乎？亡其②不得宋且不义犹攻之乎？"王曰："必不得宋，且有③不义，则曷为攻之？"墨子曰："甚善。臣以宋必不可得。"王曰："公输般，天下之巧工也。已为攻宋之械矣。"墨子曰："请令公输般试攻之，臣请试守之。"于是公输般设攻宋之械，墨子设守宋之备。公输般九④攻之，墨子九却之，不能入。故荆辍不攻宋。墨子能以术御荆免宋之难者，此之谓也。

圣王通士⑤，不出于利民者无有。昔上古龙门⑥未开，吕梁未发⑦，河出孟门⑧，大溢逆流，无有丘陵沃衍⑨、平原高阜，尽皆灭⑩之，名曰"鸿⑪水"。禹于是疏河决江，为彭蠡⑫之障，干东土，所活者千八百国。此禹之功也。勤劳为民，无苦乎禹者矣。

[注释]

①高：疑为衍文。②亡（wú）其：还是。③有：通"又"。④九：虚指，言次数之多。⑤通士：知识渊博、通达事理的读书人。⑥龙门：山名，在今山西河津境内，位于黄河河道上，传说禹曾凿龙门以通河水。⑦吕梁：山名，在今陕西韩城。梁山也曾当黄河河道，传说为大禹所开凿。一说即今吕梁山，在山西离石。发：开。⑧出：高出，超过。孟门：山名，在山西吉县西，绵亘黄河两岸，位于梁山、龙门之北。⑨沃衍：肥沃而平坦的土地。⑩灭：淹没。⑪鸿：大。⑫彭蠡：泽名，即鄱阳湖。

[译文]

公输般造出云梯，想用来进攻宋国。墨子听说后，从鲁国出发,步行赶到楚国去,他撕了衣裳包了脚,日夜不停地走,一直走了十天十夜,才到达郢都。墨子拜见楚王,说:"我是北方的鄙陋之人,听说大王想进攻宋国,确有这事吗?"楚王说:"是的。"墨子说:"您是认为一定能得到宋国才攻打呢,还是不但得不到宋国,并且要落个不义的名声仍要进攻它呢?"楚王说:"如果一定不能得到宋国,且有不义的名声,那为什么还要攻打?"墨子说:"很好。我认为您一定不能得到宋国。"楚王说:"公输般是天下的巧匠,已造出进攻宋国的器械了。"墨子说:"请让公输般试着攻打,我来试着守卫。"于是公输般设置了攻宋的器械,墨子设置了守宋的设备。公输般多次进攻,墨子多次把他打退,公输般不能攻入城中,所以楚国终止了计划,不再进攻宋国。墨子能用技法抵御楚国,免除宋国的危难,说的就是这事。

圣明的君主和通达的士人,言行不为民谋利的人,是没有的。上古时代,龙门山尚未开凿,吕梁山尚未打通,黄河漫过孟门山,大水泛滥横流,无论是丘陵、沃野、平原、高山,全都淹没了,这就叫做"鸿水"。于是禹疏通黄河,导引长江,修筑彭蠡泽的堤防,使东方洪水消退,救活的国家有一千八百多个,这是禹的功绩啊!为百姓勤恳操劳,没有比禹更辛苦的了。

匡章谓惠子曰:"公之学去尊,今又王齐王,何其到也?"惠子曰:"今有人于此,欲必击其爱子之头,石可以代之。"匡章曰:"公取之代乎?其不与?施取代之。子头所重也,石所轻也。击其所轻以免其所重,岂不可哉?"匡章曰:"齐王之所以用兵而不休,攻击人而不止者,其故何也?"惠子曰:"大者可以王,其次可以霸也。今可以王齐王而寿黔首之命,免民之死,是以石代爱子头也,何为不为?"①

民寒则欲火,暑则欲冰,燥则欲湿,湿则欲燥。寒暑燥湿相反,其于利民一也。利民岂一道哉?当其时而已矣。

[注释]

① "匡章谓惠子曰"一段：廖名春《吕氏春秋全译》说：这一段文字有错简，当作"匡章谓惠子曰：'齐王之所以用兵而不休，攻击而不止者，其故何也？'惠子曰：'大者可以王，其次可以霸也。'匡章曰：'公之学去尊，今又王齐王，何其到也？'惠子曰：'今有人于此，欲必击其爱子之头，石可以代之，公取之代乎？其不与？'匡章曰：'施取代之。子头，所重也；石，所轻也。击其所轻以免其所重，岂不可哉！'惠子曰：'今可以王齐王而寿黔首之命，免民之死，是以石代爱子头也，何为不为？'"作者案：廖说是。匡章，战国时期人，齐威王末年为齐将。惠子，即惠施。战国时宋国人，为梁王相，善辩。

[译文]

匡章对惠子说："齐王用兵不休，攻战不止，是什么缘故呢？"惠子说："因为这样做大可称王天下，小也可称霸诸侯。"匡章说："您的学说主张废弃尊位，现在又尊齐王为王，为什么言行如此矛盾呢？"惠子说："假如有这样一个人，迫不得已，一定得击打自己爱子的头，而击打石头可代替爱子的头，您是拿石头代替呢，还是不这样做呢？"匡章说："拿击打石头来代替爱子的头。爱子的头是重要的，石头是轻贱的，击打轻贱之物能使重要之物避免受害，有什么不可呢？"惠子说："现在可用尊齐王为王的方法，使百姓延长寿命，免于死亡，这正是用石头代替爱子的头啊！为什么不去做呢？"

百姓寒冷了就想得到火，炎热了就想得到冰，干燥了就想潮湿些，潮湿了就想干燥些。寒冷与炎热、干燥与潮湿是对立相反的，但它们在对百姓有利方面是一样的。为民谋利难道只有一种办法吗？只不过要适合时宜罢了。

贵 卒①

力贵突②，智贵卒。得之同则速为上，胜之同则湿③为下。所为贵骥者，为其一日千里也，旬日取④之，与驽骀⑤同。所为贵镞矢⑥者，为其应声而至，终日而至，则与无至同。

吴起谓荆王⑦曰："荆所有余者，地也；所不足者，民也。今君王以所不足益所有余，臣不得而为也。"于是令贵人往实广虚之地，皆甚苦之。荆王死，贵人皆来。尸在堂上，贵人相与射吴起。吴起号呼曰："吾示子吾用兵也。"拔矢而走，伏尸插矢而疾言曰："群臣乱王！"吴起死矣，且荆国之法，丽⑧兵于王尸者尽加重罪，逮三族⑨。吴起之智可谓捷矣。

[注释]

①题解："贵卒"，即以敏捷为贵。卒（cù）：通"猝"。迅疾，敏捷。②突：突然，出其不意。③湿：迟滞。高诱注："湿谓迟久之也。"④旬日：十天。取：通"趣（qū）"，趋向。⑤驽（nú）骀（tái）：都是劣马。⑥镞（zú）矢：一种用金属做箭头，较为小巧轻便的箭。⑦荆王：指楚悼王，战国楚国君，名熊疑，前401～前381年在位。⑧丽：附着。⑨逮：连及。三族：说法不一，一般认为指父族、母族、妻族。

[译文]

用力贵在突发，用智贵在敏捷。同样是获得一物，速度快的为上；同样是战胜对手，时间拖延久的为下。人们看重骐骥，是因为它能日行千里；如果走上十天才到达，就与劣马同了。人们看重利箭，是因为它能应声而至；如果一整天才到达，就与没到达同了。

吴起对楚王说："楚国有余的是土地，不足的是百姓。现在您想用本就不足的百姓作战，来增加本就有余的土地，我是无法办到的。"于是楚王下令把显贵们迁居到荒无人烟的地方去。显贵们都深以为苦。楚王一死，显贵们都回来了。楚王的尸体还停放在堂上，显贵们一起射击吴起。吴起高喊着说："我让你们看看我怎样用兵！"拔下箭跑到堂上，趴在楚王尸体上，一面把箭插在尸体上，一面大声说道："群臣作乱射王尸！"吴起死了，而按楚国的法令，武器碰到君王尸体的都要处以重罪，祸及三族。吴起的智慧，可算是敏捷了。

齐襄公①即位，憎公孙无知②，收其禄。无知不说，杀襄公。公子纠走鲁，公子小白奔莒。既而国杀无知，未有君，公子纠与公子小白皆归，俱至，争先入公家③。管仲扞④弓射公子小白，中钩⑤。鲍叔御⑥公子小白僵⑦。管子以为小白死，告公子纠曰："安⑧之，公孙小白已死矣。"鲍叔因疾驱先入，故公子小白得以为君。鲍叔之智应射而令公子小白僵也，其智若镞矢也。

[注释]

①齐襄公：春秋时期齐国君主，名诸儿，前697～前686年在位。②公孙无知：齐庄公之孙，僖公之侄，与襄公为堂兄弟。僖公在位时宠爱无知，使他的吃穿用度与齐襄公同等，所以襄公厌恶他。③公家：指朝廷。④扞：依王引之说，当作"扜"（yū），把弓拉满。⑤钩：衣带钩。⑥御：使。⑦僵：仰倒。⑧安：从容。

[译文]

齐襄公即位，厌恶公孙无知，收回了他的禄位。无知很不高兴，杀死了襄公。公子纠投奔到鲁国，公子小白出逃到莒国。不久国人杀死了无知，齐国没了君主。公子纠与公子小白都回来了，二人同时到达国内，争先入主朝廷。管仲开弓射公子小白，射中了衣带钩。鲍叔牙驾着车，让公子小白仰面倒下去。管仲以为小白死了，告诉公子纠说："从容地走吧，公子小白已死了。"鲍叔牙乘机赶车快跑，首先进入朝廷，所以公子小白得以做国君。鲍叔牙机智地对付管仲射来的箭，让公子小白仰面倒下，他的智慧像利箭一样快啊！

周武君①使人刺伶悝②于东周。伶悝僵，令其子速哭曰："以③谁刺我父也？"刺者闻，以为死也。周以为不信，因厚罪之。

赵氏攻中山。中山之人多力者曰吾丘鸩④。衣铁甲、操铁杖以战，而所击无不碎，所冲无不陷，以车投车，以人投人也，几至将所而后死。

[注释]

①周武君:战国时西周国君。②伶悝(kuī):东周之臣。③以:此。④吾丘窎(diào):人名,姓吾丘,名窎,当为中山国力士。

[译文]

周武君派人到东周刺杀伶悝,伶悝仰面倒下,让他的儿子赶快哭道:"是谁刺杀了我的父亲啊?"行刺的人听到哭声,以为伶悝死了。周武君认为刺客的话不诚实,于是重重地治了他的罪。

赵国进攻中山国。中山国有个大力士叫吾丘窎,穿着铁甲,拿着铁杖作战。他打击的东西,没有不被打碎的,他冲击的地方,没有不陷落的。举起车来投击敌方的战车,举起人来投击敌人。几乎打到赵军主帅所在之处,但最终还是被杀死了。

慎行论第二十二

慎 行①

行不可不孰。不孰,如赴深豁,虽悔无及。君子计行虑义,小人计行其②利,乃不利。有知不利之利③者,则可与言理矣。

[注释]

①题解:"慎行"旨在说明行事要深思熟虑,应以"义"为标准。②其:依陶鸿庆说,通"期",期求,追求。③不利之利:不谋私利所带来的好处。前一个"利"字用如动词,谋利。

[译文]

行动不可不深思熟虑。不深思熟虑,就会像奔赴深谷,即使后悔也来不及。君子谋划行动时考虑道义,小人谋划行动时追求利益,结果反而不利。假如有人懂得了不谋私利能带来好处,那么就可以与他谈论事理了。

荆平王①有臣曰费无忌②,害太子建,欲去之。王为建取妻于秦而美,无忌劝王夺。王已夺之,而疏太子。无忌说王曰:"晋之霸也,近于诸夏,而荆僻也,故不能与争。不若大城城父③而置太子焉,以求北方④,王收南方⑤,是得天下也。"王说,使太子居于城父。居一年,乃恶之曰:"建与连尹将以方城外⑥反。"王曰:"已为我子⑦矣,又尚奚求?"对曰:"以妻事怨,且自以为犹宋⑧也,齐、晋又辅之。将以害荆,其事已集矣。"王信之,使执连尹,太子建出奔。左尹⑨郄宛⑩,国人说之。无忌又欲杀之,谓令尹⑪子常曰:"郄宛欲饮⑫令尹酒。"又谓郄宛曰:"令尹欲饮酒于子之家。"郄宛曰:"我贱人⑬也,不足以辱⑭令尹。令尹必来辱,我且何以给⑮待之?"无忌曰:"令尹好甲兵,子出⑯而寘⑰之门,令尹至,必观之已,因以为酬⑱。"及飨⑲日,惟⑳门左右而置甲兵焉。无忌因谓令尹曰:"吾几祸令尹。郄宛将杀令尹,甲在门矣。"令尹使人视之,信。遂攻郄宛,杀之。国人大怨,动作者㉑莫不非令尹。沈尹戍㉒谓令尹曰:"夫无忌,荆之谗人也。亡夫太子建,杀连尹奢,屏王之耳目。今令尹又用之,杀众不辜,以兴㉓大谤,患几及令尹。"令尹子常曰:"是吾罪也,敢不良图?"乃杀费无忌,尽灭其族,以说其国。动而不论㉔其义,知害人而不知人害己也,以灭其族,费无忌之谓乎!

[注释]

①荆平王:即楚平王,春秋后期楚国国君,前528~前516年在位。②费无忌:楚国大夫。③大城城父:前一个"城"是动词,修建。楚国北部边邑,在今河南省宝丰县东四十里。④求:指求得拥戴和尊奉。北方:指北方宋、郑、鲁、卫等中原各国。⑤收:取。南方:指吴、越等国。⑥连尹:楚官名,这里指伍奢。方城:山名,在今河南叶县南,春秋时为楚国北部要塞。外:楚都在方城山之南(内),城父在方城之北,所以称"外"。⑦子:指太子。⑧自以为犹宋:意思是自视为像宋那样,是独立小国。⑨左尹:楚官名,位在令尹之下。⑩郄(xī)宛:楚大夫,字子恶。⑪令尹:楚官名,百官之长。⑫饮(yìn):使喝。⑬贱人:这是郄宛的谦词。⑭辱:辱没令尹的身份,这里是表示尊敬的委婉语。⑮给(jǐ):供给,指招待。⑯出:指出具甲兵。⑰寘:同"置"。⑱酬:古代宴饮宾客时,主人为劝客饮酒而赠送的礼物。⑲飨(xiǎng):用酒食招待人。⑳惟:通"帷",这里用如动词,围上帷幕。㉑动

作者:疑为"进胙者"。胙,祭庙的肉。卿大夫祭祀后要把祭肉进献给国君,叫做"进胙"。㉒沈尹戍:楚沈县的尹(长官),名戍。高诱说是楚庄王的孙子。㉓兴:发生,产生,这里用如使动。㉔论:察知。

[译文]

　　楚平王有个臣子叫费无忌,嫉恨太子建,想要除掉他。平王从秦国为太子建娶了个妻子,长得很美,费无忌就鼓动平王强占为己有。平王强占这个女子后,就疏远了太子。费无忌又劝平王说:"晋国称霸,是因为靠近华夏各国,而楚国地域偏远,所以不能同晋国争霸。不如扩大城父,把太子建安置在那里,以谋求北方各国的尊奉,君王自己收取南方各国,这样就能称霸天下了。"平王很高兴,令太子住进了城父。过了一年,费无忌又诋毁太子建说:"太子建和连尹伍奢将凭借方城以北地区作乱。"平王说:"他已做我的太子了,还谋求什么?"费无忌回答说:"他因为夺妻的事而怨恨您,且自以为就像宋国那样的独立小国,又有齐国和晋国的帮助,他将要以此来危害楚国,谋反准备已做好了。"平王相信了费无忌的话,派人逮捕了连尹伍奢,太子建出逃到国外。左尹郤宛,国人很爱戴他,费无忌又想杀掉郤宛,对令尹子常说:"郤宛想请您喝酒。"又对郤宛说:"令尹想到你家来喝酒。"郤宛说:"我是个卑贱的人,不值得令尹屈尊光临。假如令尹一定光临,我该拿什么酬报、招待他呢?"费无忌说:"令尹喜欢铠甲兵器,你把这些东西拿出来摆在门旁,令尹来了,一定会观赏,你就乘势把这些东西作为礼物酬谢他。"等到宴饮这天,郤宛把门口两旁用帷幕遮起来,把铠甲兵器放在里边。费无忌于是对令尹说:"我差一点害了您。郤宛想杀您,已经把铠甲兵器藏在门口了。"令尹派人去察看,果真是这样,就相信了。于是派兵攻打郤宛,杀死了他。国人非常痛恨令尹,卿大夫没有不指责他的。沈尹戍对令尹说:"费无忌是楚国的谗谀小人,逼太子建逃亡在外,杀死了连尹伍奢,遮蔽了国君的耳目。现在您又重用他,杀害众多无辜的人,从而招致了严厉的非议，祸害很快将连累到您身上。"令尹子常说："这是我的罪过啊，怎敢不好好想法对付呢？"于是就杀死了费无忌，并把他的宗族全部杀掉，以取悦国人。做事不讲道义，只知道害别人，却不知道别人也会害自己，致使宗族被诛灭，指的就是费无忌这样的人吧！

崔杼与庆封谋杀齐庄公①。庄公死，更立景公②，崔杼相之。庆封又欲杀崔杼而代之相，于是㪷③崔杼之子，令之争后④。崔杼之子相与私哄⑤。崔杼往见庆封而告之。庆封谓崔杼曰："且留，吾将兴甲以杀之。"因令卢满嫳⑥兴甲以诛之，尽杀崔杼之妻、子及枝属，烧其室屋，报崔杼曰："吾已诛之矣。"崔杼归，无归，因而自绞也。庆封相景公，景公苦之。庆封出猎，景公与陈无宇、公孙灶、公孙虿诛⑦封。庆封以其属斗，不胜，走如鲁。齐人以为让，又去鲁而如吴，王予之朱方⑧。荆灵王⑨闻之，率诸侯以攻吴，围朱方，拔之。得庆封，负之斧锧⑩，以徇于诸侯军，因令其呼之曰："毋或如齐庆封，弑其君而弱其孤，以亡⑪其大夫。"乃杀之。黄帝之贵而死，尧舜之贤而死，孟贲⑫之勇而死，人固皆死，若庆封者，可谓重死⑬矣。身为僇⑭，支属不可以见⑮，行忮⑯之故也。

凡乱人之动也，其始相助，后必相恶。为义者则不然，始而相与，久而相信，卒而相亲，后世以为法程。

[注释]

①齐庄公：春秋齐国君，名光，前553～前548年在位。②景公：齐景公，齐庄公弟，名杵臼，前547～前490年在位。③㪷（zhuó）：挑拨。④争后：争立为后嗣。⑤私哄：私自兴兵争斗。⑥卢满嫳（piè）：齐大夫，庆封的党羽。⑦陈无宇：齐大夫，谥桓子。公孙灶：齐大夫，字子雅。公孙虿（chài）：齐大夫，字子尾。灶、虿二人都是齐国宗室。诛：讨伐。⑧朱方：春秋吴邑，在今江苏镇江市丹徒区南。⑨荆灵王：楚灵王，春秋时楚国国君，前540～前529年在位。⑩负：用如使动。斧锧：杀人的刑具。⑪亡：依刘师培

说，通"盟"，盟誓，指强迫大夫盟誓服从自己。⑫孟贲（bēn）：春秋时勇士。⑬重死：被杀为一死，杀前受辱为一死，所以说"重死"。⑭僇：通"戮"，杀戮。⑮支属：义同"枝属"。见：依王念孙说当作"完"。完，保全。⑯忮（zhì）：忌恨。

[译文]

崔杼和庆封合谋杀死了齐庄公。庄公死后，二人另立景公为国君，崔杼做相国。庆封又想杀掉崔杼，自代为相。于是就挑拨崔杼的儿子们，让他们争夺继承人的资格，崔杼的儿子们相互争斗起来。崔杼去见庆封，告诉他这件事。庆封对崔杼说："你暂且留在这里，我立刻派兵把他们杀掉。"于是派了卢满嫳带兵去诛杀他们。卢满嫳把崔杼的妻儿老小以及宗族亲属全部杀掉，烧了他家住房，然后回报崔杼说："我已把他们杀了。"崔杼回去，已是无家可归，于是自缢而死。庆封做了齐景公的相，景公深以为苦。庆封外出打猎，景公乘机与陈无宇、公孙灶、公孙蛋讨伐庆封。庆封率部属同景公交战，未能取胜，就逃到鲁国。齐国就这件事责备鲁国，庆封又离开鲁国去吴国，吴王把朱方封赐给了他。楚灵王听说了，就率领诸侯进攻吴国，包围朱方，攻占了它，俘获了庆封，让他背着斧质在诸侯军中巡示，并让他呼喊道："不要像齐国庆封那样，杀了他的君主，欺凌丧父的新君，强迫大夫盟誓服从自己！"然后才杀死了他。黄帝那样尊贵，最后也得死亡；尧舜那样贤圣，最后也得一死；孟贲那样勇武，最后也得一死。人本来都有一死，但像庆封这样的，受尽凌辱而死，可以说是双重的死。自身被杀，宗族亲属也不能保全，这是忌恨别人的缘故。

大凡行恶作乱的人处事，开始的时候相互帮助，到后来必定互相憎恶。遵守道义的人却不是这样，他们开始时互相帮助，时间越久越互相信任，最后更加亲密，后代把这当做做事的准则。

无 义①

先王之于论②也极之矣，故义者，百事之始也，万利之本也。中智之所不及也，不及则不知，不知趋利③。趋利固不可必④也。公孙鞅、郑平、续经、公孙竭⑤是已。以义动则无旷⑥事矣。人臣与人臣谋为奸，犹或与之，又况乎人主与其臣谋为义，其孰不与者？非独其臣也，天下皆且与之。

[注释]

①题解："无义"即不讲信义。②论：道理。③不知趋利：依毕沅说，夺"则"字，应为"不知则趋利"。④必：作为必然的，即信赖。⑤公孙鞅：即商鞅。郑平：当即《史记·范睢列传》中的郑安平，秦将，后降赵。续经：赵人。公孙竭：秦臣。⑥旷：废。

[译文]

先王对于事理的论述已经非常透彻了。义是各种事情的开端，是一切利益的本原，这是才智中等的人认识不到的。认识不到就不明事理，不明事理就会追逐私利，追逐私利本来就不可依赖。公孙鞅、郑平、续经、公孙竭等人的情形就是这样。根据道义去行动就不会做不成事情了。臣子与臣子合谋做坏事，尚有人赞同，又何况国君和他的臣子谋划做符合道义的事，有谁不赞同呢？不只是臣子赞同，全天下的人都会赞同的。

公孙鞅之于秦，非父兄①也，非有故②也，以能用也。欲埋之责③，非攻无以④，于是为秦将⑤而攻魏。魏使公子卬⑥将而当⑦之。公孙鞅之居魏也，固善公子卬。使人谓公子卬曰："凡所为游而欲贵者，以公子之故也。今秦令鞅将，魏令公子当之，岂且忍相与战哉？公子言之公子之主，鞅请亦言之主，而皆罢军。"于是将归矣，使人谓公子曰:"归未有时相见,愿与公子坐而相去别⑧也。"公子曰:"诺。"魏吏争之曰:"不可。"公子不听,遂相与坐。公孙鞅因伏卒与车骑以取公子卬。秦孝公薨,惠王立,以此疑公孙鞅之行,欲加罪焉。公孙鞅以其私属⑨与母归魏,襄疵⑩不受,曰:"以君之反公子卬也,吾无道知君。"故士自行不可不审也。

[注释]

①父兄:指宗亲。公孙鞅不是秦王宗室,所以说"非父兄也"。②故:旧交。公孙鞅为卫人,于秦为客,所以说"非有故也"。③堙(yīn)之责:对秦尽到责任。堙,塞。"堙责"即"塞责",尽职。之,指代秦国。④以:用,这里指所用的方法。⑤将:领兵。⑥公子卬(áng):战国魏人,魏惠王时为将。⑦当:抵挡,应战。⑧去别:离别。⑨以:率领。私属:家众。⑩襄疵:魏人,魏惠王时曾为邺令。他书或作"穰疵"。

[译文]

公孙鞅对秦王来说,并不是宗亲,并不是故交,只是凭着才能得到任用的。他想对秦国尽职,除了进攻他国没有其他办法。于是公孙鞅就为秦国带兵进攻魏国。魏国派公子卬率兵抵御秦兵。公孙鞅居住在魏国时,本来和公子卬很要好,于是派人对公子卬说:"我所以出游并希望显贵,都是为了公子您的缘故。现在秦国命令我率兵攻打,魏国让公子您带兵抵挡,我们怎能忍心互相交战呢?请公子您向您的君主建言,我也向我的君主报告,双方都罢兵休战。"等到双方都准备回师的时候,公孙鞅又派人对公子卬说:"回去后难有相见之日,希望同公子聚一聚再离别。"公子说:"好吧。"魏国的军吏们劝谏说:"不能这样做。"公子卬不听。于是两人相聚叙旧,公孙鞅乘机埋伏步卒车骑逮捕了公子卬。秦孝公死后,惠王即位,因为这件事怀疑公孙鞅的品行,想治公孙鞅的罪。公孙鞅带着自己的家众与母亲回到魏国,魏国大臣襄疵不接纳,说:"因为您对公子卬背信弃义,我无法了解您。"所以,士人对自己的行为不可不审慎啊。

郑平于秦王①，臣也；其于应侯②，交也。欺交反主③，为利故也。方④其为秦将也，天下所贵之无不以⑤者，重也。重以得之，轻必失之。去秦将，入赵魏，天下所贱之无不以也，所可羞无不以也。行方可贱可羞，而无秦将之重，不穷奚待？

赵急求李欬⑥。李言⑦、续经与之俱如卫，抵公孙与⑧。公孙与见而与入⑨，续经因告卫吏使捕之，续经以仕赵五大夫⑩。人莫与同朝，子孙不可以交友。

公孙竭与阴君之事⑪，而反告之樗里相国⑫，以仕秦五大夫。功非不大也，然而不得入三都⑬，又况乎无此其功而有行⑭乎？

[注释]

①秦王：指秦昭王。②应侯：即范雎，魏人，入秦为昭王相，封于应（今山西临猗县），所以称应侯。③欺交反主：指郑（安）平兵败，带兵两万人降赵一事。郑（安）平为秦将是范雎保举的。按：当时法律规定，被保举的人犯了罪，保举者要连坐，所以说郑（安）平欺交。④方：正当。⑤以：为，做。⑥求：搜捕。李欬（kài）：事不详。⑦李言：事不详。⑧抵：归。公孙与：卫人，事不详。⑨与（yù）：同意。入：接纳。⑩五大夫：爵位名。⑪阴君之事：未详。⑫樗（shū）里相国：即樗里疾，又称樗里子，战国时秦惠王的异母弟，秦武王、昭王时曾为相。⑬三都：依高诱注，指赵、卫、魏三国的国都。⑭无此其功而有行：依毕沅说，"其"字疑当移在"有"字之下。据文意，"功"当指有利于国家，"行"字则指私人交往上的背信弃义。

[译文]

郑平对秦王来说是臣子，对应侯来说是朋友。他欺骗朋友，背叛君主，是因为追求私利的缘故。当他做秦将的时候，天下人认为尊贵显耀的事没有不能做的，这是因为他位尊权重。靠位尊权重得到的东西，权去身轻时一定要失去。郑平离开秦将的位置，进入赵国和魏国以后，天下人认为轻贱的事没有一件不做，认为羞耻的事没有一件不做。做的是可贱可耻的事，又没有做秦将的位尊权重，不潦倒还等什么？

赵国紧急搜捕李欬。李言、续经跟他一起到了卫国，找到公孙与处。公孙与会见并答应接纳他们。续经乘机向卫国官员告发了李欬，让他们逮捕了李欬。续经因此事在赵国做了五大夫。人们没有愿意与他同朝为官的，就连他的子孙也交不到朋友。

公孙竭参与阴君之事，又反过来向相国樗里疾告发，因此事秦做了五大夫。他的功劳不可谓不大，但却不允许进入赵、卫、魏三国国都，又何况没有告密的功劳，却有他那种背信弃义行为的人呢！

疑 似①

使人大迷惑者，必物之相似也。玉人之所患，患石之似玉者；相剑者之所患，患剑之似吴干②者；贤主之所患，患人之博闻辩言而似通③者。亡国之主似智，亡国之臣似忠。相似之物，此愚者之所大惑，而圣人之所加虑也，故墨子见歧道而哭之④。

[注释]

①题解："疑似"指相似之物，本文旨在论述相似之物的祸害。②吴干：宝剑名，传为春秋时吴人干将所铸，故称"吴干"，又名"干将"。③辩言：能说会道。通：指通达事理。④见歧道而哭之：因为歧路使人捉摸不定，所以为之哭泣。《淮南子·说林训》载哭歧路的是杨朱。此处文意有误，疑有脱文。

[译文]

让人深感疑惑的，一定是看似相同的事物。玉工所忧虑的，是像玉一样的石头；相剑的人所忧虑的，是像吴干一样的剑；贤明的君主所忧虑的，是见闻广博、能言善辩像是通达事理的人。亡国的君主看似聪明，亡国的臣子看似忠诚。看似相同的事物，是愚人最感迷惑、圣人也要认真考虑的，所以墨子看见歧路，为不知何去何从而哭泣。

周宅①酆镐②近戎人，与诸侯约，为高葆③祷于王路④，置鼓其上，远近相闻，即戎寇至，传鼓相告，诸侯之兵皆至救天子。戎寇当⑤至，幽王击鼓，诸侯之兵皆至，褒姒⑥大说，喜之。幽王欲褒姒之笑也，因数击鼓，诸侯之兵数至而无寇。至于后戎寇真至，幽王击鼓，诸侯兵不至，幽王之身乃死于丽山⑦之下，为天下笑。此夫以无寇失真寇者也。贤者有小恶以致大恶。褒姒之败，乃令幽王好小说以致大灭。故形骸相离，三公九卿出走，此褒姒之所用⑧死，而平王⑨所以东徙也，秦襄、晋文⑩之所以劳王⑪劳而赐地也。

[注释]

①宅：居。②酆（fēng）：周文王时的周国国都，在今陕西省户县东。镐（hào）：周武王的国都，在今陕西西安市西南。③葆：通"堡"，小城。④祷：衍字。王路：大路。⑤当：通"尝"，如果。⑥褒（bāo）姒（sì）：周幽王宠妃，本为褒国女子，姒姓，周幽王伐褒时所得。⑦丽山：在陕西临潼县东南，又作"骊山"。⑧所用：所以。⑨平王：周平王，名宜臼，幽王之子，前770~前720年在位。幽王死，平王为避戎人，迁都于洛邑（今洛阳），是为东周。⑩秦襄：秦襄公，前777~前766年在位。晋文：晋文侯，名仇，前780~前764年在位。⑪劳王：勤王，为天子辛劳尽力。秦襄公、晋文侯都曾护卫平王东迁，有功于周王朝。

[译文]

周建都于丰、镐地区，靠近戎人。曾和诸侯约定，在大路上修筑高大的土堡，上面设置大鼓，使远近都能听到鼓声。如果戎兵入侵，就由近及远击鼓传告，各诸侯的军队都来援救天子。戎敌曾经入侵，周幽王击鼓，诸侯军队都如约而至，褒姒非常高兴，很喜欢幽王击鼓让诸侯来。幽王想博得褒姒一笑，于是多次击鼓，诸侯的军队多次到来，却没有敌兵。到后来戎兵真的来了，幽王击鼓，诸侯的军队不再到来，幽王于是被杀死在骊山脚下，为天下人耻笑。这是因为没有敌寇乱击鼓，而耽误了真的敌寇啊！贤明的人有小过失尚且会招致大祸害,又何况不肖的人呢?褒姒败坏国事,是让幽王喜好无足轻重的欢乐,而导致亡国身死。所以,幽王身首分离,三公九卿出逃,这是褒姒所以身死、平王所以东迁的原因,也是秦襄公、晋文侯起兵勤王有功而被赐封土地的原因。

梁①北有黎丘部,有奇鬼焉,喜②效人之子侄昆弟之状。邑丈人有之市而醉归者,黎丘之鬼效其子之状,扶而道苦之。丈人归,酒醒而诮③其子曰:"吾为汝父也,岂谓不慈哉?我醉,汝道苦我,何故?"其子泣而触地曰:"孽矣!无此事也。昔也往责④于东邑,人可问也。"其父信之,曰:"嘻!是必夫奇鬼也。我固尝闻之矣。"明日端⑤复饮于市,欲遇而刺杀之。明旦之市而醉,其真子恐其父之不能反也,遂逝⑥迎之。丈人望其真子,拔剑而刺之。丈人智惑于似其子者,而杀其真子。夫惑于似士者而失于真士,此黎丘丈人之智也。

疑似之迹,不可不察,察之必于其人⑦也。舜为御,尧为左,禹为右,入于泽而问牧童,入于水而问渔师,奚故也?其知之审也。夫孪子之相似者,其母常识之,知之审也。

[注释]

①梁:周时诸侯国,后为秦所灭。按:《后汉书·张衡传》李贤注引"部"作"乡"。②喜:《文选》张衡《思玄赋》作"善"。③诮(qiào):责备。④责:讨债。⑤端:故意。⑥逝:往。⑦其人:指了解和熟悉情况的人。

[译文]

梁国北部有个黎丘乡,有个奇鬼,善于模仿人子孙兄弟的模样。乡中有个老者到市上去,喝醉了酒往家走,黎丘奇鬼模仿他儿子的模样,搀扶他,在回家的路上苦苦折磨他。老者回到家,酒醒后责问儿子说:"我作为你父亲,难道不仁慈吗?我喝醉了,你在路上苦苦折磨我,这是为什么?"他儿子哭着叩头说:"怪了!没有这事。昨天我去东乡讨债,可以问问别人。"他父亲相信了儿子的话，说："噫，这一定是那个奇鬼了！我本来就听说过。"第二天又特意到市上饮酒，希望再遇见奇鬼，并把他杀死。天刚亮就到市上去，又喝醉了，他的儿子怕父亲不能回家，就去接他。老者望见儿子，拔剑就刺。老者的思想被像他儿子的奇鬼所迷惑，而杀死了自己的真儿子。那些被像是贤士的人所迷惑的人，失去了真正的贤士，这正像黎丘老人的智慧一样啊！

对于令人疑惑的相似现象，不能不审察清楚。要审察清楚，一定要找到了解情况的人。即使舜做车夫，尧做尊者，禹做车右，进入草泽也要问牧童，到了水边也要问渔夫，为什么呢？因为他们对情况了解得清楚。孪生子长得相像，他们的母亲总能识别，这是因为做母亲的对儿子了解得很清楚。

壹 行[①]

先王所恶，无恶于不可知[②]。不可知，则君臣、父子、兄弟、朋友、夫妻之际败矣。十际[③]皆败，乱莫大焉。凡人伦，以十际为安者也，释十际则与麋鹿虎狼无以异，多勇者则为制耳矣。不可知，则知[④]无安君、无乐亲矣，无荣兄、无亲友、无尊夫矣。

[注释]

①题解："壹行"旨在阐述言行诚信专一的重要性。②不可知：指言行无信、变化无常，令人不可捉摸。③际：界限，指人们各自应遵守的礼法和大的规范。④知：疑为衍文。

[译文]

先王所厌恶的，莫过于言行不专一。言行不专一，君臣、父子、兄弟、朋友、夫妻的界限就要被破坏。十者的界限都受到破坏，祸乱没有比这更大的了。大凡人与人之间的伦理关系，是靠十者的界限保持安定的，舍弃了这些界限，那么，人和麋鹿虎狼就没有什么区别了，勇悍多力的人就会摆布别人了。言行不专一，就没有人安定国君了，没有人取悦父母了，没有人敬重兄长了，没有人亲近朋友了，没有人尊从丈夫了。

强大未必王也，而王必强大。王者之所藉①以成也何？藉其威与其利。非强大则其威不威，其利不利。其威不威则不足以禁也，其利不利则不足以劝②也，故贤主必使其威利无敌。故以禁则必止，以劝则必为。威利敌③而忧苦民、行可知者王，威利无敌而以行不知者亡。小弱而不可知，则强大疑之矣。人之情不能爱其所疑，小弱而大不爱，则无以存。故不可知之道，王者行之废④，强大行之危，小弱行之灭。

[注释]

①藉（jiè）：借。②劝：劝勉，鼓励。③敌：匹敌，相当。④废：坏，衰落。

[译文]

国家强大不一定能够称王天下，但称王天下一定要强大。称王天下的人赖以成功的是什么呢？是凭借他的权威和给人的利益。国家不强大，他的权威就不能使人敬畏，他给人的利益就不会太多。所树权威不能使人敬畏，就不足以禁止人们为恶；所给利益不多，就不足以劝勉人们行善，所以贤明的君主一定要使自己的权威与给人的利益都无可匹敌。因此，用以禁止的，人们就不去做；用以鼓动的，人们就一定去做。权威和利益相匹敌，那么为百姓忧虑辛劳、言行专一的人就会统一天下；威势和利益不相当，而言行不专一的人就会灭亡。国家弱小而行为又不专一，强大的国家就会猜疑它了。人的常情不能喜爱自己猜疑的人，国家弱小又不被大国喜欢，就没有办法生存。所以，言行不专让人难以察知的做法，称王天下的人实行它就会衰落，强大的国家实行它就有危险，弱小的国家实行它就会灭亡。

今行者见大树，必解衣县①冠倚剑而寝其下，大树非人之情亲②知交也，而安之若此者信③也。陵上巨木，人以为期④，易知故也。又况于士乎？士义可知故也⑤，则期为必矣。又况强大之国？强大之国诚可知，则其王不难矣。人之所乘船者，为其能浮而不能沈⑥也。世之所以贤君子者，为其能行义而不能行邪辟也。

[注释]

①县（xuán）："悬"的古字。②情亲：感情亲近的人。③信：信赖。因为大树肯定会给人以荫蔽，所以可以信赖。④期：约会。⑤故也：疑为衍文。⑥沈：古"沉"字。

[译文]

如果赶路的人看到大树，就一定脱下衣服，挂上帽子，把佩剑靠在树边，躺在树下休息。大树并不是人的亲朋好友，人们却对它如此放心，是因为大树可以信赖。山陵上的大树，人们常用它作为约会之处，是因为它容易看到的缘故。又何况是士人呢？士人的道义如果诚信可知，那么他为人所期待就是必然的了。又何况是强大的国家呢？强大的国家如果确实诚信可知，那么它称王天下就不难了。人们之所以乘船，是因为它能浮在水面不会沉下去。世人之所以敬重君子，是因为他能实行道义不做邪恶的事。

孔子卜，得贲①。孔子曰："不吉②。"子贡曰："夫贲亦好矣③，何谓不吉乎？"孔子曰："夫白而④白，黑而黑，夫贲又何好乎？"故贤者所恶于物，无恶于无处⑤。

夫天下之所以恶，莫恶于不可知也。夫不可知，盗不与期，贼不与谋。盗贼大奸也，而犹所得匹偶，又况于欲成大功乎？夫欲成大功，令天下皆轻劝⑥而助之，必之⑦士可知。

[注释]

①贲（bì）：《周易》卦名，六十四卦之一。②不吉：不吉利。"贲"是

文饰的意思，其色不纯，这里所说的"不吉"，是指不纯粹专一。③夫贲亦好矣：贲卦卦辞说"小利有攸往"，所以子贡如此说。④而：则。⑤无处：游移不定，指不专一。⑥轻：少，不费力。劝：鼓励。⑦必之：一定。

[译文]

孔子占卜，得到贲卦，说："不吉利。"子贡说："贲卦也算好的，为什么说不吉利呢？"孔子说："白就白罢了，黑就黑罢了，贲是杂色，又有什么好呢？"所以贤者对于事物，所厌恶的莫过于它不专一。

天下人所厌恶的，莫过于（言行不专一）不可察知。一个人如果（言行不专一）不可察知，就连窃贼也不约他结伙，强盗也不同他谋议。窃贼、强盗都是非常奸邪的人，还能找到合适的伙伴，又何况想成就大功的人呢！想成就大功，让天下人不需劝勉都来帮助自己，士人一定要言行专一、值得信赖才行。

求 人①

身定、国安、天下治，必贤人②。古之有天下也者，七十一圣③。观于《春秋》，自鲁隐公以至哀公十有二世，其所以得之，所以失之，其术一也。得贤人，国无不安，名无不荣；失贤人，国无不危，名无不辱。

先王之索贤人，无不以④也，极卑极贱，极远极劳。虞用宫之奇、吴用伍子胥之言⑤，此二国者，虽至于今存可也，则是国可寿也。有能益人之寿者，则人莫不愿之；今寿⑥国有道，而君人者而不求，过矣。

[注释]

①题解："求人"即求举贤才。②必贤人：一定要依赖贤人。③七十一圣：传说中的七十余位上古君王。④以：用。⑤虞用宫之奇、吴用伍子胥之

言：这是假设之辞。春秋时期，虞国国君没听从宫之奇的劝谏，吴国国君没听从伍子胥的劝谏，终致灭亡。⑥寿：用如使动，长存。

[译文]

要使自身安定、国家安宁、天下太平，一定要依靠贤人。古代治理天下的，有七十一位圣王。从《春秋》一书看，自鲁隐公到鲁哀公共十二代，在这期间，诸侯所用来获得君位的和因此失去君位的，其途径是一样的。得到贤人，国家没有不安定的，名声没有不荣显的；失去贤人，国家没有不危险的，名声没有不受辱的。

先王为了寻求贤人，是无所不做的，面对贤人，自己（态度）极其谦卑，可以举用极为卑贱的人，可以到极远的地方去，可以付出极大的辛劳。假如虞国采用宫之奇的意见，吴国采用伍子胥的劝谏，这两个国家延续到今天，也是可能的。由此看来，国运是可以延长的。如果有人能延长人的寿命，那么没有谁不愿意；现在有使国运长久的办法，而做君主的却不去寻求，这就错了。

尧传天下于舜，礼之诸侯，妻以二女，臣以十子，身请北面朝之，至卑也。伊尹，庖厨之臣也，傅说，殷之胥靡①也，皆上相天子：至贱也。禹东至榑木②之地，日出、九津③、青羌之野④，攒树之所⑤，㨉天之山⑥，鸟谷、青丘⑦之乡，黑齿之国⑧，南至交阯、孙朴、续樠⑨之国，丹粟、漆树、沸水、漂漂九阳之山⑩，羽人、裸民⑪之处，不死之乡⑫。西至三危⑬之国，巫山⑭之下，饮露、吸气之民⑮，积金之山⑯，其肱、一臂、三面⑰之乡，北至人正⑱之国，夏海⑲之穷，衡山⑳之上，犬戎㉑之国，夸父㉒之野，禺强㉓之所，积水、积石㉔之山。不有懈堕㉕，忧其黔首，颜色黎黑，窍藏㉖不通，步不相过㉗，以求贤人，欲尽地利，至劳也。得陶、化益、真窥、横革、之交㉘五人佐禹，故功绩铭㉙乎金石㉚，著于盘盂㉛。

[注释]

①胥靡：刑徒，受刑而罚做劳役的罪人。②榑木：传说中的地名，即扶

桑,太阳升起的地方,是东方的尽头。③九津:当为传说中的山名,日出的地方。④青羌之野:东方的原野。⑤攒(cuán)树之所:树木丛生的地方。攒,聚集。⑥揟(mín)天之山:耸入云天的高山。揟,抚、摸。⑦鸟谷:未详。松皋圆等疑作"旸谷",日出之地。青丘:传说中的东方海外之国,产九尾狐。⑧黑齿之国:传说中的东方国名,其民黑齿。⑨交阯:南方地名,指五岭以南,今广东、广西一带。孙朴、续樠:未详,疑为二地名。⑩丹粟:丹砂,其形状如粟,故名。沸水:喷泉,多指温泉。沸,泉水喷涌的样子。漂漂:水流急。九阳之山:南方山名。依五行学说,南方积阳,阳数终于九,故称"九阳之山"。⑪羽人、裸民:神话传说中的两个国家,据说羽人国的人长着翅膀,裸民国的人不穿衣服。⑫不死之乡:传说中那里人长生不老的国家。⑬三危:神话中的西方山名,传说山上住着西王母的三只青鸟。⑭巫山:山名,在四川巫山县东,属巴山山脉。传说这里多神人。⑮饮露、吸气之民:以清虚之道养生全性的仙人。这里指他们所居的地方。⑯积金之山:西方山名。西方属金,故名。⑰其肱:即"奇(jī)肱"。奇肱、一臂、三面:都是神话传说中的西方国家。奇肱国的人"一臂三目",一臂国的人"一臂一目一鼻孔",三面国的人生有三张脸。⑱人正:传说中北方的国家。⑲夏海:大海,指传说中的北海。夏,大。⑳衡山:传说中北方的山。㉑犬戎:神话传说中的北方国名。㉒夸父(fǔ):神话中的勇士,曾与太阳赛跑,半路渴死。㉓禺强:北海之神,传说人面鸟身。㉔水:疑为"氷"之误,"氷"即"冰"。积石:山名,大积石山在今青海省南部,小积石在今甘肃西北,传说禹疏导河水曾到此二山。㉕懈堕:懈怠。堕,通"惰"。㉖窍:七窍。藏(zàng):同"脏",五脏。㉗步不相过:走路后脚不能超过前脚,步子很小,行动很慢,形容非常疲惫。㉘陶:皋陶。化益:即伯益。真窺:依毕沅说,疑为"直窺(chēng)"之讹,《荀子·成相》作"直成"。直成、横革:也是禹的辅臣,事不详。之交:不详。梁玉绳疑为"支父"之讹,即《贵生》、《尊师》等篇的子州支父,然此处与《贵生》、《尊师》所载支父事不同,疑未是。㉙铭:在金石上刻写文字。㉚金:钟鼎等铜器。石:指碑碣等。㉛盘:浅而敞口的器皿,一般为铜制,用于沐浴或盛物。盂:碗状盛食器。

[译文]

尧把天下传给舜,在诸侯面前礼敬他,把两个女儿嫁给他,让自己的十个儿子给他做臣属，自己则北面朝拜他，这是把自己降到最卑贱的地位了。伊尹是在厨房中服役的奴隶，傅说是殷商的刑徒，却都做了天子的相：这是举用最卑贱的人。大禹东行到达扶木之地，到太阳升起的九津之山、青羌之野、林木丛生之处，到耸入云天的高山处，鸟谷、青丘之国，黑齿之国；南行到达交阯、孙朴、续樠之国，到盛产丹砂、生长漆树、泉水喷涌的九阳之山，到羽人、裸民之国，不死之国；西行到达三危之国，巫山之下，到吸露引气的仙境，积金之山，奇肱、一臂、三面之国；北行到达人正国，大海尽头，衡山之上，犬戎之国，夸父逐日之野，禹强居住之所，积水、积石之山。大禹不敢懈怠，为百姓忧虑，面色黧黑，周身不适，步履艰难，寻求贤人，想要充分发挥土地的效益，这是辛苦到极点了。结果得到皋陶、伯益、直成、横革、之交五人来辅佐他，所以功绩刻在金石上，书写在盘盂上，流传到后世。

昔者尧朝许由于沛泽之中，曰："十日出而焦火①不息，不亦劳乎？夫子为天子，而天下已治矣，请属②天下于夫子。"许由辞曰："为天下之不治与？而既已治矣。自为与？鹪鹩③巢于林，不过一枝；偃鼠④饮于河，不过满腹。归已，君乎！恶用天下？"遂之箕山⑤之下，颍水⑥之阳，耕而食，终身无经天下之色。故贤主之于贤者也，物莫之妨，戚爱习故⑦，不以害之，故贤者聚焉。贤者所聚，天地不坏，鬼神不害，人事不谋，此五常之本事也。

[注释]

①焦火：炬火。焦，通"爝"，火炬。②属（zhǔ）：同"嘱"，托付。③鹪（zhōu）鹩（jiāo）：鸟名，即鹪（jiāo）鹩（liáo），又名桃雀。④偃（yǎn）鼠：又作"鼹鼠"，鼠类。⑤箕山：在河南省登封市东南，后世又名"许由山"。⑥颍水：源出河南登封市西南。⑦戚：亲属。爱：爱幸的人。习：近习，指身边的人。故：故旧。

[译文]

从前，尧到大泽当中拜见许由，说："十个太阳都出来了，火把还没有熄灭，不是徒劳吗？您来做天子，天下会治理得很好，请让我把天下托付给您。"许由推辞说："您这么做是因为天下还没治理好吗？可如今天下已经太平了。是为了我自己吗？鹪鹩在树林筑巢，所占据的只不过一根树枝；鼹鼠到河里喝水，也只不过喝饱肚皮罢了。您回去吧！我哪里用得着天下？"说罢，就去箕山脚下、颍水北岸种田为生，终生也没有治理天下的表示。所以贤明的君主任用贤人，没有什么事物可以妨害他，不因亲人、爱幸、近习、故旧使之受到破坏，因而贤者聚集到他这里来。贤者聚集的地方，天地不会降灾，鬼神不会作祟，人们不去谋划，这是五常的根本。

皋子[①]，众疑取国，召南宫虔、孔伯产[②]而众口止。

晋人欲攻郑，令叔向聘焉，视其有人与无人。子产为之诗曰："子惠[③]思我，褰裳涉洧[④]；子不我思，岂无他士[⑤]！"叔向归曰："郑有人，子产在焉，不可攻也。秦、荆近，其诗有异心[⑥]，不可攻也。"晋人乃辍攻郑。孔子曰："《诗》云：'无竞惟人[⑦]。'子产一称[⑧]而郑国免。"

[注释]

①皋子：人名，当为贤者，其事未详。许维遹认为，是《列女传》中的"睾子"，亦即伯益。②南宫虔、孔伯产：应是皋子罗致门下的贤者。③惠：爱。④褰（qiān）：把衣服提起来。裳：下衣。洧（wěi）：水名，源出河南登封市东阳城山，春秋时其地属郑。⑤士：未婚男子。⑥其诗有异心：子产以男女欢爱喻晋郑两国关系，意为如果晋不与郑修好（"子不我思"），郑将与他国结盟（"岂无他士"），所以说"其诗有异心"。在外交场合赋诗言志，是春秋时期的普遍风气。⑦无竞惟人：国家强大完全在于有贤人。无，发语词，无义。竞，强。诗句见《诗经·大雅·抑》。⑧称：这里指诵诗。

[译文]

人们怀疑皋子窃国，皋子把贤者南宫虔、孔伯产召来，人们的议论就停止了。

晋君想进攻郑国,派叔向到郑国去访问,借以察看郑国有无贤人。子产对叔向诵诗说:"如果你心里思念我,就请提起衣服涉过洧河;如果你不把我思念,难道我就没有其他男子可选?"叔向回到晋国,说:"郑国有贤人,有子产在那里,不能进攻。郑国跟秦国、楚国临近,子产所赋诗又有二心,不能进攻。"晋国于是停止了攻打郑国。孔子说:"《诗经》说:'国家强大,完全在于有贤人。'子产只是诵了一首诗,郑国就免遭了祸难。"

察 传[①]

夫得言不可以不察,数传而白为黑,黑为白。故狗似玃[②],玃似母猴[③],母猴似人,人之与狗则远矣。此愚者之所以大过也。

闻而审[④]则为福矣,闻而不审不若无闻矣。齐桓公闻管子于鲍叔,楚庄闻孙叔敖于沈尹筮,审之也,故国霸诸侯也。吴王闻越王句践于太宰嚭[⑤],智伯闻赵襄子于张武[⑥],不审也,故国亡身死也。

[注释]

①题解:"察传"即对传言进行慎重审察,以定是非。②玃(jué):兽名,似猕猴而形体较大。③母猴:兽名,又称猕猴、沐猴。④而:如果。审:审察。⑤太宰嚭(pǐ):伯嚭,春秋楚人,为吴王夫差太宰,所以称为"太宰嚭"。夫差打败越国之后,伯嚭接受越人贿赂,极力劝说夫差允许越国求和,使吴国终为越王勾践所灭。⑥智伯:名瑶,春秋晋哀公卿。赵襄子:名无恤,晋卿。张武:智伯的家臣。张武劝智伯纠合韩康子、魏桓子把赵襄子围困在晋阳,后韩、赵、魏三家暗中联合,反灭了智伯。

[译文]

听到传闻不可不审察清楚。多次辗转相传,白的就被说成黑的,黑的就被说成白的。如狗被说成像玃,玃像母猴,母猴像人,但是人和狗相差很远了。这是愚人犯大错的原因。

听到传闻如果加以审察,就会带来好处;听到传闻如果不加审察,不如没有听到。齐桓公从鲍叔那里听到关于管仲的情况,楚庄王从沈尹筮那里听到关于孙叔敖的情况,听到后加以审察,所以称霸诸侯;吴王夫差从太宰嚭那里听到关于越王勾践的议论,智伯从张武那里听到关于赵襄子的议论,听到后不加审察,所以国破身亡。

凡闻言必熟论①,其于人必验之以理。鲁哀公问于孔子曰:"乐正夔②一足,信乎?"孔子曰:"昔者舜欲以乐传教③于天下,乃令重黎举夔于草莽④之中而进之,舜以为乐正。夔于是正六律,和五声,以通八风⑤,而天下大服。重黎又欲益求人,舜曰:'夫乐,天地之精也,得失之节也,故唯圣人为能和,乐之本也。夔能和之以平天下,若夔者一而足矣。'故曰'夔一足',非'一足'也。"

宋之丁氏,家无井而出溉汲⑥,常一人居外。及其家穿井,告人曰:"吾穿井得一人。"有闻而传之者曰:"丁氏穿井得一人。"国人道之,闻之于宋君。宋君令人问之于丁氏,丁氏对曰:"得一人之使,非得一人于井中也。"求能之若此,不若无闻也。

[注释]

①熟论:深入研究、考察。②乐正:乐官之长。夔(kuí):人名,善音律,舜时为乐正。③传教:传布教化。古人把音乐看做移风易俗的工具。④重(chóng)黎:相传尧时掌管时令,后为舜臣。草莽:指民间。⑤通:调和。八风:八方之风。⑥溉汲:打水,抽水的意思。

[译文]

凡听到传闻一定要深入考察,关于人的传闻一定要用事理加以验证。鲁哀公向孔子问道:"乐正夔只有一只脚,是真的吗?"孔子说:"从前舜想利用音乐把教化传布到天下,于是让重黎从民间把夔选拔出来,进荐给君主,舜任用他为乐正。夔于是校定六律,和谐五声，以调和八风，因此天下归服。重黎还想多找些像夔这样的人，舜说：'音乐是天地之气的精华，政治得失的关键，所以只有圣人才能使音乐和谐，而和谐是音乐的根本。夔能使音乐和谐，以此安定天下。像夔这样的人，有一个就足够了。'所以说'夔一足'，并不是说夔只有一只脚。"

宋国的丁氏，家里没有井，要外出打水，他家经常有一专人在外。等到他家挖了一口井，就告诉别人说："我挖井得到了一个人。"有人听了，就传道："丁氏挖井得到了一个人。"国人谈论这件事，让宋国君主听到了。宋国国君派人去问丁氏，丁氏说："我是说得到一个人使唤，并不是从井里挖到一个人。"像这样寻求能人，还不如没有听到。

子夏之晋，过卫，有读史记①者曰："晋师三豕涉河。"子夏曰："非也，是己亥②也。夫'己'与'三'相近，'豕'与'亥'相似③。"至于晋而问之，则曰"晋师己亥涉河"也。

辞多类非而是，多类是而非。是非之经④，不可不分。此圣人之所慎也。然则何以慎？缘⑤物之情及人之情以为⑥所闻，则得之矣。

[注释]

①史记：这里指记载历史的书。②己亥：干支纪日。③古文"己"与"三"、"豕"与"亥"字形相近，易混。④经：界限。⑤缘：顺着。⑥为：动词，这里指审察。

[译文]

子夏到晋国去，路过卫国。听到有人读史书，说："晋国军队三豕渡过黄河。"子夏说："这是不对的。'三豕'应是'己亥'。'己'和'三'形体相近，'豕'和'亥'写法相似。"到了晋国一问，果然说"晋国军队己亥这天渡过黄河"。

言辞有很多似错但其实是对的，也有很多似对其实却是错的。

正确和错误的界限，不可不分清。这是连圣人都要慎重对待的。既然这样，那么，怎样慎重对待呢？要顺应自然和人事的情理，来考察听到的传闻，就可以得到真实的情况了。

贵直论第二十三

直 谏①

言极②则怒,怒则说者危。非贤者孰肯犯③危?而非贤者也,将以要④利矣,要利之人,犯危何益?故不肖主无贤者。无贤则不闻极言,不闻极言,则奸人比周⑤,百邪悉起,若此则无以存矣。凡国之存也,主之安也,必有以也。不知所以,虽存必亡,虽安必危。所以不可不论也。

齐桓公、管仲、鲍叔、宁戚相与饮,酒酣,桓公谓鲍叔曰:"何不起为寿⑥?"鲍叔奉⑦杯而进曰:"使公毋忘出奔在于莒也,使管仲毋忘束缚而在于鲁也,使宁戚毋忘其饭牛而居于车下。"桓公避席再拜曰:"寡人与大夫能皆毋忘夫子之言,则齐国之社稷幸于不殆矣!"当此时也,桓公可与言极言矣。可与言极言,故可与为霸。

[注释]

①题解:"直谏"即直言劝谏。②极:尽。指说话不加隐讳,毫无保留。③犯:冒。④要(yāo):求。⑤比周:结党营私。⑥为寿:敬酒并献寿辞,这是古人饮酒时的一种礼节。⑦奉:捧。

[译文]

　　臣下进谏没有顾忌，君主就会发怒，君主发怒，进谏人就危险。除了贤明的人，谁肯去冒这种危险？如果不是贤明的人，就要乘进言的机会谋求私利了。谋求私利的人，冒险有什么好处？所以不贤明的君主身边没有贤人。没有贤人就听不到直谏，听不到直谏，奸人就会结党营私，众多邪恶就会一起产生。像这样国家就无法生存了。凡国家的生存，君主的平安，一定是有原因的。不了解这个原因，即使目前生存也必定要灭亡，即使目前平安也必定有危险。所以，国存主安的原因，是不可不察知的。

　　齐桓公、管仲、鲍叔牙、宁戚在一起饮酒，喝得正高兴，桓公对鲍叔说："为什么不起来敬酒并献寿辞呢？"鲍叔捧起酒杯敬酒，说："希望君主您不要忘记逃亡在莒国的情景，希望管仲不要忘记被囚禁在鲁国的情景，希望宁戚不要忘记自己喂牛住在车下的情景。"桓公离席对鲍叔拜了两拜，说："如果我和各位大夫都能不忘您说的话，那么齐国的江山就幸运，没有危险了！"在这个时候，对桓公可说是能尽情进谏了。正因为能尽情进谏，所以就可以跟他一起成就霸业。

　　荆文王①得茹黄②之狗，宛路之矰③，以畋④于云梦，三月不反；得丹之姬⑤，淫，期年⑥不听朝。葆申⑦曰："先王卜以臣为葆，吉。今王得茹黄之狗，宛路之矰，畋三月不反；得丹之姬，淫，期年不听朝。王之罪当笞。"王曰："不谷免衣襁褓⑧而齿⑨于诸侯，愿请变更而无笞。"葆申曰："臣承先王之令，不敢废也。王不受笞，是废先王之令也。臣宁抵罪于王，毋抵罪于先王。"王曰："敬诺。"引席，王伏。葆申束细荆五十，跪而加之于背，如此者再，谓："王起矣！"王曰："有笞之名一也，遂致之⑩。"申曰："臣闻君子耻之⑪，小人痛之⑫。耻之不变，痛之何益？"葆申趣出，自流于渊，请死罪。文王曰："此不谷之过也，葆申何罪？"王乃变更，召葆申，杀茹黄之狗，析⑬宛路之矰，放丹之姬。后荆国兼国三十九。令荆国广大至于此者，葆申之力也，极言之功也。

[注释]

①荆文王：即楚文王。②茹黄：猎犬名，他书或作"如黄"，"如簧"。③宛路：竹名，即箘簬，细长而直，可做箭杆。矰（zēng）：带丝绳的短箭。④畋（tián）：打猎。⑤丹：丹阳，在今湖北省秭归县。姬：美女。⑥期（jī）年：一周年。⑦葆申：名叫申的太葆。太葆，即太保，官名。⑧衣：穿，裹。襁褓：背婴儿用的宽带与布兜。⑨齿：并列。⑩遂致之：索性真的抽打我吧！致，使实现。之，指代"笞"这一行为。⑪耻之：使他感到羞耻。⑫痛之：使他感到疼痛。⑬析：当作"折"，折断。

[译文]

楚文王得到茹黄之狗和箘簬做成的箭，就用它们到云梦泽打猎，三个月不回来；得到丹地的美女，纵情女色，一年没有上朝听政。葆申说："先王占卜让我做太保，卦象吉利。如今君王您得到茹黄之狗和箘簬之箭，前去打猎，三个月不回来；得到丹地的美女，纵情女色，一年不上朝听政。您的罪应受鞭刑。"文王说："我从离开襁褓就列位诸侯，请您换一种刑法，不要鞭打我。"葆申说："我敬受先王之命，不敢废弃。您不接受鞭刑，这是废弃了先王法令。我宁可获罪于您，不能获罪于先王。"文王说："好吧。"于是葆申拉过席子，文王伏在上面。葆申把五十根细荆条捆在一起，跪着放在文王的背上，像这样做了两次，对文王说："起来吧！"文王说："既然同样是有了受鞭刑的名声，就真的打我一顿吧！"葆申说："我听说，对于君子，要使他受到羞辱；对于小人，要让他皮肉觉得疼痛。如果让他受到羞辱仍不能改正，那么让他觉得疼痛又有何用？"葆申说完，快步走出了王宫，自行流放到深渊边上，请求文王治自己死罪。文王说："这是我的过错，葆申有什么罪呢？"于是改变行为，召回葆申，杀掉了茹黄之狗，折断了箘簬之箭，放走了丹地的美女。后来楚国兼并了三十九个国家。使楚国疆土广阔到这种程度,这是葆申的力量,是无顾忌进谏的功劳。

知 化①

夫以勇事人者,以死也,未死而言死,不论②,以③虽知之与勿知同。凡智之贵也,贵知化④也。人主之惑者则不然。化未至则不知,化已至,虽知之与勿知一贯也。

事有可以过⑤者,有不可以过者。而身死国亡⑥,则胡可以过?此贤主之所重,惑主之所轻也。所轻,国恶得不危?身恶得不困?危困之道,身死国亡,在于不先知化也。吴王夫差是也。子胥非不先知化也,谏而不听,故吴为丘墟,祸及阖庐。

[注释]

①题解:"知化"就是要对事物发展的趋势作出预见,并采取相应的对策。②论:知道,了解。③以:依王念孙说,通"已",指死亡之后。④化:变化,指事物发展变化的必然趋势。⑤过:错误。⑥身死国亡:指关系到身死国亡的大事。

[译文]

以勇力侍奉别人的人,也就是以死侍奉别人。在勇士没死的时候谈论以死侍奉别人,人们不会了解;等到勇士死了以后,人们虽然已经了解,但为时已晚,和不了解是一样的。大凡智慧的可贵,就在于能事先察知事物的变化。君主中的糊涂者却不是这样,变化没有到来时浑然无知;变化出现后,虽然知道了却又为时已晚,和不知道是一样的。

有些事情是可有失误的,有些是不能有失误的。关系到身死国亡的大事,又怎么能够失误呢?这是贤明的君主所重视,而糊涂的君主所轻忽的。轻忽这一点,国家怎么能不危险?自身怎能不困厄呢?走危险困厄的道路,以致身死国亡,就在于不能事先察知事物的发展变化。吴王夫差就是这样。伍子胥并不是事先不能察知事物的变化，但他劝谏夫差不被听从，所以吴国成为废墟，殃及先君阖庐。

吴王夫差将伐齐，子胥曰："不可。夫齐之与吴也，习俗不同，言语不通，我得其地不能处，得其民不得使①。夫吴之与越也，接土邻境，壤交通属②，习俗同，言语通，我得其地能处之，得其民能使之。越于我亦然。夫吴越之势不两立，越之于吴也，譬若心腹之疾也，虽无作，其伤深而在内也。夫齐之于吴也，疥癣之病也，不苦其已③也，且其无伤也。今释越而伐齐，譬之犹惧虎而刺猏④，虽胜之，其后患未央⑤。"太宰嚭曰："不可。君王之令所以不行于上国⑥者，齐、晋也。君王若伐齐而胜之，徙其兵以临晋，晋必听命矣，是君王一举而服两国也，君王之令必行于上国。"夫差以为然，不听子胥之言，而用太宰嚭之谋。子胥曰："天将亡吴矣，则使君王战而胜；天将不亡吴矣，则使君王战而不胜。"夫差不听。子胥两袪高蹶⑦而出于廷，曰："嗟乎！吴朝必生荆棘矣。"夫差兴师伐齐，战于艾陵⑧，大败齐师，反而诛子胥。子胥将死，曰："与⑨吾安得一目以视越人之入吴也？"乃自杀。夫差乃取其身而流之江，抉⑩其目，著⑪之东门，曰："女胡视越人之入我也？"居数年，越报吴，残其国，绝其世⑫，灭其社稷，夷其宗庙。夫差身为禽。夫差将死，曰："死者如有知也，吾何面以见子胥于地下？"乃为幎⑬以冒⑭面死。夫患未至，则不可告也；患既至，虽知之无及矣。故夫差之知惭于子胥也，不若勿知。

[注释]

①不得使：依孙人和说，"得"当作"能"。②属（zhǔ）：连。③已：治愈。④猏（jiān）：同"豜"，三岁的猪。⑤央：尽。⑥上国：指中原地区各国。⑦袪（qū）：举，这里指提起衣服。高蹶：高蹈，把脚抬得高高地走路。"两袪高蹶"是形容很生气的样子。⑧艾陵：春秋齐地，在今山东省莱芜东。

⑨与：陈奇猷认为借为"吁"，一字为句，叹词。⑩抉（jué）：挖掉。⑪著（zhuó）：附着，这里是"悬挂"的意思。⑫世：世系，世代相承的系统。⑬幎（mì）：即幎目，指用来覆盖死者面部的巾。⑭冒：覆盖。

[译文]

吴王夫差打算攻伐齐国，伍子胥说："不可以。齐国和吴国风俗习惯不同，言语不相通，即使得到齐国的土地也不能让吴国民众居住，得到齐国的百姓也不能役使。吴国和越国，疆土毗邻，田地交错，道路相连，风俗习惯一样，言语相通，我们得到越国的土地能够居住，得到越国的百姓能够役使。越国对于我国也是如此。吴国与越国从情势上看不能并存，越国对于吴国，有如心腹之疾，即使一时没有发作，但它造成的伤害深重且处在体内。而齐国对于吴国只是癣疥之疾，不担心治不好，且没什么妨害。现在放弃越国去攻打齐国，就像担心虎患却去刺杀野猪一样，即使胜利了，但后患无穷。"太宰嚭说："伍子胥的话不可行。君命之所以不能在中原各国推行，就是由于齐国与晋国的缘故。君王如果攻打齐国，并战胜了它，然后移兵，以大军逼压晋国国境，晋国一定会俯首听命。这样，君王一举可降服两个国家，从此，君命就可在中原各国推行。"夫差认为太宰嚭说得对，没有听从伍子胥的话，而采用了太宰嚭的意见。伍子胥说："上天如果想要灭亡吴国的话，就会让君王打胜仗；上天如果不想灭亡吴国的话，就会让君王打不了胜仗。"夫差仍不听从。伍子胥两手举起衣服，脚抬得高高的从朝廷中离开，说："哎呀！吴国的朝廷一定要遍生荆棘了！"夫差兴兵攻打齐，和齐军在艾陵交战，把齐军打得大败，回国后要杀伍子胥。伍子胥临死之际说："我怎么才能留下一只眼睛看着越军入吴呢？"说完就自杀了。夫差把他的尸体投到江中冲走，把他的眼睛挖出来，挂在国都的东门上，说："你怎么能看到越军侵入我的吴国呢？"过了几年，越人报复吴国，攻破了吴国国都，灭绝了吴国的世系，毁灭了吴国的社稷，削平了吴国的宗庙。夫差本人也被活捉。夫差临死时

知化 375

说:"如果死者仍有知的话,我有什么脸面在地下见子胥呢?"于是用面巾盖上脸自杀了。对于糊涂的君主,祸患还没有到来时就不能告诉他;祸患到来后,他虽然明白也来不及了。所以夫差临死才知道愧对伍子胥,这种知道还不如不知道。

过 理①

亡国之主一贯。天时虽异,其事虽殊,所以亡同者,乐不适也。乐不适则不可以存。糟丘酒池②,肉圃为格③,雕柱而桔④诸侯,不适也。刑鬼侯⑤之女而取其环⑥,截涉者胫而视其髓⑦,杀梅伯而遗文王其醢⑧,不适也。文王貌受以告诸侯。作为璇室⑨,筑为顷宫⑩,剖孕妇而观其化⑪,杀比干而视其心,不适也。孔子闻之曰:"其窍通则比干不死矣。"夏、商⑫之所以亡也。

[注释]

①题解:"过理"即不合乎礼义,与常理相违背。②糟丘:用酒糟堆起的小山,极言酿酒之多。酒池:用池子盛酒。极言其奢侈。③肉圃:肉林。为格:设置炮格。炮格,依俞樾说,是烤肉用的铜架。④雕:依许维遹说,通"铸"。铸柱,指铸造铜柱,下面点火,让人爬行柱上,坠入火中烧死。这里指纣设置的一种酷刑。桔:通"酷",虐害。⑤鬼侯:商末诸侯,纣时为三公之一。鬼侯的女儿为商纣之妾。⑥环:玉圈,古人的一种饰物。⑦截涉者胫而视其髓:高诱注:"以其涉水能(耐)寒也,故视其髓,欲知其与人有异不也。"⑧梅伯:纣时诸侯。遗(wèi):送给。醢(hǎi):肉酱。⑨璇(xuán)室:用美玉装饰的房屋。⑩顷宫:高大巍峨的宫殿。顷,通"倾",形容高高耸立,好像要倾倒一样。⑪化:育,指胎儿在腹中的变化。⑫夏、商:上文所述"不适"的事主要是商纣所为,这里说"夏、商",只是统而言之。

[译文]

亡国的君主都是一样的,天时虽然各异,行事虽然不同,但他们灭亡的原因相同,都是把不合礼义的事当做快乐。把不合礼义当做快乐,就不能生存。商纣王设置糟丘、酒池、肉圃、炮格,铸造铜柱而让诸侯受酷刑之苦,这是不合礼义的。杀死鬼侯的女儿,摘取她佩戴的玉环;截断涉水者的小腿,察看他的骨髓,这是不合礼义的。杀害梅伯,将用他制做的肉酱送给文王,这是不合礼义的。文王表面接受,暗中把它告诉了其他诸侯。商纣王建造璇室,修筑倾宫,剖开孕妇之腹观看胎儿发育情况,杀死比干观看他的心是否七窍,这是不合礼义的。孔子听到商纣的暴行后,说:"他的心窍如果通达,比干就不会被杀了。"这正是商纣灭亡的原因。

晋灵公①无道,从上弹人而观其避丸也,使宰人臑熊蹯②,不熟,杀之,令妇人载而过朝以示威,不适也。赵盾骤谏而不听,公恶之,乃使沮麛③。沮麛见之,不忍贼,曰:"不忘恭敬,民之主也。贼民之主,不忠;弃君之命,不信。一于此,不若死。"乃触廷④槐而死。

[注释]

①晋灵公:春秋晋国国君,文公之孙,襄公之子,名夷皋,暴虐无道,为臣下所杀。②臑(ér):煮。蹯(fán):野兽的足掌。③沮(jū)麛(mí):灵公手下的武士,他书或作"鉏麑"。④廷:通"庭",院子。

[译文]

晋灵公不行君道,在高台上用弹弓射人,看人怎样躲避弹丸;让厨师煮熊掌,熊掌没有煮熟,就把厨师杀掉;命令妇人用车子拉着尸体从朝廷中经过,借以显示自己的淫威,这是不合礼义的。赵盾多次劝谏也不听,灵公厌恶赵盾,就派沮麛去刺杀他。沮麛看到赵盾,不忍心杀他,说:"时刻不忘恭敬谨慎,这是百姓的救主啊!杀害百姓的救主,是对百姓不忠;抛弃国命,是对国君不守信用。两者中有一条,还不如死去。"于是就撞庭院中的槐树而死。

齐湣王亡居卫①,谓公玉丹②曰:"我何如主也?"王丹对曰:

"王贤主也。臣闻古人有辞③天下而无恨④色者,臣闻其声⑤,于王而见其实。王名称东帝⑥,实辨⑦天下,去国居卫,容貌充满⑧,颜色发扬⑨,无重⑩国之意。"王曰:"甚善!丹知寡人。寡人自去国居卫也,带益三副⑪矣。"

[注释]

①齐湣王亡居卫:指齐湣王末年为燕、秦等国所讨伐,逃亡奔卫之事。②公玉丹:即公玉丹,湣王的幸臣。③辞:离别,这里是"抛弃"、"失掉"的意思。④恨:遗憾。⑤声:名。⑥东帝:据《史记·田完敬仲世家》和《六国年表》所载,齐湣王三十六年(前288年)自称东帝,秦武王同时自称西帝。⑦辨:统治。⑧充满:充盈,肌肉丰满。⑨发扬:焕发。⑩重:看重。⑪副:高诱注:"副或作倍。"带益三倍:腰带的长度增加三倍,极言其肥胖。

[译文]

齐湣王逃亡,住在卫国,对公玉丹说:"我是怎样的一个君主呢?"公玉丹回答说:"大王是个贤明的君主啊!我听说古时有人抛弃天下也没有遗憾之色,从前我只是耳闻其名,今天在您身上看见其实了。您名义上称为东帝,实际上统治天下,离开齐国居住在卫国,体貌丰盈,容光焕发,没有看重国家的念头。"湣王说:"很好!公玉丹了解我呀!我自从离开齐国来到卫国,腰带长度已经增加三倍了!"

宋王筑为蘖帝,鸱夷血,高悬之,射著甲胄,从下,血坠流地。①左右皆贺曰:"王之贤过汤、武矣。汤、武胜人,今王胜天,贤不可以加矣。"宋王大说,饮酒。室中有呼万岁者,堂上尽应。堂上已应,堂下尽应。闻外庭中闻之,莫敢不应。不适也。

[注释]

①此段文字错乱较多,不可通。《史记·宋微子世家》记述此事,说:"盛血以韦(皮革)囊,县(悬)而射之,命曰'射天。'"宋王,指宋康王。蘖,通"巕(niè)",高大的样子。帝,依高诱说,为"台"之误(繁体字

"台"作"臺",与"帝"字形近)。鸱(chī)夷,皮口袋。著(zhuó),穿。

[译文]

宋康王修筑高台,用大皮口袋装上血作为天帝,给它穿上铠甲头盔,高高地悬挂起来,站在下面射它,口袋落下来,血流满地。左右侍从都祝贺说:"您的贤明超过商汤和周武王了。商汤、周武只能胜人,如今您能胜天,您的贤明是无法超越了!"宋康王非常高兴,于是设宴饮酒。室中有人喊万岁,堂上的人都应和。堂上一应和,堂下的人也都应和。门外和院中的人听到了,没有敢不应和的。这是不合礼义的。

壅 塞①

亡国之主,不可以直言。不可以直言,则过无道闻,而善无自至矣。无自至则壅。

秦缪公时,戎强大。秦缪公遗之女乐二八与良宰②焉。戎主大喜,以其故数饮食,日夜不休。左右有言秦寇之至者,因扜③弓而射之。秦寇果至,戎主醉而卧于樽④下,卒生缚而擒之。未擒则不可知⑤,已擒则又不知⑥。虽善说者,犹若此何哉?

[注释]

①题解:"壅塞"指思想闭塞不通。②女乐(yuè):女子歌舞队。二八:古代歌舞,八人为一行,叫一佾(yì),"二八"即二佾,二列。宰:宰夫,厨师。③扜(yū):拉,挽。④樽:古代盛酒器。⑤不可知:不能使他知道将被擒捉。⑥已擒则又不知:因为喝醉了酒睡觉,所以不知道自己被擒。

[译文]

亡国的君主,不可直言劝谏。不可直言相谏,君主的过失就无法听到,贤者就无从到来。贤者无从到来,君主的思想就会壅塞不通。

秦穆公时，戎人势力强大，秦穆公就送给他们两排女子歌舞乐队和手艺高超的厨师。戎王十分高兴，因此，不管白天黑夜，不停地大吃大喝。左右大臣有谁说秦军将会到来，戎王就开弓射他。后来秦军果然到来，戎王醉酒躺在酒樽下面睡觉，被秦军活捉并捆起来了。戎王被捉以前，不知道自己将会被捉；被捉以后，他又醉了，仍不知道已经被捉。对于这种君主，即使是善于劝谏的人，又有什么办法呢？

齐攻宋①，宋王②使人候③齐寇之所至。使者还，曰："齐寇近矣，国人恐矣。"左右皆谓宋王曰："此所谓'肉自生虫'④者也。以宋之强，齐兵之弱，恶能如此？"宋王因怒而诎⑤杀之。又使人往视齐寇，使者报如前，宋王又怒诎杀之。如此者三，其后又使人往视。齐寇近矣，国人恐矣。使者遇其兄，曰⑥："国危甚矣，若将安适？"其弟曰："为王视齐寇。不意其近而国人恐如此也。今又私患，乡之先视齐寇者，皆以寇之近也报而死。今也报其情，死，不报其情，又恐死。将若何？"其兄曰："如报其情，有且⑦先夫死者死，先夫亡者亡⑧。"于是报于王曰："殊不知齐寇之所在，国人甚安。"王大喜。左右皆曰："乡之死者宜矣。"王多赐之金。寇至，王自投车上驰而走，此人得以富于他国。夫登山而视牛若羊，视羊若豚，牛之性⑨不若羊，羊之性不若豚，所自视之势⑩过也。而因怒于牛羊之小也，此狂夫之大者。狂而以行赏罚，此戴氏⑪之所以绝也。

[注释]

①齐攻宋：齐湣王灭宋之役，此事发生在湣王三十六年，即前286年。②宋王：指宋康王。③候：伺探，侦察。④肉自生虫：比喻无事自扰。⑤诎（qū）：屈，冤枉。⑥曰：主语是"其兄"。⑦有（yòu）：又。且：将。⑧先夫死者死，先夫亡者亡：意思是比别人先遭受灾难。夫：指示代词，那。死者、亡者：指国破后被杀和逃亡的人。⑨性：实际。⑩所自视之势：所从视的

地势。自，介词，从，由。⑪戴氏：指宋国。宋本国之初为子姓，后政权为其国内贵族戴氏所篡夺，所以称宋国为戴氏。

[译文]

齐国攻打宋国，宋康王派人去侦察齐军到了什么地方。派去的人回来说："齐军已经逼近了，国人已经非常恐慌了。"左右臣子都对宋王说："这就是俗话说的'肉自己生出蛆虫'啊！凭宋国的强大，齐兵的虚弱，怎么会这样呢？"于是宋王大怒，把派去的人冤杀了。接着又派人去侦察，派去的人的禀报与前一个人相同，宋王又大怒，把他冤杀了。像这样的事接连发生了几次，此后又派人去侦察。发现齐军确实已经逼近了，国人非常恐慌了。派去侦察的人遇见了他的哥哥，他的哥哥说："国家已经十分危险了，你还要到哪儿去？"弟弟说："去为君主侦察齐寇。没料到齐军已经离得这么近，国人这么恐慌。现在我担心的是，先前侦察齐军的人，都是因为禀报齐军迫近而被冤杀。如今我禀报真情是死，不禀报真情恐怕也是一死。我该怎么办呢？"他的哥哥说："如果禀报真情，你将比国破后被杀和逃亡的人早遭受灾难。"于是这个人禀报宋王说："根本没看到齐寇在哪里，国人都非常安宁。"宋康王十分高兴。左右臣子都说："可见先前被杀的人都是活该的。"宋王就赏赐这个人大量的钱财。齐军一到，宋康王自己奔到车上，赶车飞快地逃命去了。这个人得以移居他国，生活非常富足。登上高山往下看，就会觉得牛像羊一样，羊像小猪一样。牛的形体实际上不像羊那样小，羊实际上不像小猪那样小，之所以觉得它们像羊或小猪一样，只是因为看它们时所站的地势不对啊。因此而对牛、羊这样小发怒，这是最大的狂夫。在狂乱状态下施行赏罚，这是戴氏的宋国灭绝的原因。

齐王①欲以淳于髡②傅太子，髡辞曰："臣不肖，不足以当此大任也，王不若择国之长者而使之。"齐王曰："子无辞也。寡人岂责③子之令太子必如寡人也哉？寡人固生而有之也。子为寡人令太子如尧乎？其④如舜也？"凡说⑤之行⑥也，道⑦不智听智，从自非⑧受是⑨也。今自以贤过于尧舜，彼且胡可以开⑩说哉？说必不入，不闻存君。

[注释]

①齐王：指齐威王。②淳于髡（kūn）：战国齐人，姓淳于，名髡，博学善辩，滑稽多智，齐威王、宣王时游于稷下，受大夫之礼遇。③责：要求。④其：语气词，表选择，还是。⑤说：议论，主张。⑥行：实行。⑦道：由，从。⑧自非：自以为非。⑨是：指正确的意见。⑩开：申说。

[译文]

齐王想任用淳于髡做太子的老师，淳于髡推辞说："我才德浅薄，不能够担当这样的重任，您不如挑选国内德高望重的予以委任。"齐王说："你不要推辞了。我哪能要求你让太子一定赶上我呢？我的贤德本是天生的。你认为我希望太子像尧那样呢，或者像舜那样呢？"凡是臣下的主张能够得以实行，都是因为君主自以为愚昧而去听从别人的高见，自以为错误而去接受别人的正确意见。现在齐王自以为贤明超过了尧舜，别人怎么可以对他陈说意见呢？连臣下的劝谏都听不进，没听说这样的君主还能享有国家的。

齐宣王好射，说人之谓己能用强弓也。其尝所用不过三石①，以示左右，左右皆试引之，中关②而止。皆曰："此不下九石，非王其孰能用是？"宣王之情，所用不过三石，而终身自以为用九石，岂不悲哉！非直士其孰能不阿主？世之直士，其寡不胜众，数③也。故乱国之主，患存乎用三石为九石也。

[注释]

①石：古代重量单位，一百二十斤为一石。②中：半。关（wān）：把弓拉满。③数：定数，常理。

[译文]

齐宣王爱好射箭，喜欢别人夸自己能用硬弓。他平时用的弓力量不超过三石,给左右侍从看,侍从们试着拉这张弓,都只拉到一半就停了下来,说:"这张弓的弓力不低于九石,不是君王,谁还能用这样的弓?"宣王实际上所用的弓不超过三石,但一辈子都自认为用的是九石,这难道不可悲吗!不是正直之士,有谁能做到不奉迎君主呢?世上的正直之士寡不敌众,这是必然的定数。所以,使国家陷于祸乱的君主,他们的毛病就在于用的弓实有三石,而自以为是九石啊!

原 乱①

乱必有弟②,大乱五③,小乱三,讻④乱三。故《诗》曰"毋过乱门"。所以远之也。虑福未及⑤,虑祸之⑥,所以兒⑦之也。武王以武得之,以文持之,倒戈弛弓,示天下不用兵,所以守之也。

[注释]

①题解:"原乱"意为推究国家产生祸乱的根源。②弟:次序,即事物发展的过程。③五:与下两句的"三"都是泛指多次,不一定实指下文晋国之乱。④讻:未详。毕沅疑为"讨"字之误。⑤及:指达到实际程度。⑥虑祸之:当为"虑祸过之",指超过灾祸的实际程度。⑦兒:当为"完"之误,即"保全"的意思。

[译文]

祸乱一定按次序到来,大的祸乱发生多次以后,还会有数次小乱,然后经过数次讨伐祸乱,祸乱才能平息。所以古诗中说"不要从作乱者的门前经过",这是远离祸乱的方法。对于福祥,宁可估计不足;但对于灾祸,宁可估计过分,这是保全自身的方法。武王以武力取得天下,以文德治理天下,倒置干戈,松开弓弦,用以向天下表示不再用兵,这是保有天下的方法。

晋献公立骊姬①以为夫人，以奚齐②为太子。里克③率国人以攻杀之。荀息④立其弟公子卓⑤。已葬⑥，里克又率国人攻杀之。于是⑦晋无君。公子夷吾重赂秦以地而求入⑧，秦缪公率师以纳之。晋人立以为君，是为惠公。惠公既定⑨于晋，背秦德而不予地。秦缪公率师攻晋，晋惠公逆之，与秦人战于韩原⑩。晋师大败，秦获惠公以归，囚之于灵台⑪。十月，乃与晋成，归惠公而质⑫太子圉。太子圉逃归也。惠公死，圉立为君，是为怀公。秦缪公怒其逃归也，起奉⑬公子重耳以攻怀公，杀之于高梁⑭，而立重耳，是为文公。文公施舍，振废滞⑮，匡乏困⑯，救灾患，禁淫慝⑰，薄赋敛，宥罪戾，节器用，用民以时，败荆人于城濮，定襄王⑱，释宋⑲，出谷戍⑳，外内皆服，而后晋乱止。故献公听骊姬，近梁五、优施㉑，杀太子申生㉒，而大难随之者五㉓，三君死㉔，一君虏㉕，大臣卿士之死者以百数，离㉖咎二十年。

[注释]

①骊姬：骊戎国君的女儿，初为献公妾，后立为夫人，谗害太子申生等，使晋国大乱。②奚齐：献公之子，骊姬所生。③里克：晋大夫。④荀息：晋大夫，奚齐的老师，晋献公临终托孤于他。⑤公子卓：晋献公之子，骊姬妹妹所生，又称卓子。⑥已葬：指葬晋献公以后。里克杀奚齐在晋献公死而未葬的时候，已葬之后又杀公子卓。⑦于是：在这时。⑧入：进入晋国为君。骊姬之乱发生，献公的儿子夷吾、重耳等都被迫逃亡国外。⑨定：指地位安定。⑩韩原：当为晋地，在黄河以东，所以说法不一。顾祖禹《读史方舆纪要》认为，在今山西省芮城县；江永《春秋地理考实》则以为，在今山西河津县与万荣县之间。⑪灵台：高台之名。⑫质：以……为人质。⑬起：举，扶植。奉：帮助。⑭高梁：晋国地名，在今山西省临汾市尧都区东北。⑮振：指任用。废滞：被废黜和不得升迁的人。⑯匡：救济。乏困：缺少资财的人。⑰淫慝(tè)：邪恶。⑱定襄王：指安定周襄正的王位。⑲释宋：当为"释宋围"，夺"围"字，事见《左传》僖公二十八年。⑳出谷戍：使驻守谷邑的楚军撤离。出，离开，这里用如使动。谷，春秋齐邑，在今山东省东阿县。㉑梁五：人名。优施：名叫施的扮演杂戏的人。梁五、优施都是献公的嬖幸之臣。㉒杀太

子申生：献公二十一年（前656年），听信骊姬谗言，逼太子申生自杀。㉓大难随之者五：依李宝洤说，指下文"三君死"、"一君虏"及惠公入晋为君后杀其大夫里克、丕郑等五次大的祸乱。㉔三君：指奚齐、卓子、怀公。㉕一君：指惠公。㉖离：通"罹（lí）"，遭受。

[译文]

晋献公立骊姬为夫人，以奚齐为太子。献公刚死，里克就率领国人杀了奚齐。荀息立奚齐的弟弟公子卓为君。安葬献公后，里克又率领国人杀了公子卓。这时晋国没有君主，公子夷吾拿土地作厚礼贿赂秦国，请求秦国帮他回国为君。秦穆公带领军队把夷吾送入晋国。晋国人立夷吾为国君，这就是晋惠公。惠公在晋国安定后，背弃了秦国对他的恩德，不给秦国土地。秦穆公率领军队攻打晋国，晋惠公迎战，同秦军在韩原作战。晋军大败，秦俘获晋惠公而归，囚禁在灵台。到了十月，秦才同晋媾和，释放惠公回国，而把他的太子圉作为人质。后来太子圉逃回晋国。惠公死了，太子圉立为国君，这就是晋怀公。秦穆公对太子圉的逃归很恼怒，又扶植公子重耳，帮助他攻打怀公，在高粱杀死了怀公，立重耳为国君，这就是晋文公。文公施德布惠，举用被废黜的旧臣，任用长期不得进用的人，救助钱财匮乏生活困难的人，赈济遭受灾荒祸患的人，禁绝淫乱邪恶，减轻赋税，赦免罪犯，减省所用器物，按时令役使民众，在城濮打败了楚军，安定周襄王的王位，为宋国解了围，使戍守谷邑的楚军撤离，国外、国内都很敬服，之后晋国祸乱才停止。所以，献公听信骊姬，宠幸梁五、优施，杀害太子申生，随之而来的大祸有五起，三个国君被杀，一个国君被俘，大臣卿士死于祸乱的数以百计，使晋国遭受灾祸二十年。

自上世以来，乱未尝一。而乱人之患也，皆曰一而已①，此事虑不同情②也。事虑不同情者，心异也。故凡作乱之人，祸希③不及身。

[注释]

①已：止。②情：实情，实际。③希：少。这个意义后来写作"稀"。

[译文]

从上古以来，祸乱从来不会只发生一次就止息了。而作乱的人的弊病，正在于认为祸乱只发生一次就会止息，这是想法和实际不一致。想法和实际不一致，都是由于思想不切实际。所以，凡是作乱的人，灾祸很少不累及自身的。

不苟论第二十四

不 苟[①]

贤者之事也,虽贵不苟为,虽听不自阿,必中理然后动,必当义然后举。此忠臣之行也,贤主之所说,而不肖主之所不说。非恶其声也。人主虽不肖,其说忠臣之声与贤主同,行其实则与贤主有异。异,故其功名祸福亦异。异,故子胥见说于阖闾,而恶乎夫差;比干生而恶于商,死而见说乎周。

[注释]

①题解:"不苟"即笃行礼义、不率意而行的意思。

[译文]

贤明的人做事,即使地位尊贵也不任性胡来,即使为君主所听信,也不借此谋私利,一定要合乎事理才行动,符合道义才去做。这就是忠臣的德行,是贤明的君主所喜欢的,不肖的君主所厌恶的。不肖的君主不是不喜欢忠臣的名声,他们即使不肖,喜欢忠臣的名声与贤明君主也是一样的,但实际行动却与贤明君主不同。实际行动不同,所以他们的功名、祸福也有区别。实际行动不同,所以伍子胥被吴王阖闾赏识，却被吴王夫差厌恶；比干活着时被商纣厌恶，死后却被周朝所赞赏。

武王至殷郊，系①堕。五人②御于前，莫肯之为，曰："吾所以事君者，非系也。"武王左释白羽③，右释黄钺④，勉而自为系。孔子闻之曰："此五人者之所以为王者佐也，不肖主之所弗安也。"故天子有不胜细民者，天下有不胜千乘者。

[注释]

①系：带子，这里指袜带。②五人：周武王的五个辅臣，即周公旦、召公奭、太公望、毕公高、苏公忿生。③白羽：用白色羽毛装饰的旗帜。④黄钺：用黄金作装饰的大斧。白羽、黄钺都是古代的仪仗。

[译文]

周武王率大军讨伐商纣王，到了殷都的郊外，袜带掉了下来。当时他的五个辅臣都在身边陪侍，但没有一个人愿意替他把带子系上，他们说："我们是来侍奉君主的，并不是替他系袜带的。"武王左手放下白羽，右手放下黄铜斧，自己费力地把带子系上了。后来孔子听到此事，说："这正是五个人成为君主辅臣的原因，也正是不肖君主所不能容忍的。"所以天子有时不能胜过小民，拥有天下有时却不能胜过一个普通的诸侯国。

秦缪公见戎由余①，说而欲留之，由余不肯。缪公以告蹇叔。蹇叔曰："君以告内史②廖。"内史廖对曰："戎人不达于五音与五味，君不若遗之。"缪公以女乐二八人③与良宰遗之。戎王喜，迷惑大乱，饮酒昼夜不休。由余骤谏而不听，因怒而归缪公也。蹇叔非不能为内史廖之所为也，其义不行④也。缪公能令人臣时立其正义，故雪殽之耻⑤，而西至河雍⑥也。

[注释]

①由余：春秋时期晋人，后逃亡到西戎，归附秦公，辅佐穆公霸西戎。

②内史：官名，周代开始设置，掌管爵禄赏罚。③二八：二列，每列八人。人为衍文。④其义不行：遗女乐、良宰使戎王迷乱，并使其君臣不和，这是不义的事，所以蹇叔不做。⑤雪殽之耻：秦穆公三十六年（前624年，秦晋殽之战后三年），秦国讨伐晋国，取晋地，并埋葬死于殽的秦军尸骨，起土为坟。"雪殽之耻"即指这件事。⑥河雍：指古代的雍州，包括今陕西、甘肃两省大部及青海省一部分地区。由于古雍东界到西河（黄河在山西、陕西两省交界处南北流向的一段），所以称为"河雍"。

[译文]

秦穆公见到戎国的大臣由余，很赏识他，想留下他，由余不答应。穆公把想法告诉了蹇叔。蹇叔说："您可以把这件事告诉内史廖。"内史廖听了，回答说："戎人不懂得音乐和美味，您不如赠送一些给他们。"穆公就把两队女乐和手艺高超的厨师送给了戎人。戎王十分高兴，神魂颠倒，任意胡为，饮酒作乐，昼夜不休。由余多次劝谏，戎王不听，因而愤怒地离开戎王，归附了秦穆公。蹇叔并不是不能做内史廖所做的事，而是他所遵守的道义不允许他这样做。秦穆公能让臣下时时坚持自己应遵守的道义，所以能洗刷殽之战所受的耻辱，把疆域向西拓展到了雍州。

秦缪公相百里奚。晋使叔虎①、齐使东郭蹇②如秦，公孙枝③请见之。公曰："请见客，子之事欤？"对曰："非也。""相国使子乎？"对曰："不也。"公曰："然则子事非子之事④也。秦国僻陋戎夷⑤，事服其任⑥，人事其事，犹惧为诸侯笑，今子为非子之事，退！将论⑦而罪。"公孙枝出，自敷⑧于百里氏。百里奚请之⑨。公曰："此所闻于相国欤？枝无罪，奚请？有罪，奚请焉？"百里奚归，辞公孙枝。公孙枝徙⑩，自敷于街⑪。百里奚令吏行其罪⑫。定分官⑬，此古人之所以为法也。今缪公乡⑭之矣。其霸西戎，岂不宜哉？

[注释]

①叔虎：晋国大夫，即下文的郤子虎。姓郤，名豹，字叔虎。②东郭蹇：

齐国大夫，姓东郭，名塞。③公孙枝：秦国大夫，字子桑，曾向秦穆公举荐百里奚。④子事非子之事：第一个"事"字为动词，做；第二个"事"字为名词，指按职分应做的事。⑤僻陋戎夷：指处于戎夷所居的僻陋之地。⑥事：政事。服：使用，任用。其任：指适于担任各种政事的人。⑦论：指评判善恶。⑧敷：述说。⑨请之：替他求情。⑩徙：迁，指离开百里奚处。⑪衢：四通八达的道路，这里指闹市。⑫行：施行。罪：惩罚。⑬分（fèn）官：职守名分。⑭乡（xiàng）：向，趋向。

[译文]

秦穆公任用百里奚为相国。这时，晋国派叔虎、齐国派东郭塞出使秦国，公孙枝请求会见他们。穆公说："请求会见客人，这是你分内的事吗？"公孙枝回答说："不是。"穆公又说："是百里奚委派你了吗？"回答说："没有。"秦穆公说："这样看来，你是要做不该你做的事了。秦国偏僻荒远，靠近戎夷所居地，即使是事事有专职，人人各尽已责，仍然担心被诸侯耻笑，可现在你竟要做本不该你做的事！退下去吧！我要对你的罪过进行评判惩治！"公孙枝退出朝后，到百里奚那里陈述事情的原委。百里奚替他向穆公求情。穆公说："这样的事是你相国该过问的吗？公孙枝如果没有罪，哪有必要求情？要是有了罪，求情又有什么用？"百里奚回来，谢绝了公孙枝的请求。公孙枝离开百里奚处，转而又到闹市中去陈诉。百里奚就命令官吏对公孙枝论罪行罚。确定官员的名分职守，这是古人实行法治的方法。现在秦穆公已朝这个方向努力了。他称霸西戎，难道不应该吗？

晋文公将伐邺①，赵衰②言所以胜邺之术。文公用之，果胜。还，将行赏。衰曰："君将赏其本③乎？赏其末④乎？赏其末则骑乘者⑤存，赏其本则臣闻之郤子虎。"文公召郤子虎曰："衰言所以胜邺，邺既胜，将赏之，曰'盖闻之于子虎，请赏子虎'。"子虎曰："言之易，行之难，臣言之者也。"公曰："子无辞。"郤子虎不敢固辞,乃受矣。凡行赏欲其博也,博则多助。今虎非亲言者也,而赏犹及之,此疏远者之所以尽能竭智者也。晋文公亡久矣,归而因⑥大乱之馀,犹能以霸,其由此欤?

[注释]

①邺:春秋时期卫国地名,在今河北省临漳县。②赵衰:晋大夫,曾从晋文公出亡,谥成子。③本:根本,这里指提出胜邺之术的人。④末:末节,这里指遵照命令去实施的人。⑤骑乘者:车兵,这里用来泛指将士。⑥因:接续,承袭。

[译文]

晋文公将要讨伐邺国,赵衰向文公提出了战胜邺的方法。文公采纳了他的建议,果然取得了胜利,伐邺回来,文公准备赏赐他。赵衰说:"您是要赏赐根本呢,还是要赏赐末节呢?如果赏赐末节,那么有参战的将士在;如果赏赐根本,那么我的建议是从郤子虎那儿听来的。"文公召见郤子虎,说:"赵衰提出了战胜邺的方法,现在邺已被战胜,我要赏赐他,他说'我是从子虎那里听来的,请赏赐子虎吧'。"郤子虎说:"事情说起来容易,做起来难,而我只是个说一说的人。"文公说:"你不要推辞了。"郤子虎不敢坚辞,这才接受了赏赐。凡是行赏,赏赐的范围应该越大越好,范围大,得到的帮助就会多。如今郤子虎并不是亲自向文公进言的人,而奖赏仍有他,这就是疏远的人仍为君主竭尽才智的原因。晋文公在外流亡很久了,回国后承继的又是大乱后的局面,但仍能成就霸业,大概就是这个原因吧!

赞 能①

贤者善人以人②,中人以事③,不肖者以财。得十良马,不若得一伯乐;得十良剑,不若得一欧冶④;得地千里,不若得一圣人。

舜得皋陶而舜受⑤之，汤得伊尹而有夏民，文王得吕望而服殷商。夫得圣人，岂有里数哉⑥？

[注释]

①题解："赞能"即举贤任能。赞，进。②善：亲善。以人：指根据这个人的仁德。人，通"仁"。③事：事功。④欧冶：春秋时期一位善于铸剑的人。⑤受：通"授"，任用。⑥岂有里数哉：得圣人即可得天下，而天下土地不止千里，所以说"岂有里数哉"。里数，地域的距离。

[译文]

贤明的人同人亲善是根据人的仁德，普通的人同人亲善是根据人的功业，不贤的人同人亲善是根据人的财富。得到十匹好马，不如得到一个善于相马的伯乐；得到十口宝剑，不如得到一个善于铸剑的欧冶；得到方圆千里土地，不如得到一个圣人。舜得到皋陶就用他治理好了天下，汤得到伊尹就拥有了夏的百姓，周文王得到吕望就征服了殷商。得到了圣人，所得的土地哪能用里数来计算呢？

管子束缚在鲁，桓公欲相鲍叔。鲍叔曰："吾君欲霸王，则管夷吾在彼。臣弗若也。"桓公曰："夷吾，寡人之贼也，射我者也，不可。"鲍叔曰："夷吾，为其君射人者也。君若得而臣之，则彼亦将为君射人。"桓公不听，强相鲍叔。固辞让，而相①桓公果听之。于是乎使人告鲁曰："管夷吾，寡人之雠也，愿得之而亲加手焉。"鲁君②许诺，乃使吏鞹③其拳，胶其目，盛之以鸱夷④，置之车中。至齐境，桓公使人以朝车⑤迎之，被以燋火⑥，衅以牺猳⑦焉，生⑧与之如国⑨。命有司除庙筵几⑩而荐之，曰："自孤之闻夷吾之言也，目益明，耳益聪。孤弗敢专，敢以告于先君。"因顾而命管子曰："夷吾佐予！"管仲还走⑪，再拜稽首，受令而出。管子治齐国，举事有功，桓公必先赏鲍叔，曰："使齐国得管子者，鲍叔也。"桓公可谓知行赏矣。凡行赏欲其本也，本则过无由生矣。

[注释]

①相：疑因下文"桓"字相近而衍。②鲁君：指鲁庄公。③鞹（kuò）：

皮革，这里用如动词，用皮革套住。④鸱（chī）夷：大的皮口袋。⑤朝车：朝廷重臣朝见君主所乘的车。⑥祓：举行仪式以求消灾祈福。爟官（guàn）火：祭祀时点的火炬。⑦衅：血祭。牺豭（jiā）：祭祀用的纯色的公猪。⑧生：这里强调桓公实际不想杀管仲，告诉鲁国的话只是为保全管仲性命，使他免遭鲁庄公杀害而已。⑨国：国都。⑩几（jī）：古代设于座侧供倚靠的矮桌。这里"筵几"用如动词，设置筵几。⑪还（xuán）走：逡巡退避，表示惶恐之义。

[译文]

管仲被囚在鲁国的时候，齐桓公想用鲍叔牙为相。鲍叔说："国君您如果想成就霸王之业，那么有管夷吾在鲁国，我不如他。"桓公说："管夷吾是我的仇人，用箭射过我，不能任用他。"鲍叔说："夷吾是为他的君主射人的人，您如果得到他，用他为臣，他也会为您用箭去射别人。"桓公不听，坚持要任用鲍叔为相。鲍叔坚辞，最后，桓公听从了鲍叔的意见。于是派人告诉鲁国说："管夷吾是我的仇敌，希望能得到他，并亲手杀死他。"鲁君答应了，派官吏用皮革套住管仲的双手，用胶粘上他的眼睛，把他装在大皮口袋里，放在车上送给齐国。到了齐国边境，齐桓公派人用朝车来迎接管仲。点起火把祛除不祥，杀了公猪举行血祭，恢复了管仲的自由，带他一起回到国都。桓公命令主管官吏扫除宗庙，设置筵几，把管仲进荐给祖先，说："自从我听了夷吾的话，眼睛越发明亮，耳朵越发灵敏。我准备用他为相，不敢擅自决定，冒昧地将此事告诉先君。"桓公说完，于是回头命令管仲说："夷吾辅佐我！"管仲退避了几步，向桓公再拜叩头，接受了任命，而后离开了宗庙。管仲治理齐国，做事只要有功，桓公就一定先赏赐鲍叔，说："使齐国得到管子的是鲍叔啊！"桓公可说是懂得如何行赏的了。凡是行赏，应该赏赐根本，赏赐根本，那么过失就无从产生了。

孙叔敖、沈尹茎①相与友。叔敖游于郢三年，声问②不知，修行不闻。沈尹茎谓孙叔敖曰："说义③以听，方术④信行，能令人主上至于王，下至于霸，我不若子也。耦世接⑤俗，说义调均⑥，以适主心，子不如我也。子何以不归耕乎？吾将为子游。"沈尹茎游于郢五年，荆王欲以为令尹，沈尹茎辞曰："期思⑦之鄙人有孙叔敖者，圣人也。王必用之，臣不若也。"荆王于是使人以王舆迎叔敖，以为令尹，十二年而庄王霸。此沈尹茎之力也。功无大乎进贤。

[注释]

①沈尹茎：与他篇的"沈尹筮"、"沈尹蒸"、"沈尹巫"等实为一人。②问：通"闻"，名声。③义：道理。④方术：指主张和学说。⑤耦：顺应。接：附和。⑥调均：调和。⑦期思：春秋楚邑，在今河南固始县西北。

[译文]

孙叔敖和沈尹茎彼此友好。孙叔敖到郢都出游了三年，声名不为人所知，美德不被人了解。沈尹茎对孙叔敖说："说理能使人听从，主张和学说才能实行，能使君主上可称王天下，下可称霸诸侯，这些方面我不如你。随顺社会，附和习俗，说理调和适中，以顺应君主的心意，这些方面你不如我。你何不先回去耕田隐居呢？我将替你在这里奔走游说。"沈尹茎在郢都游说了五年，楚王想任用他为令尹。沈尹茎推辞说："期思有个叫孙叔敖的草民，是真正的圣人，请您一定要任用他，我比不上他。"于是楚王派人用王车把孙叔敖接来，任用他做了令尹，过了十二年，楚庄王成就了霸业。这是沈尹茎的力量啊！功劳没有比举荐贤人更大的了。

自 知①

欲知平直，则必准绳；欲知方圆，则必规矩；人主欲自知，则必直士。故天子立辅弼，设师保，所以举过也。夫人故不能自知，人主犹其②。存亡安危，勿求于外，务在自知。

[注释]

①题解:"自知"意为了解自己的过失。②犹其:《御览》七十七卷作"夫人故不能自知,人主独甚此","犹其"二字讹。

[译文]

要知道平直,一定要借助水准墨线;要知道方圆,一定要借助圆规矩尺;君主要想了解自己的过失,一定要依靠正直之士。所以天子设立辅政大臣,设置师保,是用来指出天子过错的。人本来就很难了解自己的过失,天子尤为严重。国存身安不用到外部去寻求,关键在于了解自己的过失。

尧有欲谏之鼓,舜有诽谤之木,汤有司过之士,武王有戒慎之鞀①,犹恐不能自知。今贤非尧、舜、汤、武也,而有掩蔽之道,奚繇自知哉!荆成、齐庄不自知而杀②,吴王、智伯不自知而亡③,宋、中山不自知而灭④,晋惠公、赵括不自知而虏⑤,钻荼、庞涓、太子申不自知而死⑥,败莫大于不自知。

[注释]

①鞀(táo):长柄的摇鼓。②荆成、齐庄不自知而杀:楚成王不听令尹的劝谏,立商臣为太子,后又欲废黜商臣,结果被商臣率兵包围,逼其自杀。齐庄公与其臣崔杼妻私通,后为崔杼所杀。③吴王、智伯不自知而亡:吴王夫差伐越后得意扬扬,伍子胥多次劝谏不听,终为越所灭。智伯瑶刚愎自用,与韩、魏围赵襄子于晋阳,后赵与韩、魏暗中联合,灭了智伯。④宋、中山不自知而灭:宋康王狂乱暴虐,为齐所灭。⑤晋惠公、赵括不自知而虏:晋惠公背信弃义,在韩之战中被秦俘虏。赵括,战国赵人,名将赵奢之子,性高傲,尚空谈,赵孝成王时代廉颇为将,与秦战于长平,全军覆没。据《史记·廉颇蔺相如列传》,赵括战败被杀,与这里被俘的记述不同。⑥钻荼、庞涓、太子申不自知而死:钻荼、庞涓都是魏惠王将。太子申,魏惠王太子。据《史记·魏世家》记载,魏惠王三十年(前340年),魏伐赵,齐救赵击魏,太子申等与齐战于马陵,大败,太子申被俘,庞涓被杀。

[译文]

尧有供进谏的人敲击的鼓,舜有供书写批评意见的木柱,汤有主管纠正过失的官吏,武王有供告诫君主的人所用的摇鼓。即使这样,他们还担心不了解自己的过失。当今的君主,贤能比不上尧、舜、汤、武,却采取掩蔽视听的做法,这怎么能了解自己的过失呢?楚成王、齐庄公由于不了解自己的过失而被杀,吴王、智伯由于不了解自己的过失而灭亡,宋、中山由于不了解自己的过失而亡国,晋惠公、赵括由于不了解自己的过失而被俘,钻荼、庞涓、太子申由于不了解自己的过失而兵败身死,所以没有比不了解自己的过失更坏的事了。

范氏之亡①也,百姓有得钟者。欲负而走,则钟大不可负。以椎②毁之,钟况然③有音。恐人闻之而夺己也,遽掩其耳。恶人闻之,可也;恶己自闻之,悖矣。为人主而恶闻其过,非犹此也?恶人闻其过尚犹可④。

[注释]

①范氏:指范昭子,名吉射(yì),春秋末年晋六卿之一。亡:出亡,逃亡。范吉射于晋定公二十二年(前491年)为赵简子所伐,逃亡。出公十七年(前458年),智伯与韩、赵、魏共分范氏地,范氏于是灭亡。②椎(chuí):木槌。③况然:撞钟的声音。④恶人闻其过尚犹可:此下当脱"恶己自闻其过悖矣"一句。

[译文]

范氏出逃的时候,有个百姓得到了他的一口钟,想背着钟跑,可是钟太大,没法背,于是就想用木槌把钟打碎弄走,可一敲击,钟轰然作响。他怕别人听见钟声来同自己争夺,就急忙把耳朵掩了起来。不愿让人听到钟声是可以的,不愿自己听到就是糊涂了。做君主不愿听到自己的过失,不正像这样吗?不愿别人听到自己的过失倒还可以,(不愿自己听到自己的过失,那就太糊涂了!)

魏文侯燕饮,皆令诸大夫论己。或言君之智也①。至于任座②,任座曰:"君不肖君也。得中山不以封君之弟,而以封君之子,是以知君之不肖也。"文侯不说,知③于颜色。任座趋而出。次及翟黄,翟黄曰:"君贤君也。臣闻其主贤者,其臣之言直。今者任座之言直,是以知君之贤也。"文侯喜曰:"可反欤?"翟黄对曰:"奚为不可?臣闻忠臣毕其忠,而不敢远其死。座殆尚在于门。"翟黄往视之,任座在于门,以君令召之。任座入,文侯下阶而迎之,终座④以为上客。文侯微翟黄,则几失忠臣矣。上顺乎主心以显贤者,其唯翟黄乎!

[注释]

①或言君之智也:此处疑有脱文。《太平御览》六二二引作"或言君仁,或言君义,或言君智"。②任座:魏文侯臣。③知:表现,显露。④终座:终任座一生,直到死。

[译文]

魏文侯宴饮,让大夫们评论自己。(有人说君主很仁爱,有人说君主很道义,)有人说君主很英明。轮到任座,任座说:"您是个不肖的君主。得到中山国,不把它封给您弟弟,却把它封给您儿子,因此知道您是个不肖的君主。"文侯听了很不高兴,表现在脸色上。任座快步走了出去。按次序轮到翟黄,翟黄说:"您是个贤明的君主。我听说君主贤明的,他的臣子言语就直率。现在任座的言语直率,因此我知道您贤明。"文侯很高兴,说:"还能让他回来吗?"翟黄回答说:"怎么不能?我听说忠臣尽忠,即使因此获死罪也不敢躲避。任座恐怕还在门口。"翟黄出去一看,任座果真在门口。翟黄就以君主的命令召他进去。任座进入,文侯走下台阶来迎接他,此后终生都把他待为上宾。文侯如果没有翟黄,就几乎失掉了忠臣。对上能顺应君心来尊显贤者,大概只有翟黄吧!

当 赏①

民无道知天,民以四时寒暑日月星辰之行知天。四时寒暑日月星辰之行当,则诸生有血气之类皆为得其处而安其产。人臣亦无道知主,人臣以赏罚爵禄之所加知主。主之赏罚爵禄之所加者宜,则亲疏远近贤不肖皆尽其力而以为用矣。

[注释]

①题解:"当赏"指行使赏罚得当。

[译文]

人民没有别的途径了解上天,人民可以凭借四季寒暑日月星辰的运行了解上天。四季寒暑日月星辰的运行适当,那么各种有生命有血气的物类,就能各得其所、各安其生了。臣下也没有别的途径了解君主,臣下凭借君主赏罚、爵禄如何施与来了解君主。君主赏罚、爵禄施与得当,那么亲疏远近、贤和不肖的人,便都竭尽其力为君主所用了。

晋文侯反国,赏从亡者,而陶狐①不与。左右曰:"君反国家,爵禄三出,而陶狐不与,敢问其说②。"文公曰:"辅我以义、导我以礼者,吾以为上赏;教我以善、强③我以贤者,吾以为次赏;拂④吾所欲、数举吾过者,吾以为末赏。三者所以赏有功之臣也。若赏唐国之劳徒⑤,则陶狐将为首矣。"周内史兴⑥闻之曰:"晋公其霸乎!昔者圣王先德而后力,晋公其当之矣!"

[注释]

①陶狐:春秋时期晋国人,是跟随晋文公出亡的贱臣。他书或作"陶叔狐"或"壶叔"。②说:原因。③强(qiǎng):勉强,强迫,这里有"约束"的意思。④拂(fú):违背,不顺从。⑤唐国:晋国。周成王封其弟叔虞于唐,

叔虞子燮父徙居晋水，始改国名为晋。劳：辛苦。徒：徒役，低贱的隶役。⑥内史：官名。兴：人名。他书或作"叔兴"、"叔兴父"。

[译文]

晋文公回到晋国，赏赐跟随他流亡的人，而陶狐不在其中。左右大臣说："您回到晋国，三次拿出爵禄赏赐臣下，陶狐都不在其中，请问这样做的理由。"文公说："用义来辅佐我，用礼来引导我的人，我给他最高的赏赐；用善道来教育我，用贤德来约束我的人，我给他次一等的赏赐；违背我的意愿，多次揭发我的过失的人，我给他末等的赏赐。这三等赏赐，是用来赏赐有功的大臣的。如果赏赐晋国辛苦的隶役，那么就要把陶狐放在首位了。"周内史兴听说了这件事，说："晋侯大概会成就霸业了吧！从前圣明的君主把德行放在首位，而把力量放在其次，晋侯的做法与此相合了！"

秦小主①夫人用奄变②，群贤不说自匿，百姓郁怨非上。公子连③亡在魏，闻之，欲入，因群臣与民从郑所④之塞⑤。右主然⑥守塞，弗入，曰："臣有义，不两主，公子勉去矣！"公子连去，入翟⑦，从焉氏⑧塞，菌改⑨入之。夫人闻之，大骇，令吏兴卒。奉命曰："寇在边。"卒与吏其始发也，皆曰："往击寇。"中道因变曰："非击寇也，迎主君也。"公子连因与卒俱来，至雍⑩，围夫人，夫人自杀。公子连立，是为献公。怨右主然，而将重罪之，德菌改而欲厚赏之。监突⑪争⑫之曰："不可。秦公子之在外者众，若此，则人臣争入亡公子矣，此不便主。"献公以为然，故复右主然之罪，而赐菌改官大夫⑬，赐守塞者人米二十石。献公可谓能用赏罚矣。凡赏非以爱之也，罚非以恶之也，用观归也⑭。所归善，虽恶之，赏；所归不善，虽爱之，罚。此先王之所以治乱安危也。

[注释]

①小主：战国秦国国君，秦惠公之子出子。据《史记·秦本纪》，出子即位时仅两岁，所以称之为"小主"。②奄变：人名，疑为奄人，名变。③公

子连：秦灵公之子，出于堂兄，后杀出子而自立，是为献公。④从：就，走向，走近。郑所：地名，所在不详。⑤塞（sài）：要塞。⑥右主然：秦守塞之吏。⑦翟（dí）：通"狄"，指狄人所居之地。⑧焉氏（zhī）：地名，依王念孙说，在汉之乌氏县，当今甘肃省平凉县西北。陈奇猷则认为在今陕西省富平县附近。⑨菌改：人名，秦守塞之吏。⑩雍：当时秦国的都城，在今陕西省凤翔县南。⑪监突：秦大夫。⑫争（zhèng）：同"诤"，规谏。⑬官大夫：秦国爵位名。⑭用观归也：意思是，根据所观察行为所导致的结果来决定赏罚。用，凭。归，归宿，结果。

[译文]

秦小主出子的母亲任用奄变，贤人们心中不高兴，隐匿不出。百姓们忧愁怨恨，指责君主。公子连这时正流亡在魏国，听说了这种情况，打算乘机入秦，取代小主为君，于是借臣下和百姓的帮助，到达郑所这个要塞。边境官吏右主然把守要塞，不放他进去，说："我要坚守臣子的道义，不可同时侍奉两个君主，公子您快点离开吧！"公子连离开了郑所，进入了北狄，前往焉氏这个关塞。守塞的菌改把他放了进去。出子的母亲听到这个消息，大吃一惊，命令将帅起兵抗击公子连。将士们接到命令说："敌寇在边境上。"这些将士刚出发的时候，都说："去迎击敌人。"走到半路的时候，乘机发动哗变，说："不是去迎击敌人，而是去迎接国君。"于是公子连与士卒一起回来了，到了国都雍城，包围了出子母亲，出子母亲自杀了。公子连被拥立为国君，这就是秦献公。秦献公怨恨右主然，想重重地处罚他，又感激菌改，想多多地赏赐他。监突进谏说："不可以这样做。秦国的公子流亡在外的很多，如果这样做，那么臣子们就会争相放流亡的公子回国了，这对君主您是不利的。"献公认为他说得对，所以赦免了右主然的罪，而赐给菌改官大夫的爵位，赏给守塞的士卒每人二十石米。秦献公可说是善于使用赏罚了。大凡赏赐一个人，并不是因为偏爱他；处罚一个人，并不是因为憎恶他。赏罚是以人的行为所导致的结果来决定的。形成的结果好,即使憎恶他,也要给予赏赐;导致的结果不好,即使偏爱他,也要给予处罚。这是先王使乱世转为太平、使危难转为安定的方法。

博 志①

先王有大务,去其害之者,故所欲以必得,所恶以必除,此功名之所以立也。俗主则不然,有大务②而不能去其害之者,此所以无能成也。夫去害务与不能去害务,此贤不肖之所以分也。

使獐疾走,马弗及至,已而得者,其时顾③也。骥一日千里,车轻也;以重载则不能数里,任重也。贤者之举事也,不闻无功,然而名不大立、利不及世者,愚不肖为之任也。

冬与夏不能两刑④,草与稼不能两成,新谷熟而陈谷亏,凡有角者无上齿⑤,果实繁者木必庳⑥,用智褊者无遂功⑦,天之数也。故天子不处⑧全,不处极,不处盈。全则必缺,极则必反,盈则必亏。先王知物之不可两大,故择务,当而处之。

[注释]

①题解:"博志"意为志向专一。依王念孙说,"博"当为"抟"之讹。"抟":通"专"。②务:事。③顾:回头看。獐性多疑善顾,所以拿来作喻。④刑:通"形",成。⑤凡有角者无上齿:指有些长角的动物如牛、羊等上颚缺门齿及犬齿。⑥庳(bēi):低矮。⑦智褊(biǎn)者:指思想褊狭的人。无遂功:依陶鸿庆说,当作"功无遂",与上文"亏"、"齿"、"庳"押韵。⑧处(chù):做。

[译文]

先王有了大事务,就要消除妨害它的因素,所以他所想的一定能得到,他所恶的一定能除掉,这是他功名能够成立的原因。平庸的君主就不是这样,有了大事却不能消除妨害它的因素,这就是他不能成功的原因。能否消除妨害事务的因素，这是贤和不肖区别的原因。

如果獐飞快地奔逃，马是追不上它的，但是不久就被捕获，这是因为它时时回头张望。良马日行千里，是因为所拉的车轻；装载重就跑不了几里路，是因为负担重啊。贤明的人做事，决不是没有成效，可是名声不能显赫，利益不能传及后世，是因为有愚昧不肖人的拖累啊。

冬夏两季不能同时来临，野草与庄稼不能一起生长，新谷成熟了，陈谷就必然亏缺，大凡长角的动物就没上齿，果实繁多的树木一定长得低矮，思想褊狭的人做事不会成功，这些都是大自然的法则。所以天子做事，不求完美，不走极端，不求圆满。太完美就会转向缺损，太极端就会转向反面，太圆满就会出现亏失。先王知道事物不能两方面同时壮大，所以对于事物要加以抉择，适宜做的才去做。

孔、墨、宁越，皆布衣之士也，虑于天下，以为无若先王之术者，故日夜学之。有便于学者，无不为也；有不便于学者，无肯为也。盖闻孔丘、墨翟，昼日讽诵习业，夜亲见文王、周公旦而问焉。用志如此其精也，何事而不达？何为而不成？故曰："精而熟之，鬼将告之。"非鬼告之也，精而熟之也。今有宝剑良马于此，玩之不厌，视之无倦；宝行良道，一而弗复。欲身之安也，名之章也，不亦难乎！

[译文]

孔丘、墨翟、宁越，都是平民中的读书人，他们心系天下，认为没有比先王道术更重要的，所以就日夜学习。对于学业有益的，他们就努力做到；无益于学业的，他们不加理会。据说孔丘、墨翟白天背诵经典、研习学业，夜里就梦见周文王和周公，当面向他们请教。他们用心如此精深，还有什么做不到的？还有什么办不成的?所以说:"精心熟习,鬼将告知。"并不是真的有鬼告知,是因为精心熟习啊!如果有宝剑良马,人们一定会把玩起来不觉厌倦,观赏起来不知疲倦。但对于嘉言懿行,却只是尝试一下就不再钻研实行,那么,这样想使自身平安、名声彰显,不是太难了吗?

宁越,中牟①之鄙人也,苦耕稼之劳,谓其友曰:"何为而可以免此苦也?"其友曰:"莫如学。学三十岁则可以达矣。"宁越曰:"请以十五岁。人将休,吾将不敢休;人将卧,吾将不敢卧。"十五岁而周威公师之。矢之速也,而不过二里止也;步之迟也,而百舍不止也。今以宁越之材而久不止,其为诸侯师,岂不宜哉?

[注释]

①中牟:战国赵地,在今河南省汤阴县西。

[译文]

宁越是中牟的草民,苦于耕作的辛劳,就对他的朋友说:"怎样做才能免除这种辛苦呢?"他的友人说:"不如学习。学习三十年就能显达了。"宁越说:"让我用十五年来实现。别人休息,我不敢休息;别人睡觉,我不敢睡觉。"学了十五年,成为周威公的老师。箭的速度很快,可是射程不能超过二里,因为它会停下来;步行速度很慢,却可到达几百里之外,是因为脚步不停歇。现在凭宁越的才干,又长久不停地努力,他成为诸侯的老师,难道不应该吗?

养由基、尹儒①,皆文艺②之人也。荆廷尝有神白猿,荆之善射者莫之能中,荆王请养由基射之。养由基矫③弓操矢而往,未之射而括中之矣④,发之则猿应矢而下,则养由基有先中中者⑤矣。尹儒学御,三年而不得焉,苦痛⑥之,夜梦受秋驾⑦于其师。明日往朝其师,望而谓之曰⑧:"吾非爱道⑨也,恐子之未可与也。今日将教子以秋驾。"尹儒反走,北面再拜曰:"今昔⑩臣梦受之。"先为其师言所梦,所梦固秋驾已⑪。上二士者可谓能学矣,可谓无害之矣，此其所以观⑫后世已。

[注释]

①养由基：春秋时楚人，以善射著称。尹儒：人名，善于驾车的人。②文艺：指高超的技艺。文，美，善。艺，技艺。③矫：举。④未之射而括中之矣：意思是箭还没射出去，实际上就已经把白猿射中了。括，箭末端扣弦处，这里指箭。⑤有先中中之者：即在射中前先在心中射中目标，极言其用心精深，技艺纯熟。⑥痛：忧伤。⑦秋驾：飞车技术。⑧望而谓之曰：这句主语是"其师"。⑨道：技艺。⑩今昔：指昨夜。昔，通"夕"。⑪已：用法同"矣"。⑫观：显示。

[译文]

养由基和尹儒都是精通技艺的人。楚国朝廷中曾有一个白色的神猿，楚国善射的没人能射中它，楚王就请养由基来射它。养由基拿着弓箭前往，还没开弓，实际上就把白猿射中了，箭一射出去，白猿就应声落下。由此看来，养由基具有在射中目标以前就能从心中把它射中的技艺。尹儒学习驾车，学了三年仍无所得，他很苦恼。夜里做梦，梦见从老师那里学习飞车驾驶的技艺。第二天去拜见老师，老师看见他，就说："我从前并不是吝惜技艺而不愿教你，是怕你还不可传授。今天我将教给你飞车驾驶的技艺。"尹儒转身后退几步，向北再拜说："昨夜我在梦中已学到了。"他先向老师叙述自己所梦到的，果然是飞车驾驶的技艺。以上两位士人，可以说是能学习的了，也可说没什么能妨害他们了，这正是他们扬名后世的原因啊！

贵　当①

名号大显，不可强求，必繇②其道。治物者不于物于人，治人者不于事于君③，治君者不于君于天子，治天子者不于天子于欲，治欲者不于欲于性。性者，万物之本也，不可长，不可短，因其固然而然之，此天地之数也。窥赤肉而乌鹊聚，狸④处堂而众鼠散，衰绖⑤陈而民知丧，竽瑟陈而民知乐，汤武修其行而天下从，桀、纣慢其行而天下畔⑥，岂待其言哉？君子审在己者而已矣。

[注释]

①题解："贵当"意为行为贵在恰当。②繇：由。③君：诸侯。④狸：猫。⑤衰（cuī）绖（dié）：古代的丧服。⑥慢：简慢，轻忽。畔：通"叛"。

[译文]

名声显赫，是不可强求的，必须遵循恰当的途径。整治器物，不在于器物本身，而在于人；治理百姓，不在于百姓本身，而在于诸侯；管辖诸侯，不在于诸侯本身，而在于天子；制约天子，不在于天子本身，而在于他的欲望。节制欲望，不在于欲望本身，而在于人的天性。天性是万物的本性，它不可增益，也不能减损，只能顺应它的本性加以引导，这是自然的法则。看见鲜红的肉，乌鹊就会聚合；猫在堂上，老鼠就会逃散；穿着丧服出来，人们就知道有了丧事；摆出竽瑟等乐器，人们就知道有了喜事；商汤、周武王修养自己的德行，天下就顺从他们；夏桀、纣王轻忽自己的品行修养，天下就背叛他们。这些难道还要说吗？所以君子只要详察自身就行了。

荆有善相人者，所言无遗策，闻于国。庄王见而问焉，对曰："臣非能相人也，能观人之友也。观布衣也，其友皆孝悌纯谨畏令，如此者，其家必日益，身必日荣矣，所谓吉人也。观事君者也，其友皆诚信有行好善，如此者，事君日益，官职日进，此所谓吉臣也。观人主也，其朝臣多贤，左右多忠，主有失，皆交争证①谏，如此者，国日安，主日尊，天下日服。此所谓吉主也。臣非能相人也，能观人之友也。"庄王善之，于是疾收士，日夜不懈，遂霸天下。故贤主之时见文艺之人也，非特具之②而已也，所以就大务③

也。夫事无大小，固相与通。田猎驰骋，弋射走狗④，贤者非不为也，为之而智日得焉，不肖主为之而智日惑焉。志⑤曰："骄惑之事，不亡奚待？"

[注释]

①证：谏。②具之：拿它来作样子。③就大务：成就大事。④弋（yì）射：用带丝绳的箭射猎。走狗：使狗跑，放出猎狗追捕禽兽。⑤志：古代的记载。

[译文]

楚国有个善于给人看相的人，他的判断不曾有过失误，闻名于全国。楚庄王召见他，并向他询问这事。他回答说："我并不能给人看相，而是能观察人们的朋友。观察平民，如果他的朋友都很孝顺，忠厚恭谨，敬畏王命，像这样的人，他家一定会日益富足，自身一定会日渐显荣，这是所说的吉人。观察侍奉君主的臣子，如果他的朋友都诚实可信，喜欢行善，像这样的臣子，侍奉君主就会日益长进，官职就会日益升迁，这是所说的吉臣。观察君主，如果他的朝臣多是贤能，侍从多是忠良，君主有过失，都争相进谏，像这样的君主，他的国家就会日益安定，自身就会日益尊贵，天下就会日益顺服，这是所说的吉主。我并非能给人看相，而是能观察人们的朋友啊！"庄王认为他说得很好，于是大力收罗贤士，日夜坚持不懈，于是称霸天下。所以贤明的君主要经常召见擅长各种技艺的人，并不只是充数摆样子罢了，而是要借以成就大业。事情不论大小，道理本来都是彼此相通的。驰骋射猎，鹰飞犬逐，这些事并不是贤明的君主不做，而是做了之后能使思想上有所增益。不肖的君主做了，却使心志日渐沉迷。所以古书上说："做事骄慢昏惑，不灭亡还等什么呢？"

齐人有好猎者，旷日持久而不得兽，入则愧其家室，出则愧其知友州里。惟其所以不得之故，则狗恶也。欲得良狗，则家贫无以。于是还疾耕，疾耕则家富，家富则有以求良狗，狗良则数得兽矣，田猎之获常过人矣。非独猎也，百事也尽然。霸王有不先耕而成霸王者，古今无有。此贤者不肖之所以殊也。贤不肖之所欲与人同，尧、桀、幽、厉皆然，所以为之异。故贤主察之，以为不可，弗为；以为可，故为之。为之必繇其道，物莫之能害，此功之所以相万也。

[译文]

齐国有个爱好打猎的人，耗废了很长时间也没猎到野兽，在家愧对家人，出外愧对邻里朋友。他寻思自己猎获不到野兽的原因，发现原来是猎狗不好。想得到好猎狗，可家里穷，没钱买。于是他就回家努力耕作，努力耕作家里就富足了，家里富足了就有钱买好猎狗，猎狗好了就多次猎到野兽，打猎的收获就常常超过别人了。不仅是打猎，各种事情都是如此。成就王霸大业的人，不经过艰苦的努力就获得成功的，古今都没有过，这是贤明君主和不肖君主的区别。贤明的君主和不肖的君主，他们的欲望跟一般人相同，尧这样的圣王和夏桀、周幽王、厉王这样的昏君都是这样，但他们用来实现目标的做法不同。所以贤明的君主对事情审察后，认为不能做就不去做，认为可以做就去做。做时一定遵循恰当的途径，所以外物才不能妨害他，这是他们的功业超过不肖君主成千上万倍的原因。

似顺论第二十五

似 顺①

事多似倒②而顺,多似顺而倒。有知顺之为倒、倒之为顺者,则可与言化③矣。至长反短④,至短反长⑤,天之道也。

荆庄王欲伐陈,使人视之。使者曰:"陈不可伐也。"庄王曰:"何故?"对曰:"城郭高,沟洫深,蓄积多也。"宁国曰:"陈可伐也。夫陈,小国也,而蓄积多,赋敛重也,则民怨上矣;城郭高,沟洫深,则民力罢矣。兴兵伐之,陈可取也。"庄王听之,遂取陈焉。

[注释]

①题解:"似顺"意为看似合乎事理。②倒:逆,指违背事物的规律。③化:指事物的发展变化。④至长反短:高诱注:"夏至极长,过至则短。"至,极,最。⑤至短反长:高诱注:"冬至极短,过至则长。"

[译文]

有很多事情看来似乎违背事理,实际上却是合理的;有很多事情看来好像合理,实际上却是违背事理的。如果有人知道表面上看来合理其实违背事理,表面上看来违背事理实际上合理,那么就可以跟他谈论事物的发展变化了。白天到了最长的时候就要转而变短,到了最短的时候就要转而变长,这就是大自然的规律。

楚庄王想要进攻陈国,派人去察看陈国的情况。派去的人回来说:"陈国不可攻打。"庄王说:"什么原因?"回答说:"陈国城墙很高,护城河很深,粮食、财物蓄积很多。"宁国说:"陈国可以攻打。陈国是小国,蓄积的粮食、财物却很多,说明它的赋税繁重,这样陈国民众就怨恨他们的君主了。城墙高,护城河深,那么陈国的民力必然凋敝。起兵攻打它,陈国是可以攻取的。"庄王听从了宁国的意见,于是攻取了陈国。

田成子之所以得有国至今者,有兄曰完子,仁且有勇。越人兴师诛田成子,曰:"奚故杀君而取国?"田成子患之。完子请率士大夫以逆越师,请必战,战请必败,败请必死。田成子曰:"夫必与越战可也,战必败,败必死,寡人疑焉。"完子曰:"君之有国也,百姓怨上,贤良又有死之,臣蒙耻。以完观之也,国已惧①矣。今越人起师,臣与之战,战而败,贤良尽死,不死者不敢入于国。君与诸孤处于国,以臣观之,国必安矣。"完子行,田成子泣而遗之。夫死败,人之所恶也,而反以为安,岂一道②哉?故人主之听者与士之学者,不可不博。

[注释]

①惧:值得忧惧。②道:指做事的方法。

[译文]

田成子能享有齐国至今的原因是,他有个哥哥叫完子,完子有仁爱之心并且勇敢。越国起兵讨伐田成子,说:"为什么杀死国君夺取他的国家?"田成子对这件事十分忧虑。完子请求率领士大夫去迎击越军,并且请准许自己一定要与越军交战,交战还要一定战败,战败还要一定战死。田成子说:"一定同越国交战是可以的,交战定要战败,战败定要战死,这道理我就不明白了。"完子说:

"你占有齐国,百姓怨恨你,贤良的人中又有敢死的大臣,认为蒙受了耻辱。据我看来,国家已令人担忧了。现在越国起兵,我国同他们交战,如果交战失败,随我参战的贤良之人就会全部死掉,即使没死的人也不敢回到齐国。您和他们的遗孤住在齐国,据我看来,国家一定会安定。"完子出发,田成子哭着为他送别。战死和战败,这是人们所厌恶的,而完子却使齐国借此得以安定。做事情难道只有一种方法吗?所以善于听取意见的君主和学习道术的士人,不可不广博地听取和学习。

尹铎为晋阳①,下②,有请于赵简子。简子曰:"往而夷夫垒③。我将往,往而见垒,是见中行寅与范吉射也。"铎往而增之。简子上之晋阳,望见垒而怒曰:"嘻!铎也欺我!"于是乃舍于郊,将使人诛铎也。孙明④进谏曰:"以臣私⑤之,铎可赏也。铎之言固⑥曰:'见乐则淫侈,见忧则诤⑦治,此人之道也。今君见垒念忧患,而况群臣与民乎?夫便国而利于主,虽兼⑧于罪,铎为之。夫顺令以取容者,众能之,而况铎欤?'君其图之。"简子曰:"微子之言,寡人几过。"于是乃以免难之赏⑨赏尹铎。人主太上喜怒必循理,其次不循理,必数更,虽未至大贤,犹足以盖浊世矣,简子当此。世主之患,耻不知而矜⑩自用⑪,好愎过⑫而恶听谏,以至于危。耻无大乎危者。

[注释]

①尹铎:赵简子的家臣。为:治。晋阳:春秋晋邑,赵简子的封地。在今山西省太原市。②下:指从处于汾水上游的晋阳下到处于汾水下游的晋国国都新绛(今山西省曲沃县)。③夷:平。夫:指示代词,那。垒:军营的墙壁。晋卿中行(háng)寅(荀寅)与范吉射曾率军围赵简子于晋阳,这些营垒即中行氏与范氏所筑。④孙明:赵简子家臣。⑤私:私下考虑。⑥固:本来。以下是孙明揣度尹铎的想法。⑦诤:同"争",竞相。⑧兼:加倍。⑨免难之赏:使君主在危急时刻免于患难的重赏。⑩矜:骄傲,夸耀。⑪自用:自

以为是，依己意而行。⑫愎（bì）过：坚持错误。愎，执拗，固执。

[译文]

尹铎治理晋阳，到新绛去向简子请示事情。简子说："去把那些军营的防护墙拆掉。我将到晋阳去，去了如果看见那些军营的防护墙，就像看见中行寅和范吉射似的。"尹铎回去以后，反而把防护墙加高了。简子上行到晋阳，望见防护墙，生气地说："哼！尹铎欺骗了我！"于是住在晋阳郊外，要派人去杀尹铎。孙明进谏说："据我私下考虑，尹铎是应该奖赏的。尹铎的本意是说：'遇见享乐之事就会恣意放纵，遇见忧患之事就会励精图治，这是人之常理。如今君主见到防护墙就想到了忧患，又何况群臣和百姓呢？有利于国家和君主的事，即使加倍获罪，尹铎也宁愿去做；顺从命令以取悦于君主，常人都能做到，更何况尹铎呢？'希望您好好考虑一下。"简子说："如果没有你这些话，我几乎犯了错误。"于是就按使君主免于患难的赏赐重赏了尹铎。德行最高的君主，无论喜怒一定要依理而行；稍差一等的，虽然有时不依理而行，但一定会经常改正。这样的君主虽说还没有达到大贤的境界，仍足以超过那些乱世的君主了。赵简子当属于这类人。当今世上君主的弊病，在于把不知当做羞耻，把自行其是当做荣耀，喜欢坚持错误而厌恶听取谏言，以致陷入危险的境地。耻辱当中没有比使自己陷入危险更大的了。

别 类①

知不知，上②矣。过者之患，不知而自以为知。物多类③然而不然，故亡国僇④民无已。夫草有莘有藟⑤，独食之则杀人，合而食之则益寿。万⑥堇⑦不杀，漆淖⑧水淖，合两淖则为蹇⑨，湿之⑩则为干。金⑪柔锡柔，合两柔则为刚，燔⑫之则为淖。或湿而干，或燔而淖，类固不必⑬，可推知也？小方⑭，大方之类也；小马，大马之类也；小智⑮，非大智之类也。

[注释]

①题解："别类"意为区别事物的类别。②上：高明。③类：类似。④僇：通"戮"。被杀戮。⑤莘（xīn）、藟（lěi）：都是有毒的药草。⑥虿："蠆（chài）"的古字。蠆，蝎子，可以作为药物使用。⑦堇（jǐn）：紫堇，药草名，有毒。⑧淖（nào）：本为烂泥，这里指流体。⑨蹇（jiǎn）：凝固，干硬。漆遇到水气容易干燥。⑩湿：用如使动。之：指漆。⑪金：铜。⑫燔（fán）：烧。⑬必：一定，这里指固定不变。⑭方：方形。⑮小智：指孤立、片面看问题的思想方法，如下文公孙绰、高阳应之类。小智"好小察而不通乎大理"，所以和"通乎大理"的"大智"不同类。

[译文]

知道自己有所不知，这是高明的人。犯错误人的毛病，正在于不知却自以为知。有很多事物都是好像如此其实并非如此，所以国家灭亡、百姓被杀戮的事情才接连不断地发生。有莘、有藟这样的药草，单独服用会致死人，合在一起服用却能益寿。蝎子和紫堇都是毒药，配在一起反而毒不死人。漆是流体，水也是流体，漆与水合在一起却会凝固，越是潮湿，漆干得就越快。铜很柔软，锡也很柔软，二者熔合起来却会变硬，而用火焚烧它们又会变成流体。有的东西弄湿反而变得干燥，有的东西焚烧反而变成流体，物类本来就不是固定不变的，怎么能够推知呢？小方形跟大方形是同类的，小马跟大马是同类的，小聪明与大聪明却不是同类的。

鲁人有公孙绰者，告人曰："我能起死人。"人问其故，对曰："我固能治偏枯，今吾倍所以为偏枯之药，则可以起死人矣。"物固有可以为小，不可以为大，可以为半，不可以为全者也。

[译文]

鲁国有个叫公孙绰的人，告诉别人说："我能把死人治活。"别人问他是什么原因，他回答说："我本来就能治疗偏瘫病，现在我把治偏瘫的药加倍，就可以把死人治活了。"事物本来就有只可在小范围起作用，却不能在大范围起作用的，有只可对局部起作用，却不可对全局起作用的。

相剑者曰："白①所以为坚也，黄②所以为韧③也，黄白杂则坚且韧，良剑也。"难者曰："白所以为不韧也，黄所以为不坚也，黄白杂则不坚且不韧也。又柔则锩，坚则折。剑折且锩，焉得为利剑？"剑之情未革，而或以为良，或以为恶，说使之也。故有以聪明听说，则妄说者止；无以聪明听说，则尧、桀无别矣。此忠臣之所患也，贤者之所以废也。

义，小为之则小有福，大为之则大有福。于祸则不然，小有之不若其亡④也。射招⑤者欲其中小也，射兽者欲其中大也。物固不必，安可推也？

[注释]

①白：此处指锡。白是锡所表现出的颜色。铜中加锡可增加合金硬度。②黄：铜所表现出的颜色。③韧：通"韧"。④亡：通"无"。⑤招：射箭的目标，箭靶。射箭射中的目标越小，越能显示技艺高超，所以"欲其中小"。

[译文]

相剑的人说："白色用来表示剑坚硬，黄色用来表示剑柔韧，黄白相杂，就表示剑既坚硬又柔韧，这就是好剑。"反驳的人说："白色用来表示剑不柔韧，黄色用来表示剑不坚硬，黄白相杂，就表示既不坚硬又不柔韧。而且刀刃柔韧就易卷刃，坚硬就易折断，剑既易折断又易卷刃，哪能成为锋利的宝剑？"剑的本质没有改变，可有的认为好，有的认为不好，这是人为的议论造成的。所以，如果能凭耳聪目明来听取议论，那么胡编乱造的人就得住口；不能凭耳聪目明听取议论，就会连尧与桀也分辨不清了。这正是忠臣所忧虑的地方，也是贤人被废弃不用的原因。

符合道义的事，小做就得到小福，大做就得到大福。对于灾祸就不是这样，有小灾祸也不如没有好。射箭靶的人希望射中最小的目标，射野兽的人则希望射中最大的野兽。事物本来就不是固定不变的，怎么能够推知呢？

高阳应①将为室家，匠对曰："未可也。木尚生②，加涂③其上，必将挠④。以生为室，今虽善，后将必败。"高阳应曰："缘子之言，则室不败⑤也。木益枯则劲⑥，涂益干则轻，以益劲任⑦益轻则不败。"匠人无辞而对，受令而为之。室之始成也善，其后果败。高阳应好小察⑧，而不通乎大理也。

骥、骜⑨、绿耳⑩背日而西走，至乎夕则日在其前矣。目固有不见也，智固有不知也，数⑪固有不及也。不知其说所以然而然，圣人因而兴制，不事心焉。

[注释]

①高阳应：宋人，高阳为复姓，名应。②生：指木材湿。③涂：泥。④挠：同"桡"，即弯曲。⑤败：毁坏，这里指倒塌。⑥劲（jìng）：坚强有力。⑦任：承担，承受。⑧小察：明察小事。⑨骥、骜（ào）：千里马。⑩绿耳：良马名，传为周穆王八骏之一。⑪数：术，道术。

[译文]

高阳应打算修建房屋，木匠答复说："现在还不行。木料还是湿的，上面再加上泥，一定会被压弯。用湿木料盖房子，现在虽然很好，以后一定会倒塌。"高阳应说："照你所说，房子恰恰不会倒塌。木料越干就越结实有力，泥越干就越轻，用越来越结实的东西承受越来越轻的东西，就不会倒塌。"木匠无言以对，只好奉命修建房屋。房子刚建成时很好，后来果然倒塌了。高阳应喜欢在小处明察，却不明了大道理啊！

骥、骜、绿耳等良马背朝太阳向西奔跑，到了傍晚，太阳却在它们的前方。眼睛本来就有看不见的东西，智慧本来就有不知道的道理,道术本来就有解释不了的地方。人们不知道事物为什么这样,但它确实就是这样。圣人顺应自然创立制度,不是靠主观判断。

分 职①

先王用非其有②如己有之,通乎君道者也。夫君也者,处虚素服而无智③,故能使众智也。智反无能④,故能使众能⑤也;能执无为,故能使众为也;无智、无能、无为,此君之所执也。人主之所惑者则不然,以其智强⑥智,以其能强能,以其为强为,此处人臣之职也。处人臣之职,而欲无壅塞,虽舜不能为。

[注释]

①题解:"分职"即应区分君臣的职责。②非其有:不是自身所有的东西,指下文的"众智"、"众能"、"众为"。③处虚:指人处于清虚无欲的状态。素服:执守素朴,即返璞归真之意。服,执,持。无智:大智若愚之意。④反:通"返",回归。无能:大巧若拙之意。⑤众能:众人的才能。⑥强(qiǎng):勉强。

[译文]

先王用不是自身所有的东西就像自己所有的一样,这是因为他们通晓为君之道。作为君主,处于清虚,执守素朴,看起来像没有什么智慧,所以能用众人的智慧。智慧返到无所能的境界,所以能用众人的才能;能执守无为的原则,所以能用众人的作为。无智、无能、无为,这正是君主所执守的。君主中的糊涂人却不是这样。他们凭自己有限的智慧强逞聪明,凭自己有限的才能强逞能干,凭自己有限的作为强做事情,这是使自己处于人臣的职位。处于人臣的职位,又想让自己耳目不闭塞,即使是舜也办不到。

武王之佐五人①，武王之于五人者之事无能也，然而世皆曰取天下者武王也。故武王取非其有如己有之，通乎君道也。通乎君道，则能令智者谋矣，能令勇者怒②矣，能令辩者语矣。

夫马者，伯乐相之，造父御之，贤主乘之，一日千里。无御相之劳而有其功，则知所乘③矣。

[注释]

①五人：周公旦、召（shào）奭（shì）、太公望、毕公高、苏公忿生。②怒：振奋，奋发。③所乘：指乘车的原则。

[译文]

周武王有五个辅佐大臣，武王对这五人的职事一样也做不来，但是世上都说取得天下的是武王。所以说武王取用不是他自身所有的东西，就像自己所有的一样，这是他通晓为君之道啊！通晓为君之道，就可以让聪明的人谋划，让勇武的人奋发，让善于言辞的人议论。

马，由伯乐这种人识别它，造父这种人驾驭它，贤明的君主乘坐马车，可日行千里。没有识别和驾驭的辛劳，却有一日千里的功效，这就知道乘马之道了啊。

今召客者，酒酣，歌舞鼓瑟吹竽，明日不拜乐己者①，而拜主人，主人使之也。先王之立功名有似于此，使众能与众贤，功名大立于世，不予佐之者，而予其主，其主使之也。譬之若为宫室，必任巧匠，奚故？曰：匠不巧则宫室不善。夫国，重物也，其不善也岂特宫室哉？巧匠为宫室，为圆必以规，为方必以矩，为平直必以准绳。功已就，不知规矩绳墨，而赏匠巧匠之。宫室已成，不知巧匠，而皆曰："善，此某君、某王之宫室也。"此不可不察也。人主之不通主道者则不然，自为人则不能，任贤者则恶之，与不肖者议之。此功名之所以伤，国家之所以危。

[注释]

①乐己者：使自己快乐的人，指歌舞弹唱的倡优。

[译文]

譬如召请客人，饮酒酣畅之际，倡优歌舞弹唱，第二天，客人不拜谢使自己快乐的倡优，而拜谢主人，因为是主人命他们这样做的。先王建立功业与此相似，使用各位能人和贤人，在世上建立卓著的功名，人们不把功名归于辅佐他的人，而是归于君主，因为是君主使辅臣这样做的。这就像建造房屋，一定要任用巧匠，什么原因呢？回答是：工匠不巧，房屋就造不好。国家是极其重要的东西，如果治理不好，所带来的危害岂止像房屋建造不好那样呢？巧匠建房的时候，取圆一定要用圆规，取方一定要用矩尺，取平取直一定要用水准墨线。做完事情后，主人不知圆规、矩尺和水准墨线的功劳，而只赏赐巧匠。房屋造好以后，人们不知巧匠，而都说："造得好，这是某某君主、某某帝王的宫室。"这个道理不可不明察！那些不通晓为君之道的人，就不是这样。自己做做不了，任用贤才，又对他们不放心，与不贤能的人讨论、商议。这是功名之所以毁败，国家之所以倾覆的原因。

枣，棘①之有；裘，狐之有也。食棘之枣，衣狐之皮，先王固用非其有而②己有之。汤武一日而尽有夏、商之民，尽有夏、商之地，尽有夏、商之财。以其民安，而天下莫敢之危③；以其地封④，而天下莫敢不说；以其财赏，而天下皆竟⑤。无费乎郼⑥与岐周，而天下称大仁，称大义，通乎用非其有。

[注释]

①棘：酸枣树，枝上有刺。②而：如。③莫敢之危：没有谁敢危害他。④封：分土地给诸侯或臣子。⑤竟：奋发努力。⑥郼：殷商统一天下前的国名。

[译文]

枣子，是酸枣树结的；皮裘，是狐皮做的。人们吃酸枣树结的枣子，穿狐皮做的皮袭，先王当然也要把不是自身所有的东西，当做自己所有来用。商汤、周武王在短短的时间内就完全占有了夏商的百姓，完全占有了夏商的土地，完全占有了夏商的财产。他们凭借夏商的百姓安定自身，天下没有谁敢危害他们；他们利用夏商的土地分封诸侯，天下没有谁敢表示不悦；他们利用夏商的财产赏赐臣下，天下人都争相效力。没耗费自己一点东西，可是天下都称颂他们大仁大义，这是因为他们通晓使用不是自身所有的东西这个道理。

白公胜①得荆国，不能以其府库分人。七日，石乞②曰："患至矣，不能分人则焚之，毋令人以害我。"白公又不能。九日，叶公③入，乃发太府④之货予众，出高库⑤之兵以赋⑥民，因攻之。十有九日而白公死。国非其有也，而欲有之，可谓至贪矣。不能为人⑦，又不能自为⑧，可谓至愚矣。譬白公之嗇，若枭⑨之爱其子也。

[注释]

①白公胜：春秋时期楚平王太子建之子，楚惠王十年（前479年）作乱，杀令尹、司马，后事败自杀。②石乞：白公胜的党羽。③叶公：楚叶县大夫沈诸梁。④太府：国家储藏财物的仓库。⑤高库：国家存放兵车武器的仓库。⑥赋：分发。⑦为（wéi）人：指将府库中存放的财物分人。⑧自为：指焚烧府库来防范他人用来危害自己。⑨枭（xiāo）：猫头鹰。传说猫头鹰长大后食母。

[译文]

白公胜作乱，控制了楚国，舍不得把楚国仓库的财物分给别人。第七天时，石乞说："祸患就要到了，舍不得分给别人财物就把它烧掉，不要让别人利用来危害我们。"白公胜又舍不得这样做。到了第九天，叶公攻入国都，发放太府的财物给民众，拿出高库的兵器分发给百姓，用来进攻白公。第十九天时白公就失败而死。国家不是自己所有的，却想占有它，可说是最贪婪了。不为别人谋，又不能用来为己谋利，可以说是最愚蠢了。给白公的吝啬打个比喻，就像猫头鹰疼爱自己的子女，最后却被子女吃掉一样。

卫灵公①天寒凿池，宛春②谏曰："天寒起役，恐伤民。"公曰："天寒乎？"宛春曰："公衣狐裘，坐熊席，陬隅有灶③，是以不寒。今民衣弊不补，履决④不组⑤，君则不寒矣，民则寒矣。"公曰："善。"令罢役。左右以谏曰："君凿池，不知天之寒也，而春也知之。以春之知之也而令罢之，福⑥将归于春也，而怨将归于君。"公曰："不然。夫春也，鲁国之匹夫也，而我举之，夫民未有见焉。今将令民以此见之。曰春也有善于⑦寡人有也，春之善非寡人之善欤？"灵公之论宛春，可谓知君道矣。

君者固无任⑧，而以职受任。工⑨拙，下⑩也；赏罚，法也；君奚事哉？若是则受赏者无德，而抵诛⑪者无怨矣，人自反而已。此治之至也。

[注释]

①卫灵公：春秋时期卫国国君，姓姬，名元，前534～前493年在位。②宛春：卫灵公臣。③陬（zōu）隅（yú）：角落。灶：火炉。④决：裂开，开口。⑤组：编织。⑥福：好处。⑦曰：当作"且"。于：如。⑧任：具体职责。⑨工：巧妙。⑩下：臣下。⑪抵诛：因犯罪而处死。

[译文]

卫灵公让民众在天冷时挖池，宛春劝谏说："天冷时兴建工程，恐怕会损害百姓。"灵公说："天冷吗？"宛春说："您穿着狐皮大衣，坐着熊皮席，屋角又有火灶，因此不会觉得冷。现在百姓衣服破旧得不到缝补，鞋子坏了得不到修补，您是不冷了，百姓却觉得冷。"灵公说："你说得好。"就下令停止工程。左右的侍从们劝谏说："您下令挖池，不知道天冷，宛春知道天冷。因为宛春知道天冷就下令停止工程，好处将归于宛春，而怨恨将归于您。"灵公说："不是这样。宛春只是鲁国的一介平民，我任用了他，百姓对他还不了解。现在要让百姓通过这件事了解他。而且宛春有善行就像我有一样，宛春的善行不就是我的善行吗？"灵公这样议论宛春，可说是懂得为君之道了。

君主本来就没有具体职责，而是根据臣下的职位委派给他们职责。分内事情做得好坏，是臣下的事；该赏该罚，由法律决定。君主为什么定要亲自去做呢？这样，受赏的人不用感激谁，被处死的人也不用怨恨谁，人人都反躬自省就够了。这是治理国家最高明的做法。

处 方①

凡为治必先定分②，君臣父子夫妇③。君臣父子夫妇六者当位④，则下不逾节⑤而上不苟为矣，少不悍辟⑥而长不简慢⑦矣。金木异任⑧，水火殊事⑨，阴阳不同⑩，其为民利一也。故异所以安同⑪也，同所以危异⑫也。同异之分，贵贱之别，长少之义⑬，此先王之所慎，而治乱之纪⑭也。

[注释]

①题解："处方"论述的是人臣之道，本书《圜道篇》说："臣执方。"②分（fèn）：名分，职分。③君臣父子夫妇：这是解释"定分"的具体内容。所谓定分，就是确定这六者的名分。④当位：处在这个位置上。⑤逾：超越。节：礼节，规矩。⑥悍：凶暴。辟：奸邪。⑦简慢：怠慢轻忽。⑧任：职责，这里指功用，与下句"事"同义。⑨事：职事，这里指用途。⑩同：同一，这里指人的共同欲望。⑪异所以安同：指等级名分不同，才能保证人们的欲望得到适当满足。异，差异，这里指人贵贱尊卑的不同等级。⑫同所以危异：指放纵人们的欲望，就会危害贵贱尊卑的等级名分。⑬义：同"宜"，适当。⑭纪：关键。

[译文]

大凡治国一定要先确立等级名分，使君臣父子夫妇名实相副。

君臣父子夫妇六种人各居其位，那么地位低下的就不会超越礼法，地位尊贵的就不会随意而行了，晚辈就不会凶暴邪僻，长者就不会怠慢轻忽了。金木功用不同，水火用途有别，阴阳性质不同，但它们在能给人们带来便利这方面却是相同的。所以说，差异是保证同一的，同一是危害差异的。同一和差异的区分，尊贵和卑贱的区别，长辈和晚辈的伦理，这是先王所慎重的，是国家太平或者混乱的关键所在。

今夫射者仪①毫②而失墙，画者仪发而易③貌，言审本也。本不审，虽尧舜不能以治。故凡乱也者，必始乎近而后及远，必始乎本而后及末。治亦然。故百里奚处乎虞而虞亡，处乎秦而秦霸；向挚④处乎商而商灭，处乎周而周王。百里奚之处乎虞，智非愚也；向挚之处乎商，典⑤非恶也：无其本也。其处于秦也，智非加益也；其处于周也，典非加善也：有其本也。其本也者，定分之谓也。

[注释]

①仪：这里是"观察"的意思。②毫：毫毛，比喻细微之物。③易：轻视，忽略。④向挚：商朝太史令，谏纣不听而归周，周武王采纳他的建议而称王天下。⑤典：指太史所掌的国家法典。

[译文]

现在射箭的人，仔细观察细微之处就会看不见墙壁，画画的人，仔细观察毛发就会忽略容貌，这就是说要弄清根本。根本的东西弄不清，即使是尧、舜也不能治理好天下。所以凡是祸乱，一定是先从身边产生而后蔓延到远处，一定先从根本产生而后蔓延到微末。国家太平也是如此。百里奚处在虞国而虞国灭亡，处在秦国而秦国称霸；向挚处在殷商而殷商覆灭，处在周国而周国称王。百里奚在虞国的时候，他的才智并不低下；向挚在殷商的时候，他所掌管的典籍并非不好：是因为虞、商没有治国的根本。百里奚在秦国的时候，他的才智并没有增加；向挚在周国的时候，他所掌管的典籍并没得到完善：是因为周、秦具有治国之本。治国之本，说的就是确定名分啊！

齐令章子①将而与韩、魏攻荆，荆令唐蔑②将而应之。军相当③，六月而不战。齐令周最④趣章子急战，其辞甚刻。章子对周最曰："杀之免之，残⑤其家，王能得此于臣。不可以战而战，可以战而不战，王不能得此于臣。"与荆人夹泚水⑥而军，章子令人视水可绝⑦者，荆人射之，水不可得近。有刍⑧水旁者，告齐候者曰："水浅深易知。荆人所盛守，尽其浅者也；所简守，皆其深者也。"候者载刍者与见章子。章子甚喜，因练卒⑨以夜奄⑩荆人之所盛守，果杀唐蔑。章子可谓知将分矣。

[注释]

①章子：战国时期齐威王、宣王时的大将。②唐蔑：战国时期楚怀王的将领。③当：面对，对峙。④周最：战国时齐国人，纵横家。⑤残：杀戮。⑥泚（bǐ）水：安徽淠河的古称。⑦绝：横渡。⑧刍（chú）：割草。⑨练卒：经过特别训练选拔的士兵。⑩奄：通"掩"，突然袭击。

[译文]

齐王命令章子率兵同韩、魏两国攻打楚国，楚王命令唐蔑率兵应敌。两军对峙，六个月没开战。齐王命周最催促章子迅速开战，言辞非常严厉。章子回答周最说："杀死我，罢免我，杀戮我全家，这些齐王对我都可以做到。不可交战却要交战，可交战却不让交战，对于这些，齐王在我这里办不到。"齐军与楚军隔泚对垒，章子派人察看河水可以横渡的地方，楚军用箭射，齐军的侦察兵无法靠近河边。有个在河边割草的人，告诉齐军侦察兵说："河水的深浅很容易知道。楚军防守严密的地方，都是水浅的地方；防守粗疏的，都是水深的地方。"齐军侦察兵用车载着割草的人，和他一起来见章子。章子非常高兴，于是就乘着夜色用精兵突袭楚军严密防守的地方，果然杀死了唐蔑。章子可说是通晓为将的职分了。

韩昭釐侯出弋①，靷偏缓②。昭釐侯居车上。谓其仆③："靷不偏缓乎？"其仆曰："然。"至，舍④，昭釐侯射鸟，其右⑤摄⑥其一靷适⑦之。昭釐侯已射，驾而归。上车，选间⑧，曰："乡者靷偏缓，今适，何也？"其右从后对曰："今者臣适之。"昭釐侯至，诘车令⑨，各避舍⑩。故擅为妄意⑪之道虽当，贤主不由⑫也。

[注释]

①弋（yì）：以带有丝线的箭射鸟，这里泛指射猎。②靷（yǐn）：骖马拉车所用的皮带。缓：松。③仆：车夫。④舍：停车。⑤右：车右。⑥摄：收束，引系。⑦适：使适合。⑧选间：一会儿。⑨诘（jié）：责问。车令：官名，负责管理君主车马的官。⑩避舍：推出屋外，这里表示惶恐请罪。车令失职，车右侵职，都是不守其分，所以避舍请罪。⑪妄意：凭空猜测。⑫由：遵从。

[译文]

韩昭釐侯外出射猎，所拉车边马的皮带有一侧松了。昭釐侯在车上，对他的车夫说："皮带不是有一侧松了吗？"车夫说："是的。"到了射猎的地方，车停了下来，昭釐侯去射猎，他的车右把那松了的皮带拉紧拴好，使皮带松紧适宜。昭釐侯射猎结束，驾车回去。昭釐侯上了车，过了一会儿，说："先前皮带有一侧松了，现在却好了，这是咋回事？"车右从身后回答说："刚才我把它拴好了。"昭釐侯回到朝中，就此事责问车令，车令和车右都惶恐请罪。所以，擅自行动、凭空猜测的做法，即使恰当，贤主也不会遵从。

今有人于此，擅矫①行则免国家，利②轻重则若衡石③，为方圆④则若规矩，此则工矣巧矣，而不足法。法也者，众之所同也，贤不肖之所以⑤其力也。谋出乎不可用，事出乎不可同，此为先王之所舍也。

[注释]

①矫（jiǎo）：假托。②利：依陶鸿庆说，当为"制"字之误。制，裁

断，确定。③衡石：对衡器的通称。衡，测定重量的器具。石，重量单位，一百二十斤为一石。④圜：通"圆"。⑤以：用。

[译文]

假如有这样一个人，擅自假托君命行事可以使国家免于祸患，确定轻重可以像衡器那样准确，画方圆可以像用圆规矩尺那样标准，这种人精巧是很精巧，但是不值得效法。所谓法，是众人共同遵守的，是使贤与不肖都竭尽其力的东西。计谋想出来但不能采用，事情做出来却不能普遍推行，这是先王所舍弃的。

慎 小①

上尊下卑。卑则不得以小观上。尊则恣，恣则轻小物，轻小物则上无道知下，下无道知上，上下不相知则上非下，下怨上矣。人臣之情，不能为所怨；人主之情，不能爱所非。此上下大相失道也。故贤主谨小物以论②好恶。

巨防③容蝼而漂④邑杀人，突⑤泄一熛⑥而焚宫烧积⑦，将失一令而军破身死，主过一言而国残名辱，为后世笑。

[注释]

①题解："慎小"即君主要慎重对待小事，防微杜渐。②论：表明。③防：河堤。④漂：浮起。⑤突：烟囱。⑥熛（biāo）：迸飞的火花。⑦宫：房屋。积：积聚的粮草财物。

[译文]

主上地位尊贵，臣下地位低贱。地位低贱就不能通过小事观察了解主上。地位尊贵就会骄恣，骄恣就会轻忽小事，轻忽小事，主上就没有途径了解臣下，臣下也没有途径了解主上。上下之间不了解，主上就会责怪臣下，臣下就会怨恨主上。按人臣的常情说，不能为自己所怨恨的主上尽忠竭力；按君主的常情说，也不能喜爱自己所责怪的臣下。这是造成上下严重隔膜的原因。所以贤明的君主慎重对待小事，以表明自己的爱好、憎恶。

大堤中伏藏有一只蝼蛄，就会引起水灾，冲毁城邑，淹死民众；烟囱里漏出一个火星，就会引起大火，烧掉房屋和所积聚的粮草财物；将领下错一道命令，就会招致兵败身死；主上说错一句话，就会导致国破名辱，被后世讥笑。

卫献公戒孙林父、宁殖食①。鸿集于囿②，虞人③以告，公如囿射鸿。二子待君，日晏④，公不来至。来，不释皮冠⑤而见二子。二子不说，逐献公，立公子黚⑥。

卫庄公⑦立，欲逐石圃⑧。登台以望，见戎州⑨而问之曰："是何为者也？"侍者曰："戎州也。"庄公曰："我姬姓也，戎人安敢居国？"使夺之宅，残其州。晋人适攻卫，戎州人因与石圃杀庄公，立公子起⑩。此小物不审也。人之情不蹶⑪于山，而蹶于垤⑫。

[注释]

①卫献公：春秋卫国君，名衎（kàn），前576年即位，前559年被逐出亡，前547年又返国复位，前544年卒。戒：告诫，叮嘱，这里是"约"的意思。孙林父（fǔ）、宁殖：都是卫国大夫。②鸿：大雁。囿：天子诸侯畜养禽兽以供打猎的园地。③虞人：管理苑囿的官吏。④晏：晚。⑤皮冠：田猎时所戴用白鹿皮制成的帽子。按照礼节，国君见臣属应脱去皮冠，"不释皮冠"是一种不礼貌的举动。⑥公子黚（qián）：即卫殇公。⑦卫庄公：春秋末卫国君，卫灵公之子，名蒯（kuǎi）聩（kuì），前534～前493年在位。⑧石圃：卫国大夫。⑨戎州：春秋时期戎人聚居的城邑。⑩公子起：卫灵公之子，卫庄公弟，名起。⑪蹶：跌倒。⑫垤：小土堆。

[译文]

卫献公约孙林父、宁殖一起吃饭。正巧有雁群落在苑囿中，管苑囿的官吏把它报告给献公，献公就去苑囿射雁了。孙林父、宁殖两个人等国君回来，天色已晚，献公还没回来。回来以后，不摘下皮冠就接见了二人。孙林父和宁殖很不高兴，就把献公驱逐出国，立公子黚为君。

卫庄公被立为国君后，想驱逐石圃。他登上高台远望，看到了戎州，就问道："这是做什么的？"侍从说："这是戎州。"庄公说："我和周天子都是姬姓，戎人怎敢住在我的国家？"于是派人抢夺戎人的住宅，毁坏他们的城邑。这时恰好晋国攻打卫国，戎州人乘机与石圃一起攻杀卫庄公，立公子起为国君。这是由于对小事不谨慎造成的。人之常情都是这样，不会被高山绊倒，却往往会被小土堆绊倒。

齐桓公即位，三年三言，而天下称贤，群臣皆说。去肉食之兽，去食粟之鸟，去丝罝①之网。

吴起治西河，欲谕其信于民，夜日②置表③于南门之外，令于邑中曰："明日有人偾④南门之外表者，仕长大夫⑤。"明日日晏矣，莫有偾表者。民相谓曰："此必不信。"有一人曰："试往偾表，不得赏而已，何伤？"往偾表，来谒⑥吴起。吴起自见而出，仕之长大夫。夜日又复立表，又令于邑中如前。邑人守门争表，表加植⑦，不得所赏。自是之后，民信吴起之赏罚。赏罚信乎民，何事而不成，岂独兵乎？

[注释]

①罝（jū）：捕兽用的网。②夜日：前一天。③表：木柱。④偾（fèn）：仆倒，这里用如使动。⑤长（zhǎng）大夫：上大夫，古代官名。⑥谒：禀告。⑦植：竖立。

[译文]

齐桓公做了国君，三年只说了三句话，天下就称颂他的贤德，群臣也都很高兴。这三句话是：去掉苑囿中吃肉的野兽，去掉宫廷中吃粮食的鸟雀，去掉用丝编织的捕兽网。

吴起治理西河，想向百姓表明自己的信用，就派人前一天在南门外竖起一根木柱，对全城百姓下令说："明天谁能把南门外的木柱扳倒，就让他做长大夫。"第二天直到天黑，也没有人去扳倒木柱。民众一起议论说："这话一定不是真的。"有一个人说："我去把木柱扳倒试一试，最多得不到赏赐罢了，有什么妨害？"这个人去扳倒了木柱，来禀告吴起。吴起亲自接见他，把他送出来，任命他做长大夫。此后又在前一天立起一根木柱，又对全城百姓下了同样的命令。城中百姓都围在南门争着去扳木柱，木柱埋得比前一次更深，没有谁能得到赏赐。从此以后，百姓相信了吴起的赏罚。在赏罚方面取信于百姓，还有什么事做不成，岂止是用兵呢？

士容论第二十六

士 容①

士不偏不党,柔而坚,虚而实。其状腺然不儇②,若失其一③。傲小物而志属于大,似无勇而未可恐狼④,执固横敢⑤而不可辱害,临患涉难而处义不越⑥,南面称寡而不以侈大⑦,今日君民而欲服海外⑧,节物甚高而细利弗赖⑨,耳目遗俗而可与⑩定世,富贵弗就而贫贱弗竭⑪,德行尊理而羞用巧卫⑫,宽裕不訾而中心甚厉⑬,难动以物而必不妄折⑭,此国士⑮之容也。

[注释]

①题解:"士容"指士的仪容、举止、法度与标准。②腺然:心地光明的样子。儇(xuān):乖巧。③若失其一:仿佛忘掉了自身的存在。一,身。④恐狼:同"恐猲(hè)",意为恐吓。⑤执固:执意坚定,不可动摇。横(hèng):勇,无所顾忌。敢:果敢。⑥涉:经历。处(chǔ):守。越:失坠。⑦侈大:放纵自大。⑧海外:指中国以外。古时认为中国四面环海,海外尚有九州。⑨节物:高诱《注》说"事也",指士人的作为。赖:利,这里用如使动。⑩遗俗:超脱世俗。与:以。⑪就:趋,追求。竭(qiè):舍弃。⑫卫:通"譓",诈伪。⑬宽裕:指心胸开阔。訾(zǐ):诋毁。中心:心中,内心。

厉：飞扬，这里指志向高远。⑭物：指外物之利。妄：随便。折：曲，折节。⑮国士：一国中杰出的士人。

[译文]

士人不偏私、不结党，柔弱又刚强，清虚又充实。他们看上去光明磊落而不刁滑乖巧，好像忘记了自我。他们轻视琐事而一心追求远大目标，好像没有勇气却又不可恐吓威胁，坚定勇敢而不可污辱伤害，遭遇患难能坚守义而不失操守，南面称王而不傲慢任性。一旦君临天下就想收服海外，行事高远而不热衷小利，视听超尘绝俗又可安定社会，不追求富贵也不摒弃贫贱，德行尊重理义而耻于奸巧诈伪，胸怀宽广不诋毁他人而心志非常高远，难用外物打动他，决不随便屈节。这些就是国士的仪表风范。

齐有善相狗者，其邻假①以买取鼠之狗。期年乃得之，曰："是良狗也。"其邻畜之数年，而不取鼠，以告相者。相者曰："此良狗也。其志在獐麋②豕鹿，不在鼠，欲其取鼠也则桎③之。"其邻桎其后足，狗乃取鼠。夫骥骜④之气，鸿鹄⑤之志，有谕乎人心者，诚也。人亦然，诚有之则神应⑥乎人矣，言岂足以谕之哉？此谓不言之言也。

[注释]

①假：凭借。②麋（mí）：麋鹿，鹿的一种。③桎：束缚。④骜（ào）：良马名。⑤鸿鹄（hú）：黄鹄，即天鹅。⑥应（yìng）：感应。

[译文]

齐国有个擅长相狗的人，他的邻居托他买一条逮鼠的狗。他用了整整一年时间才买到，对邻居说："这是一条好狗啊！"他的邻居喂养了几年，狗却不逮鼠，就来告诉相狗的人。相狗的人说："这是一条好狗！它的志向在猎取獐、麋、猪、鹿，不在于老鼠。想让它逮鼠就要把它绊住。"邻居绊住了狗的后腿，狗这才逮鼠。骥骜的气质，鸿鹄的心志，能使人们知晓，是因为有一种赤诚存在。人也是如此,有了这种赤诚,就能让人感知精神了,单凭言辞哪能使人知晓呢?这就是所说的"不言之言"啊!

客有见田骈①者,被服中法②,进退中度③,趋翔闲雅④,辞令逊敏⑤。田骈听之毕而辞之。客出,田骈送之以目。弟子谓田骈曰:"客士欤?"田骈曰:"殆乎非士也。今者客所弇敛⑥,士所术施⑦也;士所弇敛,客所术施也。客殆乎非士也。"故火烛⑧一隅,则室偏无光⑨;骨节蚤⑩成,空窍哭历⑪,身必不长⑫;众无谋方⑬,乞谨视见⑭,多故⑮不良;志必不公,不能立功;好得恶予,国虽大不为王,祸灾日至。故君子之容,纯乎其若钟山⑯之玉,桔⑰乎其若陵上之木,淳淳乎慎谨畏化⑱而不肯自足⑲,乾乾⑳乎取舍不悗㉑而心甚素朴㉒。

[注释]

①田骈:战国时期齐国人,道家学派的人物,曾在齐国的稷下学宫治学,被齐宣王任为上大夫。②被(pī)服:穿戴,服饰。中(zhòng):合。③进退:指进退的礼节。度:礼仪,法度。④趋翔:同"趋跄",步履有节奏。闲雅:娴静文雅。⑤逊敏:恭顺敏捷。⑥弇(yǎn)敛:掩蔽收藏,这里指弃置不为。⑦术施:申说,施行。术,通"述"。客人注重外表仪容举止,士人注重内心修养,二者取舍不同,说明"士容"是就品德而言,并非指外貌如何。⑧烛:照。⑨偏:半。这两句是拘守小礼而忽视大节的意思。⑩蚤:通"早"。⑪空:通"孔"。哭历:指骨质空疏,不结实。⑫长:高大。以上三句意在说明不重节操只修饰外表的人,貌似成熟,实际必不成材。⑬众:指一般人。方:道。⑭乞谨视见:只追求外表合乎礼仪。⑮故:诈。⑯纯:美好。钟山:昆仑山的别名。⑰桔(jié):挺直。⑱淳淳:朴实敦厚的样子。化:教令。⑲自足:自满。⑳乾乾(qián):自强不息的样子。㉑悗(tuō):简要。㉒素朴:淳朴无华。

[译文]

有个前来拜见田骈的客人,服饰合于法式,进退合于礼仪,举止娴静文雅,言辞恭顺敏捷。田骈刚听完他说话,便谢绝了他。客人离开的时候，田骈一直注视着他。弟子们对田骈说："来客是位士人吧？"田骈说："恐怕不是士！刚才来客掩蔽、收藏的地方，正是士申说、施行的地方；而士掩蔽、收藏的地方，也正是来客申说、施行的地方。来客恐怕不是个士吧！"所以说，火光只能照亮一个角落，那么就有半间房屋没有光亮。骨骼过早长成，骨质就疏松不实，身材一定长不高大。一般人不谋求道义，只追求外表合乎礼仪，就会巧诈多端不善良。心志如果不端正，就不能建立功业。喜好得到而不愿施舍，国家即使再大也不能称王天下，灾祸就会天天发生。所以，君子的仪容风范，就像昆仑山的玉石一样美好，像高山上的大树一样挺拔；为人朴实，言行谨慎，敬畏教令，而不敢骄傲自满；他们自强不息，取舍严肃不苟，心地却非常淳朴。

唐尚敌年为史①，其故人谓唐尚愿之②，以谓唐尚。唐尚曰："吾非不得为史也，羞而不为也。"其故人不信也。及魏围邯郸③，唐尚说惠王④而解之围，以与伯阳⑤，其故人乃信其羞为史也。居有间，其故人为其兄请⑥，唐尚曰："卫君死，吾将汝兄以⑦代之。"其故人反兴⑧再拜而信之。夫可信而不信，不可信而信，此愚者之患也。知人情不能自遗⑨，以此为君，虽有天下何益？故败莫大于愚。愚之患，在必自用⑩，自用则戆陋⑪之人从而贺之。有国若此，不若无有。古之与贤⑫从此生矣。非恶其子孙也，非徼而矜⑬其名也，反⑭其实也。

[注释]

①唐尚：战国时人。敌年：年龄相当的人。史：负责起草、抄写文书的小官。②谓：认为。之：指代"为史"。③魏围邯郸：据《史记·赵世家》，赵成侯二十一年（前354年），魏围邯郸，第二年攻占邯郸，成侯二十四年魏复以邯郸归赵。这里所说可能就是这事。④惠王：指魏惠王。⑤伯阳：邑名，先属赵，赵惠文王时归魏，在今河南省安阳市西北。⑥请：指请求官职。⑦以：介词，宾语是"汝兄"。⑧反兴：站起来转身退避。反，转身。兴，站

起身来。⑨人情：指常人追求私利的欲望。自遗：指放弃自己的私欲。⑩自用：固执己见。⑪戆（zhuàng）：刚直而愚。陋：鄙陋无知。⑫与贤：给予贤者，让贤。⑬徼（yāo）：追求。矜：夸耀。⑭反：本，根据。

[译文]

唐尚的同龄人做了史官，他的老友认为他也愿意做，就把这件事告诉了唐尚。唐尚说："我并非没有机会做史官，而是感到羞耻不去做。"他的老友不相信。到了魏国围困邯郸的时候，唐尚通过劝说魏惠王解除了邯郸之围，赵国的国君把伯阳邑赐给了唐尚，他的老友这才相信他真的羞于做史官。过了一些日子，这个老友又为自己的哥哥请求官职。唐尚说："等卫国君主死了，我就让你的哥哥代替他。"他的老友起身离席，退避再拜，竟相信是真的。对可信的不相信，对不可信的反倒相信，这是愚人的祸患。知道人的常情贪求私利，自己却不能去掉个人欲望，靠这个做君主，即使拥有天下，又有什么益处？所以没有比愚蠢更坏的事了。愚蠢的祸患，在于固执己见。固执己见，憨直无知的人就都来向他祝贺。像这样拥有国家，不如没有。古代让贤的事，就是这样产生的。让贤的人并不是憎恶自己的子孙，并不是追求、夸耀这个名声，而是根据实情才这样做的。

上　农①

古先圣王之所以导其民者，先务于农。民农②非徒为地利③也，贵其志也。民农则朴，朴则易用，易用则边境安，主位尊。民农则重④，重则少私义⑤，少私义则公法立，力专一。民农则其产复⑥，其产复则重徙⑦，重徙则死其处，而无二虑。民舍本而事末则不令⑧，不令则不可以守，不可以战⑨。民舍本而事末则其产约⑩，其产约则轻迁徙，轻迁徙则国家有患皆有远志，无有居心。民舍本而事末则好智，好智则多诈，多诈则巧法令⑪，以是为非，以非为是。

[注释]

①题解："上农"即重视农业。上，通"尚"，崇尚。②农：用如动词，从事农业。③地利：土地生产的收益。④重：稳重，持重。⑤义：通"议"。⑥产：家产，指土地、农具等。复：繁多。⑦重徙：以迁徙为重，即不轻易迁徙。⑧本：根本，指农业。末：末业，指工商业。不令：不听从命令。⑨战：指进攻。⑩约：少。商人家产主要是金钱、货物，较农民的土地、农具易于搬迁。⑪巧法令：在法令上耍机巧、钻空子。

[译文]

古代圣王引导他的百姓的方法，首先在于从事农业。百姓从事农业，不仅仅是为了土地生产的收益，而且是为了重视培养他们的心志。百姓务农就朴实，朴实就易驱使，易驱使那么国家的边境就能安定，君主的地位就会尊崇。百姓务农就会稳重，稳重就会减少私下的议论，私下的议论少，国家的法令才能建立，民力才能专一。百姓从事农业，家产就会多，家产多就害怕迁徙，害怕迁徙就会老死住地而没有别的考虑。百姓弃农从商就会不听从命令，不听从命令就不能靠他们防守，不能靠他们攻战。百姓弃农从商家产就会简单，家产简单就会随意迁徙，随意迁徙，国家如果遭遇祸患都想远走他乡，没有定居的心思。百姓弃农从商，就会喜欢玩弄智谋，喜欢玩弄智谋就诡计多端，行为诡计多端就会玩弄法令，把正确的当做错误的，把错误的当做正确的。

后稷①曰："所以务耕织者，以为本教②也。"是故天子亲率诸侯耕帝籍田③，大夫士皆有功业④。是故当时之务⑤，农不见于国⑥，以教民尊地产⑦也，后妃率九嫔蚕于郊，桑于公田，是以春秋冬夏皆有麻枲丝茧之功⑧，以力妇教⑨也。是故丈夫不织而衣，妇人不耕而食，男女贸功以长生⑩，此圣人之制也。故敬时爱日⑪，非老不休，非疾不息，非死不舍。

[注释]

①后稷：古代农官的名称。下面所引后稷之言应是古农书上的话，出自古农家的假托。②本教：根本的教化。③籍田：古代供帝王举行亲耕仪式的田地。④功业：职事，这里指在举行籍田之礼时所要完成的劳动。⑤时：农时。务：急务。⑥见（xiàn）：出现。国：这里指都城。⑦地产：田地的生产。⑧枲（xǐ）：麻的雄株。功：事。⑨力：致力，尽力。妇教：对妇女进行的教化。⑩贸：交换。功：功效，指劳动成果。长（zhǎng）生：延续生命，生存。⑪敬：慎。爱：惜。

[译文]

后稷说："所以要致力于耕田织布，是用来作为教化的根本。"因此天子亲自率领诸侯耕种天子的籍田，大夫、士也都有各自的职事。所以，当农耕大忙的时候，农民不得在城邑出现，以此来教育百姓重视田里的生产。天子的后妃率领九嫔到郊外养蚕，到公田采桑，因此一年四季都有绩麻缫丝等事要做，以此来尽力于对妇女进行教化。所以男子不织布却有衣穿，妇女不种田却有饭吃，男女通过交换劳动成果来维持生活，这是圣人制定的法度。所以，要慎守农时，爱惜时光，不到老不停止劳作，不生病不休息，不到死不放弃农事。

上田夫食①九人，下田夫食五人，可以益，不可以损。一人治之，十人食之②，六畜皆在其中③矣。此大任地④之道也。故当时之务，不兴土功，不作师徒⑤，庶人不冠弁⑥、娶妻、嫁女、享祀⑦，不酒醴⑧聚众；农不上闻⑨，不敢私籍于庸⑩，为害于时也。然后制野禁⑪。苟非同姓，农不出御⑫，女⑬不外嫁，以安农也。野禁有五：地未辟易⑭，不操麻⑮，不出粪⑯；齿年未长⑰，不敢为园囿⑱；量力不足，不敢渠地⑲而耕；农不敢行贾，不敢为异事。为害于时也。然后制四时之禁⑳：山不敢伐材下木，泽人不敢灰僇㉑，缳网置罦㉒不敢出于门，罛罟㉓不敢入于渊，泽非舟虞，不敢缘名㉔。为害其时也。若民不力田,墨乃家畜㉕。

[注释]

①上田:上等田地。夫:成年男子,这里指一夫所耕之田。如《司马法》:"亩百为夫。"食(sì):供养。②一人治之,十人食之:一人耕田,供十人消费。上文说"夫食九人",加上农夫自己,共为十人。③六畜皆在其中:指把饲养六畜也包括在内统一计算。古时耕牧配合,以期在相同的劳力下达到耕和牧相当的生产量。④任地:使用土地。⑤作:兴。师徒:军队。⑥冠(guàn)弁(biàn):用如动词,举行冠礼。弁,皮冠。古代男子二十岁时要举行冠礼,表示进入成年。⑦享祀:祭祀。享,进献。⑧酒醴:用如动词,置酒。醴,甜酒。⑨上闻:古代赐爵的一种,依孙诒让说,得此爵则名字可通于官府。⑩籍:通"藉(jiè)",借。庸:雇工,这个意义后来写作"傭"。"农不上闻,不敢私籍于庸",是为了使富裕农民也不脱离劳动。⑪然后制野禁:依范耕研说,此句疑为错简,当在下文"以安农也"句下,与"野禁有五"句相连。野禁,关于乡野的禁令。⑫农:指从事农耕的男子。出御:从外地娶妻。御,娶妻。⑬女:未婚女子。古代男女同姓不婚,以上三句是规定男女嫁娶要在本地异姓中择偶,只有本地皆为同姓才可在外地婚配。⑭辟易:解冻。⑮操麻:操作麻事,即从事绩麻等劳动。⑯出粪:清除污秽,指打扫房舍等。粪,秽物。对农民来说,整治土地是农作中最先要做好的工作,这个工作没完成,不能去做绩麻等工作。⑰齿年:年龄。长(zhǎng):上年纪。⑱园:栽种果树的地方。囿:饲养禽兽的地方。⑲渠地:扩大耕地。⑳四时之禁:在各季节所应遵守的禁令。㉑灰:用如动词,烧草成灰。僇:通"戮",指割草。㉒缓(huàn)罝(jū):捕兽网。罦(fú):捕鸟的网。㉓眾(gū)罟(gǔ):捕鱼的网。㉔舟虞:官名,古代负责管理舟船的官吏。缘名:凭借舟虞的命令。㉕墨:通"没",没收。乃:略同"其"。畜:通"蓄",积蓄,财产。

[译文]

种上等的田地,每个农夫要供养九个人,种下等田地,每个农夫要供养五个人,供养的人数只能增加,却不能减少。总之,一个人从事耕田,要供十个人消费,饲养的各种家畜都包括在内,这是最大限度地利用土地的方法。因此,正当农事的时节,不要大兴土木，不要兴师打仗。平民百姓假如不是举行加冠礼、娶妻、嫁女、祭祀，就不许摆酒聚会。农民假如不是名字通于官府，就不许私自雇工代耕，因为这些事都有害于农时。假如不是因为同姓族人，男子就不许从外地娶妻，女子也不许出嫁外地，以此使农民安居家乡。然后规定有关乡野的禁令，共有五条：土地尚未解冻平整，不得绩麻，不得打扫污秽；未到成年，不得从事园圃中的劳动；没有足够的力量，不得扩大耕地；农民不能经商，不得去做非农业的其他事。因为这些事都妨害农时。还要制定各个季节的禁令：不到合适的季节，不得上山伐木取材，不得在湖泽边烧灰割草，不得将捕取鸟兽的网带出门外，鱼网不能入水，不是主管船只的官员不得借口行船。因为这些事都有害于农时。如果百姓不努力从事农耕，就没收他的家产。

国家难治，三疑①乃极，是谓背本反则，失毁其国。凡民自七尺②以上，属诸三官③：农攻粟，工攻器，贾攻货。时事不共④，是谓大凶。夺之以土功，是谓稽⑤，不绝忧唯⑥，必丧其秕⑦。夺之以水事⑧，是谓籥⑨，丧以继乐⑩，四邻来虚⑪。夺之以兵事，是谓厉⑫，祸因胥岁⑬，不举铚艾⑭。数夺民时，大饥乃来。野有寝耒⑮，或谈或歌，旦则有昏，丧粟甚多。皆知其末，莫知其本真。

[注释]

①三：指农、工、商三类人。疑：通"拟"，仿效。②七尺：指成年。③属：用如使动，使归属。三官：指农、工、商三种职业。官：这里指职业，职事。④时事：农时农事。共：同，一致。⑤稽：迟延，指延误农时。⑥唯：通"惟"，思考。⑦必丧其秕（bǐ）：意思是，一定连秕谷也收获不到。秕，空的不饱满的子粒。⑧水事：治水利之事。⑨籥（yuè）：通"瀹"，浸泡。⑩丧以继乐：即以丧继乐，意思是，治水本是好事（"乐"），但由于时间不对，结果使农民丧失收成（"丧"）。⑪虚：依俞樾说，疑为"虐"之误，残害。⑫厉：虐害。⑬胥岁：全年。⑭举铚（zhì）艾（yì）：用不着开镰收割，

意思是地里毫无收成。铚，收割用的短镰。艾，收割。⑮寝耒（lěi）：闲置不用的农具。耒，泛指农具。

[译文]

  如果不这样做，农、工、商就会互相仿效，国家难以治理就会达到极点。这就叫做背离根本，违反法则，使国家毁灭。一般百姓自成年后，就分别归属于农、工、商三种职业。农民生产粮食，工匠制作器物，商人经营货物。农耕事与农时不合，这叫做大灾难。用大兴土木侵夺农时，叫做"延误"，百姓的忧思就会不断，田里一定连谷米也收不到。以治水之事侵夺农时，叫做"浸泡"，悲丧就会继欢乐之后到来，四面的邻国就会来侵害。用发动战争来侵夺农时，叫做"虐害"，灾祸就会全年不断，根本不用开镰收割。如果多次侵夺百姓的农时，大的饥荒就要到来。田野里有闲置的农具，农民有的闲谈，有的唱歌，早晚都一样，失去的粮食很多。人们都了解这些末节，却没有谁知道重农这个根本。

附　录

《吕氏春秋》评论选

　　……不韦迁蜀,世传《吕览》;韩非囚秦,《说难》、《孤愤》;《诗》三百篇,大抵圣贤发愤之所为作也。此人皆意有所郁结,不得通其道,故述往事,思来者。

　　　　　　　　　　　　——司马迁《报任安书》

　　秦相吕不韦请迎高妙,作《吕氏春秋》……书成,皆布之都市,悬置千金,以延示众士,而莫能有变易者,乃其事约艳,体具而言微也。

　　　　　　　　　　　　——桓谭《新论·本造第一》

　　……然此书所尚,以道德为标的,以无为为纲纪,以忠义为品式,以公方为检格,与孟轲、孙卿、淮南、扬雄相表里也……家有此书,寻绎按省,大出诸子之右。

　　　　　　　　　　　　——高诱《吕氏春秋序》

　　吕氏鉴远而体周。

　　　　　　　　　　　　——刘勰《文心雕龙·诸子》

淮南王尚奇谋,募奇士……瑰诡作新,可谓一时杰出之作矣。及观《吕氏春秋》,则淮南王书殆出于此者乎……不韦乃极简册,攻笔墨,成一家言。

——高似孙《子略》

吕不韦相秦十余年,此时已有必得天下之势,故大集群儒,损益先王之礼而作此书,名曰'春秋',将欲为一代兴王之典礼也……

——陈澔《礼记集说》

不韦起自闾阎……第观其书,法四时之运,极万物之变,究治乱兴亡之理;上拓鸿古,下蒐列国,虽其言出诸家,不尽轨于大道,其于名法事情,缅缅乎亦既备矣!

——张同德《吕氏春秋序》

……至论其文则神奇而不吊诡,浩荡而不谬悠,峻洁而不凌兢,婉约而不懦缓,含弘而不庞杂,独造而不偏枯,遍采诸家之文而斧藻之,遂复出其表,如去荆去人之类,不可胜举,斯又后世文章家之所望而震惊焉者,则乃其绪余哉!

——汪一鸾《吕氏春秋序》

周之季,以言竖不朽者,亡虑数十百家,而吕氏特著。吕氏一贾人子,而能出奇赢之绪业,与管、商诸人并踞千秋之席,非惟狡狯使然,抑其理与辞,信足观也!

——凌毓枏《吕氏春秋跋》

……观《十二纪》载在《戴记·月令》一书,固与六经为襧,岂特于诸子称宗哉。读《吕氏春秋》者,读子即以读经也。况是书非一家言……至其间尊孔、孟之言,该老、庄之旨,贵仁义之谭,兼富强之术;而又审兴亡,辨忠佞,谨奸恶,慎赏罚,定制度,备典礼,言有关于天下国家;倘始皇能行其说,真足以药其病,而使之瘳,岂仅二世而亡哉!

——贺万祚《刻吕氏春秋序》

予自髫年师事槜李范光父先生日,启予读《吕览》,谓其文甚奇，而每加评骘，其间既明示予以司南……北窗之暇，得肆究《吕氏》文，盖其文有简而奇者，若《檀弓》、《左传》；有严而奇者，若《荀卿》；有丽而奇者，若《国语》；有核而奇者，若《管子》；有纵横而奇者，若《鬼谷》、《战国策》；有揣事情、极变化而奇者，若韩公子；亦有怪诞幽渺，莫可考测而奇者，若漆园吏；至其备天地万物古今之事，明君臣父子道德忠义之经，则又柱下叟、子舆氏所不摈于门墙者也……而且见《吕览》之为奇文，大有裨于人心世道，自不可以人废言也。

——李鸣春《吕氏春秋序》

《吕氏春秋》一书……而其为书时寓规讽之旨，求其一言近于揣合而无有，此则风俗人心之古，可以明示天下后世而不怍者也。

——卢文弨《书吕氏春秋后》

《汉书·艺文志》杂家，《吕氏春秋》二十六卷，秦相吕不韦辑智略士作……其著一书，专觊世名，又不成于一人，不能名一家者，实始于不韦……是以其书沈博绝丽，汇儒墨之旨，合名法之源，古今帝王天地名物之故，后人所以探索而靡尽与！

——毕沅《吕氏春秋新校正序》

……最后《吕氏春秋》出，则诸子之说兼有之……而为后世《修文御览》、《华林徧略》之所讬始。《艺文志》列之杂家，良有以也。然其所采摭，今见于周、汉诸书者，十不及三四，其余则本书已亡，而先哲之话言，前古之佚事，赖此以传于后世，其善者可以劝，其不善者可以惩焉。亦有闾里小智，一意采奇词奥旨，可喜可观，庶几乎立言不朽者矣。

——汪中《述学补遗·吕氏春秋序》

……文字章法之妙，议论之精，辞足理足，有意于古而笔无不古，择其雅驯者直可厕之经，以与圣贤相抗。

——方濬颐《读吕子》

周秦诸子，类皆自成一书，各述所学，唯《吕氏春秋》，则杂出宾客之手，博洽详赡，其述伊尹、后稷言者，俱秦火以前人所未见之编简，一发千钧，顾不重舆。

——陈作霖《冶麓山房丛书·吕氏春秋跋》

《吕氏春秋》实类书之祖，后世《艺文类聚》、《太平御览》、《永乐大典》等，其编纂之方法及体裁，皆本于此。唐、宋、明存书今佚者，多赖类书以见其崖略，先秦学说今亡者，多赖此书存其梗概，此亦阳翟大贾之善居奇货亦已。

——梁启超《饮冰室文集·覆毕校本吕氏春秋》

此书经二千年无残缺，无窜乱，且有高诱之佳注，实古书中之最完好而易读者。

——梁启超《古书真伪及其年代》

《吕氏春秋》，为我国最早之有形式系统之私人著述……若世所传之《墨子》、《庄子》等整书，乃秦以后人所结集，非其本如此也。即此等整书，就形式系统上言，亦不过差优于后世人之文集，独《吕氏春秋》乃依预定计划写成，有十二纪、八览、六论，纲举目张，条分理顺，此在当时，盖为创举……以此书为史，则其所纪先哲遗说，古史旧闻，虽片言只字，亦可珍贵，故此书虽非子部之要籍，而实乃史家之宝库也。

——许维遹《吕氏春秋集释·冯友兰序》

吕不韦以仲父之尊……集论以为《吕氏春秋》，斟酌阴阳儒法刑名兵农百家众说，采撷其精英，损弃其畛挈，一以道术之经纪条贯统御之，诚可谓怀囊天地，为道关门者矣。

——许维遹《吕氏春秋集释·刘文典序》

夫《吕览》之为书，网罗精博，体制谨严，析成败升降之数，备天地名物之文，总晚周诸子之精英，荟先秦百家之眇义，虽未必一字千金，要亦九流之喉襟，杂家之管键也。

——许维遹《吕氏春秋集释自序》

《吕氏春秋》，虽杂出众手，而平亭百家，后世总合诸子之学者，未能出其范围……若《庄子》之《天下》，《荀子》之《非十二子》，司马谈刘歆所论列详矣。虽以儒道之恢弘，而不能无失，弃短取长，要存集于大成。《吕氏春秋》，此物此志也，赋以杂家之名，庶几不愧矣。

——范耕砚《吕氏春秋补注》

《吕览》实在是一部百科全书，吕家许多派别门客所编成的百科全书。

——江绍原《吕氏春秋杂记》

《吕氏春秋》，为杂家之始……今此书除儒家言外，亦存道、墨、名、法、兵、农诸家之言。诸家之书，或多不传；传者或非其真；欲考其义，或赖此书之存焉；亦可谓艺林瑰宝矣。

——吕思勉《经子解题》

……（吕书的编者）以己意去之，更引比喻以补证之，遂回复初论，如此组织，始为演绎，终为归纳，故读其书，极易明也。

——顾实《中国文学史大纲》

……然而这书却含有极大的政治上的意义，也含有极高的文化史上的价值，向来的学者似乎还不曾充分的认识。

——郭沫若《十批判书·〈吕氏春秋〉与秦王政的批判》

……后又购得许维遹集释本，线装共六册，民国二十四年清华大学出版。白纸大字，注释详明，断句准确，读起来明白畅晓，真能使人目快神飞。晚年眼力差，他书不愿读，每日拿出此书，展读一二篇，不只涵养性灵，增加知识，亦生活中美的消遣与享受也。

——孙犁《孙犁书话·读〈吕氏春秋〉》

《吕氏春秋》不是先秦某一家的作品。它是综合各家形成的新的思想体系……它批判继承各家思想，融会成包罗万象的新体系，开秦汉时代思想大一统的先河。因此，可以说《吕氏春秋》就是秦汉思想史的序曲。

——周桂钿《秦汉思想史》

主要参考书目

［汉］高诱注、［清］毕沅校、余翔标点：《吕氏春秋》，上海古籍出版社，1996年版。

［宋］陆游评、［明］凌稚隆批：《吕氏春秋》二十六卷，明万历四十八年凌毓枬朱墨套印本，十册。

［明］李鸣春：《批点吕氏春秋》二十六卷，明天启本。

［明］焦竑、翁正春：《吕氏春秋评林》一卷，在明刊本《注释九子全书》内，明万历二十二年刻本。

张之纯评注：《吕氏春秋》，见《注评诸子菁华录》卷十六，商务印书馆，1918年版。

杨树达：《吕氏春秋拾遗》，清华大学，1936年版。

许维遹：《吕氏春秋集释》，中国书店，1985年版。

陈奇猷：《吕氏春秋校释》，学术出版社，1995年版。

王利器：《吕氏春秋注疏》，巴蜀书社，2002年版。

蒋维乔、杨宽、沈延国、赵善诒：《吕氏春秋汇校》，中华书局，1937年版。

林品石：《〈吕氏春秋〉今注今译》，商务印书馆（台湾），1986年版。

王范之：《吕氏春秋选注》，中华书局，1981年版。

张双棣等：《吕氏春秋译注》，北京大学出版社，2000年版。

谷声应：《〈吕氏春秋〉白话今译》，中国书店，1992年版。

刘文忠译注：《吕氏春秋选译》，巴蜀书社，1994年版。

关贤柱等：《吕氏春秋全译》（上下），贵州人民出版社，1997年版。

廖名春、陈兴安：《吕氏春秋全译》，巴蜀书社，2004年版。

张玉玲：《吕氏春秋译注》，山西古籍出版社，2007年版。

张玉春等译注：《二十二子详注全译——吕氏春秋译注》，黑龙江人民出版社，2003年版。

李运富、刘波选注：《吕氏春秋》（精选本），高等教育出版社，2008年版。

田凤台：《吕氏春秋探微》，台湾：学生书局，1986年版。

洪家义：《吕不韦评传》，南京大学出版社，1995年版。

张双棣等：《吕氏春秋词典》，山东教育出版社，1993年版。

王范之：《吕氏春秋研究》，内蒙古大学出版社，1993年版。

李家骧：《吕氏春秋通论》，岳麓书社，1995年版。

刘元彦：《杂家帝王学——吕氏春秋》，三联书店，1992年版。

王启才：《吕氏春秋研究》，学苑出版社，2007年版。

张双棣等：《吕氏春秋索引》，山东教育出版社，2002年版。

何志华、朱国藩：《唐宋类书征引吕氏春秋资料汇编》，香港中文大学，2006年版。

刘殿爵、陈方正主编：《吕氏春秋逐字索引》，商务印书馆（香港），1994年版。

图书在版编目(CIP)数据

吕氏春秋/(战国)吕不韦编著;王启才注译. —郑州:中州古籍出版社,2010.7(2015.1 重印)
(国学经典)
ISBN 978 – 7 – 5348 – 3391 – 5

I. ①吕… Ⅱ. ①吕…②王… Ⅲ. ①杂家②吕氏春秋 – 注释③吕氏春秋 – 译文Ⅳ. ①B229.2

中国版本图书馆 CIP 数据核字(2010)第 132725 号

出版社:中州古籍出版社
（地址:郑州市经五路 66 号　邮政编码:450002）
发行单位:新华书店
承印单位:郑州市毛庄印刷厂
开本:640mm × 960mm　1/16　印张:28.25
字数:340 千字　　　　　　印数:9001 – 13000 册
版次:2010 年 7 月第 1 版　印次:2015 年 1 月第 3 次印刷

定价:39.00 元

本书如有印装质量问题,由承印厂负责调换。